U0953748

北京古籍叢書

[清]周家楣 [清]繆荃孫 編纂
左笑鴻 點校

光緒順天府志

第六册

圖書在版編目（CIP）數據

光緒順天府志．第六册 /（清）周家楣，（清）繆荃孫編纂；左笑鴻點校．— 北京：北京出版社，2018.2
（北京古籍叢書）
ISBN 978-7-200-13600-5

Ⅰ．①光… Ⅱ．①周… ②繆… ③左… Ⅲ．①北京—地方志—清代 Ⅳ．① K291

中國版本圖書館 CIP 數據核字（2017）第 284877 號

項目策劃：安　東　　項目統籌：許　可
責任編輯：喬天一　許　可　　責任印製：宋　超
裝幀設計：郭　宇

北京古籍叢書
光緒順天府志
第六册
［清］周家楣　［清］繆荃孫　編纂
左笑鴻　點校

出　版　北京出版集團公司
　　　　北京出版社
地　址　北京北三環中路六號
郵　編　一〇〇一二〇
網　址　www.bph.com.cn
總發行　北京出版集團公司
經　銷　新華書店
印　刷　北京京華虎彩印刷公司
開　本　八八〇毫米×一二三〇毫米　三十二
印　張　十三
字　數　二三七千字
版　次　二〇一八年二月第一版
印　次　二〇一八年二月第一次印刷

書號　ISBN 978-7-200-13600-5
定價　128.00 圓
如有印裝質量問題，由本社負責調換
質量監督電話　010-58572393

德清傅雲龍纂　江陰繆荃孫覆輯

河渠志九

河工五

永定河

光緒元年，堵合南二汛漫口。

七月，直隸總督李鴻章奏：南二汛六號漫口六、七十丈，奪溜，由良鄉、固安二縣歸金門閘河，入大清河。諭：趕緊堵築。八月二十日興工，九月三十日合龍，賠款而外，用銀四萬一千九百三十九兩二錢三分六釐。光緒元年七月，直隸總督李鴻章疏：本年六月，永定河各閘壩均過水三尺餘，而上游西北山水，接續增長，兩岸各汛，節節水上埽面，兼有與埝相平，及跑埽、坍坎、潰隄之處，分投搶堵，而南二汛六號係横河頂衝。二十四日埽鑲陡蟄，大溜直逼隄根，趕緊搶護，已鑲出水面，水又續長，立即掛柳捲由，撤手搶辦，河水過深，簽用三丈餘長樁不能到底，對面忽淤沙嘴，河流愈窄愈激，擡高數尺。二十五日寅刻，大溜漫越隄頂，一湧而過。該道廳正督搶他汛，險工喫緊，聞信馳至，業已奪溜，口門約寬六、七十丈。臣查永定河隄卑淤積，若欲從新挑濬，非數百萬金不可。近年於賑捐等項，量爲匀撥，酌修閘壩，稍資分洩，上年已就安瀾。今值水大，致有漫口，盤做裹頭，委員會同勘籌堵口事宜。惟汛期尚長，容臣督飭妥辦，勿致誤時縻費。至口門溜勢，由隄外良鄉、固安境内田場、莊賈各等邨，即歸金門閘引河，入大清河。十月，直隸總督李鴻章疏：永定河南二工六號漫口，派道員周馥，會同該河道李朝儀勘籌，據稟：兩隄頭盤裹堅穩，勘定引河大壩，於八月二十日開工，乃河水疊漲，大溜分支衝激東西兩壩，挖根淘底，深至二丈有餘，進占鑲埽，節節蟄陷。九月二十五日，西壩陡蟄十餘丈，幾至入水，併力搶護。三十日，口門尚賸五丈，水深三丈一尺，即於丑時掛纜，層土追壓到底，河水擡高四尺，一面啟放引河，一面撤手搶堵，竭兩晝夜之力，金門閘氣毫不洩漏，引河一律通暢，大溜東下，全河復歸故道。下游禦水各工，修補完固，災民老弱，酌量撫恤，少壯藉工餬口等情。臣委驗無異，除各員賠款濟用外，僅撥給庫平銀四萬一千九百三十九兩二錢三分六釐，係格外撙節，已由江南海關月協、直隸練餉項下照數籌撥，令其以工代賑，計口授食，料物皆覈發實價，價較例價節省不少，應免開報。

二年，修隄。

修北二汛五號隄。二年八月，直隸總督李鴻章疏：據河道李朝儀稟：閏五月十一日後，水長一丈六尺，秋汛長至一丈九尺，南上之十三、四號，南下之三、四號，南二之八號、十五號，南三之七、八號，十四、五號，南四之五號、十八號，南六之十四、五號，十九號，南七之西小隄，北五之十一號、十四號，北二下之六號，或埽段平蟄，或陡蟄入水，隨鑲隨蟄，衝刷老坎，而北二上之五號橫河頂衝，埽面閃裂，塌去隄身寬一丈餘，長六、七丈，埽前水深二丈八、九尺，又北上之十號、十三號淘蟄壩埽，汕塌隄幫長三四十丈，亦十分危險，分投挽救，將前修閘壩開放分洩，撤手搶辦，竭兩日餘之力，一律保護穩固。時過秋分，河流順軌，盧溝橋見存底水六尺八寸，伏、秋大汛安瀾。閘壩詳下。

三年，修隄。

修各汛石、土隄，用銀二千四百九十六兩有奇。據永定河續志三。又修四汛十八號隄二十餘丈。三年八月，直隸總督李鴻章疏：據河道李朝儀稟：六月十四日後，長至一丈六尺，秋汛期內，長至一丈一尺，河身淤墊，水長丈餘，即虞漫溢。南七、北五、北六、北七等工，漫灘生漏，北上十號，十四、五號，北中三號，北下十七號，北二上五號，北三十一號，北四上十號，南上十七號，南二八號，十六號，南三十號，南七西小隄，偪溜頂衝，埽墊蟄陷，隨鑲隨蟄，刷塌老坎，而南四十八號隄工潰塌二十餘丈，寬約一丈，籤壓或對岸切灘，或捲由掛柳，或用麻袋蒲包裝土深護，並將坍隄漏子填補堅實。

四年，堵合北六汛漫口。禁下口私築土埝。據光緒三年永定河道禁止下口私築土埝碑。

七月，北六汛十四號漫口三、四十丈。諭：直隸總督李鴻章趕緊堵築，其上游各廳汛，並著加意防護。九月十一日興工，十月十九日合龍，賠修而外，用銀四萬五千一百九十四兩五錢九分一釐。四年七月，直隸總督李鴻章疏：七月二十、二十一、二十二等日，河水長至二丈三尺，雖有前修各閘壩放水二、三尺，而上游洋河承北口外諸水，來源甚旺，漫隄平埝，分投搶堵。二十二日，北六工十四號漫過隄頂二尺，口門約寬三、四十丈。十月，直隸總督李鴻章疏：永定河北六汛十四號漫口，派知府史克寬馳往，會同該河道勘籌堵築事宜，盤做裹頭。旋據勘定，大壩引河於九月十一日開工，惟秋雨水長，向來罕有，每長至二、三丈，挖根淘底，占埽蟄陷，引河頭土格屢堵屢決。十月十九日，口門尚賸五丈，水深三丈有奇，亥刻掛纜堵合，啟放引河，一律通暢，大溜東注，全河復歸故道。下游禦水各工，修補完固，復驗無異。除將各員賠款濟用外，僅於閩省解到林維源捐款內，撥給實銀四萬五千一百九十四兩五錢九分一釐，即就附近災民以工代賑，料物較例價節省，請免造報。民請於坦坡埝尾接築民埝。初，乾隆二十年，改移下口南五汛以下南大隄，乃康熙三十九年接建之東隄，下接雍正四年改築之北隄，又繼以坦坡埝之下截，至三河頭而止，外廢隄三道，一、舊南隄，一、東老隄下截，一、西老隄暨坦坡埝上截。而八工正隄十七號迤東二千餘丈，向無隄防。道光十年，河水南趨淤墊，遂於缺處建築九里橫隄，挑溜勢也。河北徙，補築缺口，南岸隄工與坦坡埝尾上下相承。據永定河續志二。至是，民埝接築至青光以下。采訪册。永定河續志十五：光緒四年四月，河道李朝儀議下口接築民埝，詳署天津縣王令稟稱：永定河下口三河頭邨迤南，有楊柳青人趙富昌，私築橫埝，親詣勘得三河頭邨迤南，有地三段，四面均有舊埝，周圍約千餘丈，高一、二尺不等，中間各有南北洩水溝一道，地北間有挑挖新土，此外係舊有土埝。訊據地户僉稱，伊等承種頭、二、三段地畝，皆有紅契爲憑，舊有土埝高二、三尺不等，中有引水二道，寬二丈餘，通新大清河，前欲挑挖深通，以資洩水，嗣奉飭查停止，係清河地面，並不在永定河界內。當飭呈驗契據，按段丈量，弓口畝數均屬相符。復據該鄉地等指稱，大清河故道原在三河頭邨南，久已淤塞，尚有河形可驗，該三段地畝，又在舊大清河迤南，本係窪地，自道光年間，清河南徙五里餘，致將該地隔在河北。又據三河頭邨職員安承順等稟，該邨等坐落永定河南隄迤南，舊大清河北岸，原不在永定河界內，向無水患。近因永定河旁流，上年又挑築中亭河隄，由永定河南隄上游修至三河頭邨西，復向南挑築橫隄，及隨隄引河，渾水即順引河南流入大清河。去夏，清河間有淤塞，渾水旁流該邨，田廬皆被淹浸。查永定河水勢，自西而東，至鳳河合流，歸入大清河下口入海。今渾水流入清河，勢必淤淺，不惟挑挖匪易，且挖而復淤，患無底止，可否在邨北自中亭橫隄起築埝，隨挑順水溝洫，由清河舊隄疊道挑通，順至大清河下口入海，即在南存土，此皆清河地界，與永定河實無妨礙。再將見淤之清河挑通，在北岸存土築埝。至工費由職員等自籌等情到爵閣部堂，飭史守南岸同知吴丞廷斌、三角淀通判宫北庚、河營都司鄭龍彪，到三河頭郵履勘。自東隄頭至青光郵，先將西北兩面看過後，卽分坐小船，乘溜循中亭河隄出鐵頭地，入清河東下韓家樹察看形勢。勘得見在永定河正溜，自安光郵西折轉直，平東隄頭，循中亭河隄，南入清河，清、渾會流東下，現時渾强清弱，北自三河頭郵後，南抵格淀隄根，暨東西十數里之間，不免淤墊平淺，清、渾漫流一片，且渾流由東隄頭南出清河，直抵格淀隄，折轉東下，而格淀隄斜向東北，直插韓家樹以下，形同兜攔，勢亦非順，似清、渾兩流均有未利，應審勢俾清、渾仍各循一路，會於下游正河，達津赴海，以利渾疏清。擬准職員安承順等自籌經費，由東隄頭接築民埝，直下至清光郵，其埝基應相距韓家樹正河西岸留寬九百丈等情。職道覆勘屬實，應准該職員安承順等自籌經費，由東隄頭郵北接築護郵溝埝，順水歸入下口正河，達津入海。既於清、渾兩河均有暢利，尚屬可行。惟永定河下口向係散水匀沙，任其蕩漾之區，必須寬留出路。今擬現挑民埝，相距韓家樹村西河岸中間僅留寬五里，該處爲下口宣洩要路，已覺狹隘，若如史守所擬，靠青光郵東轉下至趙家房子西道溝，離鳳河西岸三百十丈之地爲止，未免過狹，應請飭留五里寬爲度。

五年，修各汛石、土隄。

用銀一萬兩。永定河續志三。

六年，修金門閘南上汛壩、求賢壩，南岸石隄，北上汛土隄。

修南岸石隄用銀一千四百二十一兩有奇，又培北上汛土工，用銀三千一百五十三兩有奇。據永定河續志三。又志二云：南北岸隄工，自乾隆戊戌迄今百有餘載，無甚更改。閘壩詳下。

十年，濬鳳河，築隄壩，又築缺口。

直隸總督李鴻章與府尹周家楣以工代賑，濬鳳河，起五空閘，訖大興縣采育，間段河身三千四百九丈，築攔水壩十四丈。又起采育，訖武清緱上郵，挑河九千二百九十丈，以土培隄。又築采育北門外隄，長六十丈。又起武清柳行郵，訖天津縣韓家堡東，隄長八千二十六丈。又築緱上郵缺口二，長二十七丈，後緱上郵缺口一，長六十丈，加築後戧四十七丈，桐林郇缺口一，長五十三丈，郇東減溝缺口一，長三十丈，陳莊缺口一，長三十六丈，後戧三十丈，徐莊缺口二，長一百十三丈，牛鎮減溝缺口一，長二十二丈，凡土二十九萬六千方有奇，用銀二萬四千一百八十二兩七錢二分三釐。

閏五月，直隸總督李鴻章奏：鳳河發源南苑，由五空閘流出苑牆，經大興、東安、通州、武清，達津歸海，共長二百餘里，關係沿河民田利害，而下游東隄，尤爲津、武一帶保障。迭經臣籌款津貼修築，惟當永定河之衝，屢有潰漫，其上游河身，亦因年久淤墊，臣等各派委員察勘，籌議挑築，並因文碩之奏，經府尹臣將大概情形奏蒙聖鑒，聲明以工代撫在案。今春臣復遴候補知府惲桂孫，詳細勘估，除下游河身通暢，無庸挑挖，上游無隄之處，或有隄只須堵築缺口外，應自五空閘起，至大興采育止，間段挑挖，並裁灣取直，共三千四百九丈，口寬十二丈五尺至四丈不等，底寬十一丈一尺至二丈八尺不等，深六尺五寸至二尺不等，並築攔水壩十四丈。又自采育起，至武清縩上郇止，應挑河身九千二百九十丈，口寬五丈五尺，底寬四丈三尺至三丈九尺不等，深四尺五寸至三尺不等，即以挑出廢土培隄。又築采育北門外隄，共長六十丈，頂寬二丈，底寬六丈，高八尺。又自武清柳行郇起，至天津韓家堡止，應築東隄八千二十六丈，頂寬一、二丈不等，底寬六丈五尺至四丈五尺不等，高七、八、九尺不等。又應堵築縩上郇缺口二道，共長二十七丈，後縩上郇缺口一道，共長六十丈，並加後戧四十七丈，桐林郇缺口一道，共長五十三丈，郇東減溝缺口一道，共長三十丈，陳莊缺口一道，共長三十六丈，並後戧三十丈，徐莊缺口二道，共長一百十三丈，牛鎮減溝缺口一道，共長二十二丈，以上缺口，築頂寬一、二丈不等，底寬七丈至四丈不等，高一丈二尺至六尺不等。險要處酌加樁料，並鑲埽段，統計挑築土二十九萬六千餘方。責成惲桂孫，督同印委各員，招集附近災民，分段興作。以四月二十九日剋期告竣，共用工費銀二萬四千一百八十二兩七錢二分三釐。由府尹臣於順屬賑撫項下發給銀一萬兩，臣飭局於直屬賑撫項下撥給銀一萬四千一百八十二兩七錢二分三釐。

其閘壩曰金門閘石壩。

先是，康熙四十年三月，建草閘，在宛平縣南，竹絡壩北，時郎中佛保、南北岸分司齊蘇勒、色圖渾，自老君堂東南岸開小清河一道，故以草閘束水，口門寬二丈，引牤牛河清水入之，蓋借清刷渾也。四十六年，齊蘇勒改建金門石閘，水大則閉，水小則開。金門寬二丈，入深一丈二尺，兩金剛牆高八尺，南北護以埽壩，各長五丈，寬一丈，高六尺，閘河設鎮河鐵狗一，後正河淤高，清水難入，閘遂廢。乾隆二年，大水漫決閘址，鐵狗俱堙。據畿輔安瀾志。三年，移建於南二汛辰字十四號，改爲減水石壩，仍號金門閘，襲舊稱也。據永定河續志二。金門寬五十六丈，進深五丈，石迎水簸箕內寬五十六丈，外寬六十一丈四尺，進深二丈，石出水簸箕內寬五十六丈，外寬六十七丈三尺，進深九丈。南北兩壩臺，各寬十二丈，進深十六丈，金牆高八尺，灰迎水簸箕內寬七十五丈，外寬八十五丈，進深五丈，灰出水簸箕內寬七十五丈，外寬八十五丈，進深十五丈。南北迎水雁翅各長三十丈，北出水雁翅長三十丈，南出水雁翅長六十丈。用銀十八萬六千一百一十二兩有奇。六年，因壩面過高，議將海墁中二十丈落低一尺五寸，七年工竣，用銀五千四百八兩四錢四分九釐三毫。三十四年，直隸總督楊廷璋奏：河身淤高，於落低處進深一丈二尺，補平如舊，添建尖脊石龍骨五十六丈，高二尺五寸。如所請行。三十五年工竣，用銀四千三百七十五兩六錢二分。三十七年，粘補壩臺雁翅、灰土簸箕，用銀三千八十九兩七錢八分。三十八年，令添築挑水草壩十丈，使水紆迴過閘。伏汛又令將口門及河流去路，隨時挑濬。是年勒碑南壩臺上。據永定河志七。畿輔安瀾志：金門減水石壩，乾隆三年，總河顧琮、朱藻等，請建在南岸二工辰字十四號。寬五十六丈，壩臺二座，每座寬十二丈，共寬八十丈。海墁寬五十六丈，入深五丈，內用寬一尺五寸、厚二尺立砌牙石四路。迎水石簸箕內寬五十六丈，外寬六十一丈四尺，入深二丈。出水石簸箕內寬五十六丈，外寬六十七丈三尺，入深九尺，內用寬一尺五寸，厚二尺立砌牙石五路，總計金門、海墁、迎水、出水石簸箕共入深一十六丈，各地基俱刨槽，深簽柏釘，築小夯灰土三步，平砌大河甎三層，上鋪厚八寸海墁石一層，迎水、出水石簸箕外口，各砌護壩石檻一路，共長一百二十八丈七尺。埋頭深九尺，均寬七尺，內用寬二尺石一路，丁順安砌，石工背後培大河甎，寬五尺，地基俱刨槽，深簽柏釘，築小夯灰土七步，均寬九尺，甎工後築大夯灰土十一步，均寬五尺，兩壩臺、金剛牆各長五丈，迎水雁翅斜長三丈三尺六寸，迎水牆長九丈三尺，回頭尖長五尺，出水雁翅斜長三丈三尺六寸，迎水牆長九丈三尺，回頭尖長五尺，出水雁翅斜長十丈六尺四寸，回頭牆長六丈三尺五寸，回頭尖長五尺，共週長三十五丈六尺五寸，均露明高八尺，埋頭深九尺，共高一丈七尺，均寬七尺，內用寬二尺石一路，丁順安砌，石工背後培大河甎，寬五尺，地基俱刨槽，石工下深簽牙釘三路甎，工下深簽柏釘，俱築小夯灰土七步，均寬九尺，又甎工背後築培大夯灰土三十二步八分，均寬五尺，灰土後堅築素土壩臺，牆頂周圍，鑲砌寬二尺面石二路，石工後平鋪大河甎一層，沙滾子甎一層，下築夯灰土二步。以上前後甎石各工，俱用灰土壓槽，其石縫用麻油灰鐵錠箝。迎水土簸箕內寬七十五丈，外寬八十五丈，入深五丈，埋頭深八尺，地基深簽柏釘，築大夯灰土十一步，小夯灰土五步，出入大簸箕內寬七十五丈，外寬八十五丈，入深一十五丈，地基刨槽，埋頭深八尺，築大夯灰土一十三步，小夯灰土三步，再迎水、出水灰土簸箕外口，各建埋頭護壩排樁一路，共長一百七十丈，俱用管頭釘板，又迎水南北雁翅各建排樁，長三十丈，出水南雁翅排樁長六十丈，共長一百五十丈，用管釘壓帶，拉扯釘板成造，初建原議八分過水，海墁稍高，工竣未能過水。乾隆七年，中間二十丈落底一尺五寸，歷年水長即過，大資分洩。金門石閘爲永定首先洩水之要路，做法堅實，歷經大汛衝激，而甎石屹然，足爲工程準式。自石景山建瓴而下，兩岸游駛無定形，過金門閘以東，始循軌而行，於此寬立石壩，以減其鋭，正河步步就下，壩門得傍減之形甚直。惟是乾隆十二、三年以後，壩內河身漸高，常於九、十月過水，所洩不止盛漲矣。水小猶洩，則下益淤填，奏請加築灰格一道，高二尺，底寬五丈，頂寬一丈，築於土石之介，如原寬二十丈，不啻將落下之一尺五寸還之，揆其高下，汛至過水，乃爲合度。乾隆三十四年七月，直隸總督楊廷璋奏：永定河南岸二工金門閘滾水石壩，於乾隆二年，經大學士鄂爾泰，會同前督臣李衛、河臣顧琮奏請建造，爲宣洩要工。六年，前署督臣高斌，因壩面過高，不能過水，奏奉議准，兩旁各留一十八丈仍舊外，將中路之海墁石二十丈放低一尺五寸，俾常汛從中減洩，異漲通壩過水，於七年改修。維時測量，放低處較水面高出不多，河水稍長即可過壩，迄今三十年，河身日漸淤高，幸壩內老坎係屬背溜，每年汛水長發，祇漫過一尺及尺餘不等，本年淩汛，河溜漸覺改移，壩口稍有迎溜處。今春臣即順道勘量，河身較從前放低處已屬相平，不能攩溜，必須將石海墁升高，但石海墁寬至五十六丈，進身至二十六丈，若一律升高，需費繁重，且石工並不損壞，是以商酌壩口暫作草壩關攔。今臣防汛來工，親加察看，見在河溜雖不直走金門，但壩口既有迎溜之勢，若再因循，設大溜改移，必費周章。從前放低一尺五寸之石海墁，自迎水至出水處，共進身一十六丈，今擬迎水處進深一丈二尺，照舊加高一尺五寸，與兩旁三十六丈之海墁一律相平，統於壩口鑿槽，安砌尖脊石龍骨一道，長五十六丈，高二尺五寸，即異漲奪溜，有此龍骨，自必紓徐跌蕩。計加高迎水處進身一丈二尺，添建石龍骨五十六丈，需用條塊片各石料及運脚夫工灰漿等項，共估需銀二千五百八十四兩零。又出水護壩排樁八十丈，內二十丈積年過水，汕刷朽爛，應行抽换，估需工料銀三百五十餘兩。出水灰土簸箕並管頭木，亦因刷殘應補，估需銀一千五百四十餘兩。通共需銀四千三百七十餘兩。道庫見存節年歲搶修項下節省銀七千八百八十餘兩，請即於此項内動撥，於本年購齊料物，明歲二月興工，臣親自勘驗，覈實報銷。乾隆三十八年，金門閘碑，金門閘乾隆三年建，金門寬五十六丈，進深五丈，石迎水簸箕内寬五十六丈，外寬六十一丈四尺，進深二丈，石出水簸箕内寬五十六丈，外寬六十七丈三尺，進深九丈。南北兩壩臺各寬十二丈，進深十六丈，金牆高八尺，灰迎水簸箕内寬七十五丈，外寬八十五丈，進深五丈，灰出水簸箕内寬七十五丈，外寬八十五丈，進深十五丈，南北迎水雁翅各長三十丈，北出水雁翅長三十丈，南出水雁翅長六十丈，共用銀十八萬六千一百一十二兩零。落低處，乾隆六年因初建金門壩面過高，不能過水，因將海墁中落低一尺五寸，寬二十丈，共用銀五千四百八兩零。石龍骨，乾隆三十五年建，河身積漸淤高，微長即過，因建龍骨一道，長五十六丈，補平落低處高，石海墁二尺五寸，共用銀四千三百七十五兩零。閘下減河一道，計長一百四十六里零，經由良鄉、涿州、宛平、固安、永清、霸州地方入中亭河，自牛坨分岔，復開黄家河一道，津水窪達淀。由嘉慶二年，決石龍骨二十餘丈。詳前。十五年，金門閘洩水過大，恐奪溜，堵閉之。據永定河續志二。道光三年十一月，張文浩勘奏，南二汛拆修升高金門石閘。龍骨、壩臺、金牆、海墁石簸箕，閘内鑲做護埽裹頭，並剷隄，挑挖閘塘淤沙，上首裹頭、下首雁翅、迎河老坎灘均抛片石坦坡，又迎水引河閘，外減河等工，並廠房器具，共估需銀十萬三千四百五十一兩零。南上汛新建灰壩，暨壩内鑲做挑水順水埽壩裹頭、迎水引河，並剷隄，築做越壩、啟折越壩以及壩外減河、護邨隄埝、廠房器具，共估需銀七萬八千三百四十九兩零。北岸越隄十一道，湊長五千三十九丈，估需銀三萬七千二百六十一兩零，共銀二十一萬九千六十二兩零。允之。四年四月，御史陳澐奏永定河閘壩減河情形稱：前聞河臣張文浩查辦直隸水利，議於永定河南岸建設閘壩，挑挖減河，見已興工，於南岸修復金閘，挑挖減河一道，又於閘上建灰壩一座，挑挖減河一道，皆爲分減漲洩，入大清河之用。金門閘久經堵閉，乾隆年間，孫嘉淦曾於閘上開放南岸，洩水入中亭河，不能容納，附近民田受害，旋即趕緊堵築。今新開減河放水，灌入清河，與孫嘉淦所爲無異，况清河壅塞，不能容納減水，易滋漫溢。令程含章、蔣攸銛籌畫。閏七月辛丑，命陳溎馳驛前赴保定，令程含章帶同前往永定新建閘壩處所，將有無衝刷民田廬舍及淤塞清河之處，面爲指陳利病，逐細履勘。程含章等旋覆奏：新建灰壩，毫無妨礙，新修金門石閘亦無淹及民房田地之事。陳溎奏辯，並會勘時阿斥道廳，擅作威福，捏稱遞摺後曾經召見，降爲主事候補。三年十一月，張文浩等疏：九月十七日，黃新莊行在展覲，仰蒙垂詢直隸河道情形，當將永定河亟須勘籌閘壩，分洩減漲水緣由奏蒙俞允，遂經飭令永定河道張泰運，督率廳汛各員勘估，據稟永定河康熙三十七年始建隄工，嗣因下游受淤，乾隆三十七年已六次改移下口，此後數十年，沙積淤停，更兼連歲異漲，河身逐漸淤高，去路不能暢達，以致舊工新險，疊出環生，南激北衝，屢致漫溢。若云治河之法，築不如疏，似宜先挑下口。惟河水夾沙，旋挑旋淤，再求改移之路，則東有東安，西有永清，不能廢一縣之城郭田廬爲河水達海之路，則昔人所云以不治之法治者，時勢所不能行。永定河之所以爲患者，固由下口不暢，亦因上游無所分洩，汛水不能容納，輒至潰隄，亟求補救之方，必審宣洩之路。南二工十四號，曾於乾隆三年，建有金門閘一座，口寬五十六丈，分流減漲各工，得保無虞，實爲法良意美。近因河底淤高，該閘牆及雁翅、龍骨、海墁、簸箕，不但卑矮，抑且酥碎，殘壞過甚，啓放恐致奪溜，是以築埝攔水，涓滴不能宣洩。再四熟商，將南二工原設之金門閘閘牆、龍骨，普律升高，海墁、灰石簸箕殘壞之處，全行修補，迎水下雁翅，經嘉慶十五年衝刷無存。今擬從新補建完整，漲殺力分，不致泛濫。而南二工以上，至石景山汛地，尚有九十餘里，險工林立，出山之水迅駛橫激，擬於南上汛二號添設減水灰壩一座，口門亦寬五十六丈，分流旁注，上游不致喫重。又思閘壩既設，必使去路寬暢，始免漫散。南上汛二號隄外，地勢低窪，俱屬葦蕩板荒，邨莊亦少，所有出水減河，間段估挑至良鄉縣境之水碾屯，入清河，計長一千三百五十丈。至南二工出水減河，向係由牤牛河、太平河、黃家河至霸州之中亭河，入會同河，一百四十餘里，久經淤成平陸，里數過長。今查閘下西南，舊有河形，估挑三千四百六十丈，至涿州境之大辛莊，以下歸清河，不特挑河經費相較懸殊，即去路便捷，更形疏暢。近年河溜，每多側注北岸，須於北上、北中、北下、北二、北三、北五等汛，擇其河流近隄著重處，估添越隄，幫培舊越隄、舊直隄，補偏救弊，不無裨益。所有南二工拆修、升高、金門石閘、龍骨壩臺、金牆、海墁、石簸箕暨閘內鑲做護埽裏頭，並剛隄挑挖閘塘淤沙，以及上首裹頭、下首雁翅、迎河老灘，均拋片石坦坡，又迎水引河、閘外減河等工，並廠房器具，共估需銀十萬零三千四百五十一兩零。南上汛新建灰壩，暨壩內鑲做挑水、順水埽壩、裹頭、迎水引河並剛隄築做越壩，啓拆越壩，以及壩外減河，更有護邨隄埝，並廠房器具，共估需銀七萬八千三百四十九兩零。北岸越隄十一道，湊長五千零三十九丈，共估需銀三萬七千二百六十一兩零，通共需銀二十一萬九千零六十三兩零等情。臣張文浩於查勘天津下游後，回至永定河，詳勘所估撙節，復與臣蔣攸銛籌商。伏思永定河漫口，實由河身淤墊，去路不通，兼以土性沙鬆，近更河流北趨，冬令水涸，尚潰隄墊埽、來年汛漲，防務維艱，應如估辦理。俟來歲春融趲辦，統限汛前完竣，需銀另摺奏請預撥各省封貯銀兩內解到動用，惟灰石等項，須於今冬採辦到工。查有解部粵海關餉十五批以後，尚未過境，可否仰懇聖恩，先行截留一批，計銀五萬兩，發交永定河道購料，恭候命下遵行。至築隄挑河，間有佔礙民地之處，飭令該地方官查明，或豁糧，或撥補，再行酌量辦理。四年四月，御史陳澐奏：聞河臣張文浩查辦直隸水利時，議於永定河南岸建設閘壩，挑挖減河，以分減盛漲，未知曾否入奏准行？嗣聞該處見已購料興工，於永定河南岸修復金門閘，挑挖減河一道，又於金門閘之上，新建灰壩一座，挑挖減河一道，皆爲分減盛漲洩入大清河之用。伏查金門閘雖係舊有之閘，久經堵閉不用，從前此閘所以洩水入大清河不爲患者，以大清河流行通暢故也。今大清河下游達海之路，久爲永定濁水所淤，去路不通，以致上游處處漫溢，爲新安、安州、任邱、文安、大城等十數州縣之害，年年被災，是大清河於本河之水，已不能容，若復加以永定分減之水，何以受之？於金門閘以上，另建灰壩開挖減河一節，乾隆五年間，孫嘉淦任直隸總督時，曾建議於金門閘之上開放南岸洩水，入中亭河，嗣因中亭河不能容納，附近民田受害，旋於乾隆六年春，趕緊堵築。高宗純皇帝御製詩中，屢言誤聽孫嘉淦之言，原委甚明。今張文浩新開減河，即在今門閘之上，其洩水入大清河之處，又在中亭河之上游，雖其地面遠近，小有不同，要其爲兩河放水，同時灌入清河，則與當日孫嘉淦所爲無異。況清河壅塞情形，較前尤甚，其不能容納分減之水，尤可概見。治水必通籌全局利害，今專爲永定河隄工起見，驟開兩減河以分減盛漲，洩入大清河，用以保護永定隄工，不過爲工員規避處分之計，獨不思大清一河，貫串東、西兩淀之間，近年正因下游爲永定濁水所淤，上游漫溢，害及畿南州縣，今治永定，乃不從下游疏治，使清、濁二水各有所歸，顧反於清水上游兩淀適中之界，灌之以永定渾濁之水，以近害言之，必致附近兩淀居民受害，以遠患言之，清水上游灌入濁水，清流必致壅遏。四月，侍郎程含章等疏：永定河自康熙三十七年建隄後，三十九年改移下口。雍正四年、乾隆十六年、二十年、三十七年，淤一次，即改一次，遂別無可改處所。數十年來，不但下游日見高仰，中洪亦無不漲滿，並且塞及咽喉，渾水河不能挑挖，徒費無益。從前南三工有北邨灰壩，北三工有求賢灰壩，建自乾隆三十七年，皆有減河，年久始行淤塞。南二工之金門閘，則建自乾隆三年，有東、西兩股引河，至五年九月開隄，擬復渾河故道，事不可行，六年二月，即連閘堵閉，而引河仍存。至十七年，始堵西股引河，祇留東股一道。歷年挑濬，年久亦漸淤廢。蓋以減洩之水長而緩，非比漫決之溜近而猛也。上年，張文浩在工督辦，三月率同道廳往來查看，熟慮審詳，告知臣蔣攸銛，謂此河之難以防守，甚於江南黃河，緣黃河雖河身日高，兩岸多係埽工，土性堅實，可以加高培厚，然至盛漲時，河中之水高於徐州城樓，全賴上游分洩。黎世序因向有之天然閘、峰山閘均已宣洩不靈，嘉慶十九年，奏建虎山腰減水壩，南河之安瀾，得力於此者不小。永定河緜長四百餘里，兩岸皆沙，無從取土，不能處處做埽，俱成險工。而出山之水，湍激異常，變遷無定，動輒挖根漫頂，如水浸鹽，遇極盛漲時，隄防斷不足恃。自嘉慶六年，全河漫口之後，將北上汛天然保障之土山衝刷殆盡，密邇京師，尤爲喫重，此時萬不得已，爲補偏救弊之計，惟有修復金門閘，量爲升高，並於南上汛添建灰壩閘門，石牆石底，壩則灰牆灰底，均有限制，俾盛漲時出水不過二、三尺，歷時不過一半日，水落卽行斷流，與乾隆五年孫嘉淦奏准將永定全河入金門閘兩股引河下注者，迥不相同。有永定河志可考，較之頻年漫口跌塘，全掣大溜，衝淹邨莊田廬，仍歸大清河，亦相去遠甚。張文浩於黃新莊行在奏准後，又率同張泰運，周歷勘估，酌定引河之路，並於閘壩附近四小邨莊爲之估築護邨隄埝，邨民皆知水過時，可收一水一麥之利，並無異詞，是以於十一月十六日，會同臣蔣攸銛奏，蒙明發諭旨：著俟春融，照估趲辦。見在早已興工，月內外卽可蕆事。茲御史陳澐恐兩淀居民受害，並恐清水灌入濁水，將來壅遏爲慮，請敕下臣等再加相度，以爲經久之計，卽事關隄障田廬，自不厭於詳慎，應卽派員往勘。閏七月，侍郎程含章等疏：御史陳澐具奏，奉旨：遴委大員會同河道張泰運查勘。經臣等奏委臬司董淳，會同張泰運查勘，據稟：勘得新建閘壩，係減盛漲之水，水大則過水一、二尺不等，不過一日半日，水退卽點滴不留，不致衝刷民間房屋地畝，與乾隆五年前督臣孫嘉淦決開南隄全河下注者不同，而永定河隄賴此不致潰決，保全實多，未便將閘壩堵閉等情。臣等正在覈議具奏間，該御史又復具奏，接奉上諭，臣程含章因時屆白露，前往永定河查工，至良鄉途次，與該御史遇見，當卽帶同前往永定河，督同河道張泰運，勘得新建灰壩，本年過水六寸及一尺不等，壩下一片荒草，緜長數十里，向來不產糧食，得濁水肥淤，可以耕種，民間方以爲喜，毫無妨礙。又築有護邨埝四道，並無淹及民間田產房屋。又勘得新修金門石閘，本年過水六寸及一尺二寸、二尺不等，減河之水坐灣處，間有坍塌，並未出槽，亦無淹及民間房產田地之事，上段河身，不無淤淺，而工程無多，明年春間，卽可挑濬，培築隄埝，其自田城以下河槽深通，更無妨礙。惟涿州之任邨，經該御史查出，有坍塌房屋六十五間，懇求賞恤等情。臣程含章同該御史復至該邨，詢據鄉約地保王進才等供稱：去年被永定河漫口將邨內衝成深阱，阱邊餘賸房屋，業已歪斜，本年七月十二、三日連夜大雨，十四日閘水下來，地基坍塌，阱邊破屋，陸續倒塌十數間，民等因係去年衝壞之屋，是以不敢妄報，希圖賞卹等語。勘得該邨上年被永定河水衝成深阱，岸高一丈五、六尺，閘水無多，不能淹及屋脚，實非衝刷，因該處沙土浮鬆，根基不固，一遇大雨，卽行坍塌。阱邊破屋倒塌，雖在今年，而所以倒塌之屋，實由去年永定河之衝刷。旋據涿州知州查明，龐明亮等口報倒房屋，內有希圖賞卹，將去年倒塌之屋報作今年者，亦有房已歪斜，自行拆去，實在今年七月十二、三、四等日大雨，倒塌阱邊破屋十九間，臣等見委通永道鄧廷楨前往查辦。又勘得減河入清河之下口一段，有淤淺處所，係上年永定河開口衝刷任邨一帶之泥沙，到此停積之故，與新開閘壩無涉，船隻仍然流通。又勘得固安、新城、容城、雄縣境內之白溝河，皆屬通船，船隻往來如織，此查勘之實在情形也。臣等查該御史原奏治永定河之法，惟在挑挖河身，疏通下口，使永定濁流徑自達海，實爲萬全之策，今開閘壩，一經泛溢，良、涿盡在波濤，官道淹没，郵遞阻隔等語。查永定河身緜長二百數十里，淤沙壅積，高數尺及丈餘不等，寬數百丈及四、五里不等，若止挑中洪，則水至仍淤，若全行挑挖運出隄外，則工程浩大，非用銀數百萬兩，辦理七、八年不克竣事，且夾沙之水，隨挖隨淤，其勢斷不能行。本年七月間，臣程含章趨赴闕廷，蒙皇上垂問永定河下口，臣對言：永定河下口不治，恐其串入子牙河，又復南趨，衝壞南運河運道，治之之法，惟在東水攻沙，藉清刷濁，但築隄挑河，須費數十萬金，既成後又須添設官兵防守，加增歲搶修銀經費不貲，是以不敢冒昧具奏。面奉諭旨：挑挖下口，恐徒費無益，須另籌良策。欽此。臣等查見議先築格淀大隄，不令永定、大清兩河之水串入子牙，再挑楊家河及三河頭，以暢兩河之水，且俟明年秋汛後，任勘情形，再爲勘酌辦理在案。至永定濁流，如能自行達海，豈非上策？但有北運河橫亘其下，如令濁流橫衝而出，其阻斷漕運，所論固屬迂謬，至良、涿大道，地勢甚高，且離閘河甚遠，決無淹衝官道，有礙驛遞之事。又該御史原奏，有永定濁流下注，不惟白溝淤墊，西淀亦無出路，新城、雄縣、新安、安州、高陽、蠡縣一帶勢必上壅下溢，且永定溜勢南奔，直射霸州玉帶河，必致橫肆漲漫，保定、文安、大城等處俱成巨浸等語。查修復之金門閘，係舊址量爲加高，從前南、北三工尚各有一灰壩洩水，濁流分入減河，不能不有淤墊，即江南黃河之峯山、天然、虎山腰等閘壩亦然，要在隨時挑濬，或年久另開一處，則用工少而保全者多。見在白溝並無淤墊，至西淀之水，因無出路，致新安、安州等處被淹，實係被白溝濁流倒灌所致，業已多年，並不關永定減水之事。臣等前已奏請由雄縣白溝河故道開挖一河，下達十望中亭，直入東淀，不令與清河相會在案。則東、西兩淀，咽喉胸膈皆無阻滯，至閘壩原有限制，見在消水無多，即將來河身漸高，恐致壩口奪溜，儘可加高龍骨，何至爲害？該御史所奏，仍係執定孫嘉淦開隄放水流弊之舊案，與現在情事迴不相同。該御史原奏又云，水大之年，閘河泛濫，隄外一片汪洋，名爲保護隄工，實則開口待潰，請及早堵閉等語。臣等覆查，永定河水性悍急，一遇大雨，動輒拍岸，步步生險，土性純沙，所築之隄不能堅固，每遇大溜頂衝，隨即坍潰，防守之難，甚於黃河，今河身既不能挑挖，尾閭又不能疏通，實乏良策。河臣張文浩與臣蔣攸銛再三斟酌，不得已修此閘壩，分減漲勢，保護隄工，即以保護沿河數百萬生靈田廬性命。即如今年七月，頻次盛漲，南二工及北下、北二、北三等汛埽段，同時蟄陷，危險甚於上年，幸得閘壩減水，得以搶護平安。是閘壩之設，業已著有成效，即減下之水，小有損傷田禾，然擇禍莫若輕，較之全河潰決，衝刷數州縣民田房屋者，其利害大小之輕重，判若天淵。該御史不諳河務，欲將閘壩堵閉，是第知防閑小害，而不顧全河之大局，所奏實不可行。閏七月，程含章疏：御史陳澐始而誤執乾隆年間前督臣孫嘉淦開隄放水流弊，尚屬苦於不知，迨後復行具奏，全不計帑項之非可嘗試，急流之難以隄防，尾閭之難以疏通，全河淤沙之難以挑挖，仰蒙敕令隨勘，復將十年不修之河道，指爲新淤，並未出槽之水，硬作衝刷。拆去尖脊石龍骨，永定河續志二。改建平頂石龍骨，高四尺五寸，長五十六丈，頂寬五尺，迎水坡斜寬六尺三寸，出水坡斜寬一丈三尺五寸，兩金剛牆加高四尺，補砌石海墁等，迎水、出水灰簸箕築灰雁翅，長十三丈，寬二丈，連槽高三尺八寸五分，築埽壩坦坡，道光四年金門石閘碑：舊設金門閘，寬五十六丈，進深五丈，石迎水簸箕內寬五十六丈，外寬六十一丈四尺，進深二丈，石出水簸箕內寬五十六丈，外寬六十七丈三尺，進深九丈，南北壩臺各寬十二丈，進深十六丈，金牆高八尺，灰迎水簸箕內寬七十五丈，外寬八十五丈，進深五丈，灰出水簸箕內外寬與灰迎水簸箕同，進深十五丈。今拆建平頂龍骨一道，高四尺五寸，長五十六丈，頂寬五尺，迎水坡斜寬六尺三寸，出水坡斜寬一丈三尺五寸，兩金剛牆加高四尺，補砌石海墁，築迎水、出水灰簸箕、灰雁翅，長十三丈，寬二丈，連槽高三尺八寸五分，下牙樁護埽，挑水順水埽壩，砌片石坦坡，挑挖引河，長四十丈，減河長三千四百十六丈。十年閉之。據永定河續志二。十一年重修加高石龍骨一尺二寸，迎水一面砌片石坦坡，上長五十六丈，下長五十九丈，頂寬二尺，底寬八尺，高五尺七寸。據永定河續志二。同治十一年重修金門閘減水石閘碑：金門閘石壩，建自乾隆三年，每於大汛盛漲時，分減水勢，法至良，意至美也。嗣因河底積漸淤高，乾隆三十五年、道光三年、十一年、二十三年，遂將龍骨加高至八尺七寸，尚可洩水。今又將三十年，淤高已與龍骨相平。同治五年後，築埝堵閉。十年冬，欽差太子太保大學士直隸總督一等肅毅伯李查勘全河，至金門閘，謂不可以廢而不治，飭令估修。朝儀等詳加勘議，將舊龍骨中段二十丈升高四尺，兩旁十八丈各升高五尺，所有舊龍骨之高八尺七寸者，全行拆卸，新龍骨放高，進深六丈，下接舊海墁，上做坦坡之形，使水勢平緩過閘，方無跌坑掣溜之虞。北壩臺東面移建九丈，與新龍骨緊接，壩臺內外鑲做埽段，仍於龍骨上添築攔水埝一道，其減河工長四千一百七十丈，一律挑濬深通，又重建御碑亭、汛房等工，通盤覈計，共需銀六萬四千七百四十二兩七錢九分二釐。稟蒙批准，在秋災賑撫項下如數籌撥，購備灰石料物，及時興辦，以工代賑，俾窮民籍以傭趁。入告，得旨俞允。遂於十一年二月二十二日開工，至四月底止，一律完竣。維時督修者永定河道李朝儀、留直補用道周馥，總司其事者補用知府南岸同知朱津、候選同知孫汝貢、升用同知候選通判桂本誠，分司其事者候選通判謝政賢、知州銜前江西候補通判李恩銘、署南二工良鄉縣縣丞陸景濂、五品銜候選縣丞張文耀、何恩澍、候補主簿岳翰、候補從九品李忠贊、張用逵，並書泐石。舊龍骨高八尺七寸，全行拆卸，做新龍骨坦坡轉頭工，長五十六丈，進深六丈，中段二十丈，比舊龍骨升高四尺，兩旁各十八丈，升高五尺，南首迎水雁翅斜尖長六丈七尺，寬五丈四尺，斜高四尺，北首迎水雁翅斜尖長九尺，寬七尺，龍骨坦坡轉頭石底通砌甎三層，築打大小夯灰土三步。以下均築打素土接老步而止，龍骨脊共截樁二百顆，轉頭下迎水坡，通長六十三丈，砌舊料石二層，築打大小夯土十二步，接老灰步而止。南壩臺金剛牆迎水過水二面，長二十二丈八尺，通用大料石加高一丈，出水雁翅通用舊料石加高四尺，背後通築打小夯灰土寬三尺。迎水雁翅以南，用舊石砌二丈，高七尺，壩臺上通填素土蓋頂，打灰土一步。北壩臺金剛牆向東接連三丈四尺，迎水雁翅長七丈六尺，拆舊接新，計高二丈，向南金牆加高四尺，出水雁翅加高三尺，新牆內通築拆水夯灰土寬三尺。迎水雁翅以北，用舊石接砌四丈一尺，高一丈，壩臺填壩素土，蓋頂打灰土一步，防汛公館房屋院牆，均修理完固，出水石簸箕修補新石一百四十方。龍骨上做攔水埝一道，長一百丈，寬三丈，高三尺。南壩臺西做挑水壩一道，長四十丈，寬四丈，魚鱗埽十段。北壩臺東做挑水壩一道，長十六丈，寬一丈，高一丈，魚鱗埽五段；南、北舊金牆、雁翅、石簸箕均用油灰抅縫粘補。南壩臺修造碑亭一座，汛房三間，舊石圍牆長十四丈五尺，高四尺，閘下減水河工長四千一百七十丈，由佟郝入小清河，一律挑濬。二十二年十一月，直隸總督訥爾經額奏，請將金門閘龍骨加高三尺，於海墁下接修散水石一丈，並補殘闕。如議行。二十二年十一月，直隸總督訥爾經額疏：前據永定河道恆春稟：永定河藉金門閘分洩大溜，龍骨外向有出水灰簸箕，必須修復，石龍骨加高，隄埝培厚等情。經臣奏明。親勘永定河挾沙，自西北直抵東南，匯入大清河入海。兩河形勢，一縱一横，清河頂托於前，故濁流日形淤墊。溯查道光四年，修復金門閘，並於十一年間，加高龍骨後，全河受益。近因河身逐年淤高，大汛期内，龍骨過水太暢，水落不能斷流，致灰簸箕被衝殘闕，雖經搶築土埝攔護，而汛水漲發，旋築旋衝，必須再將石龍骨加高三尺，並於石海墁以下接做散水石一丈，其衝揭灰簸箕，照舊補足。除兩岸卑矮隄埝，由該道督率廳汛，務於歲搶修項下，加高培厚外，所有加高石龍骨、接做散水石，並補築灰簸箕、填墊坑塘、牙椿簽釘等項，需工料銀二萬九千一百八十五兩零。永定河續志二。二十三年，拆卸舊龍骨一尺二寸，加高三尺，海墁下做散水石寬九尺，厚一尺。同治五年閉。十一年，龍骨移進五丈，中段二十丈，升高四尺，兩頭各十八丈，升高五尺，斜作坦坡形，進深六丈，北壩臺移南九丈，與龍骨緊接。永定河續志。總督奏見上。十三年，龍骨中段二十丈，下段十丈，照中段原高尺寸落低一尺七寸。光緒二年，龍骨中段二十丈，加高一尺二寸，下段十丈，加高一尺五寸，迎水坡加高一尺，永定河續志二。用銀二千七兩。永定河續志三。六年，加高龍骨中段、下段，共三十丈，與兩頭原龍骨平。永定河續志二。

曰曹家務草壩。在南五汛張字十九號。乾隆三年建。金門寬二十丈，進深五丈，迎水灰土護壩寬二十丈，進深五丈，出水灰墁内寬二十六丈，外寬二十八丈五尺，進深五丈，兩金壩各長五丈，寬三丈，迎水牆各長七丈，寬二丈，出水牆各長四丈，寬二丈，永定河續志二。奏議見前。四年工竣。畿輔安瀾志：三年，總河顧琮請建，次年工竣，做法與半截河草壩同，唯兩金剛牆並迎水、出水牆均埋頭一丈，露明一丈二尺，共高二丈二尺，工料遠近不同，爲費較異。

曰郭家務草壩。

初在南六汛寒字六號。乾隆三年建。十六年，改下口，併隄工，遂爲南五汛張字二十六號。原建金門，寬三十丈，南壩臺各寬三尺，通寬三十六丈，入深五丈，迎水游身長十丈，出水雁翅各長五丈，寬二丈二尺，兩壩臺各寬三丈。初立刨槽下埽，上加柴土鑲墊，壩面原無灰土。四年添築灰檻一道，銀數詳前。七年加作灰土金門，改寬十二丈，據畿輔安瀾志，永定河續志二。參用銀五千四百四十四兩三錢九分六釐。永定河志十。餘詳前注。

曰求賢邨灰壩。

在北三汛黃字四號。先是，乾隆三年，總河顧琮請建張客壩。四年，議改於求賢邨，蓋草壩也。金門寬二十丈，進深五丈，迎水灰土護壩內寬二十二丈六尺四寸，外寬二十四丈四尺四寸，進深八尺，出水灰土護壩內寬三十三丈四尺一寸，外寬三十四丈，進深五尺，金牆各寬五丈，迎水雁翅各斜長三丈，出水雁翅各外長十四丈，內長十二丈。畿輔安瀾志：求賢邨減水草壩，乾隆三年，總河顧琮請建。次年工竣，在北岸三工黃字四號。金門寬二十丈，入深五丈，迎水土簸箕內寬二十丈，外寬二十二丈六尺四寸，入深一丈二尺。俱刨槽深三尺，簽下柏釘，築大夯灰土三步，小夯灰土三步。迎水灰土護壩內寬二十二丈六尺四寸，外寬二十四丈四尺，入深八尺，刨槽深八尺，簽下柏釘，築大夯灰土十步，小夯灰土六步。出水灰土簸箕內寬二十丈，外寬三十三丈四尺一寸七分，入深十一丈五尺，地勢低窪，毋須刨槽，簽下柏釘，大夯灰土三步，小夯灰土三步。出水灰土護壩內寬三十三丈四尺一寸七分，外寬三十四丈，入深五尺，刨槽深七尺，簽下柏釘，築大夯灰土九步，小夯灰土五步。以上迎水灰土護壩、出水灰土護壩共入深一十九丈。金牆各寬五丈，迎面背面各長十丈，各埋頭一丈二尺，各露明一丈二尺，用高一丈順水埽五進。迎水雁翅各斜長三丈，迎水牆迎面各長十二丈八尺，靠後各長十五丈，寬二丈，埋頭一丈二尺，露明一丈二尺，用高一丈順水埽二進。出水雁翅各外長十四丈，内長十二丈一尺接金牆各寬四丈，雁翅尾各寬二丈，埋頭一丈，露明一丈一尺，用高八尺順水埽二進。上俱用鑲墊，除埽椿外，簽下釘椿一路，葦工後俱用素土培築。再迎水出水外護壩排椿，各長四十丈。金門、金牆護壩排椿，各長二十二丈，共長一百二十四丈，俱用管頭釘板成造。三年十二月，工部奏：議得直隸河道總督顧琮等奏稱：北岸頭工張客，地居京城之西，乃永定河上游，原議在此建壩，今詳勘地勢，張客壩座諸移建於北岸二工求賢處所，上游水可無北溢之虞，北岸遥隄，亦無庸築，容俟會勘時與督臣孫嘉淦商酌辦理等語。應令該督，會同直隸總督，商酌妥辦。至於應需灰觔葦草等料，該督奏稱，應於來歲春融興工，若俟估册造報日始行撥銀，恐致遲滯，請撥給户部庫銀五萬兩，乘此地凍易運時購覓備辦，運貯工次等語。應如所奏。乾隆三十七年，改建北三汛三號求賢草壩爲灰壩。金門寬十六丈，兩壩臺各寬五丈，長五尺，底寬七丈，高八尺，迎水簸箕内寬二十丈，外寬二十二丈，進深三丈，出水簸箕内寬二十丈，外寬二十六丈，進深十二丈，用銀九千九百六十三兩三錢八分五釐。據永定河志七及十。道光二年，淩汛幾至奪溜，堵閉之。同治十二年，重修壩口，寬二十丈，築圓頂龍骨，高七尺，下作坦坡形，進深五丈，迎水簸箕寬二十五丈五尺，進深四丈，出水簸箕内寬二十四丈五尺，外寬三十丈，進深十二丈，出水一面加散水坡，寬十四丈，進深一丈二尺，兩壩臺金牆各寬六丈四尺，南斜長五丈五尺，北斜長五丈六尺，用銀四萬七百二十兩有奇。光緒二年，加高龍骨二尺五寸，迎水、出水簸箕加高一尺五寸，用銀四千八百二十三兩有奇。三年，堵閉。六年，重修。加高龍骨二尺五寸，遞減至迎水、出水簸箕高五寸，兩金牆連迎水雁翅加高三尺，用銀四千七百十九兩有奇。據永定河續志二及三。同治十三年，重修求賢灰壩碑：竊照北岸三工求賢灰壩，廢圮五十餘年，減河皆淤墊成阜。同治十二年冬月，蒙太子太保武英殿大學士直隸總督部堂一等肅毅伯李諭令興修，當卽督署石景山同知唐丞成棣、北岸同知張丞毓先、候選通判桂倅本誠，逐細勘估，造册繪圖，詳准撥款興辦。經始於癸酉十二月中旬，迄甲戌四月上旬工竣。計工料等款並挑挖減河，共用庫平銀四萬七百二十兩零，壩臺、龍骨等工，較舊制一律展寬，合將各工丈尺具列於左：一壩口寬二十丈，龍骨進深五丈，迎水簸箕進深四丈，寬二十五丈五尺，出水簸箕進深十二丈，內寬二十四丈五尺，外寬三十丈，出水簸箕加散水坡，進深一丈二尺，寬十四丈。一、兩壩臺金牆上下，均寬六丈四尺，南斜長五丈五尺，北斜長五丈六尺，頂寬七丈，露明高八尺五寸，壩上汛房各三間。一、加培東頭老隄，工長九十八丈，均寬三丈六尺，西頭老隄工長一百零七丈，均寬三丈二尺，均高六尺，共做護隄埽九段。一、築東壩臺內箝口壩，長十一丈五尺，頂均寬二丈五尺，高一丈一尺，做埽三段，外箝口壩長十丈，頂底均寬五丈三尺，均高七尺，做埽五段。一、築西壩臺外箝口壩，長十五丈，頂底均寬五丈九尺，均高七尺，內箝口壩共做埽六段。一、東壩臺箝口壩並戧隄外背後隄長二十一丈，頂底均寬六丈四尺，高七尺。一、挑壩內引河工長五十九丈五尺，口均寬七丈，底均寬五丈，均深五尺五寸。一、挑壩下減河工長六千七百三十五丈，抵燕趙屯止以下，由舊河形接仁和鋪，皆寬深順溜。一、減河北面附近郝莊，悉以廢土築埝防護，南面附隄者，悉以廢土幫隄。

曰長安城草壩。

在南三汛宿字三號。乾隆四年，總督孫嘉淦建。金門寬二十丈，進深五丈，迎水灰土護壩內寬一十二丈六尺四寸，外寬二十四丈四尺，進深八尺，出水灰土護壩內寬三十三丈四尺一寸七分，外寬三十四丈，進深五尺，迎水雁翅各斜長三丈，出水雁翅各長十四丈，寬三丈，

畿輔安瀾志：長安城減水草壩，乾隆四年，總督孫嘉淦請建，在南岸三工宿字三號。金門寬二十丈，入深五丈，迎水灰土簸箕內寬二十丈，外寬二十二丈六尺四寸，入深二丈二尺，俱刨槽，深三尺，簽下柏釘，築大夯灰土三步，小夯灰土三步。迎水灰土護壩內寬一十二丈六尺四寸，外寬二十四丈四尺，入深八尺，刨槽深八尺，簽下柏釘，築大夯灰土十步，小夯灰土六步。出水灰土簸箕內寬二十丈，外寬三十三丈四尺一寸七分，入深十一丈五尺，刨槽深三尺，簽下柏釘，築大夯灰土三步，小夯灰土三步。出水灰土護壩內寬三十三丈四尺一寸七分，外寬三十四丈，入深五尺，刨槽深七尺，簽下柏釘，築大夯灰土九步，小夯灰土五步。以上迎水至出水灰墁，共入深一十九丈，兩金牆各長十丈，寬五丈，埋頭一丈二尺，露明一丈二尺，共高二丈四尺，用高一丈順水埽五進，迎水雁翅各斜長三丈，迎水牆各長十二丈八尺，寬二丈，埋頭一丈二尺，露明一丈二尺，共高二丈四尺，用高一丈順水埽二進，出水雁翅各長十四丈，寬三丈，埋頭一丈，露明二尺，共高一丈二尺，用高八尺順水埽二進，上俱鑲墊，簽下釘樁，迎水、出水，並兩金牆護壩排樁，共長一百二十四丈，俱用管頭釘板成造。過

水四分。原奏詳前。

曰半截河草壩。在北六汛洪字十六號。乾隆四年建。金門丈尺與曹家務草壩同。永定河續志二。畿輔安瀾志：半截河減水草壩，金門寬二十丈，入深五尺，刨槽深二尺五寸，簽下柏釘，築大夯灰土二步，小夯灰土三步。迎水灰土護壩寬二十丈，入深五丈，刨槽深七尺，簽下柏釘，築大夯灰土九步，小夯灰土五步。出水灰墁內寬二十六丈，外寬二十八丈五尺，入深五丈，地勢低窪，毋須刨槽，簽下柏釘，築大夯灰土二步，小夯灰土三步。出水灰墁土護壩，並兩邊橫頭護壩，共長四十五丈二尺，寬五尺，刨槽深六尺二寸，簽下柏釘，築大夯灰土十八步，小夯灰土五步。以上迎水至出水護壩，共入深十丈，兩金牆各長五丈，寬三丈，埋頭一丈，露明一丈二尺，共高二丈二尺八寸，用高一丈順水埽三進。迎水牆各長七丈，寬二丈，埋頭一丈，露明一丈二尺，共高二丈二尺，用高一丈順水埽二進。出水牆各長四丈，寬二丈，埋頭一丈，露明一丈四尺，共高二丈四尺，用高一丈順水埽二進。上俱鑲墊，簽下釘樁，迎水、出水並金門及灰墁兩邊護壩排樁，共長八十一丈二尺，俱用管頭釘板成造。

曰胡林邨草壩。在北三汛黄字五號。乾隆六年，總督高斌請建，七年工竣。畿輔安瀾志。金門寬十二丈，進深五丈，迎水灰土護壩寬十二丈，進深五尺，出水灰墁内寬十七丈，外寬二十丈五尺，進深五丈，兩金牆各長五丈，寬三丈，出水牆各四丈，寬二丈，据永定河續志二。畿輔安瀾志：胡林邨壩金門寬十二丈，入深五丈，刨槽深一尺五寸，簽下柏釘，築大夯灰土三步，小夯灰土一步。迎水灰土護壩寬十二丈，入深五尺，刨槽深六尺五寸，簽下柏釘，築大夯灰土十一步，小夯灰土二步。出水灰墁内寬十七丈，外寬二十丈五尺，入深五丈，刨槽深一尺五寸，簽下柏釘，築大夯灰土二步，小夯灰土十二步。出水灰墁並兩邊灰土護壩，共長三十七丈二尺，均寬五丈，刨槽六尺五寸，簽下柏釘，築大夯灰土十一步，小夯灰土二步。以上迎水至出水灰墁，共入深十丈，兩金牆各長五丈，寬三丈，用高一丈順水埽三進，埋頭一丈，露明一丈，共高二丈，迎水牆各長七丈，寬二丈，用高八尺順水埽二進，出水牆各長四丈，寬二丈，用高八尺順水埽二進，各埋頭八尺，露明一丈，共高一丈八尺，上俱鑲墊，簽下釘樁，迎水、出水，並兩金牆護壩排樁，共長六十丈二尺，俱用管頭釘板成造。用銀四千八百八兩三錢六釐。永定河志十。

曰雙營草壩。

在南六汛寒字十六號，永定河志十。後爲六號。乾隆六年建，七年工竣。丈尺與胡林邨壩同。據畿輔安瀾志。永定河志十。用銀五千四百四十四兩三錢九分六釐。十五年重修，用銀一千八百七十二兩四錢。

曰小惠家莊草壩。

初在北上七汛日字十三號，後併爲北六汛洪字三十號。乾隆六年建，七年工竣。據永定河續志，參畿輔安瀾志。金門寬十二丈，進深五丈，出水灰堤内寬十七丈，外寬二十七丈七尺，進深七丈，迎水灰土護壩寬十三丈，進深五尺，出水灰土護壩寬二十二丈，進深五尺，兩金牆各長五丈，寬三丈，迎水牆各長七丈，寬二丈，出水牆各長四丈，寬二丈。永定河續志二。畿輔安瀾志：惠家莊減水草壩，金門寬十二丈，入深五丈，刨槽深一尺五寸，簽下柏釘，築大夯灰土二步，小夯灰土一步。迎水灰土護壩寬十三丈，入深五尺，刨槽深六尺五寸，簽下柏釘，築大夯灰土十一步，小夯灰土二步。出水灰堤内寬十七丈，外寬二十丈七尺，入深七丈，地較壩面低七尺五寸，除灰土一尺五寸，應築高六尺，係斜坡，折高三尺，簽下柏釘，築大夯灰土二步，小夯灰土一步。出水灰土護壩寬二十二丈，入深五尺，刨槽深六尺五寸，簽下柏釘，築大夯灰土十一步，小夯灰土二步。出水灰堤兩横頭灰土護壩，長十九丈六尺，均寬五尺，刨槽深三尺二寸五分，簽下柏釘，築大夯灰土十一步，小夯灰土二步。以上金門至出水灰壩共入深十二丈，兩金牆及迎水、出水牆丈尺做法，與胡林草壩同，周圍護壩排樁，共長六十九丈六尺，俱用管頭釘板成造。用銀五千五百八十九兩六錢四分一釐。永定河志十。

曰清涼寺草壩。

初在南六汛寒字三號。後爲南五汛張字二十四號。乾隆七年，署總督史貽直請建，八年工竣。據畿輔安瀾志。金門寬十六丈，進深五尺，迎水灰土護壩寬十六丈，進深五尺，出水灰堤內寬二十一丈，外寬二十五丈，進深五丈，兩金牆各長五丈，寬三丈，迎水、出水牆各長七丈，寬二丈。永定河續志二。畿輔安瀾志：清涼寺減水草壩，金門寬十六丈，入深五丈，刨槽深一尺五寸，簽下柏釘，築大夯灰土二步，小夯灰土一步。迎水灰土護壩寬十六丈，進深五尺，刨槽深六尺五寸，簽下柏釘，築大夯灰土十一步，小夯灰土二步。出水灰堤內寬二十一丈，外寬二十五丈，入深五丈，刨槽深一尺五寸，簽下柏釘，築大夯灰土二步，小夯灰土一步。出水灰堤並兩橫頭護壩，長四十一丈二尺，均寬五尺，刨槽深六尺五寸，簽下柏釘，築大夯灰土十一步，小夯灰土一步。以上迎水至出水灰堤，共入深十丈，金牆各長五丈，各寬三丈，用高一丈順水埽三進，埋頭一丈，露明一丈，共高二丈八尺，迎水牆各長七丈，寬二丈，用高八尺順水埽二進，迎水、出水各埋頭八尺，露明一丈，共高一丈八尺，上俱鑲墊，簽下頂樁護壩排樁，共長七十三丈二尺，俱用管頭釘板成造。八年二月，工部等奏：會議得吏部尚書署理直隸總督史貽直奏稱：臣至固安，沿河南、北兩岸及三角淀等處下口詳勘，南岸金門閘石壩一座，長安城、曹家務、郭家務、雙營，草壩四座，北岸求賢邨、胡林店、小惠家莊、半截河草壩四座，計石草壩九處。自督臣高斌奏請改建添建後，上年各壩過水平穩，應再於南、北兩岸相度善地，添建草壩數座，使伏、秋汛漲多洩，河身惟行正溜，餘水悉令旁溢，即係從前故道，任其散漫，不加迫束之意，而壩外皆有自然之引河，重繞之隄障，於民田廬舍無礙。今酌於南岸六工之清涼寺、張仙務二處，添建三合土滾壩二座，壩身較雙營等壩尺寸稍低，金門各寬十六丈，兩壩共寬三十二丈，合之郭家務、雙營減下之水，俱以郭家務舊河身爲引河。又北岸七工之五道口營，八工之孫家坨邨南二處，可以添建三合土滾壩二座，但查孫家坨邨南河溜南折汕有頂衝大灣，經督臣高斌開挖引河里許，引水東注，今應添滾壩處所，當引河河岸之旁一百三十餘丈，但引河究屬改溜之初，恐或一時漲作，湧過近壩爲患，應暫停建設。今年伏、秋汛過，引河汕刷寬暢，與正河相等，再行添建，始爲妥協。今酌議於五道口添建草壩一座，壩身較惠家莊壩尺寸稍低，金門應照求賢邨壩式寬二十丈，此處隄外地勢甚低，壩門出水灰土簸箕須較常式加長數丈，令有坡下之勢，則水過可無衝塌。以上應添南、北兩岸滾壩三座，共約估需銀一萬九千五百餘兩，應請在天津道庫內先行動支，存貯要工銀兩，令永定河道六格，即飭該廳員等速行採辦料物。該道督率，上緊辦理。並令清河道方觀承會同相視稽察，務令汛前早竣，俾草土俱得乾結堅實，造册送部。再三角淀新河口東北趨乂、光葉淀等，自刷有河身一道，約長七里許，過此則散漫出槽，泥留淀內，水由鳳河以入大清河，觀其趨淀之路，實爲全河尾閭，雖就下勢順，但河身或淤淺阻。轉瞬淩汛，臣已面諭永定河道六格，俟冰融，隨時疏濬等因，具奏前來。據直隸總督高斌勘議永定河河工事，先將金門閘等石壩各壩酌量改築抽低，原因壩身太高，裁改合度，以利疏消。該署督勘有成效，今請於南、北兩岸添建滾壩三座，較從前各壩身尺寸稍低，與高斌原議之意相同，應照所奏，添建滾壩。至北岸八工之孫家坨村南，應俟過汛，酌量下口河淀機宜，關繫全河尾閭，令該督勘飭妥辦，俟高斌回任，再爲接辦。

曰張仙務草壩。

初在南六汛寒字二十二號，後爲十三號。乾隆七年，署總督史貽直請建，八年工竣，丈尺與清涼寺壩同。據永定河續志二，參畿輔安瀾志。餘詳清涼寺壩注。十五年重修，用銀一千二百四兩七錢五分八釐。永定河志十。

曰五道口草壩。

在北岸舊隄。乾隆七年建，八年工竣。據畿輔安瀾志。金門寬二十丈，進深五丈。出水灰墁內寬二十五丈，外寬二十八丈七尺，進深七丈。迎水灰土護壩寬二十丈，進深五尺。出水灰土護壩寬三十丈，進深五尺。兩金牆各長十丈，寬五丈。迎水雁翅各斜長三丈。迎水牆各長十二丈八尺，寬二丈。出水雁翅各長十四丈，寬三丈。永定河續志二。畿輔安瀾志：五道口減水草壩，金門寬二十丈，入深五尺，刨槽深一尺五寸，簽下柏釘，築大夯灰土二步，小夯灰土一步。迎水灰土護壩寬二十丈，入深五尺，刨槽深七尺，簽下柏釘，築大夯灰土十二步，小夯灰土二步。出水灰墁內寬二十五丈，外寬二十八丈七尺，地勢較壩面低窪，填築高三尺五寸，斜坡折高一尺七寸五分，簽下柏釘，築大夯灰土二步，小夯灰土一步。出水灰土護壩寬三十丈，入深五尺，刨槽深七尺，簽下柏釘，築大夯灰土十二步，小夯灰土二步。出水灰墁橫頭護壩，共長十九丈六尺，寬五丈，入深簽下柏釘，築大夯灰土十二步，小夯灰土二步。壩下純沙，接添灰土簸箕高三十丈，入深三丈，兩橫頭添灰土簸箕，每邊十丈八尺，斜寬三丈，均寬一丈五尺，刨槽深一尺，簽下柏釘，築大夯灰土一步，小夯灰土一步。以上迎水至接水簸箕，共入深十五丈，兩金牆共迎水，出水牆丈尺做法，與長安城草壩同。周圍護壩排樁，共長八十五丈六尺，俱用管頭釘板成造。與清涼寺、張仙務二壩共用銀一萬九千五百餘兩。詳上注。

曰盧家莊草壩。

在北五汛宙字十八號。乾隆八年總督高斌請建，九年工竣。據畿輔安瀾志。金門寬十六丈，進深五丈，出水灰堤內寬二十一丈，外寬二十四丈七尺，進深七丈，接灰土簸箕寬二十六丈，進深三丈，迎水灰土護壩寬十六丈，進深五尺，出水灰土護壩寬二十六丈，進深五尺，兩金牆各長五丈，寬三丈，迎水、出水牆各長七丈，寬二丈，永定河續志二。畿輔安瀾志：盧家莊減水草壩，金門寬十六丈，入深五丈，刨槽深一尺五寸，簽下柏釘，築大夯灰土十二步，小夯灰土二步。出水灰堤內寬二十一丈，外寬二十四丈七尺，入深七丈，地勢低窪，填築高四尺五寸，係順流斜坡，折高二尺二寸五分，簽下柏釘，築大夯灰土二步，小夯灰土一步。出水灰土護壩二十六丈，入深五尺，刨槽深七尺，簽下柏釘，築大夯灰土十二步，小夯灰土二步。出水灰堤兩橫頭護壩，共長十九丈六尺，均寬五尺，簽下柏釘，築大夯灰土十二步，小夯灰土二步。因壩外衝沙，易於掀刷，添建灰土簸箕，寬二十六丈，入深三丈，兩橫頭添接，每邊長十丈八尺，寬一丈二尺，築大夯灰土一步，小夯灰土一步。以上迎水、接水簸箕，共入深十五丈，兩金牆及迎水、出水牆丈尺，與清涼草壩同，護壩排椿共長七十七丈六尺，俱用管頭釘板成造。用銀六千九百八十九兩五錢八分二釐。永定河志十。乾隆九年正月，工部奏：永定河全賴疏洩，今先後添建各壩，已屬過水平穩，惟三工胡林壩至六工半截河壩，相距甚遠，未免減洩遲緩。今直隸總督高斌，議以五工大盧家莊重隄之內，再設滾壩一座，應如奏添建滾水草壩一座，並出水護隄，壩外添築灰土簸箕等項，令該督先行動支存貯要工銀兩給辦。又該督奏，下口范甕口以下，統以沙淀、葉淀爲歸宿。本年汛水歸葉淀者，約七八分，歸沙淀者，不過二三分，應濬等語。應如奏疏濬。至該督奏稱：兩岸各草壩工，已有陳朽，請於每年春融後、汛漲前查勘，有應修理粘補處，入於歲修項內辦理等語。查直隸各河壩工，向無歲修例，但永定兩岸草壩各工，係減洩盛漲之水，儻不隨時修理，恐致疏虞，應令該督，於每歲飭道員詳勘應修處，確估興修，工完報銷，不必定爲歲修。

曰興龍廟前大石挑水壩。

乾隆九年修。長四十四丈，頂寬五尺，底寬一丈，高一丈五尺五寸。畿輔安瀾志。

曰崔營邨草壩。

在北四汛宇字十八號。乾隆十二年，直隸總督那蘇圖、宗人府丞張師載等奏建，十三年工竣。奏詳前。金門寬十二丈，進深五丈，出水灰墁内寬十七丈，外寬二十一丈，進深七尺，迎水灰土護壩長十二丈，寬五尺，出水灰土護壩長二十二丈，寬五尺，迎水接築灰唇，内寬十二丈，外寬十五丈，進深三丈，接築灰唇，内寬二十二丈，外寬二十四丈，進深五丈，兩金牆各長五丈，寬三丈，迎水牆各長七丈，寬二丈，出水牆各長四丈，寬二丈。永定河續志二。畿輔安瀾志：崔營邨減水草壩，金門寬十二丈，入深五丈，刨槽深一尺五寸，簽下柏釘，築大夯灰土二步，小夯灰土一步。出水灰墁内寬十七丈，外寬二十一丈，入深七尺，刨槽深一尺五寸，簽下柏釘，築大夯灰土二步，小夯灰土一步。迎水灰土護壩長十二丈，寬五尺，刨槽深五尺，簽下柏釘，築大夯灰土八步，小夯灰土二步。出水護壩長二十二丈，寬五尺，刨槽深五尺，簽下柏釘，築大夯灰土八步，小夯灰土二步。出水灰墁、兩横頭灰土護壩共長十九丈六尺，寬五尺，刨槽深五尺，簽下柏釘，築大夯灰土八步，小夯灰土二步。迎水接築灰唇内寬十二丈，外寬十五丈，入深三丈，高二尺，斜坡折刨槽深一尺，築大夯灰土二步。出水接築灰唇，内寬二十二丈，外寬二十四丈，入深五丈，折刨槽斜坡深一尺，築大夯灰土二步。以上迎水灰唇至出水灰唇，共入深二十丈，兩金牆及迎水、出水牆護排樁各丈尺，與惠家莊草壩同。十二年九月，直隸總督那蘇圖、宗人府丞張師載等奏：永定河工，每當伏、秋汛發，上廑宸衷，特命臣張師載協辦修防。今歲霖雨疊漲，溜勢倏移，南岸六工郭家務草壩並北岸六工半截河草壩，河身逼進，金門過水太多，湍湧逾常，隨經堵閉，俟河溜稍遠酌放。南岸六工汛内有草壩四座，郭家務一壩暫閉，無庸另建。北岸六工半截河草壩，洩水頗捷，今既難令過水，自當另建一壩。南、北兩岸四工河灘寬衍，汛水出槽，停蓄積溜，難以驟下。北岸四、五兩工之交，地勢卑窪，水泡隄根，長至四、五尺，應於北岸四工崔營邨建築草壩一座，照小惠家莊草壩，金門寬十二丈，水隄外舊有小減河一道，引水歸達鳳河，工料估銀五千八百餘兩。又永定河下口，由八工尾北折，循北埝入沙家淀，以歸鳳河，全河出水之尾閭，鳳河見在多淺狹處，展挖寬深，以暢歸宿，但目今淀水尚未全消，難以履勘確估，請俟冬月，委員勘估，來歲汛前興挑，所需銀兩，即於三角淀歲修疏濬項内動用覈銷。又南岸五、六、下七等工，及北岸四、五、六、八等工，水泡隄根，隄工尚有間段卑薄之處，量加培修，共約需銀二千五百餘兩，請在於搶修項下動用覈銷。再各壩減水引河，應照例勸令邨民及時挑濬，并隄壩各工，隨時修守，改建壩座爲期尚早，大學士臣高斌不日回任，臣等再與酌定。按：崔營邨壩鳳河工皆在十三年。用銀五千八百六十六兩四錢七分六釐。永定河志十。

曰馬家鋪草壩。

在南上七汛來字一號，後併爲六汛寒字十九號，乾隆十五年，總督方觀承遵旨建。與雙營壩同，惟將出水、迎水各牆丈尺酌減，葦草柏樁改用秫稭楊樁，據畿輔安瀾志，永定河續志二。用銀四千六百六十一兩二分二釐。永定河志十。原奏詳前。

曰冰窖東草壩。

在南上七汛來字十號，乾隆十五年建。丈尺與馬家鋪壩同，據畿輔安瀾志。用銀四千六百五十七兩五錢五分一釐。永定河志十。壩外地低，十六年淩汛奪溜，展寬作爲下口。永定河續志二。

曰北邨灰壩。

在南三汛十一號，乾隆三十七年建。丈尺與求賢灰壩同，並遵旨於金門迤上建攔水草壩十丈，使其回溜過水，淤則挑，據永定河志七。用銀九千九百六十三兩三錢八分五釐。永定河志十。嘉慶十一年堵閉。永定河續志二。

曰南上汛灰壩。

在二號，道光四年建。金門寬五十六丈，進深八丈，迎水簸箕內寬六十一丈，外寬六十五丈，進深四丈，出水簸箕內寬六十二丈，外寬七十六丈，進深十四丈，兩金牆頂進深六丈四尺，底進深八丈，寬六丈，用銀七萬八千三百四十八兩有奇。道光四年，南上汛灰壩碑：灰壩金門面寬五十六丈，進深八丈，迎水簸箕內寬六十一丈，外寬六十五丈，進深四丈，出水簸箕內寬六十二丈，外寬七十六丈，進深十四丈，刨槽下柏木中釘，四面下牙樁松板，築小夯灰土深五尺，金牆兩座頂進深六丈四尺，底進深八丈，寬六丈，築大小夯灰土高八尺，上首築挑水壩一道，下埽六段，南金牆後下護埽四段，壩前築越壩，啟拆越壩一段，挖迎水引河一道，壩後築南北閘河埝共兩道，挖出水減河一道，稻田邨、西營邨、張家場邨、保河莊邨，護邨埝共四道。五年，加築圓頂滾水灰埝，頂寬一丈，底寬五丈，高一尺五寸，長五十六丈。同治六年奪溜，修如原式。十二年，改築圓頂龍骨，高七尺，下作坦坡形，進深八丈，迎水簸箕內寬六十五丈八尺，外寬六十三丈，出水簸箕連海墁內寬六十四丈九尺，外寬七十八丈，進深丈尺，依原式，其迎水、出水口外加護樁灰土各二尺五寸，南壩臺頂寬八丈六寸有奇，底均寬八丈五尺四寸，均高九尺三寸有奇，金剛雁翅等牆，四面均方，每長八丈三尺，高九尺三寸有奇，北壩臺頂寬八尺一寸，底寬八丈四尺，均高九尺二寸，金剛雁翅等牆，四面均方，每長八丈二尺五寸有奇，高八尺四寸有奇，用銀二萬八千三百七十二兩有奇。十二年立重修南上汛灰壩碑：同治十一年十一月，蒙欽差大臣太子太保武英殿大學士直隸總督部堂一等肅毅伯李批：據稟，永定河南岸頭工上汛二號灰壩，年久失修，河底淤墊益高，灰土亦多酥損，龍骨高僅二尺餘，既關全河利害，自應照式修復，以資盛漲啟放，並引河挑挖疏濬。所擬各項做法，尚爲合宜。查前次奏撥司庫地丁十萬兩摺內，已聲明永定河善後各工尚須察勘加修，如司款不敷，再於籌賑局節存捐款練餉局江南協款內，隨時酌量湊撥，以工代賑，免其造册報銷。此項壩工，估需銀三萬三千八百十五兩零，候卽行籌賑局照數撥發，將來彙案開單造報，毋庸專摺，仰卽查照派員領回銀兩，趕緊布置，預購料物到工，春融卽便趲辦，務須督飭桂倅等覈實經理，緊穩足靠，勿任稍有浮靡草率，致干罰賠，切切！此繳册存，等因。遵於十一月十六日設局購辦灰料，至次年二月二十六日興工，刨盡酥壞龍骨，層築灰土，自底至頂，工高七尺內外，坦坡、簸箕、海墁、壩臺等工，均照估修辦，減河、引河、箝口、蓋壩均照估挑築，迄五月初六日，各工普律完竣，計撙節覈實用庫銀二萬八千三百七十二兩零，泐石紀事。光緒二年，加高龍骨一尺五寸，迎水簸箕並雁翅加高一尺，出水簸箕並海墁加高五寸，用銀四千九十七兩有奇。六年，加高龍骨一尺五寸，遞減至迎水、出水簸箕高五寸，迎水、出水簸箕並雁翅加高五寸，用銀五千九百三兩有奇。據永定河續志二及三。

已上減水壩石一，灰草十七，凡十有八。朱其詔永定河續志云：凡十七者，蓋奪長安城一壩也。渾流善徙，草壩工省，增減亦易，故金門閘而外，無以石者。金門舊閘，本爲引清入渾設名閘以此，厥後設壩以減水，與滾水同一分洩，而式微異。滾水云者，壩面做魚脊形，水至脊則滾流而下。永定河壩皆平面，或亦謂之滾水，其實悉減水也，渾流激過水取緩，故設壩當擇地平土堅、對河背溜處，又灣則易淤，故壩之跨角不宜過大，此其大較也。

永定河續志二：兩岸減水壩凡十七，石壩一，灰草壩十六，在南岸十，在北岸七，今資分洩，惟金門閘與南上求賢兩壩。餘閉，基址湮没者半。畿輔安瀾志：兩岸壩座，原議四處，均石，因金門閘費鉅，餘遂草壩。金門閘引清入渾，設板啓閉，故謂之閘。乾隆丁巳以後，節年建壩，並非閘式。永定河各壩，悉作平面，止謂之減水壩，非滾水式也。石壩一，草壩十五，在南岸九，在北岸七，内惟冰窖草壩於乾隆十六年作爲下口，此外各壩有因河勢逼近，恐致奪溜爲患，先後圈閉。現資分洩者，金門石壩並長安城求賢邨、盧家莊、惠家莊。永定河續志十六，建石壩法：擇臨河圈築月隄，以禦河水，次計料立基，愈深愈穩，梅花地釘，密下深簽，四圍排樁，爲護壩之牆垣。迎水、出水兩簸箕，前後左右四雁翅，須詳勘内外地形之高下，以爲長短。減水、滾水，同一分洩，滾水壩面作魚脊形，水至脊滾流而下，減水壩作平面，蓋渾流湍激，取其過水緩。其法，壩身疊砌條石十三層至十六層不等，每層條石丁順成砌，護壩坦坡鋪條石一層，坦坡下腳，砌埋頭條石五層，一、三、五層條石順砌，二層、四層每丈間砌丁石一塊。埋頭石外，散水海墁砌條石二層。壩身後條石後，襯砌城甎，坦坡條石後填砌虎皮石壩基，壩身條石後地腳刨槽，築打灰土，下礅樁釘。石閘則金門、雁翅、雞心正等牆砌條石十四層，每層條石丁順成砌，石後每層襯河甎五路，裏頭砌河甎二十七層，每層砌甎五路，金門鋪底石一層，閘面安木板橋一槽，板上釘鞍子板一槽，閘底地腳刨槽，築打灰土，下礅樁釘。石橋則金門、分水、雁翅、裏頭等牆，順砌條石十三層，石後每層砌沙滾甎四路，金門鋪底石一層，迎水順鋪海墁石一層，橋面鋪橋板石一層，橋基牆身甎石後，地腳刨槽，築打灰土素土，下礅樁釘。建草壩法：地平則緩於進水，土堅則艱於衝刷，背溜則漫水上灘，回頭倒入，無直注之勢。兩金牆及迎水、出水，四面雁翅，刨深槽，下埽鑲樁，壩身海墁周圍作灰土護壩如牆垣，每一尺用排樁四根，貼釘厚板，愈深愈堅，上用管頭横木，密裹鐵葉，與壩面灰土勿使稍有高下，水過不平，則海墁受傷。先用梅花柏釘，密下深簽，上加灰土，大夯灰少，小夯灰多，鋪底則用大夯，近面則用小夯，灰性堅久，水過不滲，小夯多一層，勝大夯三層，迎水隨意，出水不可短，地土鬆處更須加長，長則遠送。此外曰順水壩，爲開引河設也。曰挑水壩，挑遯水歸河也。曰攔河壩，爲修隄截水計也。曰重壩，曰石子壩，曰雞嘴壩，助隄壩之不足也。類此皆散見河工，不更分録。

其涵洞，則高橋邨涵洞三。

在霸州城東南三十里，下六汛民隄高橋邨西。乾隆四年，總河顧琮等挑金門石壩、長安城草壩，引河以東股引河入黃家河之水歸高橋，隄北爲津水窪，隄南爲淀池，因請於高橋邨西建木涵洞三，設版啟閉。引河水大，啟版洩放入淀，引河斷流，淀水增盛，則閉版以防内灌。每涵洞寬八尺，入深一丈，其制兩邊各築壩臺，排樁釘板，上用管頭，下用腰帶，鑿槽下板，上置橋板，以通行人。十五年，永定漫水，由黃家河歸津水窪，水勢浩大，下六汛民隄圮，涵洞遂廢。畿輔安瀾志。原奏詳前。

北埝涵洞七。

在東安縣城南葛漁城之北埝上。乾隆五年，總河顧琮請接北埝四十七里，埝外向有龍河、啞吧河二道，爲宣洩京南瀝水入淀之路，北埝留涵洞七，以資分洩。六年，永定下口之水潰鄭家樓民埝，北折，由葛漁城沿北埝入沙家淀，恐河水北侵，加培北埝，以圍淀水，堵塞涵洞六，其龍河涵洞一處，居河流之上，仍留洩水。畿輔安瀾志。八年，總督史貽直有應仍建設之奏。詳前。十二年，龍河水由埝外全入鳳河，原留涵洞一并堵築。畿輔安瀾志。

柳行邨涵洞一。

在永清縣東鳳河上，乾隆二十二年築，以洩東北河淤蒲窪等邨瀝水。據畿輔安瀾志。又云：涵洞之制，或用甎石，或用木草，與壩略同。永定河淤，沙刷無常，故涵洞亦祇以木草爲之，便於移置。北岸求賢邨草壩之水入鳳河，南岸金門石壩之水入中亭河，而龍河、啞吧二河之潦瀝，復由減河歸鳳河，不惟北埝堵塞爲宜，卽高橋涵洞亦無煩重修。按永定河志八云：鳳河東隄，乾隆三十七年建涵洞二，洩斜埝以北瀝水。

其遷移邨莊，始雍正四年。

怡賢親王於郭家務展寬河身，遷董家務、趙百營等十三邨瓦土房，間給折費銀，民地豁除額糧，仍每畝給價銀六錢，旗地照數撥補。畿輔安瀾志。

一在乾隆十六年。

先是，乾隆十五年二月二十九日，諭曰：朕見永定河身之內，建有房屋，詢係窮民就耕灘地，水至則避去，雖不爲害，但其築牆疊壩，未免有填河之患。可卽查明見在户數，姑聽暫住，嗣後不得復有增添。十六年，下口改由冰窖遷永清、東安、武清三縣之武家莊、朱家莊、馮家場、東沽港、宋流口、外安瀾城、郭家場七邨，給直瓦房六兩，土房減半，用銀一萬四千四百八十四兩。據舒赫德、顧琮、方觀承奏。

一在十九年。

先是，乾隆十七年，唐二鋪等邨被水，得旨：埝内邨莊，給價令遷。據畿輔安瀾志。十八年，諭方觀承：將見在隄内附民人等已經遷移户口房屋若干，其不願遷之户口房屋若干，確查實數，於南、北兩岸刊立石碑，並嚴行通飭，不准加增。十九年，下口改由六汛洪字二十號尾，其上、中汛應遷邨莊賀堯營、柳屯、小柳屯、范甕口四邨，於乾隆三年因築北大隄，已領房直。馬家場、解家場、田家場、小田家場、新莊五邨，係民間收穫場園，自徙無庸給價。惟小惠家莊、大惠家莊、劉家莊、第五里、李家窖、四聖口、鄢家場、胡林店、趙家樓、五道口十邨，給銀六千八百六十一兩五錢。據總督方觀承奏。又宛平之賈河、立垡、鷲房，永清之董家務，均即時遷，永清之惠元莊、眼照屯，固安之仁厚等十一邨，請俟八月後遷移，户給銀二兩，計十七邨二百五十有九户，給銀五百一十有八兩。據畿輔安瀾志。

一在二十年。

永清大劉家莊等遷移房價銀六千八百五十五兩八錢。永定河志十。

一在四十七年。

先是，三十一年，水道改由北埝，東安、武清、霸州、永清已遷之邨民，願暫回原處耕種。據方觀承奏。四十七年，總督鄭大進勘應遷者永清之柳坨等六邨，東安之小孫家坨等五邨，凡草、土房七百二十間，每間借米三斗。據直隸總督鄭大進奏。

五十五年，勘明遷户。

十一月，總督梁肯堂奏，六工以下邨莊，數年内，凡遷千六百三十九户，瓦、土房萬一千三百七十有八間。據直隸總督梁肯堂奏。

其前代河工，魏嘉平二年造戾陵遏，開車箱渠。景元三年，更制水門。

高粱水首受㶟水於戾陵堰。劉靖碑云：魏使持節都督河北道諸軍事征北將軍建城鄉侯沛國劉靖，使帳下督丁鴻軍士千人，以嘉平二年，立遏於水，導高粱河，造戾陵遏，開車箱渠。遏表云：遏高一丈，東西長三十丈，南北廣七十餘步，依北岸立水門，門廣四丈，立水遏，長十丈，水經鮑邱水注。後人謂之劉師堰。明大學士楊榮，正統三年固安隄碑記：桑乾河至京城石景山之東，遷徙弗常，後魏都督河北道諸軍事建成侯劉靖，及子平鄉侯宏，築戾陵堰以防之，水患稍息。後人思其功，謂之劉師堰。畿輔安瀾志：戾陵遏，一名劉師堰，曹魏劉靖建，在宛平縣西南。

晉元康五年，修戾陵遏。

四年，劉靖子驍騎將軍平鄉侯宏，持節監幽州諸軍事，領護烏丸校尉，寧朔將軍。五年夏六月，洪水損遏四之三，剩北岸七十餘丈，上渠，車箱漫溢，命司馬關内侯逢惲，内外將士二千人，起長岸，立石渠，修主遏，治水門，門廣四丈，立水遏五尺，通塞之宜，準遵舊制，凡用功四萬有餘。水經鮑邱水注。

魏修戾陵堰。

漁陽有故戾陵堰，廣袤三十里，廢毀多時，莫能興復。裴延儁乃表求營造，躬自履行，相度水形，未幾而就。據魏書裴延儁傳。

北齊導高梁水。

斛律羡轉幽州刺史，導高梁水，北合易京，東會於潞。據北齊書。

唐引盧溝水。

此裴行方檢校幽州刺史都督時事。詳水利。

遼築左突隄、七里隄。

在東安縣西四十里，遼時謂之西隄。七里，在東一里，遼時謂之東隄。一統志。畿輔安瀾志：遼史不志河渠，其隄防亦無可考，二隄今爲啞吧、龍河二水所經，蓋舊渾河故道也。

金大定十年，決盧溝河，通漕，尋罷。

議決盧溝以通京師漕運，上忻然命計之，當役千里内民夫，上命免被災之地，以百官從人助役。已而，敕宰臣曰：山東歲饑，工役興則妨農作，能勿怨乎？開河本欲利民，而反取怨，不可。其姑罷之。金河渠志。

十一年，復開盧溝河。

十二月，省臣奏復開之。自金口導入潞水，計工可八十日。十二年三月，令人覆按，還奏止可五十日。召宰臣責曰：所餘三十日徒妨農費工，卿等何爲慮不及此。及渠成，以地勢高峻，水性渾濁。峻則奔流漩洄，齧岸善崩；濁則泥淖淤塞，積滓成淺，不能勝舟。上謂宰臣曰：分盧溝爲漕渠，竟未見功。平章政事駙馬元忠曰：請求識河道者，按視其地。竟不能行而罷。金河渠志。

塞盧溝決口，復決。

二十五年五月，盧溝決於上陽村。先是，決顯通寨，詔發中都三百里內民夫塞之，至是復決，恐枉費工物，令且勿治。金河渠志。按：金世宗紀云，二十六年戊午，盧溝決於上陽村，湍流成河，遂因之。

二十七年，塞金口閘。

三月，宰臣以孟家山金口閘下視都城，高一百四十餘尺，止以射糧軍守之，恐不足恃。儻遇暴漲，人或爲姦，其害非細。若固塞之，則所灌稻田俱爲陸地，種植禾麥亦非曠土。不然則更立重閘，仍於岸上置埽官廨，及埽兵之室，庶幾可以無虞。上是其言，遣使塞之。金河渠志。按：此又見金世宗紀。又張大節傳云：大定中，盧溝水嚙安次，承詔護視隄成，擢修内司使。

明昌三年，盧溝隄決。

六月，詔速遏塞之，無令泛溢爲害。右拾遺路鐸上疏言，當從水勢分流以行，不必補修元同口以下丁村以上舊隄。命宰臣議之，遂令工部尚書胥持國及路鐸同檢視其隄道。金河渠志。按：金路鐸傳云，明昌四年。

元太宗七年，築盧溝河牙梳口。

歲乙未八月敕：近劉沖禄言，率水工二百餘人，已依期築閉盧溝河元破牙梳口，若不修隄固護，恐不時漲水衝壞，或貪利之人盜決溉灌，請令禁之。劉沖禄可就主領，毋致衝塌。元河渠志。

至元三年，鑿金口。

至元二年，都水少監郭守敬請復金之金口河，其西開減水河。世祖納其議。據蘇天爵元名臣事略。三年，鑿金口，導盧溝水，以漕西山木石。元世祖紀。按：元世祖紀又云，三年六月，渾河水溢。

六年，築東安渾河隄。

十二月築。元世祖紀。

九年，築渾河隄。

十月築。元世祖紀。

二十二年，塞渾河決口。

二月，塞決口，役夫四千人。元世祖紀。按：元世祖紀云，至元二十一年四月己亥，涿州巨馬河決，衝突三十餘里。

二十五年，築渾河隄。

渾河決，發軍築隄捍之。元世祖紀。

大德二年，閉金口閘。

渾河水發，大都路都水監將金口下閉閘板。元河渠志。

五年，堵金口河。

渾河水勢浩大，都水監郭守敬將金口已上河身用砂石、雜土盡行堵閉。據元河渠志，許有壬傳。

六年，修隄，浚河。

春正月，築渾河隄長八十里，元成宗紀。仍禁豪家毋侵舊河。續通鑑一百九十四。四月，修盧溝上流石景山隄，浚永清縣南河。元成宗紀。

至大三年，塞渾河決口。

十月，渾河水決左都威衛營西大隄，泛溢南流，没左右二翊及後衛屯田麥。左都威衛言：十月五日，水決武清縣王甫村隄，闊五十餘步，深五尺許，水西南漫平地流，環圓營倉局，水不没者無幾。恐來春冰消，夏雨水作，衝決成渠，軍民被害，或遷置營司，或多差軍民修塞，庶免墊溺。三年二月十二日，省准下左右翊及後衛、大都路委官督工修治，五月二十日工畢。元河渠志。

皇慶元年，修黃堝隄等決口。

黃堝隄，今呼黃家隄。按：一統志，黃堝隄在東安縣南四十里，挑河鎮之南，俗呼黃家隄。東安李志：待清樓在五里邨渾河東岸，元皇慶元年建，常駐此修河隄，行勞工禮。皇慶元年二月十七日，東安州言：渾河水溢，決黃堝隄一十七所。都水監計工物移文工部。二十七日，樞密知院達實特穆爾奏：左衛言渾河決隄口二處，屯田浸不耕種，已發軍五百修治。臣等議，治水有司職耳，宜令中書戒所屬用心修治。從之。七月，省委工部員外郎張彬言：巡視渾河，六月三十日霖雨，水漲及丈餘，決隄口二百餘步，漂民廬，没禾稼，乞委官修治，發民丁刈雜草興築。元河渠志。續通鑑一百九十八：皇慶元年二月，霸州、文安縣屯田水患，遣官疏決。

延祐元年，修武清劉家莊隄口。

六月十七日，左衛言：十四日，渾河決武清縣劉家莊隄口，差軍七百與東安州民夫協力同修之。元河渠志。元仁宗紀：元祐元年六月，涿州范陽、房山二縣，渾河溢壞民田四百九十餘頃。七月乙亥，武清縣渾河隄決，淹没民田。元五行志：六月，涿州、房山二縣渾河溢。

二年，補隄。

春正月丙寅，雨壞渾河隄，發卒補之。元仁宗紀。

三年，修隄。

三月，省議：渾河決隄堰，既已奏聞。差官相視，上自石徑山金口，下至武清縣界舊隄，長計三百四十八里，中間因舊修築者大小四十七處，漲水所害合修補者十九處，無隄創修者八處，宜疏通者二處，計工三十八萬一百，役軍夫三萬五千，九十六日可畢。如通築則役大難成，就令分作三年爲之，省院差官先發軍民夫匠萬人，以修其要處。是月二十日，樞府奏撥軍三千，委中衛僉事督修治之。元河渠志。

七年，修隄。

渾河溢。元仁宗紀。五月，營田提舉司言：去歲十二月二十一日，屯户巡視廣賦屯北渾河隄二百餘步將崩，乞修治。都水監委濠寨，會營田提舉司官、武清縣官，督夫修完廣武屯北陷薄隄一處，計二千五百工；永興屯北隄低薄一處，計四千一百六十六工；落垡村西衝圮一處，計三千七百三十三工，永興屯北崩圮一處，計六千五百十八工；北王村莊西河東岸至白墳兒，南至韓村西道口，計六千九十三工，劉邢莊西河東岸北至寶僧百户屯，南至白墳兒，計三萬七百十二工。總用工五萬三千七百二十二。元河渠志。

至治二年，修隄。

元年六月己巳，渾河溢，霸州大水。秋七月乙酉大雨，渾河防決。二年六月丙子，修隄。元英宗紀。

泰定元年，築隄。

夏四月甲子，發兵民築渾河隄。元泰定紀。

四年，修隄，塞決口。

四年三月壬戌，渾河決，發軍民萬人塞之。元泰定紀。四月，省議：三年六月内霖雨，山水暴漲，泛没大興縣諸鄉桑棗田園。移文樞府，於七衛屯田及見有軍内，差三千人修治。元河渠志。按：泰定紀云，三年七月，渾河決。又按：此後順帝至元三年六月渾河溢，見順帝紀，未之修治。

至順元年，調諸衛卒築柳林海子隄堰。

按：柳林海子在漷縣故城西。按：元築隄事見文宗紀。

至正二年，開金口新河。

正月，中書參議博囉特穆爾、都水傅佐建言，起自通州南高麗莊，直至西山石峽鐵板開水古金口一百二十餘里，創開新河一道，深五丈，廣十五丈，放西山金口水東流至高麗莊，合御河，接引海運至大都城内輸納。時托克托爲中書右丞相，以其言奏而行之。廷臣多言其不可，而左丞許有壬言尤力，托克托排羣議不納。有壬因條陳其利害。丞相終不從。正月興工，四月功畢。起閘放金口水，流湍勢急，沙泥壅塞，船不可行。而開挑之際，毁民廬舍墳塋，夫丁死傷甚衆。又費用不貲，卒以無功。既而博囉特穆爾、傅佐俱伏誅。元河渠志。按：元河渠志及許有壬傳載，許有壬奏曰：大德二年，渾河發水爲民害，大都路都水監將金口下閉閘板。五年間，渾河水勢浩大，郭太史恐衝没田、薛二村，南、北二城，又將金口已上河身用砂石雜土，盡行堵閉。至順元年，行都水監郭道壽言，金口引水過京城至通州，其利無窮。工部官並河道提舉司、大都路及合屬官員耆老等，相視議擬，水由二城中間窒礙。又盧溝河自橋至合流處，自來未嘗有漁舟上下，此乃不可行船之驗也。且通州去京城四十里，盧溝止二十里，此時若可行船，當時何不於盧溝橋立馬頭，百事近便，卻於四十里外通州爲之？又西山水勢高峻，亡金時在都城之北，流入郊野，縱有衝決，爲害亦輕。今則在都城西南，與昔不同，此水性本湍急，若加以夏秋潦霖漲溢，則不敢必其無虞，宗廟社稷之所在，豈容僥倖於萬一！若一時成功，亦不能保其永無衝決之患。且亡金時，此河未必通行，今所有河道遺跡，安知非作而復輟之地乎？又地形高下不同，若不作閘，必致走水淺澁，若作閘以節之，則泥沙渾濁，必致淤塞，每年每月專人挑洗，蓋無窮盡之時也。郭太史初作通惠河時，何不用此水，而遠取白浮之水引入都城，以供閘壩之用？蓋白浮之水澄清，而此渾濁不可用也。此議方興，傳聞於外，萬口一辭，以爲不可。若以爲成大功者不謀於衆，人言不足聽，則是商鞅、王安石之法，當今不宜有此。

十三年，命州縣官從修渾河隄。

五月己巳，命東安州、武清、大興、宛平三縣正官，添給河防職官，從都水監官巡視渾隄，損壞卽修之。續通鑑二百十一。

十五年，築霸州沙城隄。

在南孟店北一里，西至臨津固安界白廟，東抵青口永清界信安鎮，凡八十里，知州梁伯常築。據畿輔安瀾志、霸州周志。

明洪武十六年，濬桑乾河。

自固安至高家莊八十里，霸州西支河二十里，南支河三十五里，明河渠志。明實錄：洪武十六年，霸州知州疏言，桑乾河自固安高家莊八十里，及城西支河，城南支河三十五里，年久湮塞，乞役民修治。霸州知州梁伯常築沙城隄八十里。畿輔安瀾志。按：州志，洪武十六年，知州事梁伯常築沙城隄，以障渾水，西至臨津，東至信安，亘八十里，學正蔡茂爲之記。

永樂二年，修固安縣渾河決岸。

十月修。明成祖紀。

七年，築固安縣渾河決岸。

六月，固安縣渾河決賀家口，命工部遣官修築。明成祖紀。

十年，治盧溝隄。

壞盧溝橋及隄岸，没官田民廬，溺死人畜，發卒治之。明河渠志。

十五年，修固安縣孫家口隄岸。

閏五月修。明成祖紀，明實録。按：修隄又見明河渠志。

洪熙元年，修盧溝橋東狼窩口岸。

七月，水決盧溝橋東狼窩口岸二百餘丈，命行後軍都督府行部發軍民修築。明仁宗紀。

宣德三、四年，修盧溝隄。

三年六月，渾河水決盧溝隄百餘丈，命併力用工。明實録。四年二月，修盧溝橋淩水所決河口。四月，命侍郎羅汝敬往督。明宣宗紀。按：明實録云，三年十二月庚辰，修盧溝隄，淩水所決河口。與本紀微異，當是指興工言。

六年，修隄。

順天府尹李庸言：永樂中，渾河決新城高從周口，遂致淤塞。霸州桑圓里上下，每年水漲無所洩，漫湧倒流，北灌海子凹、牛欄佃，請即修築，從之。明河渠志。五月壬申，順天府霸州、保定縣地低窪，臨邊渾河，往者河岸闕壞，皆是保定、文安、大城諸縣民夫同軍衛修築。今河水沖闕，岸土漸薄，且有坍塌處，請如舊集衆預修，從之。六月丁未，固安縣奏，夏久雨，渾河溢決徐家口，命工部撥工修之。明宣宗紀。

七年，修固安縣隄。

侍郎王佐言：通州至河西務，河道淺狹，張家灣西舊有渾河，請疏濬。帝以役重，止之。明河渠志。三月壬戌，渾水決固安縣馬莊等處隄岸，命順天府發民修築。明宣宗紀。

九年，修狼窩口等處隄。

六月，水決渾河東岸，自狼窩口至小屯廠，行在工部請修治，從之。命都督鄭銘董其役。明宣宗紀。

正統元年，復修狼窩口等處隄。

七月，命行在工部左侍郎李庸修狼窩口等處隄，明英宗紀。袤一百六十五丈，曰固安隄。方輿紀要：又東南爲白狼窩口舊築隄於北，袤一百六十餘丈，曰固安隄。餘詳下。及盧溝橋小屯廠潰岸。明河渠志。庸奏請工匠千五百人，役夫二萬，從所請。明實錄。明年工竣。明河渠志。明禮部尚書正統元年十月重修盧溝河隄記，其略曰 正統元年春，有司以河決聞，兩隄計十有一所，延袤千有二百丈，命內監葉通、襄城伯李鄘、工部尚書曹鑑偕往，遣官屬隨地遠近分治，役夫三千，傭借工八百，肇於三月十一日，不數月隄成。明大學士楊榮正統三年七月固安隄記，其略曰：盧溝河下流十五里，距盧溝不遠，有曰狼窩口，時復衝決，漫流而東，屢修輒圮。天子命工部侍郎李庸、內官監少監姜山義往任厥事，復命太監阮安、少保工部尚書吴中總其事，經始於正統元年冬，畢工於二年夏，凡用夫匠二萬餘，月給糧餉以萬計，累石重甃，培植加厚，崇二丈三尺，廣如之，延袤百六十五丈，賜名固安隄，置守户二十家。明袁煒、袁文榮集修盧溝河隄記，其略曰：盧溝沙洲突起，下流填閼，水失故道，潰隄決衢之西南百餘里。事聞，遣工部尚書雷禮、掌工部尚書徐杲規畫，上發帑銀三萬五千，敕太監張崇、侍郎吕光洵、指揮同知張鐸、御史雷稽古董其役，禮月一往視，經始於嘉靖壬戌秋九月，成於癸亥夏四月，隄延袤一千二百丈，高一丈有奇，廣倍之。

四年，修隄。

白溝、渾河二水俱溢決保定縣安州隄五十餘處，復命庸治之，築龍王廟南石隄。明河渠志。六月，小屯廠西隄決，詔發附近丁夫修築。明英宗紀。

七年，築渾河口。

十一月築。明英宗紀。

八年，築固安隄決口。

六月，渾河水溢，決固安賈家口、張家口等隄，詔鄰近州縣，協力修築。明英宗紀。明河渠志：八年，築固安決口。

十一年，築固安決口。

六月，渾河溢，賈家口、張家口隄決，命有司築之。明英宗紀。

天順初，修固安東隄堰。

固安縣丞王瑛，借隣境夫萬餘，修楊仙務東岸隄堰。固安陳志：天順初，渾河在縣西二十餘里楊仙務北，自盧溝橋流入縣境，時當水溢，縣丞王瑛請借隣境夫萬餘，修東岸隄堰。北自良鄉界，南抵霸州界，百餘里，直如引繩，高如邱阜，上植榆柳，久之根盤土固，水循故道。

四年，修固安隄。

甄家等口决，固安知縣李端量借屯種軍，併力築砌。固安陳志。

成化初，開東安縣渠。

知縣何瑛，東自南壇旁創開河渠，逕楊官屯，直達甄家莊之河口，西自縣西之北隱旁創開河渠，逕馬子莊，直達挑河頭之河口，水得通行。據畿輔唐志六十八。

七年，修盧溝隄、界河隄。

二月，撥官軍五千，以少監高通、都督鮑政等修築盧溝橋隄。明憲宗紀。按：實録有工部侍郎李某。十一月，霸州知州蔣愷、固安縣知縣賈貴各奏，霸州城北古有草橋界河，上接渾河，下至小直沽，東注於海。永樂間，改西南流，逕固安、新城、雄縣，北至霸州，新河漸淤，累衝决，近决孫家口，東流入河，又直抵三角淀。小直沽乃其故道，請因自然之勢築隄。命順天府官勘實，從之。明實録。先是，成化初年，東安主簿何瑛，挑東畔、西畔二河，洩渾河異漲也。據畿輔安瀾志引東安舊志。按：草橋河詳清河。

八年，修固安隄。

六月，渾河水溢固安縣張家口、賈家口等隄，詔隣近州縣，協力修築。明實録。

十二年，修盧溝橋等處隄。

二月，工部言，保定等縣言，各縣河岸衝決數多，有妨耕種，乞存留原借通惠河人夫修築。本部委官徐九思等，亦各言盧溝橋及直沽天津迤北南營、要兒渡口河道衝決淤塞，有妨漕運，比之通惠河尤急。如奏，准其存留。其盧溝一帶河岸，亦宜暫撥通惠河人夫用工，從之。（明憲宗紀。）十九年，命侍郎杜謙督理盧溝河隄岸。（明河渠志。）

□□年，濬永清縣河。

永清縣河水徙，被害。知縣韓凱濬河一道，水有所歸。（據永清舊志。）

弘治二年，築楊木廠隄。

決楊木廠隄，命新寧伯譚祐、侍郎陳政、內官李興等督官軍二萬人築之。（明河渠志。水部備考：盧溝河，永樂、正統間，狼窩口大決，爲京師患，屢常修築。弘治二年，發軍民夫治之。）

八年，築黃垡口隄。

霸州知州毛實築隄，起黃垡口，至清河口，九十餘里。（毛奇齡白昂傳：毛實知霸州，爲九河之區多水患，乃自黃垡口至清河口，築隄九十餘里，以防桑乾之衝。明侍郎王華新築霸州河隄記略：霸州距京南二百餘里，凡西北諸水，悉經流東注海。毛侯下車，度州治北三十餘里，去舊防百步築隄，肇於乙卯二月，至四月成。）

九年，築霸州高哥莊隄。

自州南關至平曲邨，知州毛實築之，以障渾河。（據畿輔安瀾志，參霸州周志。按：安瀾志，平曲城在城東二十五里，漢景帝封公孫渾邪爲平曲侯以此。）

十一年，築趙哥莊隄。

隄在霸州城東三十里，自圈里邨至菜園邨，勢如伏龍，知州劉忻築。據畿輔安瀾志，霸州周志。

正德元年，修盧溝隄，狼窩決口。

二月庚申，命工部修盧溝橋隄，以去年六月爲水沖壞六百餘丈故。明武宗紀。築狼窩決口，久之，下流支渠盡淤。明河渠志。

嘉靖十年，濬盧溝河下流。

工部郎中陸時雍言，良鄉盧溝河下流淤，宜以時洩，使達於海，明實錄。發卒濬導。明河渠志。按：明皇都水利考：嘉靖十年，命工部郎中陸時雍修盧溝河，以支流導入於海。

三十四年，修柳林至草橋大河。

命修盧溝河，從柳林通雞鶩房，導入大河，明河渠志：三十四年，修柳林至草橋大河。明水利考：三十四年，命修盧溝河，從柳林、雞鶩房導入大河。今岔河水歸故道，從麗莊園入直沽下海，凡三易治，而世宗朝盧溝無患。明年工竣。水部備考：嘉靖三十年以後，東岸隄決幾二十處，於是以三十七年興工，次年橋工告成，是河安流者數歲。永清周志：嘉靖三十五年，修東岸狼窩口等決十八處，凡築隄二千三百九十二丈，其西岸綿延，山麓地高，雖不築隄，亦不爲害。盧溝橋南兩岸東以隄，西岸舊有隄八里，東岸舊有隄三里餘。

四十一年，濬盧溝河故道，治隄。

八月，盧溝西南隄壞，明實錄。命工部尚書雷禮往視，上修築事宜，謂盧溝東南有大河，從麗莊園入直沽下海，沙泥澱十餘里。稍東岔河，從固安抵直沽，勢高。當先濬大河，令水歸故道，然後築長隄以固之。決口地下水急，人力難驟施。西岸故隄緜亘八百丈，遺址可按，宜并築。詔從其請。明年訖工，東、西岸石隄凡九百六十丈。明河渠志。明世宗紀：四十一年，雷禮又言，當委幹局九人，分任九區，并力責成。明水利考：雷禮修盧溝河，先濬大河，令坌河水歸故道，從麗莊園入直沽下海。

四十二年，築永清護城隄。

沿城三千六百步，知縣馮鑑築。據永清周志，參畿輔安瀾志。

萬曆二年，修霸州東安縣隄。

副使錢藻重修霸州沙城隄、高哥莊隄，障渾水也。據畿輔安瀾志、霸州周志。按：霸州周志，於沙城隄，云甲戌修是也。而高哥莊隄云丙戌，則譌。

三年，修固安、永清渾河隄，霸州白墳隄。

渾河溢，固安知縣周文謨築大隄，固安陳志引舊志。知縣李□□又築隄渾河，障三十四里。都給事中尤懋固安縣修隄碑記：固安境一曰渾河，一曰清河，兵憲錢公下車，下其議於縣，時縣侯李公直以今之爲害境内者，莫如二河，柵堰防隄，何敢不力，顧百姓敝極，計惟出於公帑。錢大歎稱。侯卽肇事，隄岸北障渾河三十四里許，動公貯，以銀計五百四十九兩，以穀計五百石有奇，南障清河隄二十餘里，其銀穀費俱侯特設處，工肇於萬曆三年三月三十日，成於本年四月十七日。按：縣志載，明萬曆三年，知縣張夢蟾、周文謨，而未及李，錢藻之兵備密雲，在萬曆二年，其下修隄議，當在三年三月前，尤懋碑記，在固安北隄口古河神廟，爲三年六月立。又永清縣渾河隄，延袤五十里有奇，障水東流，巡撫王一鶚、副使錢藻築。據畿輔安瀾志。御史武尚賢築隄建祠碑記略：歲乙亥春，役民不滿五千，不浹月而廟址崇墉，延袤以里計者四十有奇。先是，白垡、新務二口南射，視他患尤甚，首及於是，他工計日興工。藻又修霸州白墳隄，南起栲栳圈，訖胡各莊；北起南孟，訖青口；中起康莊，訖信安城；西起菊花臺，訖栲栳圈，凡百二十里。明尚書王遴霸州隄報功祠記略：余郡暨永清、文安，咸在京南，天津西諸水，經流當其衝，郡南爲苑家口，有前兵憲陸公新開栲栳圈河洩之矣。郡北渾河洶湧，萬曆三年春，兵憲錢南自郡之山川壇起，由栲栳圈臺山平曲至胡各莊止，北自南孟，由鋪疙瘩、張家莊頭、五間房、採木營至青口止，中自康莊，由煎茶鋪、沙窩、甯家口、趙哥莊、田家口、菜園至信安城止，西自菊花臺，由迪家莊、魏家營、井哥莊、老隄、王家樓至栲栳圈止，築隄一百二十里，不三月功成。按：霸州周志云，甲戌築。蓋議築在二年。

東安知縣洪一模修長隄，據畿輔安瀾志，引東安舊志。在治南四十里，自甄家莊逕葛漁城、穆家口，形如偃月，長二十里，南界淀河，北界減河。東安李志。按國朝雍正元年四月所修，即此。據畿輔唐志。

四年，修永清縣長隄。

永清知縣劉希孔，修隄五十里有奇。據畿輔唐志。

六年，築馬子莊隄決口。

盧溝下流分派於東安者，萬曆二年馬子莊隄口決，淹駱駝灣，知縣韓景閔塞之。畿輔安瀾志。

九年，復修馬子莊隄決口。

舊口復決，知縣張汝蘊修之，自是屢修屢決。畿輔安瀾志。

二十年，修固安縣隄。

渾河決，固安知縣周文謨築大隄、護城隄。據固安陳志。

三十五年，修永清護城隄。

知縣李懋德修。據永清周志，參畿輔安瀾志。

三十九年，修永清護城隄。

知縣王嘉績重修，種柳。據永清周志，參畿輔安瀾志。

四十三年，修固安縣重隄。

知縣孫延長築修重隄，長五百四十丈，高一丈八尺，植柳萬餘。據明右副都御史郭光復固安縣創修重隄碑。

四十四年，修霸州高哥莊隄。

副使錢藻增築。據畿輔安瀾志。

崇禎二年七月，兵部侍郎周懋言，渾河沙淤，導之之策，尤當講求，乞敕撫按，奏請定奪。仍將每年各州縣開通水道渠塘，栽過樹木處所，有無渾河水災，册報，允之。崇禎長編。

明修渾河隄之未詳厥時者，曰石景山前大石隄，曰盧溝舊隄。

石景山前大石隄，長一百七十一丈，寬七尺，高一丈五尺。又自衙門口郕至興隆廟止，大石片石隄長五百二丈五尺，内明舊隄三百七十九丈五尺餘，上下壩臺長一百二十三丈，寬八尺，高一丈，隄内雞嘴壩長四丈五尺，頂寬五尺，底寬一丈，高一丈五尺。自興隆廟至盧溝橋，大石片石隄長四百三丈，内明舊隄三百五十三丈。橋西雁翅起，過橋東至四里坡南止，大石片石隄共長一千一百八十三丈。據畿輔安瀾志，皆云前明修築。

曰老隄，曰萬家隄，曰趙哥莊隄，曰青楊隄，曰馬家隄，曰于家隄，曰劉家隄，曰魏家隄，曰燕王隄，曰朱郕隄，曰盧家七字隄。

老隄長二百里有奇，大城縣境，隄外女隄，即所謂陸公隄也，陸旭修。保定成志：西北起，迄東南卜家莊止。明劉克家陸公隄記略：保隄障河之南地，東西長二百餘里，獨保隄中央首受衝，而同患則爲六州縣之隄也。陸公視保邑，率縣民先之，旋闔文、大，照汛修理，而大城汛如靳家背後基窄土薄，此百餘丈之口置弗講，雖別汛固若金城何益？公代大城募，築外加女隄，移於舊隄之南百步，區畫決口十餘處皆當衝險，隄成皆感勞曰：此陸公隄也。公諱旭。萬家隄在霸州城南二里許，據畿輔安瀾志、霸州周志。青楊隄在東安縣桃河鎮之東南，今郚名青楊樹。馬家隄在桃河鎮東，于家隄在東安葛漁城之南，劉家隄在東安四十畝口之南，魏家隄在東安縣治北，燕王隄在東安户子壕南五十里，朱郚隄在東安縣西八里，盧家七字隄在東安城東南十二里。據畿輔安瀾志、東安李志。

曰高粱河隄。

此故道支流隄，畿輔安瀾志。曰西隄者，城西隄也。帝京景物略：水從高粱橋而西，過橋爲湖界，以長隄湖在隄西，稻田豆場在隄南，曰西隄者，城西隄也。

按：魏前治河失考。宋徽宗時，楊應詢增霸州隄，雖史册未明言渾河，當非無涉。據宋楊應詢傳。遼聖宗十一年七月，桑乾河溢，南京民多墊溺者，而未聞修治，何與？據遼史。金、元或利漕，或防漲，蓋其北經都城，東入潞水也。明中葉漸徙而南，間有濬淤之舉，不過以衝決亟圖建策者，率云以不治治之，遂至浮沙充溢，軌道不分。嘉靖以上，大半遺京員堵築。萬曆後，率皆州縣有司，自圖捍禦，不聞入告。畿輔安瀾志。舊隄或廢或存，皆與今異。

畿輔安瀾志：渾河隄歷遼、金、元、明，水衝斷續。自康熙三十七年新開永定河，修南北隄，前代舊隄，或廢或存，皆成故迹。

河渠志十

光緒順天府志四十五

河工六

德清傅雲龍纂　江陰繆荃孫覆輯

北運河薊運河

河工初隸通惠河分司，康熙三十九年，改歸通永道。據會典事例七百一。

轄河廳三，一務關同知，屬汛七。

州同一，州判二，主簿三，巡檢一，又武弁汛六，千總、把總各一，外委、額外外委各二。乾隆四十年，北運河楊邨廳險工林立，其極北之王家鋪一汛，工長二十五里有奇，改隸務關同知。據會典事例七百一。

一、楊邨廳通判屬汛二。

耍兒渡縣丞一，楊邨主簿一，按，會典事例七百一，云，雍正四年設。又武弁汛八，千總、把總、外委、額外外委各二。乾隆四十三年，北運河吴家窰壩座河隄，改歸耍兒渡縣丞經管，將王家務額外外委撥歸耍兒渡汛。據同上。

一、通惠河漕運通判屬汛四。乾隆二十六年，通惠河南北岸各四十里，分汛四，自大通橋至平下閘，南岸隄壩慶豐閘官管理，爲南上汛；自平下閘至通州北門外瓠蘆頭，又自分閘至南浦北岸隄壩通流閘官管理，爲北下汛；其北上、南下汛工，移古北口、石塘路兩經制外委司之，均歸務關同知轄，每年勘疏築工，報通永道覆核。二十八年，改歸漕運通判。通州高志。乾隆二十六年，吏部議准直隸總督方觀承奏：通惠河工既歸通永道經管，應設汛防，通惠河南、北兩岸各四十里，分四汛，自大通橋至平下閘，南、北岸各設一汛，均爲上汛；自平下閘至通州北關，南、北岸各設一汛，均爲下汛；即將慶豐、通流兩閘閘官改爲河缺。自大通橋至平下閘南岸隄壩各工，歸慶豐閘閘官管理，是爲南岸上汛；自平下閘至通州北門外瓠蘆頭，又自分閘至南浦北岸隄壩各工，歸通流閘閘官管理，是爲北岸下汛；其北岸上汛、南岸下汛，以古北口、石塘路兩經制外委改設通惠河與兩閘官，分司隄壩工程，均歸務關廳管理，所需歲修搶修銀兩，照舊於坐糧廳稅課銀內動撥。二十八年，直隸總督、倉場奏改漕運通判就近管理。會典事例七百一：通惠河漕運通判一，所屬閘官二，外委二。乾隆二年，設張家灣漕運通判一。二十六年，議准通惠河河工分設文武四汛，令廳員管轄。二十八年，議准通惠河歲修、搶修一切疏築工程，改令漕運通判就近管理，其慶豐、通流閘官，及上、下汛外委、河兵，均令該通判管轄。四十一年，議准通惠各閘工程，改歸通永道管理，其修艌閘座、添換閘板、麻繩照舊於坐糧廳稅課項下支給，令該廳僉同查驗，報倉場侍郎查核。五十四年，議榆河自新河口至工部稅局，責成漕運通判督率通州上汛外委管理，淤淺報勘外委，改爲把總。據會典事例七百一。

坐糧廳初司疏濬，後停。

雍正三年，定章漕船運近北河，坐糧廳預令汛弁疏濬。漕運全書：北河流沙，通塞無定。雍正元年，題准多差人役，晝夜巡防，漕船運近，長夫逐日探量水勢，多插柳標，隨時刨挖。三年，題准漕船運近北河時，坐糧廳預爲轉行各汛官弁，先期疏濬，若接續而來，即于前船既過、後船方來，立加疏導。乾隆二年，奏令坐糧廳于水涸時，濬通州至楊邨沙嘴尖突處、朱家河底礓石、龍王廟河底瓦礫。三年，倉場以隨挑隨淤，奏停。據户部册。

其河兵百五十有奇。

漕運廳管八十，方觀承奏：通流閘、慶豐閘、北上、南下，每汛兵二十名。通州州同管十，州判管十有五，駐漷州判管二十，據通州高志。耍兒渡汛管十，會典事例七百一：乾隆四十三年，議准通州州判、州同二汛，每汛抽撥戰兵一、守兵四，共十名，改增北運河耍兒渡，以資修防力作。平家疃外委管十有六。此同治十三年增設也。據通州高志。按：會典事例七百一云，通會河河兵八十四名，非今數矣。又六百六十四云，乾隆元年，議直隸運河改設河兵，責令疏濬。

其河夫曰衩夫，曰淺夫，曰閘夫，曰標夫。

北運河衩夫一百八十，淺夫八百六十。初設五百，康熙二十年裁。後設六汛淺夫。乾隆四十一年，議添二汛，每汛夫百，據會典事例六百九十。今設夫凡八百六十，據通州采訪册。閘夫，通流閘四十有二，慶豐閘八十，通州高志。按：會典事例云，北運河閘夫八十。漕運則例纂：乾隆四年，奏准春初令慶豐閘等官，於河隄率閘夫種柳固隄。標夫三十三。漕運則例纂：北運河流沙通塞無定，雍正元年，題雇夫逐日探量水勢，多插柳標，原設標夫三十三名，自重運入汛起，至空船出汛止，每名日給銀八分。乾隆十一年，議准每月再給標竿銀五錢。

其濬淤曰垡船，曰刮板。

楊邨上至通州，河曲易淤，坐糧廳向設刮板四十副，臨時募夫副各二十有五。乾隆二年，奏裁刮板十，設夫頭各一，日給工食銀八分。據漕運全書，參户部册。十一年，設垡船六十，十四年裁。會典事例六百六十四。初設划船，十五年改爲刮板。漕運全書：乾隆十五年，北河舊設划船改爲刮板，額設淺夫四百八十，不敷疏濬，臨時雇夫協濟。二十三年，以北運河六汛，汛設刮板五，淺夫八十，祇敷三副之用。奏將楊邨一汛，近海通潮，減刮板二，其餘汛各設五，每副淺夫二十，將楊邨所餘淺夫二十撥入五汛，再添八十名，每名月給銀一兩二錢，支自紅撥項下。交通永道率同漕運通判管轄，淤多，卽將上、下汛調撥。三十年，奏令通永道赴工督刮。五十三年，添通州上、下二汛刮板十，夫二百，嗣添刮板五，夫百，漕運全書。按：乾隆二十五年奏，北運河淤滯處，令管河廳汛置挑撈器具，造册報部。或曰宜用兜杓。劉天和問水集：白河經密雲諸山，全受渾、榆諸河之水。夏、秋暴漲，隄防不能禦，漫散溜沙，深淺通塞不常，運行甚艱，惟用兜杓數千具，治河官夫遇淺卽濬，盤剥可省。近有議於白河建閘者，河廣盛漲必他決，底皆淤沙，閘易損，且河徙無定，閘難改移，蓋未達水土之宜也。

其修有歲，有搶。

通州至天津沿河州縣，額解挑淺銀兩，向由通惠河分司收挑。康熙三十九年，裁分司，此銀節省解部，將通永道稅務歸坐糧廳徵收，所得盈餘，充挖淺築隄之用。漕運全書：通州至天津沿河州縣，各分汛地，每年額解挑淺銀兩，向係通惠河分司經收，專司挑挖。康熙三十九年，題准將通惠河分司裁革，挑淺一項，節省解部，將通永道稅務歸併坐糧廳徵收，所得盈餘，以充挑河挖淺及修築隄岸之用。雍正三年，以坐糧廳經管糧務，不能親歷河干，督率挖淺，題准將各汛之淺，令各汛官弁，督率人役開挖，其造辦器具，委用人役，開銷錢糧，仍令坐糧廳經管。是年春二月，聖祖閲河道，由武清，夏四月駐驆筐兒港閲隄。知縣章曾印奏：以丁字沽稅銀三千兩爲修河費。報可。據武清吳志。五十一年，議通州石壩至沙子營，每年將中流酌濬。五十五年，奏准榆河遇淤，歸入北運河歲修。又覆准，流沙無定，如有淤墊，估報道庫墊發，歸北運河搶修彙奏。又勘奏，新挑通惠、榆河，命遇有停沙淺澁，隨時疏濬。據會典事例六百六十四。先是，榆河歲修銀二千兩，漕運全書：通州溫榆河爲石壩樓前起卸糧石，空重鱗集之所。每歲糧竣，九、十月間，漕運通判親赴河工勘淤塞處估報，於年前興工挑挖完竣，以備次年新漕到通，運行無阻，每年原定銀二千兩。雍正十二年，議寶坻縣南官隄、大吴家莊、新安鎮險要處，每年視水勢大小緩急，令地方官備料堵搶。又議還鄉河隄埝，設歲修銀，於通永道庫酌用。會典事例七百一。嘉慶四年，以榆河歲修不敷，命胡季堂籌商添用，以資疏濬。仁宗聖訓。五年，直隸總督奏：淤積無多之年，銀數百或千餘已敷挑挖，倘淤塞過甚，應於原定二千之外，酌增銀兩，以積淤厚薄，定修費多寡，每歲九、十月責成通永道，率同漕運通判，逐段勘估，倉場侍郎覆勘工需，即在通永道庫木税及丁字沽税動撥，據奏册。後領歲修銀三千一百兩有奇，折實銀一千一百有奇。通惠河歲修銀三千兩有奇，折實銀二千兩有奇。據通州采訪册。北運河凡歲修銀一萬八千九百餘兩，搶修銀六千兩。咸豐四年五月，户部奏：據直隸總督咨稱：北運河應領咸豐四年分搶修銀六千兩，並請找發道光三十年搶修銀一萬九百五十七兩零等語。臣等思歲搶修銀，未便再緩，惟部庫無款可動。查永定河歲修銀三萬三千九百餘兩，又搶修銀二萬七千兩，加增運脚銀八千五百兩，北運河歲修銀一萬八千九百餘兩，又搶修銀六千兩，又找領搶修銀一萬九百餘兩，南運河歲修銀一萬四千九百餘兩，又搶修銀六千兩，共計應領銀十二萬六千一百餘兩。按照大學士裕成等奏，准變通部庫放項核減章程，減半核給，尚需銀六萬三千五十餘兩，應請旨飭下直隸總督，在於應徵本年解部旗租銀兩内，動支銀六萬三千五十餘兩，分別給領，先將動撥銀數報部查核，並將用過工料銀兩，照例造報工部核銷。

又薊運河歲修支自北運河銀，乾隆三十年停。運薊船到天津，即由甯河縣之新河口入海河，轉入寶坻縣之小河，然後由白龍港、劉家莊等處達薊州之五里橋交卸。據會典事例六百六十四。先是，每歲檄鄰協修，雍正十年後，竟屬甯河，力難獨任。寶坻修千一百丈，甯河修一千八丈。乾隆元年，從督河臣請，撥歲修銀，專歸甯河濬治。甯河關志。二十六年奏，將新河口責令甯河縣預爲挑濬，劉家莊、五里橋流沙易淤，難以預挑，責成薊州知州疏濬。據會典事例六百六十四，參漕運全書。又以直隸總督事務繁多，所有薊運河挑淺工程，就近由倉場侍郎專管，每歲督率通永道，隨時相度，實爲疏濬，以利漕運。三十年奏，薊州運道陵稍，改支折色，無需船運，歲修遂停。

又還鄉河歲修。

雍正十二年，議准還鄉河兩岸隄堰，設歲修銀，於通永道庫先期酌用。會典事例七百一。

其隄在大興、通州、香河、武清。

自大通橋至石壩，曰通惠河隄工，其下曰縣北長隄，自張家灣善人橋至漷縣北門，三十餘里，今坍。據通州舊志及高志。曰楊景芳隄，曰馬頭店隄，曰白浮圈隄，曰曹家莊隄，曰小屯隄，曰白河隄，曰港溝隄。詳下。其在香河縣，自板罾口至紅廟邨，官修隄長四百一十六丈，民修隄三百一十九丈。據河防志、香河劉志：有東搬罾口隄、西汪莊隄、火燒屯隄、石灰廠隄、羅家屯隄、秦家屯隄、甄家屯隄、狼兒窩隄、西河鋪上隄、王家擺渡隄、靳家莊隄、埂子上隄，又有明星堂隄、金雞堂隄、清水灣隄、麻窩兒隄、甘十八隄、鉗家屯隄、二百户隄、土門樓隄。按：土門樓又載武清吳志。其在武清縣東隄工二十號：第一號東耍兒渡口，隄長一千九百一十丈。第二號八百户口，隄長九百六十五丈。第三號十百户口，隄長九百七十丈。第四號東黑龍口，隄長六百四十八丈。第五號四百户口，即小王家甫，隄長七百丈。第六號三里淺口，隄長一千四百十四丈。第七號北蔡邨口，隄長八百六十七丈。第八號桃源口，隄長九百六十丈。第九號筐兒港，隄長一千一百七十八丈七尺。第十號徐官屯口，隄長一千八百丈。第十一號東竇家口，隄長六百一十丈。第十二號承安口，卽閻王廟口，隄長七百六十丈。第十三號朱龍口，隄長二百六十五丈。第十四號閻家灣口，隄長一千八百丈。第十五號孫明口，隄長一千八百丈。第十六號白馬灣口，隄長一千四百四十丈。第十七號閻洪口，隄長九百丈。第十八號張官屯口，隄長六百三十丈。第十九號小新流口，隄長九百丈。第二十號信艾口，隄長七百二十丈。西隄工二十四號：第一號沙河李家口，隄長七百七十六丈。第二號閻家口，隄長三百一十丈。第三號車營口，隄長五百四十四丈。第四號劉吉口，隄長一百四十一丈。第五號棉花市口，隄長七十三丈。第六號鐵牛口，隄長十八丈。第七號西耍兒渡口，隄長四百三十二丈。第八號白廟口，隄長八百五十二丈。第九號西黑龍口，隄長八百一十丈。第十號黃鬚口，卽傅官屯，隄長一千一百五十丈。第十一號西王家甫口，隄長一千六百一丈。第十二號灰窩口，隄長一千一百二丈五尺。第十三號聶卞官屯口，隄長一千二百一十五丈。第十四號白駒廠口，隄長一千八百丈。第十五號鄭陳官口，隄長九百三十丈。第十六號紫宮洵口，隄長一千二十一丈。第十七號王才口，隄長一千三十丈。第十八號西竇家口，隄長八百一十丈。第十九號馬家口，隄長一千九百八十丈。第二十號劉灣口，隄長一千六百二十丈。第二十一號蔡家口，隄長二百二十丈。第二十二號桃花口，隄長三千二百五十丈。第二十三號毛家口，隄長三百六十丈。第二十四號李家口，隄長七百二十丈。據河防志。

其工始于順治十二年修隄。

先是，十一年，大學士杜立德倡修工部地隄，甯河關志載杜立德工部地修隄記，其畧曰：自癸巳水汛，工部地窪而腴，今春勉輸麥糧數百斛、銀三百兩，鼓親友鄉義者協助。時邑侯蕭公蕙三、尹萬公士奇，咸鳩庀是力，可保數年無潰。其動帑興工，則自十二年始，修薊州及三河縣決口隄岸。據會典事例七百一。按：同時修隄，有玉田、豐潤二縣，非順天境。

十四年，修北運河隄。

給事中雷一龍，請濬河西務泥沙、修隄及石壩裏河五閘隄工。據雷一龍通漕濬河疏。按：會典事例七百一云，十四年修畿輔隄岸。

康熙十三年，開甯河縣渠。

岳旗莊渠通薊運河，寬一丈，深五尺。甯河關志。

十五年，開甯河縣渠。

青泥莊渠通薊運河，寬一丈，深五尺。甯河關志。

十九年，濬通州河。

遣官濬通州至天津河道。行水金鑑一百三十三。

二十六年，開甯河縣渠。

鐵師坨莊渠寬八尺，深四尺。甯河關志。

二十七年，建沙河閘、通州隄。

十一月，命靳輔同工部尚書蘇赫等往閱通州運河，請於沙河建閘蓄水，通州下流築隄束水。漢名臣傳二十六。

三十三年，修北運河隄。

三十二年六月，決三里淺隄三百五十五丈，承安口即閻王廟口隄四十五丈，黃鬚口即傅官屯隄八十三丈。三十三年二月修築。據河防志。九月十三日，命侍郎常書，閱視通州東北舊隄，築運河隄，自龍潭口至白浮圈下老隄頭，長八百二十七丈。據行水金鑑一百四十三。

三十四年，修要兒渡隄，開薊州新河。

六月，要兒渡修築決隄，據行水金鑑一百四十三。開薊運新河，長二千一百八丈，底寬二丈，面寬二丈五尺，深五尺。寶坻洪志。

三十五年，修武清縣四百户口等決隄。

三十四年六月，決北蔡邨隄十二丈五尺，沙河李家口隄一百四十八丈。三十五年修築。是年八月，決四百户口隄，又決朱龍口隄六丈，小新信艾口隄七十五丈，築之。據河防志。

三十六年，修築武清縣決隄。

三十五年八月，決徐官屯隄三十九丈五尺，張官口屯隄九十二丈，小新流口隄五十一丈五尺，西黑龍口隄八丈，西王家甫口隄八丈五尺，聶卞官屯口隄二十八丈。三十六年修築。據河防志。

三十七年，濬北運河，修耍兒渡隄。

先是，三十六年八月，倉場侍郎瓦爾達等奏：河淤，宜濬。命工部尚書裘曰修會勘。三十七年正月，命裘曰修協同直隸總督周元理董率辦理。漢名臣傳。又修耍兒渡水隄五百一丈二尺。河防志之武清章志序：戊寅，築耍兒渡新隄。

三十九年，修筐兒港壩，開引河，築隄。

先是，三十六年、三十八年，決武清縣筐兒港。三十九年，聖祖親臨閱視，命員外郎牛鈕等，於決處建修減水石壩二十丈，開引河六十有四里，寬六十丈，夾以長隄，北起閘口，訖梅廠；南起閘口，訖張五莊，並長三十一里有奇。又起張五莊訖孤雲寺，長四十里，於是注於塌河淀，逕賈家沽道，洩入海河。楊邨上下百餘里，河平隄固，有御製碑文。據一統志，參畿輔唐志、河防志、通州高志、武清吴志。五月，決桃源口隄。諭：此隄離河遠，不必修築。是月又決閻家灣口隄、孫明口隄。九月修築。據河防志。

四十年，修耍兒渡隄，開甯河縣渠。

三十九年五月，決東竇家口隄、白駒廠口隄。六月，決耍兒渡隄。四十年修築，據河防志。開甯河前邦道沽莊渠，寬七尺，深二尺；胡家莊渠，寬一丈，深五尺。甯河關志。

四十三年，挑河，築壩。

先是，三十七年五月一日甲戌，上巡視武清縣隄岸，衆民跪奏曰：耍兒渡地方，自蒙皇上修築，迄今永無水患，此地隄岸，正當水勢衝射，請於隄岸外另築一隄。上諭曰：此隄岸之外，若另作一隄，爾等田畝，豈不多致占廢？衆民奏曰：原非一家田畝，即稍築入隄，於小民亦無大損；儻河水一決，其患更甚。上諭曰：轉盼間雨潦將屆，今歲不及修，暫立木樁，堅護隄岸，另開小河，以殺水勢，今歲田畝可以無虞。俟明春雨水前，另築重隄，爾等田廬俱得安固矣。四十三年，命内務郎中齊蘇勒，於楊邨舊河建減水石壩。初二日，命李光地疏築楊邨引河，並減水壩。按：楊邨近處舊引河，即此後所挑之筐兒港減河。二十六日，上巡幸畿内，臨閱齊蘇勒等所勘薛家莊擬築減水壩處。諭曰：此處迎溜頂衝，若築減水石壩，遇水漲時，石壩雖不妨，而兩邊土壩可虞。如水漲過四尺，由減水壩流出，視其流高幾寸，可算知一晝夜水洩幾分，如能流洩水之三分，則大有濟矣。此處河勢，南岸露出磯嘴，北邊暗被衝刷，今已近北岸矣。朕向巡幸西塞之外，見黄河一邊露出磯嘴，則一邊必然衝刷，水性原如此，朕故知之，此處斷不可築減水壩也。因問之士民，皆云三十年前，河原近南岸。衆皆驚服。二十七日，上閲視筐兒港隄工。命齊蘇勒築減水壩。諭曰：昨日踏勘之處，迎溜頂衝，彼處若築減水壩，甚爲可虞，儻水發時，衝刷其東，則所築減水壩反在河中，徒費人工矣。其楊邨以南，河岸離隄雖遠，而相其地勢，亦難修築。此筐兒港近處，有磯嘴與河隄相去不遠，且河路又直通舊河，取道甚順，況東邊原因修築堅固，屢經大水，並無妨礙，此處修築減水壩甚好。朕製木樁式樣與之，減水壩兩邊雁翅，須令加高，與隄平，其外邊流水之處，盡用石鋪，預鑿兩路柱眼，其上則搭橋，以便行人。築減水壩時，須令其尾長，如此則下注之水可無妨礙，若欲保減水壩之水溜，當於東邊酌量修築數處挑水壩，以分頂衝水勢，俟後再定。至新挑河兩邊築隄，則兩邊田地之水，爲隄所阻，不能流出，或恐不利於田地，若使通於新挑河，及分減大河之水，令入漯河淀湖內，則水集而滿，必致泛溢，恐民田地淹没。可將湖邊丈量，圈築小隄，使水不致漫流，以保護田地。修築大河兩邊隄工，附近民居俱請加高，朕看此隄加高，大有裨益，可將此隄先修，俟工部堂官到日，爾會同前來，將舊隄加高之處丈量估算，需用錢糧幾何，具題之日，再將修築減水壩之處定奪。

四十四年，開甯河縣渠。

水暴至復決。世宗指授，於河西務上流之青龍灣建壩四十丈，通州高志。即今上閘口。武清蔡志。開引河，長九十里，注七里海，挖甯車沽河，導七里海，洩之北塘口。據通州高志、甯河關志。按：寶坻洪志云，開青龍灣引河，長九十里，其長隄遥壩，周四十里許。八年正月二十八日，命侍郎牛鈕、何國宗至北運河青龍灣，修築減水壩，並挑濬引河工程。二月十四日，何國宗奏，已興工。又勘河西務城北舊隄，要兒渡舊河口魚鱗壩，俱大溜頂衝，宜修。奏略：壩工河道，業已興工，臣同牛鈕勘得河西務城北老涯舊隄，及要兒渡舊河口魚鱗壩，俱當大溜頂衝，亟宜保護堅固，工程極爲緊要，先撥銀兩，飭發通永道興工，至三里淺、火燒屯等工程，應如何修治，俟海口同日再會勘。三月二十四日，何國宗奏：築三里淺挑水壩一，併修舊雞嘴壩。又筐兒港挑水大小板壩各一，西岸華家口攔河壩一，張家莊挑水板壩一，又補孤雲寺、火燒屯等處排樁，凡銀一萬九千兩。得旨允行。何國宗奏：臣同牛鈕抵海口，復溯引河回青龍灣，將草壩工程逐項安派，並引河淺深，隄身高下，逐段估算畢。復於三月初五日，沿運河兩岸踏勘，東岸三里淺一處，歷係險工，應建挑水壩一座，並將舊雞嘴壩重修。其隄灣回溜處，應修排樁一路，又筐兒港壩門上首一處，急溜汕刷，應建挑水小板壩一座，大板壩一座，順水排樁一路。又孤雲寺一處，係大溜停灣，排樁損壞，應行修補。西岸華家口一處，係舊河上口，原有攔河壩一座，連年衝刷，僅存靠隄，陡岸壁立，舊河地勢尤窪，誠恐疏失，水歸故道，致阻糧艘，應修葦工一段。又張家莊一處，係新生險工，老隄刷去，僅存月隄，仍係埽溜，應建挑水板壩一座，後接排樁。又火燒屯一處，係歷來險工，舊有排樁，應行修補。又上年水漫隄頂二十處，應行加培。以上各工，共估銀一萬九千兩，即動用道庫錢糧。按：畿輔水利四案云，得旨允行。又奏：筐兒港壩門加寬四十丈，引河拓寬四十丈，將舊引河南隄拆去，但工繁日久，擬先於新引河沿舊廢隄開挑達塌河淀，寬十丈，深三、四尺至六、七尺不等，河口淤高，及舊河淤淺處，俱爲開挑。得旨：作速料理。畿輔水利四案：何國宗同日奏：筐兒港減水壩引河工程，除壩臺堅固，海墁三合土微有衝刷，無庸修補，金門内所衝舊土，即本來地身，同知朱斐文已築實填平，俱無庸議外，其減水引河，臣同牛鈕察看酌議。先經原任通永河道高鑛將壩門加寬四十丈，其引河亦須通身挑寬四十丈，仍將舊引河南岸廢隄拆去，方爲暢順。但工繁日久，擬先於新引河中間，沿舊廢隄開挑深槽，直達堨河淀，寬十丈，深三、四尺至六、七尺不等，並將河口淤高及舊河内淤淺處俱爲開挑，自然水流較暢。康基田河渠紀聞：雍正十年，直督劉於義議青龍灣壩工毋庸改作，疏稱青龍灣壩工，皇上親授方略，建減水壩，以洩全河之水，使河西務險工保穩，爲運道民生，永奠安瀾。筐兒港舊壩，寬二十丈，不能洩水，展寬四十丈，共成六十丈，北運河洩水始暢。雍正七年，大水湧至，筐兒港以下隄岸，俱得保全，此壩面寬闊之明驗。青龍灣二十丈，壩面不能暢洩，明矣。何國宗不遵行四十丈原制，議壩内添建磯心十四座，每座寬七尺，共寬九丈八尺，則四十丈壩面，祇存三十丈二尺，磯心阻水，必不暢達，現未建立，乘此中止，仍照原寬四十丈，費省工倍，河西務等工程，可望平穩，於運道民生，實有裨益。雍正十一年，直隸王朝恩奏報，伏汛水勢大漲，北運減水各壩，暢洩無虞。按北河伏汛漲水，惟漳、滏、南、北運四河水勢甚盛，一日之内，陡長丈餘，其漳河長水，挾衛、汶兩河，奔流而下，維時南運河東岸縷隄漾開溢出，直由南窪入海。而北運河水勢驟漲，雖亦出槽平隄，賴青龍灣、筐兒港減壩宣洩，得以無事。先是，何國宗、牛鈕查勘北運河工程，青龍灣、筐兒港均關緊要，修減水壩，開挑引河，以備宣洩。前時壩門加寬四十丈，引河亦加寬四十丈，拆去舊引河南岸廢隄，以順水勢，又沿舊隄開挑深槽，直達堨河淀，寬十丈，深三、四尺至六、七尺不等，並將河口淤高及舊河淤淺處俱爲開挑，使水暢流，堨河淀下口，有陳家溝舊河，寬八、九丈，東隄舊河，寬六、七丈，賈家沽新河，寬八丈，計三河寬不及三十丈，再於賈家新河旁大開洩水河，寬三十丈，俾暢流歸海，並將河西務城北老崖舊隄，及耍兒渡舊河口大壩保護堅固，節節疏通，束水歸流，自無不固其防者，所益於北運者不少也。故南運滄州水益，北運得以無警，修防導流，曷可不早哉！又濬褎鹹支河，並寶坻洪志：支河，雍正八年就青龍灣引河工程内挑濬。起繡鹹口，至八門城。寶坻洪志：于繡鹹口開支河一道，至八門城止，以洩瀝水。築王家務隄，起閘口，訖潘兒莊，南長百二十里有奇，北長一百六十里有奇。據畿輔安瀾志。開甯河縣江右沽渠，寬四尺，深三尺，入薊運河。紀家莊渠寬五丈，深一丈，入王家務減河。甯河關志。又塞香河縣七里莊明口。寶坻洪志：雍正四年，議堵七里莊口一道，以汛發流注，輒淹東北郇莊，爲香河民所阻而止。八年，欽差親勘，有益於寶坻，無損於香河，乃令堵口勒碑。程璇七里莊明口記：七里莊明口，宜堵築之，六月二十一日興工，越七日成。

十年，開甯河縣渠。孟家莊渠寬二尺，深三尺，長四里，入薊運河。高家臺後渠寬七尺，深三尺。甯河關志。

十一年，開甯河縣渠。

北門外渠寬六尺，深五尺，水入薊運河。甯河關志。

十二年，修潮河隄堰，濬甯河縣河。

潮河隄堰自小河口至南小莊之東，與還鄉河西堰接。柳沽、石臼窩二處，各建涵洞。據會典事例七百一。甯河縣河溢，知縣沈濬以工代賑。據甯河關志，參沈濬建學宮碑記。

乾隆四年，濬河，培隄。

挖去北運河南岸河嘴，濬減河，培隄岸。會典事例七百一。

五年，濬薊運新河，開甯河縣渠。

以銀二萬修薊運新河，開朱家莊渠，寬一丈，深五尺。據甯河關志、寶坻洪志：漕渠，康熙三十四年開新河，雍正十年分設甯河縣，其河寶邑挑一千一百丈，甯邑挑一千零八丈。乾隆元年，撥帑歲修，專歸甯河。五年，動前河臣劉勷完公銀二萬，大加濬治。東淀淤，寶坻知縣洪肇楙請濬之。寶坻洪志。

七年，開甯河縣渠。

田家莊頭渠寬八尺，深四尺。甯河關志。

十年，築張家灣護岸，建挑水壩三，又建臥虎橋等處挑水壩，又築寶坻縣隄。

築張家灣，東南起木廠，訖善人橋，護岸四百六十丈，排樁板內實以土，需銀二萬九千七百一十八兩有奇，挑水木壩三，需銀二千八百九兩有奇，修長店郈坍岸八十丈，需土方銀二百四十五兩有奇。共銀三萬二千七百七十三兩零。又通州石壩樓成頂衝勢，於上游卧虎橋、中口、小聖廟前三處，各建挑水板壩一，逼溜東行。又築護岸，起小聖廟北石碑，至邵板廠雞心壩，凡排樁板三百丈，計銀一萬四千八百七十八兩有奇。據畿輔水利三案，劉於義、高斌奏。又古北口潮河沖決北岸寬三十丈有奇，長八十三丈，溜勢趨北，舊河淤塞，已成背溜，建荆屯石子壩，長一百九丈，銀一千六百一十餘兩。劉於義、高斌奏：古北口潮河，由密雲境柳林地方順南山而西，向無泛濫。嗣因南山石嘴塌墜，排溜北走，上年七月，山水陡發，遇石逼溜，故道淤平，直抵北岸。霸昌道詳，據密雲縣申，沖塌北岸寬三十餘丈，長八十三丈，挑河填壩，需銀一萬七千餘兩。臣委清河道王師往勘，溜勢全趨北岸，舊河淤塞，已成背溜，挑之仍必淤填，走溜處一百九丈，用荆囤徑五尺，高五尺、六尺不等，平挑三路，上下二層，囤後用沙石培厚，素土封頂，夯硪堅實，荆條産於口外，石子取於河中，需銀一千六百十餘兩，在於水利項下撥一千六百兩，交密雲縣朱奎如法辦。又修寶坻縣芝麻窩、新安鎮等處隄工。會典事例七百一。

十一年，開甯河縣渠。

齊家沽渠寬一丈，深五尺。甯河關志。

十五年，開甯河縣渠。

塔慈莊渠寬五尺，深四尺。甯河關志。

十六年，濬引河，修隄。

濬王家務引河，修北隄，又修筐兒港引河之南隄。乾隆十六年汪由敦、方觀承奏：畿輔河淀諸流，及晉豫經涂大川之由直竟者，皆委輸於三岔口一河，爲入海之路。當伏、秋汛漲，既苦來水之多，海門潮汐日至，人力難施，惟有分洩之法，以減匯歸之勢，俾分塗入海，既可保兩運隄工，而於三岔口一帶，又有釜底抽薪之益。臣等查勘，北運、減河二道王家務減河，壩門寬四十丈，河長一百四十里，由七里海入薊運河。該壩門近水處所，舊有土硬橫塞，致運河漲水，不能暢注壩門，應將土硬挑去，令與河灘相平，並將金門內外，所有淤沙，概加剗除，露出海墁，以免阻遏。又河身間段挑淤，應挑挖寬深者共二十處，均寬八丈，深二、三、四尺不等。其南隄自牐口起，至八道沽以上，現尚完整，毋庸加修。北隄自大白莊起，至積魚甸莊止，卑薄殘缺，應通身加寬，頂底二、三、四尺不等。又筐兒港減水壩門寬六十丈，河長五十里，入於塌河淀，已開挖引河，亦令由七里海歸入薊運海河。該壩於每年水長時，照常過水，河身現皆深通，無庸挑濬。其北隄自牐口至梅廠以上，俱屬完整，毋庸加修。南隄自張五家莊起，至南倉道口南止，卑薄殘缺，有僅存隄形，高僅尺許，寬僅四、五尺，應通身加寬，底頂一丈至六丈五尺不等，培高七、八尺不等，查王家務北隄，應修工段，瀕臨淀窪，筐兒港南隄，應修工段，地近北倉，均須普加夯築。至王家務八道沽以下之南隄，筐兒港梅廠以下之北隄，相距三四十里不等，內計一百七十二邨莊，分隸武清、寶坻、甯河、天津四縣，參錯於由香、積魚、東淘、青角等淀，每遇伏、秋，雨水盛行，本處瀝水已難消洩，而塌河淀、七里海、後海等處之水，復同時並漲，減河下游之隄內外，俱在水中，常被漫刷，即堅築隄工，亦祇能約束減河之水，其下游各淀，與七里海諸水，仍不免於倒漾，是以兩隄內邨莊，歲被淹澇，歷奉蠲賑。查該處地畝，多按水草科則，每畝徵銀四釐，又間有宮監馬廠等科，則每畝徵糧自一分至三分不等。伏思水草地畝，本以魚葦爲利，非水涸甚早，並葦亦無收，自不應概請蠲賑，今因有宮監馬廠等賦額之地，夾雜其中，每遇報災請賑，礙難過爲區別，應請將一百七十二邨莊地畝，通行查明，就該處實在情形，減照水草例，每畝徵銀四釐，如遇該處一隅之水，仍於魚葦之利無碍，即不得率請蠲賑，致滋冒濫。所有八道沽以下南隄，梅廠以下北隄，均毋庸修築。又南遇減河二道捷地減河，現在河身面寬七、八丈，底寬三、四丈，深三、四、五、六尺不等，今應通身挑濬，面寬九丈，底寬五丈，均深八、九尺不等，即將挑土加培兩岸隄身，於緊要工段，量加夯硪。又隄盡處，自劉三家莊迤東，至船到溝，長二百丈，淤處並應挖深，其河身紆曲，自崔家莊迤東起，至保家莊道口止，長二千二百四十丈之內兜灣之處，不能暢注，應裁灣取直，改挑直河，長一千四百八十丈，以順其勢，挑出之土，即以培做北隄，較之挑濬迂折舊河，更屬省便。又石壩金門五空，而壩內兩隄相距僅二十丈，以致奔流衝刷隄根，應各展寬十餘丈，長七十丈，俾能容蓄，並酌量於出水時，雁翅之下，接鑲草工，以資捍禦。又石壩之南壩臺，石縫滲水，應拆修灌漿，使一律堅固。又興濟減河，現在水身面寬七、八丈，底寬二、三丈，深四、五、六尺不等，今應通身挑濬，面寬九丈，底寬五丈，深八、九尺不等，挑河之土，即用培隄，其分別夯硪之處，照捷地減河辦理。至捷地減河，近隄邨莊窪處，瀝水無從洩消，應添設涵洞五座，於汛後水落時，導引瀝水，由涵洞以歸於河。興濟減河舊有涵洞二座，歲久坍塌，並應修理，以消積水。又兩減河邨莊孔道，共有水橋七座，今河既疏濬，橋應改建，以便行旅。以上南、北運減河四處，修濬河隄橋壩各工，若照該道屬河工成規，約需費十二萬一千餘兩，臣思減河四處，在武清、寶坻、甯河、天津、青縣、滄州各境內，今歲偶值偏災，荷蒙給賑，明春正二月，已屆停賑，今將此項隄河，興工代賑，俾小民得以力作餬口，寓賑於工，爲惠甚溥。減河隄工，歷係動帑修濬，並非民堰，請照興工代賑舊例，每挑土一方，給價銀三分九釐，其隄共應加築夯硪者，照例加給夯夫工價，共約估銀九萬一千二百餘兩，遴委妥幹廳印各員，分段派辦，該道府督率稽查。又四處減河，隄外邨莊環立，今大加經理，嗣後邨民亦不得因係又寶坻知縣洪肇楙官工，卽爲膜視，請令該管各廳，會同地方官，查明附近邨莊，分認河身段落，每年水過，如有淤塞，各按工段疏濬，仍於力作時，按户酌借口糧，秋後免息還倉，旗民一例赴役。濬寶坻護城河，導流無礙，自爲碑記。據寶坻洪志。

十七年，廢王家務西隄、筐兒港東隄。

先是，甯河東隄頭，康熙間築隄後，開引河，衆流奔注，田廬屢淹。乾隆十七年，命勘，以金鐘河宣洩不及，將王家務西隄、筐兒港東隄廢之，使水散漫，患少息。據甯河關志。按：潘莊隄自寶坻横道南起，至王家務河下游廢隄止，長四百三十五弓，底寬六尺，頂寬四尺五寸，高五尺，據同上。

十八年，濬王家務引河。

是年工竣。據一統志，參采訪册。

十九年，開甯河縣渠。

西莊頭渠寬八尺，深四尺。甯河關志。

二十年，開甯河縣渠。

大麥沽渠寬八尺，深四尺。崔成莊渠寬二丈，深六尺。桐城莊渠寬二丈，深六尺。甯河關志。

二十四年，開甯河縣渠。

楊家莊渠寬六尺，深四尺。甯河關志。

二十五年，濬大通橋以下淤，開甯河縣渠。

十月，倉場侍郎裘曰修奏：大通橋以下，至通州東水關，長四十餘里，淤積既久，河身愈高，雨大則潰隄，牐水盡洩；水弱則又淺，阻漕運，每年修隄挑淺，名爲歲修，與其逐年勞費，不若大加挑濬後，可節省過半。允之。漢名臣傳三十。開甯河縣落波亭莊渠，寬一丈，深五尺。甯河關志。

二十六年，開甯河縣渠。

寨上莊渠寬五尺，深四尺。甯河關志。

二十八年，開渠。

運河大道疊道開渠，自武清起。諭：溝渠卽河道之脈絡也，應聯爲一氣，方得宣洩之宜。漢名臣傳二十九：乾隆二十八年五月，直隸總督方觀承疏言：直隸水道溝渠，田間澮洫，遵旨查勘，入於以工代賑案内辦理。兹查自大興、宛平，東至撫甯，西至易、涿，西南至望都，東南至阜城，又運河大道，自武清至吴橋，一路二十二州縣，疊道開渠，一律完竣。

二十九年，濬罾口河、七里海。

甯河七里海，與隄頭罾口河同濬。

三十一年，濬甯河縣渠。

塘兒沽渠寬六尺，深三尺，長三里，始開年月無考，至是濬之。甯河關志。

三十二年，築筐兒港坦坡，疏王家務引河。

三月乙亥，諭曰：朕此次巡行河淀，閲視巡防，今由運河回鑾，經筐兒港，查看勘河形勢，見壩身出水處，高於河底七尺，則遇汛漲時所減之水，下注過猛，易致跌落成坑，排樁不無撼動。自應於於石工之外，接築灰工十五丈，使坦坡漸平，以導其勢。至王家務、捷地、興濟三處減河，皆所以宣洩盛漲，保衛隄工，別由一路入海，不使三岔河之水匯積，尤爲畿南水利攸關，亦宜一律疏濬流淤，期於深通暢達。

初，筐兒港石壩下三里，有岸無隄，水無歸束。武清知縣何□□築南、北隄，北三十里有奇，迄寶坻縣界，南五十里迄天津縣何家莊，其間分老引河一，洩水新減河一，並寬十丈，據武清蔡志。按：引河，乾隆四十五年淤廢。又修張家灣河。據永定河志十。

三十三年，濬張家灣，注運支河，築甯河縣埋珠莊南堰。

鳳河一畝泉下游，由張家灣歸運支河，得旨開挖深通。據會典事例七百一。甯河縣埋珠莊南堰長十五里，高四尺，寬三尺，民築。甯河關志。

三十五年，修武清縣隄。

修筐兒港壩，濬引河，培兩北隄，又修武清縣西岸王甫汛、張家王甫隄、東岸周家莊八處縷隄。據畿輔安瀾志。

三十六年，修隄濬通惠河。

七月，諭：北運河每遇夏秋盛漲，易於泛溢。昨因雨勢過大，曾傳旨詢問西甯達翎阿。今據奏稱：

初三日夜，王家莊西岸水長漫溢，刷開隄工一段，約寬數十丈，河西務、甘露寺亦刷開隄工一段，寬數十丈，馬頭以北，至張家灣兩岸，河水漫散，低地俱有積水等語。而該督尚據通判所禀，謂北運河隄壩各工，俱極鞏固，全非實在情形。該督前此既未能周知，及經接奉詢問之旨，亦應迅速委員勘實覆奏，何率憑通判一禀，遂信以爲實乎！所有衝漫隄工，應即專派大員，上緊分段堵築，速令完固。至兩岸沮洳之區，連年被潦，武清等縣積歉之餘，尤深厪念。今歲巡幸時，指示興濟、捷地兩處工程改閘爲壩，聞近來減水甚暢，南運河隄岸，皆得無恙，其效驗已屬顯見。因思北運河向來漲發最盛，而宣洩之路較少，其筐兒港減水，前歲雖曾修葺，而出水之口尚未甚寬，似尚可量爲展放。至王家務減水，久未修治，未審現在形勢若何？及此外或有可酌添壩座分消漲水之處，俾得宣通無阻，實屬釜底抽薪善策。著傳諭楊廷璋留心體訪，俟秋冬潦退時，朕差裘曰修前來，會同楊廷璋親往相度，詳細繪圖貼説呈覽。

濬通惠河大通橋河道。會典事例七百一。

三十七年，濬北運河王家務、筐兒港兩減河，修隄壩。

先是，三十六年，命總督高晉等會勘，奏北運河工估銀十五萬五千五百餘兩，王家務滚壩落低，筐兒港修築灰土，並濬兩減河，培南、北兩隄，估銀十一萬四千一百餘兩。三十七年工如奏，據畿輔安瀾志，參采訪册。所修隄有楊景芳隄，俗呼楊家隄，在漷縣東南三里。又馬頭店隄即馬頭隄，在漷縣東南六里。又白浮圈隄，在漷縣東南十八里。又曹家莊隄，即明萬曆隄也，在漷縣東南十九里。又小屯隄，在漷縣東南二十五里。據通州高天鳳志，參高廷勳志。開甯河杜家新莊渠，寬一丈，深五尺。甯河關志。三十八年，濬涼水河，開甯河縣渠。馬駒橋東涼水河淤淺，濬之。據會典事例七百一。開甯河東門外渠二，均寬二丈，深七尺。甯河關志。四十一年，濬甯河縣渠。卽張千溝也，始開年月無考。四十年重濬，寬一丈二尺，深五尺，長四里。甯河關志。四十三年，建吳家窖草壩，開引河，又開甯河縣渠。王家務至筐兒港六十里，河身彎曲，盛漲難洩，於上游吳家窖添建草壩，寬四十丈，中開引河，斜接王家務引河，以導其流。據會典事例四十三、畿輔安瀾志。開甯河縣王御史莊渠，寬一丈，深五尺。甯河關志。

甯河縣通薊運河渠，尚有東窩莊渠寬九尺深五尺；菜園莊南渠寬六尺，深五尺；又西北渠寬五尺，深四尺，並長一里許。又莊北舊渠寬五尺，深四尺，長半里許；米廠莊東、南、西渠各一，寬五尺，深三尺；木頭窩莊西渠、北渠各一，寬六尺，深四尺；後沙窩莊西渠寬五尺，深四尺；前沙窩莊西北渠寬六尺，深四尺；劉家莊南渠二，寬五尺，深四尺；馬家莊南渠、北渠各一，寬五尺，深四尺；已上五莊渠，皆長一里許。孫家莊渠寬五尺，深四尺，長半里許；倒流窩莊北渠寬三尺，深四尺；朱家莊渠寬三尺，深六尺；苗家莊北渠寬一丈，深五尺；麥子沽莊東渠寬一丈，深四尺；張家新莊渠寬八尺，深三尺；劉可莊渠寬一丈，深三尺；板橋莊渠寬五尺，深四尺，長七里；江窪口莊渠寬八尺，深四尺；任寬泊東南渠寬里餘，南北長二里；任千户莊渠寬五尺，深四尺，長十二里；大艇莊渠、黨家莊渠，均寬一丈，深四尺，長里半；大趙家莊渠寬五尺，深三尺，長三里；小田家莊渠寬五尺，深三尺，長二里；大楊莊渠寬二丈，深三尺，長二里；小楊莊渠寬六尺，深四尺，長三里；曹田萬莊渠二，寬五尺，深三尺，長三里；趙家園渠寬八尺，深六尺，長二里；田家莊渠寬七尺，深三尺，長二里；北澗沽莊渠寬五尺，深三尺；中興沽渠寬三尺，深二尺，長一里；靳家莊渠寬一丈，深五尺，長一里許；南陳家莊渠寬三丈，深五尺，長三里；東陳家莊渠寬五尺，深二尺，長三里；黄沽莊渠寬一丈，深二尺，長四里；董家莊渠寬五尺，深三尺，長三里；小薄家莊渠寬二丈，深二尺，長三里；大薄家莊渠寬一丈，深三尺，長里半；南崔家莊渠寬一丈，深四尺，長半里；北胡家莊渠寬二丈，深五尺，長里餘；張家莊渠寬三丈，深六尺，長二里餘；漢沽莊北渠寬五丈五尺，深一丈，長六里；又南渠寬九尺，深一尺，長里半；小胡莊渠寬五尺，深四尺，長一里；蘆家務渠寬五尺，深二尺，長二里；馬杓沽渠寬六尺，深三尺，長二里；任鳳莊渠寬一丈，深五尺；勾樓沽渠寬五尺，深二尺，長三里；國家莊渠寬一丈，深五尺，長里許；李家沽莊渠寬四尺，深二尺，長二里；劉家莊渠寬二尺五寸，深二尺五寸，長二里；塔淀莊渠寬四尺五寸，深四尺，長三里；馮家臺渠寬三尺，深四尺；大楊莊渠寬一丈二尺，深五尺；小楊莊渠寬一丈，深三尺；按：前大、小楊莊在治南三十里，此大、小楊莊在西南百四十九里。鄭家莊渠寬一丈二尺，深五尺，始開年月無考。然皆乾隆四十三年前開，故附録於此。據甯河關志。

四十五年，築筐兒港減河疊道。

河淤，水漫，武清上馬臺等邨民築長壩，起高官口，至爾家莊以逼南水，名曰疊道。據武清蔡志。

四十七年，搶修隄工。

七月，直隸總督鄭大進奏：搶修用銀一萬七千六百七十六兩五錢，核減三千五十二兩有奇。四十七年七月，工部奏：直隸總督鄭大進奏：北運河因口外山水陡發，兼之潮、白二河水長出險，搶修銀一萬七千六百七十六兩五錢等因。乾隆四十七年十月，奉硃批：該部知道。抄出到部。查乾隆三十一年二月內，欽奉諭旨，各省奏報各摺，批交該部知道者，仍令部臣按例查核辦理，不得僅以存案了事。今查六月內，偶經暴雨，口外山水，歸潮、白二河，亦不致異常盛漲。該督請銷銀三萬四千九十餘兩之多，其中不無浮冒，請旨飭下直隸總督鄭大進，大加删減。十二月，署直隸總督英廉奏：遵照部駁，飭委霸昌道哲成額前往北運河，赴工履勘。據哲成額稟稱：北運河隄工，係廳官承辦，本年務關同知，楊邨通判搶修過土工九段，草工三十二段，共用銀一萬二千八百一十兩零。其未經蟄陷者，查勘丈尺相符，汕刷殘缺之處，有工可查。又有臨汛搶護工一百一段，用銀四千八百五十六兩零，係水長時相機搶掛蓆柳埽把，以護隄壩，水落則隨溜漂淌，並無收回，惟釘橛處可驗。今細查搶掛之工，皆係應溜險要，似屬應辦，比對工段丈尺，尚無浮冒。惟北運河四十六年搶修，用銀一萬七千六百九十四兩零，本年水勢較少，所用亦至一萬七千六百七十六兩零，竟至相去無幾。逐一細加確核，本年所辦臨汛搶護工料，較上年尚減少銀四百一十二兩零，而搶修工程較四十六年反多銀三百九十餘兩，其中必有不應辦之工，朦混請辦，至有浮多。隨查至楊邨北汛，老和尚寺迤南搶建月隄一道，用銀一千五百九十五兩零，雖稱埽灣縷隄，坍劈詳明，於淩汛後預行搶修等語，第查該處縷隄，本年搶掛蓆柳已屬足資防護，是工雖實辦，而事究可緩，應否刪減等情。臣覆查，北運河上年搶修用銀一萬七千六百九十四兩零，本年亦用至一萬七千六百七十六兩零，其中顯有浮混。現據霸昌道查明，楊邨北汛，老和尚寺迤南，搶築月隄一道，用銀一千五百九十五兩零，該處縷隄，本年已用蓆柳搶護，而又預辦搶修月隄，實屬任意糜費。且歲修者，係汛前所做，搶修者，係臨汛搶辦之工，今以汛前應辦之土工，捏設預辦搶修之名，開入搶修錢糧之内，其爲藉名希冀多銷錢糧可知，應將楊邨北汛預搶月隄銀一千五百九十五兩零，不准開銷。又掛蓆、掛柳、掛埽，統謂之搶險，然而非實險也，不過河水漫灘，漫及隄根，因而藉此爲搶護風浪之計，何至事後一料無存？明係該管廳汛，怠玩成習，被人竊去。今年北運河掛柳等工，開銷銀四千八百五十六兩零，其中應請核減三成，共減銀一千四百五十七兩零，連前月隄，共應刪減銀三千五十二兩零，請著落承辦之前任務關同知黄體瑞、陞任楊邨通判康勛、署任通判劉楙、前任通永道李調元各名下賠補，並令該同知、通判各分賠十分之六，通永道分賠十分之四，仍交部分別議處。再臣更有請者：河工定例，三汛之後，遇有河身淤淺，隄工卑薄，估報挑築，謂之歲修；預備料物，於臨汛時，遇有危險，隨時搶辦，謂之搶修。向來無預辦搶修之例，直隸永定、南運二河均係循例查辦，而獨北運河，因另有搶護一項，作爲臨時辦理，隨將搶修之工，改爲預辦，每年歲修内不及估辦之工，淩汛後再行估報，於伏汛前預行趕辦，雖係歷久相沿，工段俱存，實用並無將歲修工段朦混復開搶修之事，然究屬未協，且搶掛葦柳一項，水退後，並無收回，亦難保無官吏藉端浮開情事。臣愚以爲北運河每年應辦歲搶修工程，將應行預辦者均作爲歲修，臨汛之搶辦者作爲搶修，不致復存預辦搶修之名，掛蓆柳一項，每年不得任意開銷，如有實在危險，不及搶築之處，始准掛用蓆柳，所銷料價，總不得過一千兩之數。

四十八年，修壩。

修密雲石子壩，長八百三丈，河漕挑挖深通。另開引水溝一道，築攔水壩二。會典事例七百一。

四十九年，修王家務壩。

石壩圮，補砌之。會典事例七百一：四十九年，議准北運王家務石壩修築補砌。

五十五年，濬榆河。

先是，五十四年議浚温榆、通惠二河，及朝陽門至大通橋河道，並將朝陽門外石道西邊臨河舊岸六十餘丈，改砌石岸。（據會典事例七百一。）五十五年，倉場侍郎蘇凌阿，會同工部奏：温榆河濬分三段，石壩樓前至工部税局止，濬淤九十五丈，外用杉木排樁、防風板，添作泊岸，河寬七丈至十五丈，深八、九尺。（據奏册。）又奏：通惠河濬竣，卽以河土培隄，東便門等處攔蓄各土壩，次第開放，水勢充足，加板撤復舊制。朝陽門外護城河挑七百餘丈，砌石泊岸。（漕運全書：乾隆五十六年，工部題：通惠、温榆二河，挑挖淤河，並修理閘壩泊岸，用過工料銀兩，與例相符，應准開銷。至挑挖朝陽門大通橋護城河，係借動官項辦理，應於各車户脚價内分八年扣還。會典事例七百一：五十六年奏：通惠河挑淤七千九百四十丈，改建滾水壩二座，温榆河挑淤二千九百二十五丈。又朝陽門至大通橋，挑挖護城河長七百八十八丈。按：工議于五十四年，興于五十五年，竣于五十六年。）

六十年，濬七里海引河。

淤甚，甯河知縣夏蘭濬之。（甯河丁志：七里海引河久淤，乾隆六十年，知縣夏蘭奉文重濬，經費報銷。）

嘉慶二年，修閘壩。

減水閘、滾水壩，並平下閘、普濟閘，坍塌殘壞，支通濟庫雜税銀修理。（據漕運全書。）

五年，又修。

修如二年。（據同上。）

六年，修閘隄漫口。

通惠河水長，平上、平下、普濟等閘，暨王相公莊隄岸漫口，動項搶修。（漕運全書。）

七年，開河溝六。

開河溝六，凡一千五百餘丈，其銀支自通永道庫。據會典事例六百六十四。

八年，濬榆河，築火燒屯草壩。

挑挖新淤五百四十丈，自工部税局至藥王廟一百三十六丈，內八十丈挑深三尺，五十六丈挑深四尺五寸。又至東嶽廟一百三十四丈，挑深四尺五寸。又至席廠一百二十五丈，挑深四尺五寸。又至流水溝一百四十五丈，挑深四尺。據會典事例七百一。按：漕船至通州，由潮白河駛入榆河，直抵石壩樓前，河長一千餘丈，南藉潮白河之水倒漾，北藉卧虎橋之水南流，兩水並阻，積淤最易。挑挖年用木税銀二千餘，至三千一百兩，僅能自石壩樓至榆河中間之工部税局止，其南尚有五百四十餘丈日淤，嘉慶八年，奏支木税，一律挑濬，見漕運全書。倉場侍郎達慶、鄒炳泰奏畧：通州北門外，舊有温榆河一道，貼近石壩樓前，爲各省糧船起卸之所。迤東又有潮白河一道，卽係北運河上游。惟温榆河上游，自乾隆三十八年山水漲發，河形東徙，與潮白河合流爲一，下游遂致乾涸，石壩起卸糧船，全藉工部税局地方以上所蓄倒漾之水，以濟漕運，是以最易停淤，每歲興挑，有增無減。伏查温榆河上游久無來源，下游自嘉慶六年大水後，潮白河之溜偏趨下游東岸，其西岸僅存小溝二道，水勢微弱，力不足以刷沙，遂致涸出岸灘，逐漸淤塞。臣等再四籌酌，擬開引河一道，或于石壩小口對岸開挖，計長三百零五丈，則温榆水有來源，藉可疏淤。或于工部税局前對岸開挖，計長一百四十丈，舊係潮白、温榆河交匯之處，雖不能刷温榆之淤，而直築藥王廟一帶，亦於新淤處所洗刷有益，請動帑興工。長麟、冀均元勘驗覆奏：每年漕船抵通，係潮白河駛入温榆河，直抵石壩樓前起卸，計河長一千餘丈，南藉潮白河之水倒漾，北藉卧虎橋之水南流，兩水頂阻，積淤最易，每年挑淤，例准動用木税項下銀二千餘至三千一百兩不等，錢糧少而河道長，僅能自石壩樓起，挑至温榆河中間之工部税局止，其自工部税局迤南，尚有五百四十餘丈，不能挑挖，日漸淤淺，遂致漕船不能抵壩。今議請于石壩樓左近酌開引河一道，東引潮白之水，西入温榆，糧船抵壩較爲便捷。惟臣等測量水面，温榆河高於潮白河三、四尺不等，形勢高仰，一開引河，恐潮白之水不能逆流，而温榆之水轉先下洩。温榆之水既由新開引河直達潮白，則舊有温榆河南北一千餘丈，必致全行淤墊，船不能通，此一帶木廠、税局、貨店、商艘均多不便，且大雨時行之際，坡水彙注新開引河，兩岸峙立，土性浮鬆，亦必致衝刷坍塌，仍行淤塞，將來亦不免於逐年挑淤，歲增繁費。與其新開引河，一經淤墊，未必卽能利漕，而先有礙於商課，似不若卽將温榆河淤墊處所除工部税局以北，歲修照舊辦理，其税局以南，新淤五百四十餘丈，卽動木税挑濬，不過需費五千餘兩。

草壩詳下。

九年，復濬。

八年，所濬復淺，承辦之員賠修。據漕運全書。

十年，又濬。

漕竣，工部局以南又淤，倉場侍郎勘濬。據漕運全書。

十一年，又濬榆河，開引河。

自工部税局至流水溝，舊挑淤處復淤，打壩戽水，銀二千五百六十四兩有奇，流水溝已下，新淤二百餘丈，暫毋議。挑就流水溝席廠東岸灘嘴上，斜挑引河長五十丈，引潮白河水灌注，浮送撥艘，抵壩幫船，並可直到河口，工銀五百九兩有奇，共銀三千七十四兩，支自通永道木税。據漕運全書。十一年，倉場侍郎達慶、鄒炳泰請挑流水溝引河奏：温榆河向無來源，形勢淺窄，與潮白河合流，全藉倒漾之水濟運，但水弱沙停，無從刷滌，每年淤塞，自工部税局至流水溝，舊挑淤處五百四十丈，今復淤淺。再流水溝以下，東邊衝開岔河一道，溜走東岸，以致流水溝下至楊家坨，又積新淤一百八十丈，共新舊淤長七百二十丈，若不及時挑挖，恐來歲漕艘經行淺阻。計自工部税局至流水溝尾止，向分四段，工長五百四十丈，現在水勢上三段，探深一尺五、六寸至二尺五、六寸不等，面寬四丈餘至五、六丈不等，席廠一段，探深三、四尺，面寬六、七丈不等，此屬舊淤實在情形。流水溝下至小神廟，因本年夏、秋，疊次盛漲，節節淤墊，高露沙底，所有潮白河溜，均從岔河旁走，水勢散漫，停沙更甚，此屬新淤實在情形。誠恐新漕當春水清淺，不能挽運，秋後大幫雲集，又值水落歸漕，更屬淺阻，自當上緊挑修。惟現形勢，上年東嶽廟衝開岔河，積淤成陸，路遠灘厚，礙難再挑。若挑流水溝以下，新淤約二百餘丈，工長費大，且僅能駕駛弔載船隻，其幫船仍須停泊小神廟以下，則弔載船愈剥愈遠，起卸愈遲，非但延誤運行，一切起剥脚費倍增，實屬無益。請將流水溝以下新淤，毋庸議挑，惟先就近在流水溝席廠以下，東岸灘嘴上，斜挑引河一道，長五十丈，南口寬九丈，北口寬七丈，深八尺，如此引入潮白河，通流灌注，自能將剥運糧艘浮送抵壩，而幫船並可直到河口，起剥尤便。自工部税局至流水溝舊淤一段，長四百五十五丈，擬分三段挑挖，均寬七丈，加深三尺五寸至二尺五寸不等。

十二年，濬河，築壩。

先是，嘉慶六年，鐵保奏：張家灣一帶，水溜沙淤，漕運不能迅速，另有超河一道，比正河較近，懇請疏濬。命倉場侍郎帶同通永道赴勘。旋據和甯、鄒炳泰覆奏：通州南八里許，温家莊北，舊有旱河溝一道，本名康家溝，南北直衝，並無超河之名，水底高於正河三尺，若挑濬深過正河，則溝水奪流直行，而張家灣必致淤淺不便，遇旱年，上輓逆流重運，轉費周章，若逢雨潦，水衝力猛，下游郡莊必遭淹漫。命德文、李鈞簡挑修張家灣正河，以復故道，並將康家溝河口築攔水草壩，加裹搶築，土埝截沙河之流，共銀一萬九千八百七十餘兩，給自部庫。據漕運全書。十月二十八日，諭：前據温承惠奏，勘估挑挖温榆河上游一摺，當經特派托津、英和會同倉場侍郎前往覆勘。兹該侍郎等覆奏會勘該處情形，據稱：石壩以前因頻年藉下游倒漾之水，至壩濟運，易致流聚泥沙，今竟從温榆河上游一律挑挖深通，直抵石壩，誠爲因時利導，且無礙民田廬舍，實於漕務有裨。惟石壩地勢高下，必須通盤籌畫，俾全河一律深通，毫無高仰滯礙，方臻妥善。該督原估之淺深尺寸，尚應逐細勘酌，請再令覆加詳勘等語。該處河流爲漕運攸關，自應亟爲疏濬，但必須先用水平詳晰測量高下，俾得有建瓴之象，庶一經挑挖深通，不致復有倒漾等弊。兹閲所繪圖内，由果渠郡至馬家莊一帶，直抵石壩，形勢確屬順利，惟石壩以下，流水溝一帶，匯歸正河之處，其勢恐形高仰，若新挑之河，到此不能暢注直下，是徒費帑工，仍無實濟，此亦不可不慮。著傳諭温承惠，另委熟諳河務之員，會同原估之員，周歷履勘，用水平逐細測量，務期通河暢順，實有把握，可爲一勞永逸之計，方可奏請辦理。設此次不能詳慎籌畫，冒昧從事，將來興工後，仍至倒漾淺阻，則惟該督是問。按：潮白河自乾隆三十八年西徙占榆河身，富河邨之南，合而爲一。嘉慶十一年，濬新河，復淤。至是直隸總督、倉場侍郎議，若在潮白、榆合流下游挑挖，不過引灌倒漾之水，惟開榆河下游，可復抵壩舊規，自西浮橋至馬家莊尚有榆河舊形，再溯果渠邨，水勢甚旺，請由果渠邨開河，富河邨築草壩，加土戧，俾榆河單行，下逕石壩，開新濬舊，工銀五萬六千有奇，濬石壩流水溝，銀一萬二千餘兩。據漕運全書。

十三年，濬淤，築果渠邨草壩、土隄，修王相公莊等處河工。

五月，温承惠堵築康家溝口，改築壩基。六月，康家溝大壩迤西土堰，漫開三十餘丈，復因迴溜衝刷，大壩又蟄陷五十餘丈，楊邨通判所屬馬家工東縷隄一道，因風浪排擊，漫溢十餘丈，又務關同知所屬小王家莊迤北縷隄，亦經漫溢十餘丈。命温承惠搶修。七月，温承惠奏：温榆河果渠邨一帶漫口，現據勘明，擬將兩岸沙灘全行挑挖，另建草壩一道，於壩後添築戧隄，草壩迤東接築土隄，以防盛漲。又挑挖河頭淤漲二處，河身工段，約估需銀一萬九千八百七十餘兩。允之。壩東西隄長四百三十五丈，南隄二百四十丈，挑河逼流南趨，直達石壩樓。采訪册。八月，吴璥奏：查勘康家溝，現已刷成大河，數里之内，有灣環四處，河水亦不虞直瀉，河流深通，行走順利，正河已淤成高灘，計算水面河底，共高於康家溝一丈八尺及二丈一、二尺不等，長至十數里，勢難挑挖深通，與其修復正河，多糜帑項，自不如就已成新河，順勢利導，俾糧船經行無誤。命糧船試由康家溝行走。倉場侍郎籌濬外河，銀三千一百八十五兩有奇，支自通永道庫。石壩以南，歲工銀三千，本年節省。先是，六月，通惠河北岸王相公莊、老冰窖二處漫溢汕刷，奏築添排椿板，需銀支自通濟庫税課。據漕運全書。嗣因王相公莊河工復修，約銀三千兩，償六之四。又土壩馬頭濬河淤灘，工銀不及千，支自税課。又歲修慶豐閘滾水壩、雁翅兩岸樁板。漕運全書：王相公莊新工岸口，並土壩卸米馬頭，慶豐閘滾水壩、雁翅處所，漫刷沖坍，通惠河兩岸排椿板工樸閃，奏明動用通濟庫税課銀兩修築。嗣據奏明，王相公莊前次漫工復修，約在三千兩内外，例應銷六賠四。又土壩卸米馬頭，修理堅實，並將河内淤灘挑挖，約在一千兩以内，於税課項下動支。又慶豐閘滾水壩、雁翅處所，及兩岸樸閃等處，係歲修應賠補之工，不准開銷。嘉慶十三年。

十四年，修果渠郖壩，堵王相公莊普濟閘汕刷處，修康家溝隄。二月，温承惠奏：果渠郖新建壩工，修銀支自木税。漕運全書：十四年，以果渠郖新壩間有平蟄，乘春培築建，用銀千六百九十兩，支自通永道木税。六月，通惠河水長丈餘，王相公莊及普濟閘汕刷數處。據漕運全書。諭：限温承惠七、八日内上緊堵合。七月，康家溝溜勢奔騰，漕船逆流而上，大費牽輓。命戴均元查勘。旋奏：張家灣舊河，應行挑復，但愈淤愈厚，壩基難立，計需土方工料銀兩，爲費不貲，而現在時日已迫，即加緊趲辦，亦非五、六箇月不能竣工，轉瞬漕運已來，河道未復，船行轉致有礙，是目前勢不能辦，亦止可仍在康家溝行走。

十五年，濬河，補隄。

大通橋至通州石壩、土壩一帶河道，灌入通惠河，從前十年興挑一次，自乾隆五十四年濬後，至嘉慶十四年，已二十年，河底日高，隄愈卑薄，奏明挑土補閘，估銀三萬一千九百餘兩，支自通濟庫。又須堵截來源，方可興工，於西直門角樓等處築壩六，計銀一千一百餘兩，支自圓明園銀庫平餘。又隄單薄處加高培厚，賠修而外，例估銀五千五百餘兩，勒限十五年三月蕆事。又朝陽門至大通橋護城河亦淤，需銀一千九百餘兩，支自橋壩辦公項下。又挑河出土標記，在二百丈外，運遠，脚價例銀一萬五千四百餘兩。又戽水人夫、繩席、水斗，需銀六千四百餘兩。又奏：果渠邨一帶，隄壩各工，備防險料，需銀三千一百九十兩有奇，支自通永道庫丁字沽税。又通惠河北岸王相公莊草壩前邊埽一段，盛漲平蟄入水，加鑲需銀五百三十二兩有奇。據漕運全書。

十九年，濬通州護城河，築果渠邨壩。

倉場奏：通州東南門護城河道，爲轉運西、中二倉白糧要路，河淤東西長二百三十三丈，寬三丈四尺，宜挑。諭：榮麟等即多集人夫，趕緊挑挖。倉場請濬北運河。諭：那彥成飭通永道剋期疏濬。

二十四年，濬河。

四月，倉場奏：通州護城河道自東門榆樹灣起，至新城南門馬頭止，挑土三千七百七十八方，例銀六百八十四兩四分，支自通濟庫稅課。據漕運全書。

道光三年，濬通惠河，修隄壩。

倉場奏：通惠河邦子井及各馬頭等處，淤淺十一段，計長七百丈，又減水閘等處隄工十一段，殘缺五百丈，又平下閘萬年枋⿰齒少朽，又葫蘆頭滾水壩東西，及普濟閘上新滾水壩東西，又平上閘滾水壩西排樁五處，長五十九丈。十二月二十日，諭博啟圖等挑挖。共估需工料土方，例價銀三千八百七十六兩零，於坐糧廳通濟庫支銷。

四年，修香河、寶坻等縣河隄，濬罾口河。

御史王世紱奏：寶坻縣青龍灣引河，北岸自西老鴉口至鯽魚淀，缺口固多，南岸自八道沽起，至東淀莊南之葦壩止，缺口亦復不少，請一律修之。王世紱疏：臣於本月十六日，恭讀上諭：那彥成請動項疏築隄河要工一摺，著照所請。原奏稱寶坻縣境內青龍灣引河，北岸自西老鴉口起，至鯽魚淀止，隄工卑殘過甚，沖開缺口甚多，以致東南鄉四百餘邨，連年被患，請將北岸殘缺隄堰、坑塘修築等語。臣伏查青龍灣引河，開自雍正六年，設有南、北兩隄。乾隆十七年奏廢，數十年河日淤，隄日薄，北岸缺口固多，南岸自八道沽起至東淀莊南之葦壩止，缺口亦復不少，每遇盛漲，北岸決則寶坻東南鄉之四百餘邨被害。南岸決則寶坻西南鄉之一百五十八邨被災。近因災歉，民力斷難興修，所以督臣請將北岸缺隄修築，業經聖恩俯允。惟南岸如同一轍，細查原單內開，北岸工段丈尺，核計土方，銀數一萬四千七百六十兩有零。今南岸、北岸里數稍減，土方亦有減無增，可否仰懇飭下督臣，於青龍灣引河南岸自八道沽起，至東淀莊南之葦壩止，將殘缺隄堰、坑塘續行勘修。罾口河溢，甯河知縣歐聲振等濬之，五年工竣。甯河丁志：罾口河每夏、秋雨多，容納不及，泛淹田廬。道光四、五年，知縣歐聲振、武清耍兒渡縣丞孟釗、河西務主簿錢步軒、安州州判劉芳、磁州吏目宋廣偀、河西務主簿徐敦義、豐潤縣主簿羅瀛等，奉文承挑，經費從天津道庫文領。挑至梅廠，以費絀止。武清蔡志：道光四年，邑人御史王世紱奏請興築，經費絀，挑至梅廠而止。又修筐兒港減河之朱家馬頭，決口在武清縣治東南五十五里，千丈有奇。王世紱請勘減河疏：直隸河道大概情形，已經署工部左侍郎張文浩查明覆奏。論於明年春融，周歷履勘，凡河道之關係民田者，自當分別緩急，次第修理。但其中有地處偏隅，河身久廢，爲查勘所不到，百餘里郇莊，嗷嗷待命。臣籍隸武清，得自目睹，北運河舊有減水河兩道：一在武清縣所屬之筐兒港地方，康熙三十九年，因北運河決口，聖祖仁皇帝親臨履勘，開河一道，建立石壩六十丈，夾以長隄，注之塌河淀入海，此今之下閘口，即下引河也。一在河西務上游，香河縣屬之青龍灣，雍正五、六年因北運河屢決，怡賢親王奏請世宗憲皇帝指授方畧，開河一道，建石壩四十丈，夾以長隄，注之油香淀入海，此今上閘口，即上引河也。兩引河皆自西北趨東南，經香河、寶坻、武清三縣境，綿亘百數十里，立法之初，實有深意。乾隆年間，前督臣方觀承，以兩河挑築歲修，動糜國帑，核計錢糧，入不敷出，遂將東南卑下地畝，改爲水草料，每畝征銀四釐，而兩引河修築費，概行裁汰。數十年來，河漸淤，隄日頹，今上引河之李家牌、八道沽等處河身，漸成平田，奸民利其不復升科，竊爲私產，以致下游不能受水，上游漫溢，反致倒灌，運河向年決口，小民自衛田廬。今年河水較大，下引河之朱家馬頭地方決口一千餘丈，斷非民力所能興修，可否仰懇飭交張文浩，於明歲履勘，將決口堵築。按：武清蔡志云，是年七月，朱家馬頭新工漫溢十餘丈。曰新工，則是年依王世紱奏興工可知。

五年，濬通惠河，修隄壩。

四年，倉場奏：通惠河河淤隄卑，二十五段工長一千五百二十丈，南、北兩岸隄工十六段，八百五十五丈，又北門外減水閘冲刷，又葫蘆頭滚水壩一，平下閘滚水壩一，金牆閃裂，又普濟閘分水雁翅一段牆石坍卸，均應修復。諭：博啟圖等履勘。通計挑淤築隄，修理閘壩，共需工料銀二萬四千三百八十五兩零，於通濟庫動支。

八年，修北寺莊壩。

正月，屠之申奏：潮白河上游北寺莊地方，上年伏、秋汛漲，新刷岔河，亟應建壩砌灘，使入北運正河，勘估銀二千七百五十一兩零，請於通永道庫河灘地租項下動支。允之。

咸豐三年，堵北寺莊決口。

決東岸北寺莊，東趨漒漒河，直隸總督奏請修復。據通州采訪冊。

同治四年，濬罾口河。

甯河知縣李賡雲濬，其費集自蘆臺鎮。據甯河丁志。

五年，修裏河閘壩，濬榆河。

倉場侍郎英元、喬松年奏：修通州滚水壩三，一、葫蘆頭，一、西門外，一、普濟閘，又葫蘆頭減水閘一，計銀二萬九千四百六十三兩有奇，淤淺處以歲修銀挑。温榆河起浮橋至小河口，通永道、坐糧廳捐濬，工竣，户部議令具保固結。據漕運全書。

八年，濬薊運河。

甯河知縣彭瑞麟濬之，其費挹自蘆臺鎮。甯河丁志：南河在城南，環東北，直趨蘆臺，至北塘入海。同治八年，邑紳劉震東、張訓、李熙春、劉長瀚等請挑，知縣彭瑞麟詳准重濬，經費借捐蘆臺漕款。

十二年，修隄，築決口，濬引河。

府尹彭祖賢，會同倉場侍郎奏：修通州白河隄，（通州高志：白河，同治十二年潰決東注，倉場、府尹奏准修復。）香河縣堵築青龍灣河隄缺口，培隄二里有奇。又修仉邨、土門樓各引河隄，築窩頭河缺口二十有五，濬淤。又築駱駝港口，濬淤。支帑銀一千八百三十二兩有奇，不敷，勸民足之。（香河縣詳冊：青龍灣河隄埝，三月十五日興工，將坑水淘盡土填，將缺口修築，自新修缺口，順隄至寶坻縣界，長二里餘，低塌甚多，一律加培。四月二日竣。用部發銀八百十三兩八分。仉邨引河劈隄，三月十八日興工，五月二十日竣，撥銀百五十兩。仉邨上游土門樓引河，缺隄十餘丈，四月三十日興工，五月三十日竣，給銀二十兩。五河卽箭桿河，三月十五日興工，五月十日，南、北岸缺口二十五道修竣，河身水大難挑，十月水消趕挑，於三十日竣，共撥銀六百兩。又挑五河上游駱駝港河身，並補缺口，撥銀三十兩。不敷由民捐辦，共用發銀千八百三十二兩八分。）寶坻縣築薊運河、青龍灣河、鮑邱河、護城河缺隄，用米二千四百七十一石。（寶坻縣詳冊：同治十二年春撫項下：一、修青龍灣河、薊運河、護城河缺隄五千八百八十丈，用米八百三十八石；一、修薊運河、王甫營、張古莊、鮑邱河、角洵、白廟、九丈窩、王卜莊、青龍灣河、爾家莊、鄭貴莊等八處隄埝決口，共長五百一十五丈，用米一千六百三十三石。）直隸總督肅毅伯李鴻章遣員濬東西引河，起淮魚淀，穿七里海，逕甯車沽，至薊運河，長五十里有奇。又甯河知縣李賡雲，鳩民濬金鐘河，起歡坨莊，至薊運河，八十里，其費支自天津局。（據甯河丁志。）

十三年，築白河長隄，護隄。

白河決，東趨漒漒河，直隸總督肅毅伯李鴻章築長隄，北自順義縣安里邨，南至通州北寺莊，長二千四百七十五丈。又築護隄，北自安里邨，南至平家疃，長八百五十四丈，平家疃邨南金門口大壩，南北長一百二十丈有奇。（據通州采訪冊。）就筐兒港長壩冲破東趨河形，別開新減河，由朱家馬頭逕六大莊之東南，分引河二，至辛候莊，匯入舊河，以舊河北隄接新河南隄，中間築壩，洩積潦也。武清蔡志：筐兒港減河，道光四年七月，朱家馬頭月隄新工漫溢十餘丈，二十八年復決，由東北高官口衝長壩，闖入壩北，經旱汪淀入海。後漸淤，舊減河地，民種成沃壤。同治十三年，就長壩云云，以洩積潦，令侵種舊減河邨民捐資助辦。又發勇濬甯車沽新河，由甯車沽莊南二里注薊運河，寬十三丈，深丈餘，兩岸隄高丈餘。甯河丁志：甯車沽新河，同治十三年，督憲李以衆流直沽入海，宣洩不及，奏調勇挑挖，由天津陳家溝起，經塌河淀、歡坨莊，西入縣界，直趨甯車沽莊南二里入薊運，寬十三丈，深丈餘，兩岸隄高丈餘，建橋三。香河縣修大沙務缺隄五十四丈六尺五寸，郭辛莊缺隄三處，一、長六丈七尺五寸，一、長五丈一尺四寸，一、長五丈，均高一丈二尺五寸，根寬五丈七尺五寸，牛牧屯缺隄三處，一、長丈五尺五寸，一、長二丈五寸，一、長十一丈三尺四寸。二月興工，五月竣，以工代賑。據香河縣册。

光緒元年，築港溝隄，建涵洞。

港溝起里二泗西，逕舊漷縣、武清縣，注鳳河，運河之宣洩賴此，積淤，武清民築橫隄於里二泗東，於是上游漫溢。光緒元年，直隸總督肅毅伯李鴻章夾築長隄，東隄：沙古堆二百二十丈，燒酒巷二百五十丈，丁家場三十丈，里二泗三百丈，姚辛莊二百五十丈，馬隄二百八十丈，供給店二百四十丈，儒家林二百四十丈，蘇莊一百八丈，楊隄七十丈，沈莊一百八十丈，三黄莊三百丈，馬頭一百三十丈，石槽一百丈，後地一百丈，東黄垡二百丈，大小香儀三百丈，高莊二百丈，西黄垡二百丈，毛莊二百丈，徐官屯二百丈，軍屯三百五十丈，柏莊六十丈，西定安一百二十丈，東定安一百八十丈，上武集六十丈，李辛莊四百丈，小潘莊五十丈，隆莊三百丈，軍莊二百五十丈，程家墳四十丈，麥子店二百三十丈，南屯一百丈，羅莊二百丈，邊槐莊二百丈，梁家甫二百丈，此三十六段，凡六千七百三十八丈。西隄：何各莊一百二十丈，大辛莊三百三十丈，海子窪二十丈，棗林莊四百四十丈，小辛莊一百丈，王家樓一百二十丈，吳家營二百十丈，靛莊二百五十丈，許各莊一百丈，南陽一百四十丈，東西郭莊一百丈，唐頭莊、王各莊八十五丈，驟各莊二百七十五丈，漷縣管城三百八十丈，南二百八十丈，北一百丈。大馬務三百丈，東魯邨二百丈，西魯邨一百丈，草廠二百五十丈，丁莊、田莊、草沙河二百五十丈，黃莊鋪六百丈，北隄寺六十丈，西莊四十丈，永樂店一百八十丈，東、西張各莊二百五十丈，鄧莊八十丈，後甫八十丈，前大洋一百丈，陳辛莊一百二十丈，孔莊二百丈，老槐莊六十丈，尖邨五百丈，西槐莊二百五十丈，後營五百丈，馬河洵一百二十丈，元化一百二十丈，魯城二百五十丈，此三十六段，凡七千二百八十丈。東隄之軍莊、龍莊、西黃垡、沈莊，建涵洞四；西隄之靛莊、漷縣南北老槐莊、尖邨、田邨、張各莊，建涵洞七。據通州高志、采訪冊。按：高志議曰，南路隄自乾隆重修，百餘年沙淤，河東徙，舊隄盡廢，乃於張家灣、里二泗東、西築民隄，遂致鹽河窄淺，不能容納，屢堵屢潰。議者歸咎里二泗，不知下游本受水之區，沖缺處又實河之故道，不如濬港溝，分水之勢。今夏小楊各莊沖開缺口，淹没通、香、順、寶各州縣千有餘邨，全河奪溜旁趨，未逾時里二泗復沖，若再築橫壩，通城將淪，履勘謹臚管見。

三年，濬甯沽車新河。

歡坨莊河身淤淺滯舟甯，河知縣丁符九濬之，長十二里。據甯河丁志。

五年，濬榆河，築隄壩。

先是，元年，潮白河決，與榆河合。四年，榆河被衝西徙，分三道，散漫通州北關、卧虎橋、板橋、糧市而西浮橋南北，舊河淤且平。至是，五年二月，直隸總督肅毅伯李鴻章遣候補道史克寬濬河一千餘丈，采訪册。自西浮橋至小河口，深一丈二尺，寬十丈，通州高志。東西浮橋分建土壩、草壩，堵決口，築土隄，起紀莊，訖北糧市，使潮白、榆河各歸故道。采訪册。武清蔡志：光緒五年，河西務關同知吴廷斌創議，運河兩岸種柳五萬株。

六年，築筐兒港減河決口，修薊運、窩頭、鮑邱等河缺隄，濬七里海。先是，五年，決武清縣筐兒港減河南隄，其水南注。六年三月，知縣龔蔭培以淤地税築之，下游至楊家河缺隄，請帑銀八百兩修築，凡十里有奇。據册。直隸總督肅毅伯李鴻章以工代賑，修薊運河隄，起寶坻縣芝蔴窩，至甯河縣江潰口，長六千六百六十丈九尺，頂寬一丈，底寬四尺，高八尺，修窩頭河隄，起寶坻縣牛家莊，至尹家莊，長二千二百一十五丈，頂寬一丈，底寬四丈，高八尺，凡用米三千四百六十二石九斗五升七合四勺有奇，又用錢三千七百千有奇。又築薊運河于家觀，並鮑邱岳家莊、橋頭莊、楊家口莊、角淘莊漫口五，用米三百五十二石三斗八升。又濬東淀引河，起爾家莊，北至八里汀，逕甯河縣潘兒莊、唐兒坨入七里海，並修唐兒坨橋，用米二千二百六十石三升，錢二千八百一十一千三百七十四文，銀一百九十七兩九錢七分。據寶坻册。江蘇候選知府李金鏞、直隸候補同知姚彖禀：馳抵寶坻，勘南、北兩窪積水，衹有開沽爲疏消之法，宜堵其來源，于家觀、岳家莊、橋頭莊、角洵莊、楊家口五處決口，大靳莊、王山莊、周家莊、尹家莊、莊、長亭莊、王莊、前魯沽、後魯沽、剪子沽、東魯沽、焦王莊、焦家莊、大劉莊、司家莊、大卦莊、燕喜郵、廠寬江、苟家莊、靳廠、洵窩等二十郵，隄埝無存，實北窪積水來源也。八門城、走綫窩、南燕窩、張頭窩、小洵等郵，隄埝蕩盡，以及小洵以下四百餘郵，隄埝無存，實南窪積水來源也。均須修築。香邑五河，卽窩河上游，其馬家窩等處漫口，尤爲喫重。青龍灣、筐兒港兩河中間積水，一由霍家莊以南兩決口所倒漾，一由武清一帶雨潦匯聚，郵人言，至爾家莊以北，舊有引河一道，由爾莊橋下東歸東洵，南入八里汀，通甯河之兒莊橋下，南入小河，由西唐兒坨莊入七里海，歸北塘大海，近年淤塞，西唐兒坨又横修疊道，故武、寶兩縣潘久苦昏墊等語。勘情屬實。若爾，莊南之河道不挑，則爾莊北數十餘郵積水無去路；八里汀之河道不挑，則爾莊南數十餘郵積水無去路；西唐兒坨莊疊道不挑，雖濬八里汀，仍難入海。惟潘兒莊以下至西唐兒坨莊，係甯河縣管，馬莊窩等郵五河漫口，其南岸各郵，係香河縣管，北岸各郵，間有三河縣管，請諭勿梗。再，香邑五河自馬家窩向皆以地爲岸，近年漫溢，實因通州運河東岸之劉各莊，有三里許無隄，每水漲，由蝦米眼直灌五河，幾於淤平。欲濬五河，而劉各莊無隄處，亦須修築。二月，總督批籌督辦，通州劉各莊無隄處，亦應修築。通州補修劉各莊之北運河隄三里許。詳上註。甯河知縣丁符九請濬七里海故道三十里，長五千四百丈。據禀册。

七年，濬筐兒港減河、窩頭河。

武清縣六大莊以下，南、北兩引河淤平，今就新沖斜河，挑歸南支，寬七尺，深四尺，議此後年浚一尺，深以丈爲度。武清蔡志：光緒七年，挑築天津楊家河以下引河，是河爲上游，亦撥款疏濬。時六大莊以下，南、北兩河淤平，遂專就新沖斜河挑挖，引歸南股，寬七丈，深四尺，議以此後年挑一尺，深至一丈爲度，卽以出土培隄，其侵種舊減河者，畝捐錢一千五百，許永遠爲業，凡六千七百五十餘畝，捐銀五千兩有奇，以五千存典取息，爲挑淤培隄，餘備防汛經費，伏汛則派員駐白馬港。又撥雲字營兵五十名護隄。先是，隄外民田利淤肥田，值水至，輒私開隄堰放水，而附近田畝不得淤利，僅受水患，動至爭訟，至是乃已，然莫若多設涵洞，以時啟閉。香河知縣楊因培，勘窩頭河，自萬福辛莊土橋至牛家墳西青龍橋，長二千五百十五丈，内淤二千二百三十五丈，濬之。三月興工，四月竣。香河册：勘得五河西北接通州窩頭河，承牛欄山白河，東入寶坻窩頭河達海。香河境自萬福辛莊土橋起，至牛家墳西青龍橋止，長二千五百十五丈，內有二百八十丈無須挑挖，實挑二千二百三十五丈，估土四萬八千九百六方半，分五十段，每方給漕米四升，津錢六十文。三月一日動土築壩，四月十五日竣。按：窩頭亦名五河。直隸總督肅毅伯李鴻章以工代賑，濬王家務減河，起寶坻縣大白莊，至甯河縣唓口嘴，入七里海，二十三里，長四千一百七十丈，面寬十四丈，底寬八、九丈，深四、五、六、七尺，以濬出之土，於河東二十丈外，添築新隄，頂寬一丈六尺，底寬五丈，高七尺。游香淀創修新隄，東西共長一千一百七十八丈，頂寬一丈六尺，底寬六丈，高七尺。又褎鹹河隄廑餘故址，修自寶坻縣黃莊，至楊岡莊閘外八門城三十三里，東西共長一萬一千八十八丈，頂寬一丈，底寬三丈，高六尺，凡用米二萬三千石，銀二千兩，錢五千四百八十千文。據寶坻册。按：直隸候補知府吳中彥稟：青龍灣引河淤平，游香淘水涣沙停，袖鹹河隄埝單薄，請以工代賑。直隸候補道周金章稟：赴寶坻同劉令枝彥履勘，自大白莊起，至游香淘北口止，長一千一百六十丈，爲第一段，以挖深三、四尺爲準，惟高莊窠有高墊三百四十丈，挖深五、六尺，下接游香淘，南北九里，東西八里，一片冰淩，淘底較深，毋庸挑挖。自游香淘南口起，至紅花嘴止，長一千九百二十丈，爲第二段，地勢稍低，挖深三、四尺及二尺五寸不等。自此至屠公橋南馬道小坑，長八里，河道尚通，毋庸挑挖。自屠公橋南馬道小坑起，至唓口止，長一千九十丈，爲第三段，挖深二尺五寸，及三、四尺，內有蘆葦淤地三百丈，挖深五尺，高處挖深六尺。三大段共二十三里，長四千一百七十丈，入七里海，河寬以十四丈爲率，出土距河二十丈外築隄，底寬五丈，頂寬一丈六尺，高七尺，於大白莊工頭處挑築兩埝，共長百丈，作喇叭口式，接舊隄，使南趨之水歸槽，直達唓口尾閭，蘆根掘淨。袖鹹隄黃莊起，至楊岡莊，石閘長三十三里，兩隄共長一萬一千八十八丈，窄處丈餘，寬處五、六丈，是隄失修，青龍袖鹹工程，共需米二萬三千十四石零。又詳：二月二十六日開工，河口展寬三丈五尺，有窩頭河東隄，自楊岡莊至八門城，長五百六十八丈，與袖鹹河東隄連，均應興修，復勘土八千八百八十五方二尺六寸，仍按每方三升津貼，需米二百二十六石五升六合。隄工有改灣就直處，可減長四百餘丈，節省米石，足敷添修。又稟：游香淘南北九里，東西八里，淘旁東西舊隄單薄，淘內無隄，南口敞開，一經大溜，新隄易坍，自北至南，均接新隄，東西合計一千一百七十八丈，用土三萬一千三百三十五方，需錢九千四百餘千文。寶坻存有賑餘，並生息錢五千四百八十餘千文，米二十一石，河工省出方價，足以抵補洵隄不敷之款。寶坻知縣劉枝彥議分段歲修，三年一濬，候補道周金章議官爲津貼，補民力之不逮，直隸總督肅毅伯李鴻章如議行。

十年，濬薊運、泃、鮑邱、窩頭、罾口等河，築薊運河、北運兩減河隄。直隸總督肅毅伯李鴻章，與府尹周家楣，籌費疏濬薊運、泃、鮑邱、窩頭各河身，凡四千二百丈有奇。築薊州境内薊運河東隄，起西河套，訖婁莊，長二萬一千五百丈有奇，西隄起蔡家莊，訖嘴頭郵，長一萬四千八百丈有奇。寶坻境内泃水南隄，起新集至嘴頭郵，即接薊運河南隄，過八門城下，至張頭窩，長二萬八千八百丈有奇。又築鮑邱河起談家鋪，訖王卜莊，南、北隄長一萬八千三百丈有奇。窩頭河起郭楊各莊，訖八門城，南、北隄長二萬六百丈有奇。古渠河起朱家鋪，訖張莊，南、北隄及護城埝長三千三百丈有奇。建鮑邱河石橋五，窩頭河石橋二。又築北運兩減河隄，一、王家務減河東、西兩隄，起壩口，訖屠公橋，長四萬三千三百丈有奇。濬河五段，長三千五百丈有奇。一、筐兒港減河東隄起壩口，訖天津西隄頭郵，長一萬二千七百丈有奇，並於天津韓盛莊以下築疊道，開引河，增涵洞。又有魏家河在下游塌河淀，通金鐘河處，原寬一、二丈，深尺許，今挑寬六丈，深三、四尺，長一千丈有奇，建木橋一。又塌河淀至隄頭郵，達七里海，舊河寬五、六丈，深二、三尺，今挑寬至十二丈，深四尺至六尺，長三百丈有奇，建石橋一。七里海之罾口河，東西引河，並趨薊運河，由北塘歸海，淤成平陸，今挑東引河七千六百丈有奇，西引河三千二百丈有奇。罾口河五千丈有奇，建石橋三、木橋一，凡於薊州、寶坻、甯河、武清、香河及天津境内，疏濬大小河十有四，築隄一千數百里，合土二百數十萬方，用銀三十萬兩有奇。

十年閏五月，直隸總督肅毅伯李鴻章奏：畿東之水，以薊運河爲大，該河挾遷安、遵化諸山泉之水，至薊州會爲大川，南經寶坻、玉田、豐潤、甯河，出北塘口歸海。薊、寶之間，又有泃河、鮑邱河、窩頭河、古渠河、太河窪、青淀窪匯入，而玉田、豐潤及附近之三河、香河等縣，有源無源之水亦節節來歸，於是勢兼力猛，每遇汛漲，駭浪驚濤，自寶坻四門城以下，河面較寬，溜亦殺緩，豐潤豐台鎮以下各縣，宏深闊大，順軌安流，惟上游薊州、寶坻、玉田境内，向藉長隄保障，今已多年失修，隄既塌廢，河亦衝彎，即泃河、鮑邱、窩頭、古渠等河，亦多淤塌。太河、青淀兩窪，下口不通，水至漫流，鄰邑並受其害，上年被災尤廣。臣與府尹周家楣咨函籌商，必須將經流支河分別挑築，以通壅滯，而固藩籬。當派直隸候補道周金章馳往察看，計應修築薊州境内薊運河東隄，自西河套起，至婁莊止，長二萬一千五百餘丈，西隄自蔡家莊起，至嘴頭邨止，長一萬四千八百餘丈。又應修築自西北來會之泃河北隄，自李新莊起，至嘴頭邨止，長一萬四百餘丈。又應挑挖薊、泃兩河身，並裁彎取直，共長二千四百餘丈，暨築草壩兩道，堵塞舊日河灣，又將會流之太河窪、青淀窪下口，修建兩閘，俾資宣洩。寶坻境内應修築泃河南隄，自新集起，至嘴頭邨，即接薊運河西隄，過八門城下抵張頭窩止，長二萬八千八百餘丈，其婁莊以下，張頭窩以上，薊運河東隄，歸玉田縣另案辦理。又應修鮑邱河，自談家鋪起，至王卜莊止，南、北兩隄長一萬八千三百餘丈。窩頭河自郭楊各莊起，至八門城止，南、北兩隄長二萬六百餘丈。古渠河自朱家鋪起，至張莊止，南、北兩隄並護城埝長三千三百餘丈，又挑挖薊、泃、鮑邱、窩頭各河身一千八百餘丈。又修鮑邱河石橋五座，窩頭河石橋二座，此修辦薊、寶境内運河上游，並附麗各支河之情形也。北運兩減河：一、自香河王家務壩口起，名曰青龍灣河，穿寶坻全境，至甯河屠公橋，趨七里海，下達薊運河，出北塘口歸海；一、自武清筐兒港壩口起，至津東塌河淀，分流入金鐘河、七里海，亦達薊運河，出北塘口歸海。該兩減河，既受北運浩瀚之減水，並收攝附近各境霪潦之水，亦因河淤隄塌，泛溢爲災。下游塌河淀、七里海，水道阻塞，停滯不下，尤爲全河之病。並派周金章與分發補用道金福曾，詳細察勘，計應修築王家務減河東、西兩隄，自壩口起，至屠公橋止，長四萬三千三百餘丈，又挑河四大段，並屠公橋下挖淤一段，共長三千五百餘丈，又應修築筐兒港減河東隄，自壩口起，至天津西隄頭邨止，長一萬一千七百餘丈，即於河中挖土培隄，一舉兩得，其西隄自壩口至天津韓盛莊，或尚完善，或有老壩包護，無庸議修，南盛莊以下，應修築八千七百餘丈，現在水未全消，俟水涸後，另行興辦。又於兩減河之間，自筐兒港河東岸韓盛莊起，至王家務河西岸潘莊止，就舊有之路，築成疊道五千六百餘丈，既便行人，亦免上游武、寶百數十邨受塌河淀倒灌之害，並於疊道以上杜家莊、潘莊各開河一道，一長二千五百餘丈，一長五千六百餘丈，酌做涵洞，使上游瀝水，分歸兩減河，其疊道中間，建設大、小木橋三座，平時分洩瀝水，盛漲堵閉，以禦外水。又下游塌河淀通金鐘河之處，有魏家河，原寬僅一、二丈，深尺許，今挑寬六丈，深三、四尺，計長一千餘丈，並建木橋一座。又埸河淀至隄頭邨，下達七里海，舊河寬五、六丈，深二、三尺，今挑寬至十二丈，深四尺至六尺，計長三百餘丈，並修石橋一座。七里海內本有罾口河，東、西引河並趨薊運河，由北塘歸海，今東引河幾成平地，餘亦淤墊窄淺，應挑東引河七千六百餘丈，西引河三千二百餘丈，罾口河五千餘丈，修建石橋三座，木橋一座，並將阻水蘆葦芟除，使埸河淀、七里海隨受隨洩，兩減河亦隨漲隨消，此修辦香河、武清、寶坻、天津、甯河境內北運兩減河上下游之情形也。統計挑濬大小各河十四道，築隄千數百里，合土至二百數十萬方，又橋梁十六座，隄閘各兩座，涵洞四座，迭飭撙節，估計共需公費銀三十餘萬兩。其玉田修築薊運河東隄，天津修築筐兒港減河西隄，均不在內。直隸各庫極絀，賑捐無多，災區又廣，只能協撥銀一萬兩，其餘由府尹臣周家楣請撥部庫銀五萬兩，並於順天賑需項下設法集湊撥用，事竣彙入賑案，據實分晰奏報。臣查薊運河及北運兩減河，關係薊州、寶坻、香河、武清、天津、甯河及附近州縣民生利害甚巨，皆有怡賢親王經營陳迹，自嘉慶、道光以後，久失修治，民苦水患者垂數十年，歷任督臣，皆以時艱帑絀，欲辦未果。臣前次僅將兩減河擇要挑修，未能大舉，澹災乏術，負疚滋深。今周家楣畛域無分，力主此議，籌集三十萬巨款，使數十年官民欲辦未辦之要工成於一旦，從此畿東州縣，水患可紓，裨益順直大局非淺，具見公忠體國，繼美賢王。前於籌定辦法後，已責成周金章、金福曾各分段落，督率印委，招集災民，分段實力興作，以工代賑，其有應行變通之處，隨時核酌辦理，期臻妥善。此工裨益畿東大局，非尋常一隅挑築可比，業飭該道等，督同印委，加勁趕辦，在各員手胼足胝，不無微勞，擬俟事竣，援照河工獎章，擇尤奏乞恩施，以示鼓勵。

其閘壩，曰迴龍閘。

迴龍閘在東直門角樓，康熙中建，雍正二年併於慶豐閘官經理，一統志：迴龍閘，康熙中建。楊錫紱漕運則例纂：東直門角樓迴龍閘，向係奉宸苑管理，雍正二年，倉場奏交慶豐閘閘官管理，水大則洩，水少則蓄。乾隆十七年，得旨，拆去其隄岸危險處，所簽入樁葦，加高培厚，歸坐糧廳管理。據漕運全書。

曰大通橋閘。

明正統三年五月建。明實録：五月成，行在工部請撥丁夫監守，且隸附近慶豐閘官，從之。國朝康熙中修。詳大通橋。按：明實録，成化十二年，增閘四。大清一統志：明嘉靖中，歷九閘入大通橋，其閘難枚數矣。

曰慶豐閘，曰新建閘。

在京城東大興縣王家莊，距大通橋閘五里，初名籍東，建自元至元二十九年。有上、下二木閘，故俗呼二閘。元貞元年，更今名。至順元年易石，凡工千有五百五十，縱百有二十尺三分，長之二爲衡，高二丈，間容二丈二尺。明嘉靖七年，並二閘爲一。隆慶二年，工部侍郎崔孔昕重修，水高平津上閘十有二尺，閘官一。元河渠志：籍東牐二，在都城東南，元貞元年改名慶豐。元宋褧都水監改修慶豐石牐記畧：至元二十九年，都水監郭守敬渠通惠河，貫京城，迤邐出南水門，過州抵高麗莊之壖，爲里二百，視地形創牐，附崖壁及底皆用木，凡二十四，慶豐其一也。後二十年，當至大四年，諸牐浸腐，宰相請以石易，有司以次第舉。由是至順元年，始及慶豐之役，都水監王温臣率其屬分督程作，日役士卒及土金石之工千有五百五十，輸木萬章，鐵以鈞計，凡八百有奇，石材三千一百，瓴甓灰藁他物無算。築其縱長百有二十尺三分，長之二爲衡，高二丈，間容二丈二尺。經始於是年三月之望，粤六月十有五日告成。元郭守敬傳：大都運糧河，每十里河置一牐，至通州凡爲牐七，距牐里許，上重置斗門，互爲提閼，以過舟止水。周夢暘水部備考：慶豐閘在都城東王家莊，至大通橋八里，元至元十九年建，有上下閘，名籍東。至順元年，易以石，改名慶豐。明嘉靖七年，並二牐爲一。漕運則例纂：裹河五閘，向於漕竣開閘放水。乾隆二年，奏每年霜降後啟板，各留四五板，俾洩冰牀，便行旅。按：閘去大通橋閘實止五里，隆慶二年重修，見郭淩漢重修閘河記。國朝康熙中，於上流增建一閘，曰新建。一統志。

曰平津上閘，曰平津下閘。

在大興縣境，元至元二十九年建，並名郊亭，以木，元貞元年更今名。延祐後易石。明宣德七年、正統四年重修。十三年三月，修平津大、中、小三閘，重修上閘，水高下閘十尺，下閘高普濟閘七尺，俗呼下閘曰花兒閘。元河渠志：郊亭牐二，在都城東南二十五里，元貞元年改名平津。元一統志：郊亭北，平津閘二。水部備考：平津上閘，西至慶豐閘十五里，平津下牐，西距上牐七里，俱至元二十九年建，舊係木牐，名郊亭，延祐後，易以石，改名平津。畿輔安瀾志：東十一里，逕郊亭南之平津上牐，又四里，逕下牐。潞沙筆綴：通州至都城，中途有高米店，或呼高碑店。松漠記聞：潞縣三十里至郊亭，三十里至燕，今云高米店，疑卽古之郊亭。交、高音譌也。明實録：宣德七年正月，重建平津閘。正統四年十月，修平津閘。十三年三月，修平津大、中、小三閘。一統志：平津閘在大興縣東。病逸漫記：通惠河四里至慶豐，十一里至平津，慶豐地高平津丈許，水陡絶，故平津開，則慶豐河身立見。李炳石𤃩須知：平津上閘水面高下閘十尺，下閘高普濟閘七尺。通州高志：平津上閘、下閘，卽郊亭閘，下閘，俗名花兒閘，距普濟閘十三里。按：隆慶二年崔孔昕重修，見郭淩漢重修閘河記。國朝嘉慶二年修下閘，五年又修，六年修上、下閘。據漕運全書。

曰普濟閘。在通州治西十二里。普，元河渠志作溥。至元二十九年建，以木，有上、下二閘，名楊尹閘，今呼楊家閘，本此。元貞元年，更名溥濟。延祐中，易石，後併爲一。明隆慶二年重修，水高通流閘十二尺。元河渠志：至元二十九年，置楊尹閘，在都城東南三十里，元貞元年改名溥濟。一統志：普濟閘在通州西十二里，舊有上、下二閘，相距五里，又西去平津下牐十三里，元至元二十九年建木閘，名楊尹牐，延祐中易以石，改今名，今併爲一牐。按：元一統志：牛店普濟牐二。漕河圖志，普亦作溥。石𤃩須知：普濟閘水面高通流閘十二尺。通州高志：普濟閘卽楊尹閘改名，俗名楊家閘。按：明隆慶二年重修，見郭淩漢重修閘河記。國朝嘉慶二年、五年、六年修。據漕運全書。

曰通流閘。卽元通州閘也。至元二十九年建，木閘二，上閘在通州西門外，其東南五里爲下閘；在通州南門外。元貞年，更名通流。延祐後，易以石，併二爲一。明宣德七年八月修，隆慶二年，工部郎崔孔昕又修，國朝雍正二年重修，今閘在新城内，水高南浦閘十有二尺。元河渠志：至元二十九年，置通州牐二，上牐在通州西門外，下牐在通州南門外，元貞元年改名通流。水部備考：通流牐西至普濟牐十二里，至元年始建二木牐，名通州，延祐後，易以石，併二牐爲一，改今名。王瓊漕河圖志：通流上、下二牐，上牐州治西門外，西至普濟下閘十里，下牐在南門外，西北至上牐五里，元至元二十九年建木閘，曰通州，延祐後修石，改名。明宣宗實録：宣德七年八月，修通州通流牐。石壩須知：通流閘水面高南浦閘十二尺。通州高志：通流閘在州城內牛市，船運不行，惟時蓄洩，以助內河之勢。按：隆慶二年崔孔昕修閘，見郭淩漢重修閘河記。安瀾志云，減水牐原爲滾水牐，雍正三年改通流牐，其說非也。減水閘卽今葫蘆頭滾水壩，安得以通流牐當之？安瀾志又云，通流在通州城內，通惠與白河交匯處也。不知白河從未流逕通州城內，無由與通惠河匯。

曰土壩閘。

在通州土壩，明萬曆二十二年郎中于仕廉建新閘，通隍蓄水。據通州高志。

曰減水閘。

康熙三十六年置，卽今葫蘆頭滾水壩，故又名新滾水壩。據通州高志。

曰南浦閘。

通州舊志所謂新閘者是，亦名南溪閘，在州舊城東南隅，明萬曆三十二年置，水高哈叭橋十有二尺。據通州高志。石壩須知：南浦閘水面高哈叭橋十二尺。舊聞考：州治三牐，一、通流，在城；一、南普，在城東南；一、普濟，在城西。其平津上、下等牐，隸大興縣。按：畢昌緒重修哈叭橋滾水壩普渡橋碑記稱，閘曰南溪。通州高志載南浦閘，而城池圖則稱南溪閘，又有南溪寺莊，見高志關梁，而郕鎮圖又漏。

曰石壩。

在通州城北里許，據舊聞考。明嘉靖七年置，正兑京糧由此，據通州高志。距大通橋四十里，水低四丈。據傅澤洪行水金鑑。隆慶二年，工部郎崔孔昕修。據郭淩漢重修閘河記。國朝乾隆四十九年，改南壩臺磯心草壩爲灰土護壩。據畿輔安瀾志。

曰土壩。在通州東門外，運中西等倉漕糧由此，明隆慶二年重修。據郭淩漢重修閘河記。

曰裏河滾水壩。在各閘者凡十，慶豐一，平津上一，平津下及普濟各二，普濟至葫蘆頭三，南浦一。據石壩須知。先是，明萬曆年間，郎中于仕廉在土壩新開西開月城洩水，日久堙。據通州高志。崇禎八年，户部馬禎峨於土坯口築坡，目爲蓄洩甕口，覆橋，今滾水壩其遺意云。馬禎峨運河蓄洩陂記：京庾二百餘萬鐘，與狂濤怒颶争命於南北數千里間，一旦得維舟石壩之濱，登囊派剥立致，天庾無恙矣。孰意又有愆之期者，蓋閘河、白浮水諸泉穿城闕，徙自天來，爲力已自不薄，秋霪一漲，四閘洞開，通城之水，闢吞不及，則潰隄而出，猛於虎突山崩，頃刻林壑滅没而河心見底，糜金錢，浥玉粒，無歲不然。夫與其決而復塞，千人畚而築，一波吹去也，與其財力既竭，逢秋便決，而水患頻仍也，無甯謀所以蓄之洩之者，而無惜土木之小費，爲一勞永逸計乎！余以崇禎甲戌仲春，弭節督漕，至八月，卽罹水患，日夜版築間，嘗沿隄上下度量地勢，而得一壑焉，曰土坯口，卽閘河之支分，一股向南流者。爲其旁溢也，塞之。及漲，仍抉之。一抉，一塞，歲費不貲，苦之者曰禍水也。余曰：此德水也，可陂也，竭則蓄之，泛則洩之，得此陂焉，不患水性之不平也。於是請于部長，捐俸揮牘，以購灰甎樁鐵油麻等料，擇日鳩工。余於公餘，日往指撥，務根底堅固於下，臺牒狀麗于上，制非師古，總出心裁，不敢師心究竟師水，水深淺以船爲度，船之分量，考之以載，盡其分量，而水有餘也。滾而去之，盡其分量，而水不足也。護而長之，其前張左右翼，以當其鋒，使不得排樁而入也。界之以五洞，使不得争道而馳也。復凹進其中流，防瀚漫歸一統也。堅其兩壁，禁噬嚙也。脣之以石以咽之，而寬坦其喉腹以受之，使之一瀉千里，得直道而行也。行矣，復參差瓦礫以敵之，使殺其怒，不得肆虐于我土也。彼噴土叫號而來，忽委委焉望洋而逝，不復肆其奔馳，而水性平矣。名之曰蓄洩陂。陂脊爲橋，以渡輓夫，西壁爲廟，以祀龍王。是役也，興工於崇禎八年二月初二日，告成于三月二十四日。石壩須知：裏河滾水壩在各閘者凡十，自明迄今，建置不無後先，要以蓄洩陂爲鼻祖云。按：通州高志云，崇禎十年，馬禎峨于天橋西開隄，甕口覆以長橋，卽蓄洩陂也。其十年是八年之譌。國朝乾隆三十三年，改平上閘滾水板壩爲石壩。據會典事例七百一。嘉慶二年，修滾水諸壩。五年，又修。據漕運全書。

曰卧虎橋挑水板壩，曰中口挑水板壩，曰小聖廟挑水板壩，曰張家灣挑水板壩三。

曰富河邨草壩。

曰果渠邨草壩。

曰東浮橋壩，曰西浮橋壩。

曰吴家窨草壩。

曰青龍灣減水草壩。

已上壩，詳河工。

曰王家務減水閘壩。

乾隆二年，移自青龍灣，門寬四十丈。據一統志。三十七年，壩落低。畿輔安瀾志。餘詳河工。

曰火燒屯草壩，曰觀音堂草壩。

並在西岸。嘉慶八年，武清縣楊邨北汛之火燒屯南，月隄頭添護崖草壩二段，南北各長二十丈，寬一丈七尺，高二丈二尺。畿輔安瀾志：西岸草壩，一在火燒屯，一在觀音堂，武清縣北汛縣丞分管。嘉慶八年，總督顔檢楊邨北汛添設護崖草壩奏畧：本年北運河楊邨廳北汛火燒屯邨南月隄頭秋汛危險，新添護崖草壩二段，北一段長二十丈，南一段長二十丈，均寬一丈七尺，高二丈二尺。

曰筐兒港減水石壩。

在武清縣楊邨。康熙三十九年，築石壩，金門寬二十丈。雍正六年，怡賢親王奏拓四十丈，合前凡六十丈。乾隆三十二年，貼築灰土坦坡。一統志：康熙三十八年，決筐兒港，明年建減水石壩二十丈。雍正六年，拓築舊壩六十丈。乾隆三十二年，貼築灰土坦坡。

曰筐兒港引河前減水壩。

曰三里淺挑水壩。

曰楊邨壩。

並詳河工。

曰馬家工壩，曰馬家工西草壩。

嘉慶十一年，楊邨南汛馬家工壩西接建草壩一段，長四十丈，寬一丈四尺，高二丈二尺。畿輔安瀾志：嘉慶十一年，直督裘行簡馬家工壩西接建草壩奏畧：本年自入伏秋以來，河水節次長發，兩岸向無埽工，一經大溜瀕注，汕刷隄根，更爲喫緊。北運河通判所管楊邨南汛馬家工壩西險工一段，正當迎溜埽灣，衝刷隄身，形勢險要，接建草壩一段，長四十丈，寬一丈四尺，高一丈二尺。

曰寶稼營閘。

武清縣城東南五十里，乾隆十六年敕建。據武清蔡志。

曰寶坻魯沽、長亭二莊石壩。

曰密雲石子壩，曰攔水壩。

詳河工。

其涵洞曰軍莊，曰龍莊，曰西黄垡，曰沈莊。

在港溝東，隄凡四。

曰靛莊，曰漷縣南，曰漷縣北，曰老槐莊，曰尖邨，曰田邨，曰張各莊，在港溝西，隄凡七。

曰孫家莊。

在王家務引河北岸。

曰大張家莊。

在筐兒港引河南岸。

曰柳沽，曰石臼窩。

已上涵洞二十一，詳河工。

德清傅范初校

河渠志十一

河工七

德清傅雲龍纂　江陰繆荃孫覆輯

北運河 薊運河

其前代河工，漢建安十一年鑿渠。

曹操鑿渠，自滹沱入泒水，名平虜渠。又從泃河口鑿入潞河，名泉州渠。據三國魏志。按：奉使行程録云，潞河東半里許有潞沙，曹操征烏桓、袁尚等鑿渠入潞沙，即此地。

唐神龍三年，約渠穿漕。

姜師度於薊州北漲水爲溝，約舊渠，傍海穿漕，號平虜渠。舊唐書食貨志。按：明大學士李賢新開運河記云，唐神龍中，於漁陽開平遠渠，傍海穿漕，所謂平遠渠，即平虜渠也。

金爲牐，節高良河諸水。

金都燕，東去潞水五十里，故爲閘以節高良河、白蓮潭諸水，以通粟。然自通州而上，地峻而水不留，其勢易淺。世宗世，議者請開盧溝金口通漕，役衆數年，無功。金河渠志。

大定五年，濬運河。

大定四年十月，上出近郊，見運河湮塞，召問其故。主者云户部不爲經畫所致。召户部侍郎曹望之，曰：有河不加濬，罪在汝等。朕不欲即加罪，宜悉力使漕渠通也。五年正月，尚書省奏，可調夫數萬。上曰：方春不可勞民，令宫籍監户、東宫親王人從，及五百里内軍夫，濬治。金河渠志。

泰和初，開通州潞水漕渠。

翰林應奉韓玉請開通州潞水漕渠。又近侍局提點烏古論慶壽議開漕河。四年，詔慶壽按視，河成，賜賚寵之。據金史傳，大金國志。

五年，鑿霸州故漕河。

至霸州，以故漕河淺澀，勅尚書省發軍夫六千，改鑿之。金河渠志。金史紀：正月丁丑，次霸州，調山東、河北軍夫，改治漕渠。

元中統三年，開玉泉水。

八月，郭守敬請開玉泉水通漕。元世祖紀。

至元元年，疏漕渠。

二月壬子，發北京都元帥阿海所領軍，疏雙塔漕渠。元世祖紀。

十三年，穿武清蒙邨漕渠。

八月己巳，穿。元世祖紀。

十六年，浚通州運糧河。

五月辛丑，以通州水淺，命樞密院發軍五千，仍令食禄諸官，雇役千人開浚，以五十日訖工。續通鑑一百八十四。

十七年，又浚。

二月庚子，發侍衛軍三千，浚通州運糧河。續通鑑一百八十五。

二十二年，穿河西務河。

二月，以應放還五衛軍穿。續通鑑一百八十七。

二十三年，浚蒙郇漕渠。

正月，發五衛及新附軍浚。元世祖紀。

二十四年，浚河西務漕渠。

正月，以修築柳林海子河隄南軍三千浚。元世祖紀。

二十五年，浚河西務至通州漕渠。

五月庚辰，發武衛親軍千人濬渠。元世祖紀。

二十六年，築沙河隄，濬河西務漕渠。

四月庚午，沙河決，發民築隄。五月庚辰，發武衛親軍千人濬河西務至通州漕渠。元世祖紀。

二十八年，濬河，築隄。

十二月辛卯，濬運糧河，築隄。續通鑑一百九十。

二十九年，開通惠河。

至元二十八年，都水監郭守敬建言：疏鑿通州至都河，改引渾水，於舊牐河蹤迹導清水，上自昌平縣白浮村引神山泉，西折南轉，過雙塔、榆河、一畝、玉泉諸水，至西門入都城，南匯爲積水潭，東南出文明門，東至通州高麗莊入白河。長一百六十四里一百四步。塞清水口一十二處，長三百一十步。壩牐一十處，共二十座，節水通漕。從之。首事於至元二十九年春，告成三十年秋，賜名通惠。役軍一萬九千一百二十九，工匠五百四十二，水手三百一十九，没官囚隸百七十二，計二百八十五萬工，用楮幣百五十二萬錠，糧三萬八千七百石，木石等物稱是。役興之日，命丞相以下皆親操畚鍤爲之倡。置牐處，往往於地中得舊時磚木，時人感服。其壩牐名曰：廣源牐；西城牐二，上牐在和義門外西北一里，下牐在和義水門西三步；海子牐，在都城内；文明牐二，上牐在麗正門外水門東南，下牐在文明門西南一里；魏村牐二，上牐在文明門東南一里，下牐西至上牐一里；籍東牐二，在都城東南王家莊；郊亭牐二，在都城東南二十五里銀王莊；通州牐二，上牐在通州西門外，下牐在通州南門外；楊尹牐二，在都城東南三十里；朝宗牐二，上牐在萬億庫南百步，下牐去上牐百步。元河渠志。又見郭守敬傳。元世祖紀：二十九年八月丙午，用郭守敬言，浚漕河。元名臣事略：上不欲役及細民，敕四集賽人及諸府人興鑿，刻日使畢。太師淇陽忠武王率屬，著役者服，操畚鍤，趨者如雲，依刻而渠成，賜名通惠。按：元一統志云，新開通惠河碑，至元二十九年八月興工，三十年八月工畢，平章政事吉勒展專董其事。昌平山水記：神山、白浮皆在州東南，地勢西高東下，守敬乃能引之而西，是不可曉。

三十年，開渠。

白河，在漷州東四里，北出通州潞縣，南入通州境，又東南至香河縣界，又流入武清縣境，達於靜海縣界。至元三十年九月，漕司言：通州運糧河全仰白、榆、渾三河之水，合流名曰潞河。今歲新開牐河，分引渾、榆二河上源之水，故自李二寺至通州三十餘里，河道淺澀。今春、夏天旱，有止深二尺處。先是，都水監相視白河，自東岸吳家莊前，就大河西南，斜開小河二里許，引榆河合流至深溝壩下。今丈量，自深溝、榆河上灣，至吳家莊龍王廟前白河，西南至壩河八百步。及巡視，知榆河上源築閉，其水盡趨通惠河，止有白佛、靈溝、一子母三小河入榆河。擬自吳家莊就龍王廟前閉白河，於西南開小渠，引水自壩河上灣入榆河。又通州城北通惠河積水，至深溝村西水渠，去樂歲、廣儲等倉甚近，擬自積水處由舊渠北開四百步，至樂歲倉西北。都省準焉。通惠河自通州城北，至樂歲西北，水陸長五百步，計役八萬六百五十工。元河渠志。按：元河渠志云，元貞二年四月，中書省言，新開運河閘，宜用軍一千五百守護，從之。七月，工部言，設提領三員。

三十一年，浚通惠河。

八月，范文虎監浚通惠河。元世祖紀。

大德二年，修隄。

五月，中書省劄付都水監：運糧河隄自楊村至河西務三十五處，用葦一萬九千一百四十束，軍夫二千六百四十九名，度三十日畢。於是本監分官率濠寨至楊村歷視壞隄，督巡河夫修理，以霖雨水溢，故工役倍元料，自寺洵口北至蔡村、清口、孫家務、辛莊、河西務隄，就用元料葦草，修補卑薄，創築月隄，頗有成功。其楊村兩岸相對出水河口四處，葦草不敷，就令軍夫採刈，至九月住役。楊村河上接通惠諸河，下通滹沱，入江淮，使官民舟楫直達都邑，利國便民。奈楊村隄岸，隨修隨圮，蓋爲用力不固，徒煩工役，未修者，來春，調軍夫修治。元河渠志。

七年，築白浮甕山決口。

六月，甕山等處看牐提領言：九日夜半，山水暴漲，漫流隄上，衝決水口。於是都水監委官督軍夫，自九月二十一日入役，至是月終輟工，實役軍夫九百九十三人。元河渠志。

十一年，修白浮甕山河隄笆口。

三月，都水監言：巡視白浮甕山河隄，崩三十餘里，宜編荆笆爲水口，以泄水勢。計修笆口十一處，四月興工，十月工畢。元河渠志。

至大二年，修武清縣白河決口。

決皇甫村，興役修塞。方輿紀要十一。

四年，修河閘，泰定四年竣。

六月，省臣言：通州至大都運糧河牐，始務速成，皆用木。今宜用甎石，以次修治。泰定四年竣。元河渠志。

皇慶二年，修白浮甕山河隄。

元年正月，都水監言：白浮甕山隄，多低薄崩陷，宜修。來春二月入役，八月完，長三十七里二百十五步，七萬三千七百七十三工。元河渠志。

延祐初，修武清縣白河決口。

決劉家莊，興役修塞。方輿紀要十一。

元年，治隄堰。

四月，都水監言：自白浮甕山下至廣源牐隄堰，多淤澱，擬疏滌。由是會計工程，差軍千人疏治。元河渠志。

二年，浚漷州漕渠。

正月浚。元文宗紀。

六年，浚通惠河。

閏八月，浚通惠河。元文宗紀。十月，省臣言：漕由直沽達通惠河，今岸淺，不早疏濬，有礙舟行。都水監職專水利，宜分官一員，以時巡視，遇有頽圮淺澀，隨宜修築，如工力不敷，有司差夫助役，怠事者究治。從之。元河渠志。乙卯浚。元文宗紀。

至治元年，疏玉泉河。

十二月甲寅疏。元英宗紀。

二年，浚金水河。

四月己巳，浚。元英宗紀。

泰定元年修隄。

二月，樞府臣奏：臨清萬户府言，至治元年雨，決壞運糧河岸。臣等議，令本務差軍三百執役。從之。元河渠志。

四年，浚通惠河，築隄。

正月浚會通河，築漷州護倉隄，役丁夫三萬人。元泰定紀。三月，都水監言：河西務菜市灣水勢衝嚙，宜於劉二總管營相對河東岸，截河築隄，改水道與舊河合。四年正月，省臣奏准，樞府差軍五千，大都路募夫五千人，日支糙米五升、中統鈔一兩，本監工部委官與前衛董指揮監役，三月十八日興工，六月十一日工畢。元河渠志。八月，發衛軍八千，修白浮甕山河隄。元泰定紀。都水監言：山水溢，衝甕山諸處笆口。計料工物，移文工部關支修治。八月二十六日興工，九月十三日工畢，役軍夫二千名，實役九萬工，四十五日。元河渠志。

天曆二年，浚河。

四月，浚漷州漕運河。八月，發諸衛軍，浚通惠河。元文宗紀。

至順元年，修觀音寺等隄。

六月，都水監言：二十三日夜，白河水驟漲丈餘，觀音寺新修護倉隄，已督有司差夫救護，今水落尺餘，宜候伏槽興作。元河渠志。七月，築漷州柳林子隄堰。元文宗紀。

二年，浚金水河。

五月浚。元文宗紀。

至元三年，開通州運河。

洪君祥從禿花禿烈、伯顏等開通州運河。通州舊志。

至正二年，開金口河。

詳永定河前代河工。

十一年，濬運河。

六月，發軍一千，從直沽至通州，疏濬河道。元順帝紀。

十四年，修白浮甕山等隄堰。

四月修。元順帝紀。又甯河縣軍糧城舊渠，寬二丈，深五尺，長六里，元時開，今淤。據甯河關志。

明永樂四年，治大通河閘隄。

八月，北京行部言：宛平、昌平、西湖景東、牛欄莊及青龍 華家 甕山三閘，水衝決岸。發軍民修治。明河渠志。

五年，置白浮邨已下十二閘，濬通流等四閘河道。

北京行部言：自西湖景東至通流，凡四閘，河道淤塞。自昌平東南白浮村至西湖景東、流水河口百里，宜增置十二閘。從之。未幾，閘俱堙。明河渠志。五月，浚北京通流等四閘河道一萬七百三十丈。明實録。

十年，浚通惠河。

四月庚申，浚北京通流寺四牐河道一萬七百三十七丈。（明實録。）

十一年，修河岸。

正月庚子，順天府保定縣言：去年秋淫雨，決河岸五十四處，接文安、大城之界，乞以三縣民協力修築。從之。（明實録。按：行水金鑑一百六引於運河。）

十二年，修通州、三河、武清決隄。

八月丁未，修通州、三河等處水決隄岸。九月丙子，武清縣言，河決耍兒渡口六百五十餘丈，命工部遣官修築。（明實録。）

三十一年，築通州等處河岸。

築通州抵直沽河岸，有衝決者，隨時修築以爲常。（明河渠志。）

宣德二年，治通州河道。

户部右侍郎王佐，受命治通州至直沽河道。（明王佐傳。）

四年，修耍兒渡，浚河西務河道，修隄。

耍兒渡在武清、通州間，要害處也。（明河渠志。）三年十二月，行在工部言：通州耍兒渡河，渡水從東注，而正河淺澀，請急修築。從之。四年二月，命隆平侯張信等，督在京操備軍士五萬一千益之。（行水金鑑一百七。）張信督軍萬五千，浚河西務河道，（明張信傳。）修隄。（日下舊聞考引明宣宗實録。）

七年，築固安隄。

三月壬戌，水決固安縣馬莊等處隄岸，命順天府發民修築。明實録。

九年，築運河河西務隄決口，又築薊運河隄。

六月乙亥，右副總兵都指揮僉事吴亮言：河西務東西上下，水決隄十五處，乞早修築。從之。行水金鑑一百七。薊州河溵流、黄蠟、錫寺等處隄埝，亦六月築。據薊州張志。

十年，修要兒渡隄。

七月己卯，修通州要兒渡等處隄。明實録。

正統元年，築要兒渡決隄，鑿通濟河，修狼窩口等處隄。

要兒渡，特敕太監沐敬、安遠侯柳溥、尚書李友直隨宜區畫，發五軍營卒五萬及民夫一萬築決隄。又命武進伯朱冕、尚書吴中役五萬人，去河西務二十里鑿河一道，導白水入其中。二工並竣，賜河名曰通濟。明河渠志。七月己未，命行在工部左侍郎李庸修狼窩口等處隄。先是，大雨浹旬，水溢渾河狼窩口，及盧溝橋小屯廠、西湖東笆口、高粱等牐，隄岸皆決，命庸治之。至是，庸奏請工匠千五百人、役夫二萬人。從所請。明實録。

二年，築要兒渡決口。

元年正月，要兒渡決。二年二月，敕五軍各營發軍一萬，工部發畿内夫一萬築之。三月，行在工部奏，修隄已完。又新開河，乞令武清縣復民三十家，巡視其隄，毋致傾壞。從其請。明實錄。

四年，修通惠河隄。

六月壬午，小屯廠西隄爲渾河水所決，通州至直沽隄牐三十一處，爲雨潦所決，詔發附近丁夫修築，以工部侍郎李庸董之。先是，決河西務隄，發順天府寶坻等縣民夫修築，至是行在大理寺右少卿李畛，奉敕存被災州縣，具疏，請罷修不急隄堰。從之。明實錄。

五年，修香河縣白河隄。

十月丁丑，命修香河縣白河隄，從知縣張嵩言，河水衝決，民田被淹故也。明實錄。修漷縣隄。明河渠志。按：明實錄，六年正月，徙張家灣至河西務沿河民舍三百十三家，以礙運船縴路故。

七年，修筐兒港等處隄。

七月癸亥，久雨，水決武清縣筐兒港，漷縣中馬頭、小蒙村、河西務、上馬頭隄岸三十二處。詔修易爲功者，其功多者，計費以聞。明實錄。

九年，修耍兒渡等隄，又修水屯廠等隄。

閏七月辛巳，工部右侍郎王佑言：臣奉敕與太監阮安往視水決河岸，自蒲溝兒至漷縣二十餘處，其耍兒渡尤甚，乞發丁夫物料修築。八月辛未，固安縣請築水屯廠等隄，並從之。據明實録，行水金鑑二百八。

景泰六年，修固安縣隄。

七月丙戌，明實録。修固安縣楊家等口決隄。明河渠志。

天順三年，開薊州新河。

二年，據明實録。大河衛百户閔恭奏言：歲運糧薊州等衛倉，越大海。新開沽河，北望薊州，正與水套、沽河直，袤四十餘里，水深，其間阻隔僅四之一，穿渠以運。下總兵都督宋勝、巡按御史李敏行視可否。勝等言便，遂開河，闊五丈，深丈五尺。明河渠志。於附近天津、永平、薊州、寶坻等衛府州縣，發一萬人夫，委官督領，明年春興工，一月人與行糧三斗，仍官給器具。從之。明實録。明李敏傳：天順初，敏以薊州餉道經海口，多覆溺，建議別開三河達薊州，軍民利之。甯河關志：新河在縣南一百二十五里，明天順三年始鑿。先是，漕運由直沽出東海，由東海折入北塘口，上達薊州，屢被風，故開此河以避其險。寶坻洪志：新河在邑東南二百四十里許，自直沽河口起，至北塘河口止，徑四十里，明天順三年鑿。

四年，開梨河故道。

守備薊州署都指揮僉事劉輔請發附近軍二千人，開故道，塞傍流，鑿平地爲河者凡二里八十步，深三尋，廣十丈。據明御史李敏永濟橋記。按：梨河亦曰沽河。

五年，修河西務耍兒渡口。

七月乙丑修。明實録。

成化元年，浚通州河耍兒渡。

三月戊申朔，浚通濟河耍兒渡口，命工部主事蔣瑄、都督同知陳達董其役。明實録。耍兒渡自永樂至成化初，凡八決，輒發民夫築隄。明河渠志。

二年，濬薊州河。

四月辛酉濬。明實録。

五年，浚河。

三月丁未，工部奏，自通州抵天津衞，河道淤塞，漕運不通，宜疏浚。從之。明實録。

六年，築通州、武清決隄，潮白河隄壩。

七月壬寅，工部奏，通州至武清縣蔡家口河口，並隄岸被水衝開一十九處，宜并工修築。從之，命侍郎李顒董其役。九月乙丑，鎮守密雲署都指揮僉事王榮奏，山水泛溢，衝塌古北口潮州白河龍王峪沿邊隄壩，請撥軍修繕。從之。明實録。

七年，濬玉泉諸水及張家灣河道。

成化中，漕運總兵官楊茂言：每歲自張家灣舍舟。舊通惠河石閘尚存，深二尺許，修閘瀦水便。又有議於三里河從張家灣煙墩橋以西疏河者。下廷臣議。遣尚書楊鼎、侍郎喬毅相度。明河渠志。七年正月，明實録。上言：玉泉、龍泉及月兒、柳沙等泉，出西北，可導入西湖。請濬西湖之源，閉分水青龍閘，引諸泉水從高粱河，分其半由金水河出，餘則會於城濠。且令勿入三里河，併流大通橋閘。從其議。發軍夫九萬修濬，會以災異，詔罷諸役。所司以漕事大，乃命四萬人濬城濠，而西山玉泉及抵張家灣河道，以漸及。明河渠志。

九年，浚薊州河。

八年二月戊辰朔，鎮守永平山海總兵官東甯伯焦壽言：薊州新開沽河，淤塞一千二百丈，欲照奏准三年一浚事例，於順天等衛，起撥軍民興工。巡按御史詣勘，候明年三月後并工疏浚。從之。明實録。

十一年，濬通惠河，十二年成。

敕平江伯陳鋭，副都御史李裕，侍郎翁世資、王詔督漕卒浚通惠河，如鼎、毅前議。明年六月，工成，自大通橋至張家灣渾河口六十餘里，濬泉三，增閘四。明河渠志。明實録：成化十一年十月癸未，增設工部管理河道官一員。漕運總兵官平江伯陳鋭等奏：比奉詔疏浚通州至京河道，工將就緒，請設官理之，並提督青龍等橋，廣源等閘，及西山一帶泉源。時工部郎中陸鏞服闋，因以命之。十二年六月丁亥，浚通惠河成，自都城東大通橋至張家灣渾河口六十里，興卒七千人，費城甎二十萬，石灰百五十萬斤，閘板樁木四萬餘，纍鐵銅油各數萬，計浚泉三，增閘四，凡十月而畢。水部備考：元通惠河，成化十二年疏通之，漕舟至大通橋下。後射利之徒，妄假黑眚之說，事竟阻壞。

十三年，修運河隄。

七月戊子，管理河道工部郎中楊恭奏：水溢運河，東西兩岸衝決甚多，乞撥京營官軍修築。章下工部議，宜移文都督同知陳逵，同楊恭於通州等衛附近處所，量起軍餘三千，順天府沿河州縣起民夫一千相兼，隄淺人夫并工修築。行户部給行糧。從之。明實録。

二十年，濬薊州河。明河渠志。

弘治中，濬通州河。

郭鋐嘗濬通州河二十里，置壩。明王信坿傳。

正德元年，修會通河。

十二月己巳，命户部郎中郝海、工部員外郎畢昭，會同漕運參將梁璽，修理會通河。河起大通橋，迄張家灣，有牐數座，然地形高下懸絶，蓄水甚難，卒不能通舟。明實録。

二年，濬通惠河。

修大通橋至通州閘十有二，壩四十有一。明河渠志。

嘉靖元年，濬通惠河，修五閘，又濬薊州河。

督運都御史臧鳳、鎮遠侯顧士隆請濬元轉運通渠，仍設五閘，可其奏。諭尚書陸完等、行參將王佐、巡倉御史秦鉞、管閘主事華湘，從宜處置。通州高志。又濬薊州河，名曰漕渠。甯河關志：嘉靖元年，濬治之，曰漕渠。後有淤，三年兩濬之。按：此即天順三年所鑿新河。

二年，議修通惠河閘。

三月庚戌，御史向信言：大通橋至張家灣，舊有廣利等八牐，宜修復。工部議行河道侍郎相度以聞。從之。明實錄。

七年，濬通惠河，築閘壩。

六年，御史吴仲言：通惠河屢修復，皆爲權勢所撓。顧通流等八閘遺迹俱存，成之甚易。帝心以爲然，命侍郎王軏、何詔及仲偕相度。軏等言：大通橋地形高白河六丈餘，若濬至七丈，引白河達京城，諸閘可盡罷，然未易議也。計獨濬治河閘，但通流閘在通州舊城中，經二水門，南浦、土橋、廣利三閘，皆闤闠衢市，不便轉輓。惟白河濱舊小河廢壩西，不一里至堰水小壩，宜修築之，使通普濟閘。而尚書桂萼言不便，請改修三里河。下其疏於大學士楊一清、張璁。一清言：因舊閘行轉搬法，宜斷行之。璁亦言：此一勞永逸計。帝乃卻萼議。明年六月，仲報河成，因疏言：大通橋至通州石壩，地勢高四丈，流沙易淤，宜時濬治。管河主事宜專委任。明河渠志。夏、秋久雨，西山水發，皆由牐河東流，牐門隘小，水泄不及，遂至泛漲，衝決隄壩，原議障水石壩，今已修成。通流牐在通州城中，積水丈餘，西水關久浸水中，俱非長便。舊有慶豐上牐、平津中牐今已不用，拆運通州西水關外，創造石牐一座，將前石壩南移二十餘丈，改造石牐一座，平時閉板，水落啟洩。明實録。帝以先朝屢行未即功，仲等四閲月工成，予賞，從其所請。明河渠志。按：明實録云，嘉靖六年十月，巡倉御史吴仲言：通州運河，以來春興工。而十一月，禮部尚書桂萼疏不便。帝京景物略云，嘉靖丁亥，御史吴仲請修通惠河，三月告成。丁亥乃六年請修之時，非告成之時。三月與明志四閲月異。明實録云，七年十二月河成，御史顔鯨通惠祠碑記又云：工始于戊子二月，成於五月。均與明志異，何耶？桂文襄集疏言：大通橋河源出昌平州神山泉，南會一畝、馬眼二泉，繞出甕山，復匯七里濼，即今之西湖；東入都城西水門，貫積水潭，即今之海子；又東至月橋入内府，南出都城東水門，過大通橋，又東五十餘里，至通州入白河。此河，元郭守敬由古水道開濬，非自守敬創始。蓋西山諸水，由皇城東出，每當山水泛漲，由此而洩，引之入白河，以濟漕運，故置牐以時啟閉，初非爲行舟設。成化十二年，平江伯陳鋭不察其故，建言修復，憲宗命户部左侍郎翁世資、工部左侍郎王詔挑濬，仍濬西湖諸泉，以益水勢，可放運船千餘，直達大通橋下。既而水急岸狹，水不可治，遂不復行。正德七、八年，挑濬無功，蓋京師之地，西北高峻，自大通橋下視通州，勢若建瓴，强疏之，有害無益。明世宗實録：上以桂萼疏示大學士楊一清、張璁。一清言：通州河因舊閘行轉搬之法，可以省運軍之力，宜斷行之。璁亦言：通惠河道經元郭守敬修濬，今閘壩具存，臣聞京城至通州五十里，地形高下五十尺，以五十里之遠近，攤五十尺之高下，無所不可。濬甕山濼，以蓄西山諸水，引神山泉，以合下流之歸，迂迴以順其地形，因時以謹其濬治，此一勞永逸計也。成化十二年，平江伯陳鋭建議，開修此河。憲宗皇帝命大臣督理，而河道已通，運船已至城外。適有黑眚之異，惑于訛言，遂止，識者恨之。今欲開修此河，因仍舊道，誠易易耳。上深然璁言，七年十二月，通惠河成。明會典：大通河舊爲通惠河，長一百六十餘里，元初所鑿。永樂以來，不以轉漕，河流漸淤。成化、正德間，累命疏之，功不果就。嘉靖六年，遣漕運總兵、錦衣衛都指揮及御史會濬之。用銀七千，據顔琮通惠祠碑。五閘各設編夫一百八十名。行水金鑑一百五十六。

十一年，築耍兒渡等決口。

二月修。明實録。

十二年，治香河郭家莊新河。

香河郭家莊，自開新河一道，長百七十丈，闊五十丈，近舊河十里餘，詔河官亟繕治。明實録。

十五年，修薊運河決隄。

河決，命水部役夫萬餘築之，功以三年畢。詳下萬曆六年注。

二十年，築永鎮隄。

在昌平鎮邊城北門外，巡關御史蕭詳曜築，遏水患也。據昌平宋志。

三十四年，開密雲白河故道。

二月丙子，總督薊遼保定軍務都御史楊博，疏請開密雲白河，以濟糧運，於楊莊地方築塞新口，使白河故道疏通，與海潮之水合，於密雲城西修築泊岸。從之。明實錄。

隆慶元年，修河西務等處隄。

六月乙未，修河西務、馬營道口等處隄岸，以水災衝決也。明實錄。

二年，修閘河。

閘河即吳仲所修通惠河也。二年，工部郎中崔孔昕督通惠河事，濬淤，修閘壩，凡工五萬四千有奇，銀二千四百有奇。三月興工，四月竣。明户部郎中蔣淩漢重修閘河記略：漕由裏河抵張家灣入京。嘉靖丁亥，世廟用吳仲議，循郭守敬故蹟，修復閘河，但地勢有高下，更歷歲月，不無沙衝水激。隆慶二年，工部郎中崔孔昕奉命督通惠河事，視事浹旬，徧閲閘壩，見閘口、閘底、隄岸、公署漸湮圮，檄州屬材官，分董其事，自都城以南曰大通橋，曰慶豐、平津上下、普濟、通流五閘，曰石壩、曰土壩，募役夫匠五萬四千有奇，工價料銀二千四百有奇，經始於隆慶二年戊辰，三月至四月告成。明年十二月乙丑，總理河道都御史翁大立言：治河之役，宜以調撥夫役、收發樁草屬部臣計處，錢糧，追徵工食屬兵備，令畫地責成，則河工可計日就。工部覆議，以蒙村、蔡村、耍兒渡等村隄岸，河西務上下淤淺屬霸州兵備，會同通州郎中經理。從之。明實錄。

四年，修密雲縣舊壩、西壩；濬順義縣河。

自沙峪溝至西門外名舊壩，凡六百丈有奇；至城北名西壩，凡三百五十丈有奇；自唐家莊至西河，名河西西壩，凡百丈有奇，各高三丈，明中丞劉應節，都護戚繼光，知縣邢玠，中軍張爵、徐枝，副將張臣、董一元同築，後圮于水。密雲薛志。順義知縣曹惟彩濬河。據順義黃志。

六年，疏密雲縣漕河，濬昌平河。

總督侍郎劉應節等言：密雲一城，環控潮、白二水，向二水分流，至牛欄山始合。今白水徙流西城下，去潮水不二百武，前於城東北業築三合土隄，近且疏渠於上，填壩於下，邀潮入白，合爲一派。明實錄。報可。明劉應節傳。昌平河起鞏華城外安濟橋，抵通州渡口，袤百四十五里，其中淤淺三十里，大濬，遂成流通。明河渠志。

萬曆前，修香河縣隄。

隄圮，香河縣管河縣丞范希文修之，濬淺。據香河劉志。

元年，疏濬鞏華城外舊河，復白河淺夫。

三月戊申，令昌平兵備僉事張廷弼疏濬鞏華城外舊河。廷弼原勘，河通可省陸運，及運船至，淤塞不前。挖運司官楊可大以爲言。户部奏，行廷弼速濬之。明實錄。先是，通州至天津淺鋪九十五，鋪設淺夫十，小甲老人一，有歲工，後革，至是復之。治水筌蹏：天津道入白河至張家灣，源出密雲山後諸流，五、六月水漲，則流沙，三、四月行舟輒膠。非無水也，蓋頭年漲漫沙平，河闊則淺耳。余復夫老歲濬之，以待次年春夏之運，運畢，水溢流沙，復平。九月復濬，蓋歲工也。通州至天津爲淺鋪者九十五，鋪設淺夫十名，小甲老人一名，每歲水溢沙平則浚之。百七十年，河臣以淺夫爲引夫，有司革淺役爲民役，白河不治久矣。萬曆元年復之。

六年，修薊運河隄，濬新河。

築隄七十五里，補舊百二十五里，築決口六十五所，計一十四里，凡二百十有四里。又濬新河，自柳子口至嘴頭二十有五里，會漕渠達于海。明户部郎中甘來學修河隄碑記：薊州夏、秋雨，則盤山、沙岺諸流，奔瀉其間，水自西溢而南，漕渠隄一圮，則城子口、溵溜等處決，不下六十餘所。嘉靖十五年，運河決，命水部築之。役順、永二府夫萬餘，運通庾糧數萬石爲工之餉，以三年始畢。然治漕渠以疏蘆嶺各塞口，而不開新河以殺盤山、沙岺諸流，則近漕渠之畝免矣。柳子口之西溢而南，漕隄能力捍之耶？萬曆五年秋大水，柳子口河四野泛流，不能引注于海，西南畝盡蒿莽。時北海辛公以大參監司薊鎮，下之州議。薊守蔣君，以州同杜欽、州判史勝禎肩其事。夫以畝出，得若干名。漕之隄新築七十五里，補舊塌百二十五里，築決口六十五所，計一十四里，共二百十四里。新河因地勢汙下，創濬之，自柳子口至嘴頭，共二十五里，復與漕渠會流，同注于海。州民劉忠彥等四十五户，築隄若干丈，吳守奉、王安等七百四户，新開河若干步，宋守棟、李天欽等四百二十户所領荒地若干頃，畝各給以印貼，此河此隄，期與西南民世世守之。隄圮、河塞，世世修之。所領地，得世業焉。青甸之橋，亦借民力以成。辛名應乾，山東安邱人；蔣名士元，南直宜興人；時萬曆六年夏六月下旬六日。

十一年以前，塞寶坻縣三岔口。

三岔口爲薊運河之橫逆，知縣丁應詔楗石塞之。據張兆元三岔河隄記。

十五年，設楊郀河防，浚河西務池，築隄。

按：河防險要云，萬曆十五年，創設管河通判，駐楊村，爲修防計，但沿河兩隄，如搬罾口、火燒屯、通濟厰、東要兒渡口、王家務、華家口、閻家口、綿花市、豬市口、觀音堂、蔡家口、桃花口隄岸坍塌卑薄，最爲險要，水發卽決，應督管河官，每歲冬間辦積椿草，春初率夫將前隄加高幫厚，真土實杵，不得雜沙。糧運將至，設法疏濬，或築束水小壩。行水金鑑一百二十六。河西務南卑下，榷河西務地官郎袁表浚池蓄水，廣百餘丈，築隄，曰桃柳隄。明王機桃柳隄記略：河西務城南隅，地卑下，不可樹蓺，水至則街衢室廬淹没無算。萬曆丁亥，榷河西務地官郎袁公表，捐資浚池蓄水，以防氾決，廣百餘丈，仿蘇公四圍築隄，間桃柳樹。

二十二年，濬通州新城濠，引通惠河注之。

詔：濬三千三百丈有奇。畿輔唐志：通州新城在西城外，萬曆二十二年，户部郎中于士廉周視兩城隄，並可爲池，請引通惠河注之。詔濬三千三百餘丈，加深二尺許，廣視深四倍。

三十一年，濬白河，築隄。

從工部議，挑通州至天津白河，深四尺五寸，所挑沙土，卽築隄兩岸。著爲令。明河渠志。

萬曆中，築河西務隄、密雲縣隄。

河西務重築河隄。繆泳黄圖雜記。密雲隄東隄三百五十餘丈，西隄一百餘丈，高各三丈五尺。有余丁密雲疏河記。

天啟元年，濬通惠河。

閏二月甲申，巡按直隸御史張新詔言：通惠河平江伯陳鋭疏之，直達大通橋。時勢豪欲剋取脚價，壞其事。後御史吴仲言：乃命郎中何棟、吴嗣忠仍濬裏河，由大通橋至朝陽門尚有三里許，其地平衍間曠，有掘就河身，倘導玉河之水稍溯而北至朝陽門，量建牐座，糧運徑於門下上車，歲省二萬六千，以三十年通計，得七、八十萬。詔部議覆。明實錄。

清河

順治十二年，修文安縣隄。

隄決文安，知縣韓文以帑修之，凡四萬三千步有奇。文安楊志：十二年，韓邑侯文築隄。先是，九年夏甲子，雨四十日，十年，河決，隄全塌。十二年，侯同都水使者領帑鳩工，歷春徂夏，成隄四萬三千餘步。

康熙三十二年，修復霸州苑家口隄。

舊隄圮，修復之。據會典事例七百一。

三十七年，築欽隄。

隄自何家道口至苑家口西止，二千八百四十七丈九尺。自苑家口起，至蘇家橋，長五百六十丈五尺，均頂寬一丈五尺至二丈，底寬五、六丈，高九尺至一丈。據霸州周志。又苑家口疊道在州東南，南接千里長隄，北接六工隄，長二里五分。會典事例七百一：欽隄一道，迴環千里，康熙三十七年修。

三十八年，濬中亭河，修六工隄。

中亭河水退則涸，康熙三十八年開挑，上接十望河，下接臺山河，分玉帶河水。六工隄在保定縣北，霸州南，中亭河北岸也，上接老隄邨。霸州周志。三十八年，總河王新命開挑中亭河築隄，上下各六工。畿輔唐志。自霸州東關龍王廟至平口邨，長六十里，是爲上六工；自平口邨，歷水利營田西北至楊各莊西田家口，長二十里有奇，是爲下六工；凡長八千六百九十丈，高七尺，頂寬一丈三尺，底寬三丈。霸州周志。畿輔唐志：上六工距河稍遠，以護州治。下六工縷河爲隄以護田廬。增設州判一員，每歲按里出夫，隨時修補，後隄工殘缺，而下六工無復遺趾，與積淀連。

三十九年，修清河隄。

修清河及子牙隄長千五百二十里有奇。據會典事例七百一。

四十年，開老君堂小清河。

牤牛河居琉璃河上游老君堂邨，斜向竹絡壩五里，開小清河一道，修壩，將牤牛河水逼入永定河。四月初十日諭：若牤牛河水大長，卽將旁邊挖開，令向舊河流，若永定河水大長，著做埽以防倒漾。康熙四十年四月，工部咨覆，直撫李光地疏稱：三月二十日，郎中佛保咨奏，琉璃河、永定河之間，有牤牛河一道，源自西山佛耳門、戒壇、太子峪起，三股河流匯於石陽邨，至佟邨入琉璃河。永定河竹絡壩斜向西北，五里有老君堂邨。對此，牤牛似應修壩三段，將水逼入永定河，開挖小清河一道等因。奉旨：交與分司等照此修理，朕著這樣修理之處，傳旨與巡撫李光地，著前來看。欽此。臣至老君堂看視牤牛河，復至琉璃河、辛莊等處看視，牤牛河居河之上游，至老君堂邨，斜向竹絡壩五里，挖河修壩，工程甚易爲力，俟永定河將乾時，將牤牛河水逼入永定河，接濟衝刷，應聽分司等勒限完工。永定河志十五：

康熙四十年四月初十日，分司色圖渾、齊蘇勒口奏：臣等仰邀聖訓，將牤牛河堵塞，對永定河開挖，修建草壩，於本月初八日放水，引入永定河，其沙隄挖斷口處，及大河塞入水口處，俱應下掃保護，防渾水倒漾。現在捲作大掃，以備急用，應派人看守等因，告訴郎中佛保轉奏。

雍正四年，重修欽隄，開勝芳河，濬中亭河、十望河，又開口頭郚引河，又開牤牛新河。自康熙三十七年築欽隄後，幾三十年，日圮，遇漲決溢，今自清苑以下，文安以上，凡隄低薄缺處加高增厚，建閘設壩，鑲以椿葦，堅以夯硪。又開張家嘴、勝芳河，俾不會玉帶諸河，侵嚙隄根，苑家口河逼，每決，濬中亭河、十望河洩其漲。柴火淀在其上游，急流衝隄，開口頭郚引河，掘張青口、毛兒灣，導歸中亭，以固欽隄。據會典事例七百一。四年十月，和碩怡賢親王、大學士朱軾奏：東、西兩隄，統匯衆流，臣等奏請多開引河，加修趙北口橋隄，疏濬中亭、十望，并蘇橋之三岔舊河。部覆，奉旨：依議。在案。今西淀之趙北口隄身，俱已堅築如式，廣惠寺橋下三河，亦均加疏濬。惟是白溝之流，由大灣口而入柴火淀者，水挾流沙，旋挖旋淤，容於水涸後，細加相度，改道舊流，不惟一方永逸，即柴火淀四十里之間，皆營田地矣。東淀之中亭河，開濬通流，其下流勝芳河，亦挑挖深暢，三岔經流導，自張家嘴而北，不令侵逼長隄，其淀內支流如石溝、臺頭一帶淺阻之處，俱經浚治，汛水雖大，隄岸不患衝刷，消落迅疾，早於去秋者兩月，中亭河岸涸出田畝千餘頃。惟十望河故道，積潦猶存，興工有待。一，欽隄一道，迴環千里，久圮，奉旨，命臣等修築。自保定之清苑，至河間之獻縣，派委人員，逐段分修，六月間，汛水驟至，飛檄各員，并力搶護，舊有漫口，一并堵築，其安州、新安、霸州、文安一帶隄工，兩面皆水，尤爲險要，夫役撈取泥垡，尺積寸累，及時完工，數百里內，禾黍秔稻盡獲收穫。又怡賢親王請開牤牛新河，據畿輔安瀾志。牤亦作莽，會典事例卷七百一云，奏莽牛河爲白溝支津，雨潦則溢而東決，日久衝溜，自成河形，下無所歸，泛溢爲固、霸諸州邑患，濬良鄉以南，涿州、固安、霸州等處百七十餘里，至高橋以下，導之入淀。

五年，開下河門引河，又濬中亭河，修下六工隄。

罷十望河之役，自口頭對岸之下河門，挑引河一道，分玉帶河水注之中亭河。霸州周志。先是，四年議濬中亭河，自保定縣北，引流至霸州東臺山入清河，復開支河，築下六工隄。五年工竣。一統志：雍正四年，疏濬深廣，自保定縣北引流至州東臺山而入會同河，復開支河，以廣灌溉，築下六工隄，長四十里。霸州周志：雍正五年，重築下六工隄。

又疏濬牤牛等河。

胡李堂奏：牤牛河、黃家河、北邨引河，間段淤積，金門閘洩水不暢，應先挑挖，以資宣導。據會典事例七百一。允之。至是工竣。據采訪册。

六年，濬牤牛河。

自良鄉縣境閘下起，工分五段一千九十五丈。至涿州境，起陶家營，工分七段二千六百十一丈。至宛平境，起長安城，工分二段九百八十丈。至固安縣境，起米各莊，工分十九段，一萬二千七百四十九丈四尺。據畿輔安瀾志。

十六年，築巨馬河隄壩。

涿州北關外巨馬河，水勢旁洩，不能全由故道行走，與關廂居民橋座，均關著重。於北潭邨頭築土隄十六丈，挑水壩一道，長四丈，攔河壩長五十丈，壩尾接築土隄一道，二百十丈，工尾掃灣喫緊之處至涵洞止，接築土隄，長四十五丈，再於兩河全流處挑挖引河三段，共長三百丈。會典事例七百一。

乾隆二年，修千里長隄，濬支河。

清河隄初名欽隄，至是始名千里長隄，周迴于順天府及保定、河間之境，沿河繞淀，築高培厚，底寬八丈，頂寬二丈，高一丈，作坦坡形，又濬支河，資節宣也。會典事例七百一：二年奏准直隸清河隄岸，起清苑縣界，迄獻縣之臧家橋，周迴于順天、保定、河間三府之境，沿河繞淀，爲數十州縣生民保障，名千里長隄，築培高厚，底闊八丈，頂闊二丈，高一丈，修成坦坡之形，兼疏濬支河，以資節宣，瀕河邨莊，增建板橋，嚴禁攔河疊道，横決中流，俾支河暢流。滿洲名臣傳三十七：乾隆二年九月，大學士鄂爾泰奏：千里長隄，隸霸州、保定、文安、大城境者最險，今年風浪摧壞，擬于淀口出口處至陶家營築培，隄工照底闊頂突法修坦坡形，龍堂灣轉角處，補築月隄，疏大堤對岸支河，禁攔河疊道。

三年，開支河，濬中亭河，築隄。

開西淀白溝河故道，使入中亭。於九橋之下，橋南別疏一河，由藥王廟南出張青口；濬青門河，由毛兒灣開口，從十望河故道，別派分流。濬中亭河，即以土築隄。金門閘之西引河，改由東道，使不入中亭。於苑家口疊道建木橋，洩水道行，則西淀咽喉暢矣。濬東淀三叉淤淺，楊家河、卞家窪諸處，疏淀河數道，並行而東會于西沽，則東淀尾閭亦暢。會典事例七百一。

五年，濬東淀河。

寶坻縣東淀等莊，衆水匯歸，開河疏濬，消積水也。據會典事例七百一。

六年，塞霸州牤牛河道。霸州周志：郡有牤牛河一道，乾隆庚申，用洩永定河水，民受其害。於辛酉春堵塞。光緒元年，新、雄諸邑苦金門閘水，復以牤牛河請，委員勘議，崔預績同百餘邨稟請停工，遂獲免。

七年，加培上六工隄。據霸州周志。

十年，濬牤牛諸河。

先是，九年，協辦大學士劉於義等奏：河溝諸水，會牤牛歸于巨馬，但河淤致溢，應將良鄉上游，宛平、房山各河溝，用民力疏入廣陽、茨尾二河，其宛平之北岡窪、趙新店及房山、良鄉之順水河、雅河，良鄉之黃屯河，廣陽、茨尾二河，良鄉、涿州之牤牛正、支河，均應挑濬。十二月丙午，大學士鄂爾奏等議如所請。報可。據東華續録乾隆二十、參采訪册。漢名臣傳：乾隆九年，劉於義奏濬宛平、良鄉、涿州境内牤牛正、支各河。按：奏議在九年，而疏濬實在十年。

十一年，濬霸州王各莊引河。卽清河支流，十一年因舊河重濬。霸州周志。

二十六年，疏牤牛河，修千里長隄。霸州、永清、固安三州縣疏牤牛河，用銀一千六百三十四兩五錢八分五釐。永定河志十。修千里長隄。霸州周志。

二十七年，加培下六工隄。據霸州周志。

二十八年，濬牤牛河、清水溝、廣陽、茨尾河，修千里長隄。

涿州濬牤牛河，用銀三百二十二兩三錢。良鄉挑清水溝，用銀八十七兩一錢二分。挑牤牛正河、廣陽河、茨尾河，用銀三千八百十二兩六錢六釐。永定河志十。修千里長隄。霸州周志。

二十九年，築涿州巨馬河隄，濬王家莊引河。

巨馬河決霸州西疃，爲西鄉諸邨患，團柳邨尤當其衝。知州吳山鳳于西疃之西築隄導水，由松林店、房樹邨紆流故道，吳山鳳涿州志：乾隆二十九年，西疃林之西，巨馬河決，水流界道橫岐西疃而潰，直注永濟橋。山鳳捐俸築隄，導水由松林店、房樹邨自西而北，閱月隄成。董事者州判陳志緯，吏目顧森經始。張存性西疃新築河隄碑記：巨馬河自房山入州境，趨永濟橋下，城坊蔣家莊、陶家屯、邊家莊、甯邨、展臺、李家莊、丁家莊、徐家莊、茂田莊、賈邨，均有泛濫之虞。團柳邨獨當決道。乾隆二十九年，漢陽吳守是邦，築隄導河曲流，由松林店仍歸故道。就王各莊舊引河濬之。據霸州周志。

三十三年，修文安窪東隄。

文安窪東未修之隄，並格淀隄，汕刷殘缺，照以工代賑例加修。會典事例七百一。

三十七年，修千里長隄。

先是，三十六年十二月，總督高晉等奏：築隔淀隄、千里長隄，估銀六萬二千六百餘兩，奏詳永定河工注。至是工竣。按：霸州周志，一云三十六年，非也。其奏在十二月，其年未動工可知。

嘉慶五年，修霸州隄。

所修爲千里長隄、六郎隄、六工隄、營田東隄、南隄。據霸州周志。

十一年，修千里長隄。據同上。

道光三年，修千里長隄、西隄。

文安縣西隄決口二千里，長隄決口十有九。得旨：修築。謹按：二月諭恭録于子牙河。

十二年，修千里長隄，六郎，上、下六工隄，營田隄。

霸州知州姬均修。霸州周志。

同治八年，濬挾括河。

河淤，府尹萬青藜議令良鄉、涿州、房山會濬之。據良鄉陳志。

十年，修千里長隄，六郎隄，上、下六工隄，營田隄。

霸州知州周乃大修。霸州周志。

十一年，濬涿州吕邨河口，濬良鄉縣雅河，又塞霸州決口，築隄，濬渠。

吕邨河在馬頭鎮下，爲巨馬、琉璃合流處。據圖册。二月，直隸總督肅毅伯李鴻章檄涿州知州郝聯薇濬之，閲月工畢，長五百丈有奇。據涿州續志。又濬雅河，先是，雅河逕水碾屯西入牤牛河，同治十年，永定河溢，雅河道淤，水改南趨，逕管營邨，始與牤牛河合。十一年，知縣高建勳借民力濬之，築隄，尋復淤，隄亦沖刷。據良鄉陳志。三月，塞霸州大清河之千里隄、苑家口諸決口。又修六郎隄，中亭河隄，楊家河隄，築埝建閘。先是，二月塞牤牛河決口四，至是築隄，濬淤，又濬古運糧河，又濬灌田渠。霸州知州周乃大稟：河道興工，一、曰大清河，自茅兒灣經保定縣入州境，一名玉帶河，經苑家口，曰會通河，通行橋梁，曰永濟橋，至文安蘇橋之三岔口，入東淀。河身現在通行，南岸曰千里隄，自保定縣魯疃邨入境。去年決口長一百五十二丈，屬保邑者五十四丈，屬州者九十八丈，深四、五尺至丈餘不等，沿河邨夫運土，隄外有田，護田有埝，土人謂之河坡，是爲隄之外障。告保定戴令，與劉家園決口外之小埝，同時補築，凡屬州者，業已整理，隄缺處一律加高培寬。北岸向無隄，一片汪洋，由郝家店伙缺口入正河，將來可以堵塞，苑家口北岸缺口已堵，六郎隄者所以障清河之溢，自新成縣鳳林莊、韓家莊、陳家柳邨、胡家灣、經齊家埝，凡二段，入州老隄邨而止，計三千四百一十三丈，現已興築。移知新城吴令，同時興工，河旁之隄，自老隄邨以下，即名中亭河隄矣。一、曰牤牛河，北自良鄉、涿州、固安入州境，良鄉石羊邨之東，又有支河三十餘里。其分入州境之區名王邨，在城北二十六里，經苑坊、關王堂至東西栲栳圈，入中亭河，統歸文安大窪，名王家泊。核計南北河身長三十五、六里。東西夾河之隄，去年決口四處，二月下旬已堵塞，現已一律興築。下流關王堂以東，否塞甚，崔家墳之旁，淤而高亢者五十七丈，亦分段開通。一、曰黄家河，在固安、永清、霸州之境，同洩永定之漲，由永清李家口入州境四間房邨，至田家口而出境，統歸文安大窪，約長四十餘里，河身幾與隄平。下流采木營之前，淤亢尤甚，如永定漫溢，詢悉最險之區，自青口邨以北，直至田家口，凡一千三百餘丈，已諭邨莊，分別要工、緩工照修。伏查牤牛、黄家二河，皆永定下口，無事則爲乾河，漫溢則爲要道。同治二年後，大旱五載，永定之流，不絶如綫。去年永定南侵，清河北溢，而滹沱復縱横其間，災及全境。今春告誡士民，開至固安河，在固安者四十五里，接金門閘，紳耆云，牤牛河係與良鄉、涿州、固安同洩渾水，黄家河係與固安、永清同洩渾水，鄰邑膴膴，平原半無正道，州境丈餘河身，豈能獨容巨浪？不如盡境而止。一、曰中亭河，康熙三十六年，河督王新命開，以洩玉帶異漲，河頭在下黄亭，一名下河，門上黄亭屬保定，至栲栳圈入牤牛河合流，經三臺山邨、東臺、中臺、西臺，長二十九里，以下名上、下六工隄，即中亭尾閭，經花達墓、十間房，統歸文安大窪，上口淤塞者二里，大水則正河旁注，清河北來，立談之頃，盡淹邨莊。與新城相接，有楊家河隄，僅存基址，先議堅築以防青凌口之遺害。下黄亭口擬建石閘一座，正河水漲則閉，拒其横行，時旱則開，資其挹注。至中亭、玉帶中間，邨民私築小埝，有礙河道，已令拆毁。魚廠、高各莊、臺山、平口等邨，曾引河水灌田，繞至魚廠邨莊下，仍洩入本河，圍埝渠閘，亦擬訪尋整理。臺山邨下有古運糧河一道，長四里，與正河通，現淤，亦宜濬深。河水外高内低，又恐倒漾，將來築壩，臺山以下淤平者，急須挑深，以歸東淀，隄坡盡令斜坦，坡隄上盡令種樹，請以賑餘息銀三千二百兩充河工費。六月，涿州知州石衡疏濬清河一段，築堰起西茨邨至小營邨，長九里四分。據同治十一年七月涿州稟。固安知縣楊謙柄亦修清河隄，尋以漫溢止。據同治十一年八月固安稟。

十二年，濬霸州、文安縣中亭河。

直隸總督肅毅伯李鴻章檄候選知府史克寬，與霸州知州勘濬，起霸州下皇亭清河減水口，至文安縣界王家泊，四十六里有奇，又自王家泊至傅莊勝芳淀，十九里，工長一萬二千八百九十丈有奇，面寬七丈至八丈四尺，底寬三丈四尺至三丈六尺，深八尺至八尺四寸有差。邨或瀕水，輒側開引河。三月興工，五月竣。據霸州册。直隸總督奏略：臣前因大清河隄於地勢汛漲，不能容納，須開窪減水分流之河，以紓其勢。上年九月間，曾於預撥庫款以工代賑摺內，陳明在案。中亭河起自下皇亭，以減霸水，保定一帶大清河之水，又上接盧僧河全派之水。盧僧河者，新城、雄縣境內大清河上游之減河也。其尾閭直達中亭，相與合流。經老隄、龍門、臺山其村，至文安縣界，穿王泊、荷花淀歸東大淀，是中亭河實爲大清河分流下趨東淀要津，關係霸、保、文、雄全局。且北有牤牛河，攔腰匯入，坿近窪水，復相迸注，必須寬深通暢，方資容納，乃歷久淤塞，其王家泊以下被永定河壅淤，已成平地，大清河本極淺狹，又失此一大分流，是以盛漲一至，四出旁溢，爲害滋深。近年滹沱北徙，永定南決，併入西淀，大清河而東，秋、冬之際，霸、保之間，往往浩瀚無涯，民歎其魚，鄰皆爲壑。臣乘舟往來津保，沿流泝源，熟籌相機疏導之法。因飭清河道葉伯英，勘辦盧僧及西淀上下游隄河各工，即派營務處委員候選知府史克寬，與霸州知州周乃大勘修中亭河，飭籌賑局司道，於節存捐款及練餉錢生息項下，陸續籌撥工費。三月開工，築壩洩水，分段堵疏，用分格遞挖法，分段挖濬上游之吴台窪，下游之淀泊，積水相連，隨戽隨挑泥淖，太深之處，撈挖尤費夫力。計長一萬二千八百九十七丈有奇，面寬七丈至八丈四尺，底寬三丈四尺至三丈六尺，深八尺至八尺四寸不等，其河在邨中有礙兩岸民房不能展寬者，則從邨旁添開引河，其河在淀泊中不宜口寬，而宜底寬者，則易寬爲深，仍將各段所出之土，考證舊址，堆築隄埝。五月十六日完竣。河身通暢，隄埝高厚，委候補知府徐本衡前往驗收，工段丈尺相符，現已開壩放水。盧僧河下半工程，即可接續挑挖。

光緒元年，濬古運糧河。

此卽清河北支流也，在霸州蘇家橋。直隸總督肅毅伯李鴻章令天津中營游擊陳本榮濬之長十里，需銀二千六百兩，給帑十之五，足自民輸。據霸州冊。

二年，濬清河中支，修霸州蒼兒淀等隄。

又令陳本榮濬自霸州下馬頭至崔家窰一千四百丈有奇，面寬四丈，底寬二丈，深六尺，是爲中支，卽以出土築清河北岸西北斜隄。又修蒼兒淀隄。明年，南、北隄坡植柳六萬一千二百。據霸州冊。

四年，濬巨馬河，建石壩。

直隸總督肅毅伯李鴻章檄候補知縣崔迺翬，勘築涿州普利莊決口，建石壩，濬新河，又濬舊溝，起花園邨，至青岡，長八里，北引白玉塘泉水灌田。據霸州稟，採訪冊。光緒五年碑：水利委員崔迺翬稟，普利莊重建石壩，濬下流河道，均經開工發帑。復思此工成難毀易，一、濬新河，宜禁攔河閘壩。邨北旱田不願洩水，復有水深處種藕抗租，請築壩建閘，冀窪田之水遏入高田，不顧上流爲壑。查大邵邨上流，小邵邨又其上流，花園邨節節就低，相懸三、四尺，形同釜底，卑職駐工，目擊大邵邨高田壅水不下，則上流皆魚鼈矣。借洩水之渠，作瀦水之壑，利在數家，害在數邨，此段地畝，原有老溝北引白玉塘泉河之水，可照舊開通，作灌田用，卽須南新河水亦可在旁設立涵洞，用水車轉注。一、新築石壩，應禁盜掘。卑職遍歷涿州西北諸邨，訪普利莊決口原委，僉稱，莊東南里許，有老壩，同治十年，大水沖没，曾經被水之二十一邨，堵塞一次，經南岸西里池民張七平毁，復訪十年後巨馬河自普利莊北溢，不復歸槽，其下流涸出河灘，張七盜種，今日壩基重建，請飭保護等情。批行勒石。

六年，築涿州巨馬河土埝，濬淤。

涿州知州查光泰築州東南之小神廟土埝七十餘丈，濬永濟橋下淤。據光緒七年查光泰稟冊。餘詳下注碑記。

七年，濬涿州巨馬河，築斜隄、石壩。

大學士恪靖侯左宗棠飭營務處道員王詩正，率將士於涿州永濟橋瀋河，築斜隄百丈，經直隸總督李鴻章犒銀二千兩，又赴下游霍家場、盧家鋪、曹家場、安家墳，裁灣取直，工分十段，長六千一百丈有奇，十月一日工竣。其上游飭前福建布政使王德榜，于丁家灣等處，鑿渠伐石，築壩五。其取石法，四圍鑿孔，以火藥轟取，舉手之頃，數日運之不盡，碎石則以燒灰。恪靖侯左宗棠奏：臣前於夏間至天津，與李鴻章會商修治永定河工程，已於閏七月十三日坿片具奏。嗣據前福建布政使王德榜、總理營務處道員王詩正會禀：涿州永濟橋瀋河築隄，閏七月十三日工竣，北面修築三合土斜隄一道，鎚夯加工，隄長百丈，高與橋齊，永濟橋達胡良橋驛道低窪，培厚加高，請委員覆驗。當咨請李鴻章，會委涿州知州查光泰，委員冒沅、孔慶篤等履勘驗收。旋據該印委結報，工程堅固，堪耐久遠。李鴻章犒賞銀二千兩，弁勇歡躍。隨赴下游，列帳興工。王詩正會商永定河道游智開，及地紳前甘肅提督曹克忠等，履勘形勢，由霍家場逕向安家墳一帶，裁灣取直，自三號起，至安家墳南止，分作十段，估計通工長六千一百餘丈，土方四十六萬有奇，挑出之土，平鋪兩岸，三十丈外，酌留缺口，以洩盛漲。其由下溯流而上，自第七段對蕭莊邨南，至第十段對安家墳南工尾止，估土十二萬五千餘方，指由王詩正承辦，禀請李鴻章加委，會勘興工。王詩正分段承辦，計自八月二十九日起，至十月初一日工竣，時寒風凜冽，刺骨砭肌，而諸將士併力工作，獨任其難，聞臣新承恩命，總督兩江，更加奮勵，各自程督，不知其勞，晷短繼之以夜，列炬赴工，以補不逮，蓋恐南行期迫，不獲與俱也。故原勘三月工程，一月遂已告蕆，現已收隊還涿，敏速如此，非臣始願所及。此王詩正督帶親軍修治永定河下游之實在情形也。永定河上源工程，則分由王德榜及臣軍委員冒沅督工修治，直隸委員鄒振岳、孔慶篤等佐之。王德榜帶恪靖左營，由盧溝橋溯源而上，歷石景山、三家店，曲折入山，越乾隆年間所遺沿河口玲瓏壩廢址，於距都門二百餘里地方，傍巖沿流而下，勘得峽中應建石壩共有五處，地名下尾店、丁家灘、車子崖、水峪嘴、琉璃局小嘴，就地伐石砌壩鑿渠，各壩隨山逶迤，長可一千數百丈，繪圖貼説，親賫前來。臣覆核無異，比飭移營開工，並於涿州、房山選募石匠二百餘名助役。八月二十日，王德榜拔營，行至丁家灘下尾店，併力合作成壩五座。兹當初冬和煖，工作如常，向後山谷合凍，石工雖可忍寒，土工則致力殊艱，必俟明年淩汛前後，始能一律蕆事。而順天府轄、宣化府轄沿河各邨莊農民，目覩此次壩工，慮左營將隨臣南下，請留王德榜廣修水利，央地紳户部主事梁作舟、守禦所千總崔清華、國子監算學生安廷璋等，聯名赴臣寓遞呈，稱該邨莊自嘉慶六年後被水成災，半成石田，半成沙阜，歷年已久，積困未蘇，雖屢荷皇仁，頻年賑濟，而丁口日繁，謀生無術。兹見王德榜丁家灘等處渠壩工程，化砂磧爲膏腴，若推廣行之，沿河十餘邨，可得沃土二十餘萬畝，美利無窮。詢以治水必藉歲修賫力，該紳等亦念及此否？答稱：有沃土二十餘萬畝，按畝取制錢數十文，可獲大錢萬數千緡，以之挑淤出土，自無不給。其言似有可據。當諭以客軍修壩開渠，意在除患，至引灌田畝，謀及久長，全賴地方官經理。凡事利害相因，如爭水而釀成訟累，或貪水而掣動大溜，皆意中事，客軍雖不任德，亦不能任怨，該紳農等應呈請順天府、直隸藩司，核示遵照，乃免後悔。至壩渠工程浩大，客軍當一律承當，已預飭於淩汛前後收功矣。該紳等均能領悉。臣擬一面咨請李鴻章委驗下游工程，明春再會商童華、游百川委驗永定河上源工程，庶臣經手分段承修事宜，得有歸結。所有治河經費，已咨明楊昌濬、劉錦棠，飭陝鄂糧臺，將劉璈及旌善馬隊餘餉，照常起解，截至本年十二月止，尚可有盈無絀。俟上源工竣，仍由臣核實報銷，以免轇轕。至涿州永濟橋各工，及此次永定下游與上源工程，實直隸官紳士民商旅所共見聞，堪成永利。在事諸員及各將士，實心實力，踴躍趨功，微勞足録，擬彙列清單，咨請李鴻章、童華、游百川，於驗明收工後，照請保奬。先是，五月二十一日，慈禧端佑康頤昭豫莊誠皇太后諭：恭親王、醇親王會同左宗棠及直隸總督李鴻章，兼管順天府府尹童華等，辦理河工水利。至是，醇親王驗工，犒以神機營存銀千兩。和碩恭親王、和碩醇親王奏：本年五月二十一日，臣等欽奉懿旨，會同左宗棠及直隸總督李鴻章、兼管順天府府尹童華等，辦理河工水利事務，所有直隸歷年修治諸河情形，暨左宗棠所部挑濬涿州河道，並分辦永定河上源、下游各事宜，均經李鴻章、左宗棠隨時陳明各在案。伏查下游工作，已由道員王詩正，協同直隸兵勇，挑濬蕆事，繼此防護得宜，可免倒灌泛溢之患。上游係截水淤田，利害兼顧，其工尤爲喫重。臣奕□於察看神機營水碓造藥局之便，於十月二十日，帶同全營翼長、副都統榮貴，文案翼長員外郎枝椿，暨委員傅洪等，取道協和澗，至丁家灘地方，周歷詳查，所有築壩分渠等工，與左宗棠原奏，均屬相符。河邊間有認種之民，闢成田式以待培壅者，並細加采訪，該處居民僉稱，王德榜馭軍有法，兵民相安，其火藥轟石，皆擇荒僻之區，於百姓田廬墳墓，絶無窒礙。臣奕□親見其轟取數處，舉手之頃，數日運之不盡，大石築壩，碎石燒灰，既省搥鑿之勞，復免挽運之費，其功效實不止事半功倍。已面飭該布政使以下各段工作，務照此認真以竟全工，並提神機營存款一千兩，由臣等札飭王德榜，分奬勇丁夫役。第查直隸全省之大，河道之多，防患興利之處，原不止永定一水，左宗棠擇要而圖，洵稱深算，李鴻章素以河務爲念，籌畫極詳，雖限於經費，不克大舉，而每年補偏救弊之勞，已屬不遺餘力。除左宗棠所部工作，已由該大學士奏明。移交李鴻章等分別查驗外，相應恭請懿旨，飭下李鴻章、順天府兼尹府尹，已成工作，務隨時修治，勿令久而頽廢，認種之民，偶有爭訟，務妥爲化導，持平辦理，小民不至顧忌裹足，則已闢之田，卽不致廢爲曠土，此外可興之利，何處試辦，應由該大學士等隨時查明，次第奏請舉辦。懿旨：恭親王奕訢，醇親王奕譞奏：察看永定河工作情形一摺，直隸永定河下游工程，業經左宗棠督飭所部，按照分派地段，挑濬蕆事，其上游一帶，現已將築壩分渠等工，逐段次第興辦，地方相安，河務可期就緒。此次已成工作，著直隸總督、順天府府尹隨時認真修治，裨益農田，毋任日久頹廢。此外應行修濬處所，並著李鴻章等查勘，奏明辦理，以興水利，而裕民生。八年，

王德榜呈恭親王、醇親王禀：奉王札，將已成各工，計可淤田若干畝，鸎山嘴以下應治之河，何處爲先可淤之地，何處可辦，踏勘禀覆等因。查鸎山嘴以下工程，德榜十月十六日接奉左中堂鈔録奏稿，行知沿河居民，央請地紳户部主事梁作舟等禀留德榜，廣修水利一案。德榜因思下尾店、丁家灘、水峪嘴之西河灘、車子崖之野西河灘、城子邨五處渠壩，各工所需經費，左中堂早已籌畫，若添辦鸎山嘴以下渠壩，工程十分浩大，需費甚鉅，是以禀請左中堂示遵，始敢舉辦。比蒙左中堂面諭：如果李中堂札飭該司辦理，我軍可一力承當。至於經費，我自當籌給等論。事後月餘，未奉李中堂飭札之文。德榜當即禀商李中堂，隨於十二月初八日，奉李中堂函示，飭勘鸎山嘴從前所建之永定壩，並囑順勘小清河灰壩、金門閘等處後，便道來省一會，各等因。德榜遵於初十日，輕騎減從，由鸎山嘴順流而下，詳細勘明。十五日到省禀見，當蒙細問情形，並問興復鸎山嘴永定壩需經費若干，可灌淤地若干，如以該營辦理，幾月可以竣工。惟思該處築壩，本可分永定河之流，其險工固屬可減，而大清河添此一水，難免不爲患於雄縣、霸州等處，況兩利相形，則取其重，兩害相形，則就其輕，似此不可不慎之于始，以免悔之于後，我故請爾來一商，以定可否，然後舉行等論。德榜禀白：中堂慮事周詳，令人欽佩。然興復鸎山嘴之永定壩，并城子邨之壩，原係本處紳民恐德榜率兵隨左中堂南下，是以禀求兩中堂及順天府尹飭令德榜辦理。至城子邨一處，早經左中堂奏明，飭德榜辦理。其鸎山嘴一處，係紳士所求。今蒙中堂委勘，不恥下問，特將履勘情形，據實爲中堂陳之：查盧溝橋以下河隄，僅高河水四、五尺或七、八尺不等，其河隄雖年年加高培厚，而河水已高兩旁地畝已有二、三丈不等，萬一伏、秋汛漲，即啟灰壩、金門閘，二口分瀉，永定之流，其渾波急湍，由高而下，横可過大清之流，若永定河水稍退，照章將灰壩、金門閘封閉，則渾流已入大清河，停塞其中。且查大清河水性又緩，不能沖洗其淤，每多散漫横流，時有傷害田廬之患，至鸎山嘴一帶建壩，地居上游，水性就下，又係挾淤而行，其水淤地極肥，果能從南岸原纏挖渠，使渾流層遞而下，將見百餘里地畝沙磧，可淤可灌，約得田二、三十萬畝，似此一可消永定之淤，二可灌溉宛平、良鄉、涿州三屬地畝，其利甚溥，此平日涓滴細流，有利無害，非比汛漲漫隄，啟閘之爲患也。至若接近南北隄之地，若隄旁節節開留涵洞，使其平時涓涓而出，亦可淤地灌溉，並可使永定河之淤有減無增，河隄日見其高，則河水日見其低耳。一遇汛臨之時，責成河員，將涵洞即行封閉，使水仍由永定河直流而下，似此永定、大清兩河均有裨益，尤於雄縣、霸州一帶，均無妨害。其鸎山嘴建壩，並於沿河隄旁開設涵洞，似可試辦。至於經費若干，以敝軍辦理，何

時可竣一節，以德榜度之，若由營勇辦理，所費無多，若蒙中堂飭敝軍辦理，左中堂素顧大局，其經費自必籌給，斷不致累及直省。惟該處地面寬大，若以德榜一旅之師，辦理此項大役，勢必遷延時日，必需添雇石工土夫，方可剋期蕆役，工之遲遠，在人之多寡。蒙中堂諭曰：據爾所言，有利無害，鷺山嘴壩工似可興復，但爾客軍，自抵直以來，卽辦河工，不分寒暑，合力營作，未免過勞。鷺山嘴之役，未便再勞爾軍，容緩委員履勘，由直辦理等因。今奉王爺札詢，查德榜奉辦下尾店、丁家灘、車子崖、水峪嘴、城子郇並麻峪紳董稟者共計六處，現李中堂已委西路同知石賡臣丈量，據稱大約可灌淤田二、三萬畝。至於鷺山嘴以下，綿亘三百里，地屬宛平、良鄉、涿州三州縣管轄，該處建立渠壩，可灌淤田約在二十餘萬畝，今李中堂已諭委員履勘，由直撥兵辦理。八年，署直隸總督張樹聲咨：分飭永定河道游智開、清河道史克寬，會勘鷺山嘴以下永定河勢，已漸趨平地，本與上游兩山夾峙，不畏衝激者形勢不同，渾河泥沙，年多一年，河身逐漸墊高，而鷺山嘴地勢愈趨愈下，至啞吧河尾，較鷺山嘴築壩鑿渠，開道引水，至御路爲止，寬約三里，長十里餘，只可興復稻田一萬數千畝。尚須按年修濬，方免淤廢，費力多而獲益少，一有不慎，則破閘衝渠，恐致渾河改道，利小患大，尚屬實情。轉晌伏汛已屆，亦屬趕辦不及，擬再周諮博訪，秋後覆勘。如鷺山嘴至御路，十里餘一截，可以察酌興辦，屆時卽歸直隸辦理。其御路以東，迤南由啞吧河至小清河，良、涿一帶，既據該道等周歷勘詢，無多曠土，似可無議。

人呼隄爲左侯隄云。

知涿州事查光泰左侯隄碑記：涿郡永濟橋至胡良，爲郡咽喉。同治年，巨馬河溢，橋洞淤。光泰治涿之明年，小神廟最窪處，築土埝七十餘丈，挑永濟橋淤沙，力單未能奏效。越一年，恪靖侯率湘軍衛京圻，奏修畿輔水利。直隸總督肅毅伯李相國飭屬籌議。光泰以巨馬河應濬之狀上，得請，調兵三千，王方伯德榜、王太守詩正督之，先挑永濟淤沙，復河舊道，始于光緒七年四月既望，五月十三日侯相臨工，喜軍不擾民，勞之。功成，長六里，寬一、二十丈，深六、七尺，程工十萬有奇，引河流入橋洞時，六月六日。又修兩橋間大道，伯相以二千金犒軍，王太守築三合土壩，障河之北突，而胡良以北，永濟以南道不平，王方伯又平之，因名隄爲左侯隄。今年春，予復於兩橋間增涵洞二，俾通溝水，北達胡良河，南達巨馬，舊河隄上植柳四百株。八年四月既望立。

又良鄉知縣陳嵋，請濬雅河，起鐵匠營，至安陽橋。

七年四月，陳嵋稟：雅河達牤牛舊河，同治八、九年另沖新河，距城十二里之鐵匠營，迤北上游，相連米家莊河基，已淤成田，長三百餘丈，無形可辨。據村耆指稱，此卽舊時河道。又自米家莊後，相連雅河橋，抵安陽橋下游，至長羊村東三叉河口，入牤牛，長一千三百餘丈，均有河形，深丈餘及八、九尺，寬二、三丈餘，淤已十有餘年，須將所淤舊河，由鐵匠營起至米家莊後止，再由雅河郇石橋至安陽橋之有河形者，分期挑挖，計長一千六百餘丈。

八年，濬文安縣臺頭以下河道。

直隸總督肅毅伯李鴻章奏：東淀係大清河入海之路，久淤，濬文安臺頭以下，工長一千九百二十丈。正月奏：大清河爲五大河之一，上承西北羣流及西淀巨浸，由雄縣會白溝諸水，經保定、霸州、文安而趨東淀。自嘉、道以後，久失修濬，尾閭不暢，則胸膈壅阻。臣迭於新城、任邱地面開挖減河，分洩盛漲，並將隄工逐年修築。上年又將文安縣左各莊至臺頭入淀之處，挑濬寬深，使河水駛流無滯，均經奏蒙聖鑒在案。伏查東淀向係瀦水之區，本甚寬廣，乃百數十年來，被附近邨民侵占墾種，遂淺狹難容多水，臣已派奏調差委道金福曾、天津道吳毓蘭，督同印委，確查清理。其淀中河道，係大清河達津入海之路，亦久經淤墊，前飭西洋機器船逐漸節挖，惟機器船僅止兩號，送泥不遠，工段又長，自應兼用人力，因飭金福曾、吳毓蘭等節次履勘相度，計自台頭入淀，以下至猴山，河工長一千九百二十丈，應開口寬十一丈至十三丈，底寬七丈，深八尺至一丈二尺，與機器船所開河道上下相接，其淀心尚可蕩漾，應從緩議。又自盧家口東，經官亭子、白塔寺、五鋪、鍋鐵店、王家房至趙家房東淀下口止，工長三千四百九十丈，應開口寬十一丈至十三丈，底寬七、八丈，深八尺至一丈，即沿格淀隄邊開濬，一面出土，幫築隄身，統計工長五千四百一十丈，合三十里零，應挑土三十八萬一千餘方。以上各工，均在東淀水中，須節節築壩戽水，即由水中撈挖，施工倍難，方價昂貴，約需工費銀七萬五千兩。經此次疏濬後，庶大清河諸道之水滾滾東趨，下與永定渾流交匯於韓家墅，沖刷當更得力，達津入海之尾閭既較暢通，上游亦免壅潰。已飭金福曾、吳毓蘭先於年前籌商佈置，現屆春融，即責成督辦，剋期告成，工費於南省捐助賑餘款內撥給。

其修隄未詳時代者曰魚廠隄。

在霸州城東十五里之魚廠邨。霸州周志。

曰横隄。

在霸州城東十八里。霸州周志。先是，隄南接苑家口，北至栲栳圈，西來諸水至此斂入會同河，即清河也，口狹流急，卒難速洩，以至上流泛漲爲患。明副使顧褒議盡決此隄，有力者阻之。按：霸州舊志及周志。國朝順治甲午，河水横決，長隄俱塌，一望數百里，皆成巨浸，後雖發帑修築，然捍蔽者不過城之東北，而城西城南，舟楫往來日甚，顧之前議，誠爲遠見。

曰大隄。

北九河，盧溝、巨馬、夾河、琉璃、胡良、桑乾、烏流、白礀、白溝。南六河，黑洋、一畝、方順、唐河、沙河、滋河。俱由保定縣流逕霸州，河決田湮，修築大隄，文安、大城、雄、霸、保定五處分工修築，以護民田。霸州周志。又云：分三段，一、自蘇家橋西至羊耳窩，長二百三十二弓。一、自大堡莊西至藥王廟，長六百弓。一、自藥王廟前至保定縣界，長二百六十弓。

其閘，十間房一。

在霸州城東，雍正十一年，觀察副使光禄寺卿王鈞建。霸州周志。

其堰二。

一、芥子淀堰，一、柳林淀堰，並南至二道河，北至頭道河。據霸州周志。按：周志又云，中亭河東西兩遥堰二道，高八尺至四尺，頂寬一丈八尺至一丈，底寬二丈至三丈不等，各長一百八十丈，民堰民修。

其涵洞，則中亭河霸州北岸四。

一、栲栳圈，一、魚廠邨，一、高各莊，一、臺山，皆雍正四年建。乾隆十五年，永定河漫溢，隄北地淤高，今廢。霸州周志。畿輔唐志：魚廠邨、高各莊、臺山、平口等處營田，引入亭河，水洩邨橋下，仍入本河。

又保定縣一。

在治西。據保定成志。

巨馬河二。

在涿州永濟橋、胡良橋之間，光緒八年，知州查光泰建。據左侯隄碑。

其前代河工：魏修督亢渠。

范陽郡有舊督亢渠，徑五十里，廢毀。幽州刺史裴延儁表求營造，未幾而就。據魏書裴延儁傳。

齊皇建中，開督亢舊陂。載食貨志。

宋修霸州隄。

楊延昭築六郎隄，在霸州西，南起雄縣、新城界齊家埝，東至老隄邨，長一千八百六十二丈，高一丈，頂寬一丈，底寬三丈，以禦西淀之水。又築馬務隄，在霸州東四十里，自田家口歷棘鍼墳至信安鎮。據霸州周志。楊應詢歷知信安、保定軍，霸州塘濼之間地沮洳，水潦易集，居人浮板以濟，應詢增隄防。宋楊應詢傳。

金明昌三年，築霸州清河隄。

清河南隄在霸州南十里，自保定縣燕子口至文安縣清平亘九十里，金刺史伊喇益修。據一統志，參霸州周志。

元泰定三年，濬古陳玉帶河，鑿文安縣玳瑁口，尋罷。

三月，都水監言：河間路水患，古儉河，自北門外始，依舊疏通，至大城縣界，引入鹽河。古陳玉帶河，自軍司口浚治，至雄州歸信縣界，以導淀濼積潦，注之易河。黄龍港，自鎖井口開鑿，至文安縣玳瑁口，以通濼水，經火燒淀，轉流入海。宜疏者三十處，總役三萬，三十日可畢。省臣奏准，遣斷事官鼎珠，同元委都水孫監丞洎本處有司官，發丁夫三萬，日給鈔一兩、米一升，先詣古陳玉帶河。尋以旱罷，候年登爲之。元河渠志。按：玳瑁口在文安縣治東南二十五里，火燒淀又在其東。

明洪武間，修霸州清河隄。

知州梁伯常重修清河南隄，卽金刺史移喇益所築，今千里長隄，其舊址也。據霸州周志。按：洪武中，霸州州判張子芳、林白雲，均修隄。據同上。

永樂六年，修保定縣隄。

知縣王孟原始築隄。據保定成志。

十年，修清河長隄。

保定知縣楊汝誠，請與文安、大城縣分工築隄。據保定成志。

十一年，修決口。

修保定、文安二縣河口決岸。明河渠志。

宣德二年，修霸州隄。

霸州桑園里、朱家莊、張貴莊，約四里餘，每年水漲，無所通泄，倒流北灌海子口、牛闌佃等處，不得耕種。順天府尹李庸請量役民丁修理。從之。據萬曆沈志。

弘治九年，築霸州煎茶鋪隄。在霸州東北，自劉紀營逕州城至信安鎮，延袤百里，知州毛實築，今廢。霸州周志。

十年，修霸州隄。知州劉珩修。據霸州周志。

十一年，築臨津隄。隄起涿州東境，接固安至霸州之趙村務，臨津水口逕州南關，長三百餘里，廣尋有二尺，址倍之，崇丈有八尺，其間水口一百六十七，至文安之蘇家橋，大城之辛張口止，據方輿紀要。知霸州劉珩築。按：明顧清臨津隄記畧：弘治戊午，東魯劉珩來治是邦，築河隄，起涿州東境，接固安楊先務、荊垡等村，至州之趙村務臨津水口，經州南關過保定、文安蘇家橋，抵大城之辛張、口黄，尋有二尺，址倍之，崇丈有八尺，旁植柳，其間爲水口者一百八十有七。隄既成，水乃無患。城外爲深濠，成高丈七尺，濠深如城高，而殺其一尺。而方輿紀要云，水口百六十七，今從之。

嘉靖十一年，疏濬琉璃河、胡良河。

十年，工部郎中陸時雍言：涿州琉璃、胡良二河皆淤，宜以時濬。詔巡撫議之。明河渠志。十一年五月庚午，明實録。太僕卿何棟勘畿封河患，言：涿州胡良河自巨馬分流，至州東入渾河，良鄉琉璃河發源磁家務，潛入地中，至良鄉東入渾河。比者渾河壅塞，二河不流，然下流淤沙僅四、五里，請亟濬之。明渠河志。以胡良河委涿州知州張經綸，琉璃河委興州中屯衛指揮李思恭，各給夫千責之。月終報竣，工部覆奏。允行。明實録。

二十六年，濬中亭河，曰新挑河。

明霸州副使陸坤開新挑河，在州南八里許。舊有河，上自蓮花臺，下達臺山，久淤，水漫，坤尋故道濬之。據霸州周志及表。

四十年，築琉璃河隄。

先是，水發環橋，四十年，命築二隄，專用條石，南北、東西共長五百餘丈，開水溝八。據雷禮琉璃河橋隄記，詳橋注。

萬曆初，修花達墓隄、南隄。

副使錢藻築花達墓隄，在霸州東，上接臺山，下逕趙哥莊、田家口、菜園、高橋、信安鎮，長四十里。又築南隄，亦在水東，自保家莊歷老隄邨、蓮池至邢家務口，長三十五里。據霸州周志。

三年，修清河隄。

固安知縣李宜春修南隄二十里有奇，南障清河。據尤懋固安縣修隄。

子牙河

管河官在順天府境者二。

一、大城縣丞，一、文安縣主簿。先是，子牙河東大隄，自廣福樓大城縣涵洞中界，至小河邨，長十里有奇，又自小河邨至大瓦子頭，長三十七里有奇，主簿管轄，乾隆十年，改歸大城縣丞。據畿輔安瀾志，參册。其隄東岸分段凡九：第一段，起煙邨至尾隄頭，長八千八百二十二丈，頂寬六尺，底寬三丈六尺，高六尺。第二段，起尾隄頭，至葉家莊，長千八十丈，頂寬一丈四、五、六尺，底寬二、三丈，高四、五尺。第三段，起葉家莊西至莊北，長四十丈，頂寬三、四尺，底寬六、七尺，高五尺。第四段，起葉家莊北至青縣廣福樓平地，長九百二十丈，頂寬一丈四、五、六、七尺，底寬二、三丈，高四、五尺。第五段，起廣福樓平地至邨北，長一百二十丈，内有平地三十丈餘，有微隄。第六段，起廣福樓邨北至小交河邨，長三百二十丈，頂寬五、六、七尺，底寬一丈六、七尺，高一、二、三尺，内有平地四十丈。第七段，起小交河至一間房，長三百六十丈，頂寬五、六、七尺，底寬一丈有奇，高一、二、三尺。第八段，起一間房至沿莊縷隄，長一千九百八十丈，高寬有差。第九段，起沿莊至青縣界流莊，長五百四十丈，灘地也，較平地高二、三尺。西岸分段凡十有一：第一段，起接河間縣界之馬邨至杜家莊，長一千二百六十丈，頂寬一丈三、四尺，底寬三、四丈，高五、六尺。第二段，起杜家莊至九里隄，長七百二十丈，頂寬一丈一、二、三尺，底寬二丈五、六尺，高二、三、四尺。第三段，起九里隄至迷隄，長九百九十丈，頂寬一丈二、三、四尺，底寬三、四丈，高四尺。第四段，起迷隄至姚馬渡南，長六千一百九十三丈五尺，頂寬一丈三、四、五尺，底寬三、四丈，高五、六尺。第五段，起姚馬渡南至姚馬渡北，長二百七十丈，頂寬一丈，底寬一丈五、六、七尺，高三尺。第六段，起姚馬渡至辛家莊，長五百四十丈，頂底均寬二丈，高一、二尺。第七段，起辛家莊至正莊南，長五千九百四十丈，頂寬一丈八、九尺至二丈，底寬三、四丈，高五尺。第八段，起正莊至邨北，長五百四十丈，頂寬一丈二、三、四尺，底寬一丈七、八尺，高四、五尺。第九段，起正莊北至引河小橋，長七百二十丈，頂寬二、三、四尺，底寬四、五、六尺，高二、三、四尺。第十段，起小橋至王口邨南，長三百六十丈，頂寬八、九尺至一丈，底寬一丈二、三尺，高二、三、四尺。第十一段，起王口邨南至土橋文安縣界，長五百四十丈，頂寬一、二尺，底寬八、九尺，高一、二、三尺。據光緒九年大城縣圖冊。

河兵四十。

戰兵四名，守兵三十有六。又垡船百六十，衩夫三百，乾隆二十九年裁。

其工，康熙十□年始修大城、霸州、文安、保定子牙河隄。

大城縣自修馬邨口至三岔口隄一萬三千四百二十丈，協修霸州長屯南蘇家口隄一百一十丈，北蘇家口隄一百三十四丈，程家口五十五丈，文安縣繕來營隄六十丈，武哥莊隄三百一十三丈，保定縣靳家嘴後隄一百一十八丈，柏木橋注窩隄四百七十丈。據大城張志。

三十二年，濬子牙河，修隄。

修濬大城縣隄河。采訪冊。

三十三年，濬子牙河，修隄。

四月，直隸巡撫郭世隆奏，霸州等處子牙河隄決，田畝被淹，其大城縣趙扶邨之南隄，請卽修築，黑龍港河及王家口久淤，請濬。滿州名臣傳二十五。按：南隄卽東隄也。畿輔安瀾志：霸州等處子牙隄河，康熙三十三年修濬，所有靜海、大城、雄縣、任邱隄岸河道，卽東隄也。子牙正河東大隄，自青縣小河邨起，北入大城縣界，自大城入靜海縣界，逕閻兒莊，北至大瓦子頭盡處，長三十七里六分，坿隄邨莊，係子牙鎮、鄭兒莊、大小瓦子頭等處。

三十九年，修大城等縣西隄。

隄起獻縣至大城，長六十六里有奇。又修大城縣欽埝，起南併莊至王家口，長三十八里。據畿輔安瀾志。按：會典事例七百一云，康熙三十九年，大修畿輔各州縣清河、子牙河官隄、民隄，共長一千五百二十餘里。又築東大隄，起大城縣涵洞中界至小河邨，長十里九分。畿輔安瀾志：青縣東大隄子牙河正支，南自廣福樓邨接大城縣涵洞，中界起，北至小河邨，交大城縣界止，長十里九分，康熙三十九年築，民歲修。

四十七年，修東隄。

民築隄起獻縣至大城，長六十二里有奇。據畿輔安瀾志。

雍正四年，修隄，障大城縣王家口西流。

子牙河水汛泥多，將兩隄加高培厚，由大城王家口入淀。（會典事例七百一。）怡賢親王、大學士朱軾奏：子牙河由王家口分東、西二股，應障其西流，約束歸一。户部議障王家口以北之西流，省其紆回，則文安、大城、保定無淹没患。

乾隆四年，濬子牙新河。

濬新河，使上流諸水得以歸淀。（會典事例七百一。）

五年，疏王家口，築隄。

王家口爲子牙河入淀尾閭，開闊莊頭邨至臺頭，歸清河。挖楊家莊河脣舊口引河，經閻留二莊，由朱家窪等處獨流大坑入淀河。子牙渾水西南斜向東北，水滿聽其平漫，水落歸槽，濁流澄地清水入淀，各窪淤平，就勢築隄，子牙西岸大隄加高培厚。（會典事例七百一。）又築横隄，起大城縣小店邨，涵洞中界北至廣福樓南青縣界，長十里九分四釐。先是，康熙十九年，於廣福樓西南開引河，洩滹沱水，實卽黑龍港下流也，渾沙積淤，黑龍港本支瀝水倒漾，至是築横隄，截引河道，使黑龍港北流。（據畿輔安瀾志。）

九年，堵大城縣莊兒頭河口，改河東出。

協辦大學士劉統勳、總督高斌奏：子牙河上游，北注大城縣王家口，每清渾並漲，迆南數十百邨遭浸，請於王家口北莊兒頭起，堵截子牙下流，另於陳家泊展開河身一道，改溜東出。得旨允行。

十年，修隄。

大城等縣子牙河西隄，長三十六里。（畿輔安瀾志：滹沱河西岸月縷各隄，自第六鋪起，接大城縣屬，至王家場，交天津縣屬，長三十六里，乾隆十年建築民修，其西岸上游並東岸，俱民修。）又築子牙河格淀隄，起大城縣莊兒頭，至天津縣，長八十四里。（畿輔安瀾志：子牙河格淀隄又名格淀大隄，乾隆十年創建，自大城縣莊兒頭起，歷靜海縣抵天津縣西沽，長八十四里。）

十八年，改支爲正。

大城縣子牙正河，自楊家口至莊兒頭，長四十八里，淤甚，楊家口支河至閻兒莊東隄，長八里有奇，深通暢順，作爲正河，河尾展挖寬深，正河留作越河，將子牙橋北至莊兒頭三十里挑深無滯。（總督方觀承奏：子牙河爲滹、滏會流下游，大城境內河身窄狹。乾隆五年，議於楊家口開挑支河，下穿閻兒莊東隄，導引陳家泊仍歸正河。嗣因楊家口汕刷寬深，支河水分十之七，正河止二、三分，溜緩沙停，自楊家口至莊兒頭，長四十八里零，皆淤，自楊家口至子牙橋十八里零，淺窄尤甚，楊家口支河寬十四、五丈，深七、八尺並一丈二、三尺不等，至閻兒莊東隄，長八里零，深通暢順，自宜因勢利導，作爲正河。再於閻兒莊河尾北通蔡家窪，沿溜兒莊東隄，抽挑河漕，下接黑龍港舊河，展挖寬深，俾全河俱於子牙橋歸入正河。計挑河九里有餘，較之疏濬正河，事半功倍。將挑河之土，培築東隄，正河留作越河，將子牙橋北至莊兒頭三十里，挑深七尺，至閻兒莊河流，穿越東隄處，建攔河草壩，于壩北東隄，修滾水石壩，俾盛漲正河不能容納之水，由此分減。）

二十九年，接開支河。

總督方觀承以子牙支河已改爲正河，請自子牙邨南接挑新河至王家口東窪子頭入正河，長四千一百十丈，面寬十丈，底寬五丈，深五尺五寸至九尺，將挑河之土於東岸築隄，正河自張家莊至王家口應濬，以土培于西隄。得旨允行。方觀承奏：子牙支河今已改爲正河，應加寬深，請自閻兒莊草壩對岸起，東至東子牙邨南止，長一千二百六十八丈，面原寬六、七丈，展寬十丈，底寬三、四丈者，展寬五丈，原深六、七尺者，加深七尺至九尺不等，挑河之土，用以培隄。又子牙邨南接新河，至王家口東窪子頭，歸入正河，長四千一百十丈，應挑面寬十丈，底寬十丈，深五尺五寸至九尺不等，將挑河之土，于東岸夯築成隄，並東子牙邨、小邀鋪、鄭兒莊三處築護邨埝。再，從前子牙河淤墊，全賴支河引水，如遇盛漲，支河不能容納，又賴蔡家窪分減。今蔡家窪漸淤，而減水石壩金門僅寬八尺，尚應多籌分洩之路。所有子牙正河，自張家莊至王家口，並應間段挑濬，卽以挑河之土，培于西隄。畿輔安瀾志：方觀承奏：子牙支河之尾，歸入正河處所，形勢不順，請從子牙邨南接穿隄而出，斜向東北，挑新河二十里，至東窪子頭匯入正河，又間段挑濬正河。得旨允行。又於五蕃邨東建石閘。

三十二年，修子牙河新隄。

起文安縣三灘里，至格淀隄莊兒頭止，接築新隄二千七百七十二丈。先是，隄止臺頭西南，三月乙丑朔，上閱子牙河隄。諭：朕此次巡幸天津，閱視淀河隄閘，按圖披覽，內有千里長隄之三灘里起至格淀隄莊兒頭止，中間並無隄岸。詢之，該督稱，向來未經辦理，每遇淀水長發，地畝、民居不無淹没，殊堪軫念。本日朕閱看子牙河，特命阿里袞分道往勘。據稱，無隄處所，東西約長十餘里，其中間有民修隄埝，被水衝缺數處，每當雨水過多之年，邨民一、二千户，地畝千餘頃，常被水患，邨民見有欽差前往踏勘築隄，無不歡欣踴躍，僉云從此子子孫孫皆可永遠霑恩，且隄內之地，亦可盡成膏腴，實於居民有益等語。從前修築格淀隄，原爲捍衛邨民，今三灘里至莊兒頭十餘里獨無隄岸，以資保障，邨民未免向隅。著交與方觀承，再行詳悉相程，接築長隄，卽覈實估計，妥議具奏。尋奏：接築隄自文安縣屬之三灘里千里長隄起，至大城縣屬之莊兒頭格淀隄止，共長二千七百七十二丈，頂寬一丈六尺，底寬五丈，酌就地勢高五、六尺不等，需用土方估銀六千九百五十兩零，見飭大城、文安二縣逐段興修，務於汛前完竣，仍飭該管之子牙河丞、天津道往來督察報聞。謹按：子牙河故道，自谷家莊至吴家溝，長一千二百四十丈，是年普濬，面寬六丈五尺，底寬三丈五尺，深三尺。

三十七年，築王家口壩，塞水口。

總督王新命以文安、保定與雄、任二縣所統之五官淀，出自滹沱分流，名曰洋河，出王邨口，入柴火淀，上流淤塞，奏請于大城縣王家口築攔河壩，堵塞上下河水口。奏：障河分支，原係滹沱、釜陽三水合流，至獻縣西南二十五里之完固口，分爲二支：一、由獻縣南單家橋，經青縣，北出鮑家嘴達運河。一、由獻縣北臧家橋，東北經河間、大城地方，過子牙、王家口，入三角淀。查單家橋河口淤塞，全河之水直奔臧家橋北流，以致河間、大城、文安、保定、霸州常被淹没。似應於完固口分流處築攔河大壩一道，横截水勢，疏通單家橋河口，使七分之水流入運河，留三分之水北流臧家橋，所有雄、任、文、保所統之五官淀，出自滹沱分流，名曰洋河，出王邨口，入柴火淀，近十餘年，上流淤塞，柴火淀之水逆流倒灌。似應於王家口築攔河壩，堵塞上下河水口，則四面可免淹没，地土可以涸出，而五官淀周圍一萬二千二百丈有零之隄，可不必修。

嘉慶五年，修西隄。

大城縣與獻縣、河間縣之子牙河西隄，殘缺單薄，總督顔檢奏請加高培厚。得旨允行。顔檢奏：文安、大城被水，由河間民扒開廣安横隄，而扒隄實因念祖橋、劉各莊漫口沖灌，情急所致。念祖橋漫口，業經堵築。劉各莊漫口，廣安横隄，黄家道各缺口補築，其獻縣、河間、大城之子牙河西隄，殘缺單薄，普律加高培厚，共長七千一百三十一丈。

十一年，修隄。

總督裘行簡奏：修子牙河新舊格淀隄，起文安縣三灘里，至天津縣西沽止，十三年工竣。

先是，十二年，子牙河漫決王家口民埝，三里灘十數邨積水未消，尚書德瑛、劉權之開新格淀隄數丈洩之，尋補築。十一年，總督裘行簡奏：新舊格淀隄，雖止百里，在衆河下游，大城、文安隄身兩面皆水，均須修築。十三年，總督温承惠奏：千里長隄，新舊格淀隄並澮淤等工，經前署督臣裘行簡勘辦，上年八月，臣復勘有未如式及被水汕刷之工，飭續修復，天津道沈長春承辦文安、大城、靜海、天津等四縣格淀大隄，及靜海疊道橋座，原續估銀一十萬二千一百五十八兩零。十三年，尚書德瑛、劉權之奏：格淀新舊隄並疊道，自文安縣三灘里起，至天津縣西沽炮臺，分七十二段，長萬七千九百八十五丈五尺，文安縣新格淀隄工，南三灘里積水，寬長水中十數邨，詢因去年子牙河泛漲，大城臨河民埝被沖灌入，四無出路，老民求暫開新格淀隄一段，臣查開隄瀉入淀海，可無淤淺，是以飭文安、大城兩縣就三灘里最低處各開數丈，俟積窪消減，即于汛前補足，無須再動官項。其迤南王家口臨河民埝，經大城縣勸令百姓補築。

道光三年，修文安、大城二縣隄。

盧蔭溥奏修文安、大城隄工。二月丁巳。諭：據盧蔭溥等奏：文安、大城二縣隄工，亟宜勘估修築一摺。順天府屬州縣，上年被水，文安縣邨莊涸出不及十分之二，其餘水深三、四尺至八、九尺不等；大城縣南有九里橫隄一道，係捍禦上游河間等縣諸水，現在決口四處，除已斷流外，尚有小廣安口一處，仍未全消，前經該督委員勘估詳報。其文安縣西北千里長堤一道，正西又有西隄一道，決口二處，口門未涸，通體隄工衝刷殘缺，均需補築。千里長隄原開決口十九道，僅涸出三道，其餘均未斷溜。現在隄外之水高於河水，可資宣洩，將來內外水平，不惟無可疏消，更恐夏令河水漲發，各決口及隄工卑薄殘缺之所，處處皆可內溢，請先將隄工及時修築，庶農田以漸涸復等語。著顏檢遴委諳練河工人員，迅速前往該處，將應堵，應修各工，確實勘估，並及早購料，於水潦未動之先，趕緊修築，以衛民居，而安農業。務須飭屬認真辦理，不可草率完工，於民居仍無裨益。至隄外河身，因下游不暢，以致河底淤高，漲水易於內溢，難於外洩，並著該督通籌全局，妥爲辦理，是爲至要。將此諭令知之。謹按：九里橫隄在大城縣城西二十里廣安鎮之南，鄧零臣邨之北，西迷隄之東北，其西在大流河邨南，與河間張邨近，其東接子牙河北隄，凡九里，北隄即千里隄，南障清河，北障子牙，又西近文安縣之土橋頭，西隄則清河隄也。

七年，修大城縣隄、埝。

修子牙河東隄至小河邨，西隄至王家口，高四、五尺，六、七尺，頂寬六、七尺，丈餘，底寬一丈五、六尺，二丈餘不等，已下東、西民埝高三、四尺，五、六尺，頂寬四、五、六尺，底寬六、七、八尺。七年六月，大城知縣李均豫稟：子牙河東大隄，自入境至小河邨止，以下係民埝，河湑僅存隄影，西大隄雖完，然自王家口以下，亦民埝相接，斜侵至格淀隄止，滹沱既歸子牙故道，一綫中泓不無溢患，隄缺甚多，先儘狼窩殘缺挑墊，再將隄坡暫挑小埝，西大隄兼防子牙、清河，尤爲喫重，已於五月二十六日開工。七月稟：子牙河隄工，自乾隆中責令民間歲修，迨嘉慶時，滹沱不由故道洩水，引河淤墊，石壩廢圮，轉瞬全溜歸河。年久失修之隄，不得不藉資民力，六月開工，七月止，兩岸隄埝告竣，隄高四、五尺至六、七尺，底寬一丈五、六尺至二丈餘，頂寬六、七尺至丈餘，接築小埝，頂寬四、五、六尺，底寬六、七、八尺，高三、四尺，五、六尺。

八年，修子牙河隄，築大城縣趙扶邨決口。

直隸總督肅毅伯李鴻章奏：子牙河歸故道，修大城、文安縣隄。正月奏：上年十一月，欽奉皇太后懿旨，恭親王、醇親王奏，查看河工情形一摺，此外應行修濬處所，著李鴻章等查勘，奏明辦理。遵查滹沱爲直省五大河之一，本由子牙河達津歸海。自同治七年，由藁城北徙，氾濫横流，經晉州、雞澤、深州、安平、饒陽，灌入古羊河，下穿獻縣、肅甯、河間、任邱、雄縣、保定、霸州、大城境内，而歸文安大窪。其藁城南入子牙河故道，迭次勘查，沙淤極深，不能挽復，而現行古羊河下游，並無出路，沿河州縣，受害甚廣，文安一帶，久成澤國，臣幾經設法籌度，須於獻縣朱家口古羊河東岸，另闢減河，使其分歸子牙。前派道員史克寬詳細察勘妥議，即於去春開工，自朱家口至子牙河止，計長三十三里零，平地挖口寬十一丈至十五丈，底寬五丈至十二丈，高處挖深一丈九尺，最窪處挖深七尺，於兩岸五、六丈外工，堆築南北新隄，底寬五、六丈，頂寬二丈二、三尺，高一丈三、四尺，地形極順，深得吸川之勢，夏間工竣開壩，大溜東趨，竟將原走古羊河之滹水全行奪入新河，復歸子牙故道，古羊下游即已斷流，獻縣至文安九州縣，頓除十餘年之積患，即獻縣已上州縣，亦獲暢消之利，實爲始念所不及，已迭次奏蒙聖鑒在案。惟原開獻縣新河，本擬分減滹水，未克展寬河身，今既奪滹沱全溜，誠慮復蹈舊轍，必將新河加寬。又獻縣、河間、青縣、静海、大城、文安等六縣，原有子牙河兩岸隄工五百餘里，爲各縣田廬保障，因滹沱北徙，年久失修，大半塌廢。今滹水既歸子牙故道，必將通工重加修築。復飭清河道史克寬、天津道吴毓蘭、候補知府惲桂孫等履勘籌議。據史克寬稟稱：獻縣新河，應就北面酌量開寬三、四、五、六丈，地勢高者挖深丈餘，窪者挖深五、六尺，原出廢土，離河五、六丈，今再於北面移出十丈，除挖寬河身之四、五、六丈外，河岸離隄尚有十丈之遠，設遇汛漲出槽，可使暢流，仍以廢土爲隄，與南岸之隄對峙，其兩隄相去遠近，較上游古羊、下游子牙兩隄相等，上下聯絡，計挑河移隄，合土六十六萬方。至原建李謝、留鉢、野廠三邨橋座，應拆修加長，以免河寬橋窄，阻扼水路。其宋家房土壩，係堵截滹水不復下趨古羊，最關緊要，應加高培厚，並于宋家房之南，新頭河之北，酌添重壩，共需銀七萬兩。又據吴毓蘭等稟稱：獻縣以下，子牙河兩岸隄工，東岸自獻縣賈莊橋起，歷河間、大城、青縣至静海獨流鎮大橋當城止，西岸自獻縣新河尾起，歷河間、大城至文安豐樂橋天津格淀隄止，共合工長八萬五千三百六十四丈，擬就原隄基址修築，頂寬一丈二尺，底寬五丈二尺，高八尺，青、静、文、大地勢較低之處，應築頂寬一丈五尺至一丈八尺，底寬五丈五尺至六丈三尺，高八、九尺，其隄基址近河身，及無隄而只有河脣之處，應展寬二、三十丈築隄，使溜勢舒展，共計原隄舊土七十三萬餘方，應加新土一百七十三萬餘方。從前該隄本資民力，今六縣紳民認修土一百十六萬餘方，以遠邨補近邨之不足，此縣補彼縣之不足，酌盈劑虚，通力合作，其不敷土五十七萬餘方，劃歸官辦，並修築各段缺口車道，約需方價及險工樁料雜用銀七萬兩。臣查獻縣新河加開寬深，則全溜皆歸子牙故道，下游九州縣可永除滹水之患。子牙河隄加築完固，則歲督民修防，沿河六縣可永獲保衛之益。直庫入不敷出，平時難議大工，今幸南省官紳有捐賑款，經臣節縮支放，尚餘銀二十萬餘兩，以之湊撥此項隄河及另摺奏辦之大清河下游東淀河工，尚可敷用。已責成史克寬督辦加開滹沱新河工程，吳毓蘭、惲桂孫等督辦子牙河兩隄工程，均于年前籌商布置，現已春融，即令招集民夫，分段工作。七月十六日，趙扶邨決口，寬二十丈有奇，漫入文安大窪，軍民並力塞之。據直隸總督張樹聲咨，及大城知縣稟。按：是年獻縣高旦邨、任邱西大塢千里隄，與大城趙扶邨子牙河隄，先後決口，其由鄭州五官淀而達文窪者，西大塢決口之水居多。

其閘，大城縣四。

一、閻兒莊，二空，乾隆十九年築。據畿輔安瀾志。一、王蕃邨北閘。一、王蕃邨南閘，並二空，乾隆二十九年築。總督方觀承奏：文安大窪，向受河間一帶瀝水，廣安民隄防其北漫，但東面有大城長隄，隄身橫亘，瀝水向東，全無去路，輒北潰廣安隄而出，致爲大城、文安之患。請於大城長隄近王蕃邨地勢低處，穿隄建雙空石閘二座，外挑河長九里零，挑河之土，築爲南隄，將瀝水洩入榆錢窪，東注子牙河，再將廣安橫隄加高培厚，則文安大窪南水之患可除。又王蕃閘外之子牙河，更宜分別保閘，於東岸冒門邨挑濬引河，長十五里，引河水入蘇莊窩，由賈家邨仍歸大河。嘉慶五年移。總督顏檢奏：文安、大城被水，王蕃二閘業已淤平，有舊閘之南杜各邨對面隄，外有河溝挑入正河，在隄口移建石閘一，王蕃南閘近存一邊雁翅，北閘亦間有殘缺，以二閘，供一座之工。一、小橋東閘，在王口邨東南。已上閘，皆子牙河經流。

其涵洞，大城縣一。

在小交河邨後，乾隆二十年，以甎築，疏消大城縣界內之楊家口西小河邨等窪積水，入大城界子牙支河。據畿輔安瀾志。

其前代河工：元延祐四年，修文安縣隄。

滹沱河水溢，文安知縣吳質疏河築隄，獲粒食之，頃計五百有奇。據文安楊志。

延祐六年，疏文安縣滹沱河築堰。

文安尹吴質周覽縣境地形，東北俱下。滹沱河水溢，具以利病稟於上官，疏河築隄。邑令吴君德政碑。

明隆慶五年，拓文安縣滹沱河堰。

先是，延祐中，知縣吴質疏河築堰，至明史天祐，拓而延袤之，以里計者百有二十。明邢孔陽記。創修大隄，自西南王東郝起，而北而東，又東南至王李墳止，長百五十里，高廣堅緻，俗呼史公隄。據文安楊志。一統志：隆慶中，霸州吴尚義監修文安大隄。按：萬曆四年，知縣王湘沿隄栽柳。

萬曆十一年，修霸州、保定、大城、文安隄。

凡三萬九百九弓，内有欽隄，有民隄，有古隄。所謂古隄者，卽元法雲寺碑稱寸金隄者是，亦曰長城隄。楊朝麟文安縣志曰：戰國趙武靈王築長城，當燕南趙北立隄，使燕水不南，趙水不北也。文安楊志：萬曆十一年，官侯延澤修隄，分工程督，始有定議。十五年，既決復塞，有迴瀾障海之功。按：官分工條議，自大注窩起，至王李墳止，霸州、雄縣、保定、大城、文安分築，立有章程，有碑碣，分修已久，後自遥隄再建，雄縣遂弗共事，以雄縣王村口史哥莊在遥隄外也。實在四邑，按段分工，霸州三段：一段自蘇橋頭起，至羊耳窩止，長二百三十二弓。一段自大堡莊西頭起，至藥王廟前止，長六百弓。一段自藥王廟前起，至保定界牌止，長二百六十弓，共長一千九十二弓。保定縣七段：一段自界牌起，至十王堂止，長六百四十二弓。一段自鹿疃起，至北壇止，長六百七十五弓。一段自劉家莊起，至北門止，長二百九十弓。一段自西關起，至西壇止，長八十二弓。一段自擺渡口起，至靳家莊止，長三百三十弓。一段自姜家郝起，至何家道口止，長八百三十九弓。一段自横隄起，至上五哥莊止，長二千四百二十五弓。以上共長六千二百八十三弓。大城縣六段：一段自善來營起，至張家里十甲隄止，長一百二十弓。一段自張家里隄起，至下五哥莊止，長六百二十三弓。一段自北壇起，至劉家莊止，長二百八弓。一段自西壇起，至擺渡口止，長四十三弓。一段自靳家莊起，至姜家莊止，長一百九十弓。一段自何家道口起，至横隄止，長一百六十九弓。共長一千三百五十三弓。文安縣九段：一段自王東郝起，至新隄頭保定隄界止，長四千九百五十五弓。安祖里、付花里修。一段自鹿疃起，至十王堂廟前止，長一千三百三十弓，豐台里修。一段自太堡莊起，至善來營大城隄界止，長二千一百五十三弓，廣陵里、急流里修。一段自善來營起，至蘇橋西霸州隄界止，長一千九百四十弓，張家里、滱皂里修。一段自蘇橋起，至唐頭止，長三千九百八十三弓，留郡里、滱岡里、大趙里、曲隄里修。一段自唐頭起，至艾窩止，長七千九百六十三弓。京頭里、柳河里、蘇橋里、唐頭里、勝芳里、辛留里、石溝里修。一段自艾窩起，至王李墳止，長八千五十五弓。豐益屯、豐富屯、豐厚屯、廣濟屯、保安屯、黃甫里、司邱里、小保里、艾窩里、淀莊里、潘平里、德歸里、甯受屯、土橋里，共十四里屯修。一段羊耳窩隄，長四百弓。急流、張家滱、皂留郡、京頭、柳河、蘇橋、堂頭、勝芳、黃甫司、邱石溝、艾窩淀莊、歸德、辛留、土橋，共十七里寄莊修。一段口頭欒王廟隄，長一百三十弓。安祖、付花、豐台、廣陵、甯受、豐富、豐益、豐厚、廣濟、保安共十里屯寄莊修。以上共長三萬九百九弓，總計四邑分修。共同護田隄一道，計長一百二十里，起王東邨，止王李墳，内分民隄一段，自雄縣王東邨起，至保定縣界隄止，長二千八百九十七丈五尺，内分欽隄一段，自保定縣界内何家道口起，至柴溝邨、王李墳、大城縣隄界止，長一萬二千七百四十丈一尺。古隄一道，在邑東南，自天德東北，經韓邨艾子之南，接大城之周北、王文樓底等邨，延袤幾百里，一名寸金隄。今韓邨有元勑建法雲寺，碑陰曰寸金，隄畔古佛堂一，名長城隄。據戰國趙武靈王築長城，當燕南趙北，立有隄岸，創建失考。蓋燕水不南，趙水不北也。

十五年，塞文安縣隄決口。

此卽十一年議修隄。詳上注。

二十七年，築文安縣滹沱河隄。

滹沱河決，文安知縣岳儲精力障之。據文安楊志。

四十二年，修子牙河遥隄。

文安、保定、大城三縣，同修遥隄，起白家道，至上五哥莊。文安楊志：萬曆四十二年甲寅，崔侯儒秀勘得郭侯允厚議月隄，起注窩，東行至圍河，保定南劉寨北，過西營，抵蘇橋之上，以東築新隄自防，阻於保定，弗就。井副使因侯之議，而輕省其工，收保定於内，冀重隄之速成。至甲寅春，崔侯偕大城梁侯綱、保定田侯龍詢謀僉同，斟酌前議，用井臬副策，自白家道口起，至上五哥莊，築遥隄一道，以防廖家、黑牛等口之衝，長八里。文安修五分，保定修二分，大城修三分。歷天啟丙寅，黑牛口決，果賴無虞。萬曆四十二年，預防水患碑：大城縣知縣梁綱，申霸州屬縣保定、文安、大城，係九河下稍，保、文之隄岸必不可決，大城之水口必不可塞，蓋保定、文安舊受恆山諸水，新受渾河諸水，夾河兩岸，俱有隄防，保定、文安不能獨修，每歲大城協力修築久矣，若保定隄決，則諸水建瓴而下，害及三邑，且大城洩水之處在三家淀，水口隘小，水退動計月餘，文安亦如之，此保文之隄所以必不可決。大城之南，滹沱河諸水，由河間轉入縣東北，會王家口三家淀，經通津橋至天津入海，三家淀一塞，則諸水泛溢而上，漭及三邑，此大城水口所以不可塞。如三十五年，大城三家淀口被静海之民越境築塞，則水不就下，而三縣同受壅水之患。四十一年，保定射店等隄雄縣之民越境盗決，則水勢狂奔，而三縣同受決水之患。然決保、文之境，必雄縣之民也。塞大城水口者，必静海之民也。愚民圖一己之便，不惜鄰邑爲壑，請著爲令：如保定之隄，文、大協修，看守則在保定，倘有疏虞，文、大得而申報之。文安之隄，大城協修，看守則在文安，倘有疏虞，保、大得而申報之。大城水口，在大城境内，防守獨在大城，倘被鄰人壅塞，則文、保得而申報之，以聽處分。酌被漭之多寡，定參處之輕重。霸州知州楊潤申稱：勘得保定、文安、大城三縣居窪下之地，恃隄爲命，國家設有長隄一百二十里，西北導水，自琉璃等河入於茅兒灣，西南導水自滹沱入于鹽河，邇來渾水南徙，水患倍增於前，而隄俱坍塌，非復舊形，兼鄰封之人，有希圖私便，不求長策者，如雄縣于原分之工，不惟不行協修以固其宇，而反纍纍盗決，以圖注洩，則三縣受上流之患矣。静海於順流之勢，不惟不加疏濬，以導於海，而反欲障塞，以事壅激，則三縣受下流之患矣。保、文歷年原有之隄，當仍其常，不可聽決。大城歷年原無之隄，當仍其無，不可聽塞。仍之則彼此兩便，仍之則經久可行，以被災分數，定參罰輕重。但大城之水口，塞之難而防禦則易，保定之隄岸，決之易而巡守爲難，且保定丁寡民貧，獨任巡守，不無偏累，如果係盗決，不能捍禦，則罪在不宥，倘遇天災流行，洪水衝決，似又當查三縣分修之堅否，難以概責保定爲疏虞也。勒石豎立，以垂永久。薊遼總督兵部右侍郎薛三才批：保、文之隄岸，大城之水口，三縣利害相倚，其修築防守，自應各竭心力，決無彼此推諉者，所虞在雄縣之盗決，静海之障塞耳。若酌量汛地遠近，各該防夫若干名，給以工食，即令其住居隄口，民既便於守，官亦易於責成，是否長便，此關三縣利害非小，該道再行各縣酌議，報册繳。四十二年七月立石。大城張志：三家淀在縣東北五十里，係文安、静海本邑之交，文、大之水從兹北下，萬曆四十二年爲静海民築隄障水，豎石禁之。

河渠志十二

津梁

德清傅雲龍纂　江陰繆荃孫覆輯

爾雅：隄謂之梁，石杠謂之徛。一切經音義，二引李巡曰，隄防也。然則積土防水，猶今土橋矣。説文：梁，水橋也。孫奭引説文曰：石矼，石橋也。詩：造舟爲梁。卽今通州東西浮橋俗呼橋船者是。第曰經塗淺矣，圮梁廢徛，溝洫之故跡，往往而有，以稽水道，以復水利，不其重與！志津梁。

大興縣曰大通橋。京城東便門外，跨通惠河，河亦名大通，故以氏橋。明正統三年五月建，正德二年修，隆慶二年，工部郎中崔孔昕又修。國朝康熙中重修。孫國敉燕都游覽志：出東便門，有大通水從玉河出，波流演迤，帆檣往來，可達通州。王在晉通漕類編：大通橋河東至通州入白河，開渠置牐，而漕舟不行，自橋起，至通州石壩四十里，地形高下四丈，中間設慶豐等五閘。王履泰畿輔安瀾志：案明實録，英宗正統二年五月，造大通橋牐成，行在工部撥夫監守，且以隸坿近慶豐牐官，從之。是大通橋牐建於前明也。明河渠志：正德二年，修大通橋。按：隆慶二年修大通橋，見户部郎中蔣凌漢重修閘河記。曰廣濟橋，治北二十里，跨清河，故亦有清河橋目。永樂年建。按：一統志云，宛平北，今在大興境。曰雷家橋，治北二十里，跨榆河。

宛平縣曰盧溝橋，治南三十里，跨永定河，初架木，金大定二十九年，易石。明昌三年三月成，命名廣利。孫光憲北夢瑣言：李匡威少年，與諸俠釣於桑乾河赤欄側。張舜民使遼録：過盧溝河，伴使云，恐乘橋危，以車渡極安而速濟。許亢宗奉使行程録：盧溝橋河水蕩激，每候水淺深，置小橋以渡。近年於西岸造浮橋。三朝北盟會編：宣和五年二月乙酉，金人遣趙良嗣過盧溝，即焚橋梁。金章宗紀：大定二十九年閏月，作盧溝石橋。金河渠志：二十八年五月，詔盧溝河使旅往來之津，要令建石橋，未行。大定二十九年，章宗以涉者病河流湍急，詔命造舟，既而更命建石橋。明昌三年三月成，敕命名曰廣利。有司謂車馬之所經行，使客商旅之要路，請官建東西廊，令人居之。從之。按：盧溝前有木橋，往籍可證。至金章宗時，始易石，規模漸擴。或曰橋始金，非也。元、明修之。明英宗紀：正統九年三月，修盧溝橋。明實録：弘治三年，修築盧溝橋。嘉靖四十一年，尚書雷禮言，橋東岸甃石不堅，當加繕治。報可。蔣一葵渾河記：盧溝橋正統間重修，長二百餘步，左右欄刻爲獅，凡一百狀，數之輒隱其一。畿輔安瀾志：元、明屢加修築。按：橋在石景山西，東岸隄工二十號。國朝康熙元年修。七年，水溢，橋圮東北十二丈，重修。御製碑文，建亭於橋北。雍正十年，重修橋面。乾隆十七年，重修券面，獅柱，石欄。五十年，重修橋面，東西兩陲加長石道。橋東西長六十六丈，南北寬二丈四尺，兩欄寬二尺七寸，東橋坡長十八丈，西橋坡長三十二丈，東橋翅南長六丈，北長六丈五尺，西橋翅南北均長六丈，出土尺有四寸，橋南河面寬七十三丈八尺，橋北河面寬七十四丈五尺。橋空十有一，入深均長二丈六尺，自南起第一空高二丈一尺七寸，東西寬四丈一尺；二空高二丈二尺，寬四丈一尺五寸；三空高二丈二尺一寸，寬四丈二尺五寸；四空高二丈二尺七寸，寬四丈三尺；五空高二丈三尺六寸，寬四丈四尺；六空高二丈四尺，寬四丈五尺，適當河之中流；七空高二丈三尺，寬四丈四尺二寸；八空高二丈二尺七寸，寬四丈三尺五寸；九空高二丈二尺七寸，寬四丈二尺五寸；十空高二丈二尺四寸，寬四丈一尺五寸；十一空高二丈一尺五寸，寬四丈一尺，盡北界止。采訪册。會典事例七百五：雍正十年，題准盧溝橋西邊雁翅，毋得搭蓋房屋，有礙行旅。永定河志六：橋北兩虹間，砌石斧形，自上而下，鑄以三稜鐵刃，以分水勢。東華續録一百一十：乾隆五十二年二月丁丑，修盧溝橋。按：盧溝而下，難可橋矣，即有水梁，非跨經流。曰旱橋，石景山西岸五號土隄，雍正二年，潭柘寺民建，無水，故名。曰長安城橋，治西南跨草橋引河，乾隆四年，總河顧琮架木，長九丈一尺，寬一丈四尺，空七。曰朝宗橋，一統志云：縣北六十里，跨沙河。今無考。曰神虎橋，一名三虎橋，在雙林寺西二里。帝京景物畧：寺西二里神虎橋，四石虎。萬曆中，一虎夜逸，遂名三虎橋。舊聞考：橋三虎，迄今尚存。曰草橋，在右安門外南十里，去豐臺十里。帝京景物畧：草橋，唐時有萬福寺，寺廢，橋存。天啟間，建碧霞元君廟，其北土近泉。燕都游覽志：草橋，衆水所匯。曰樂吉橋。京城古蹟序。曰永勝橋。曰五空橋。已上四橋，跨涼水河。按：燕石集有宜泉橋，舊聞考載郊坰南，云無考。良鄉縣曰琉璃橋，城西南四十里，燕谷店北，明嘉靖二十五年建以石。四十一年修，長四丈五寸，寬三丈五尺，高一丈三尺五寸，添小橋一。明工部尚書雷禮琉璃河橋隄記畧：良鄉縣迤南四十里，村名劉李，地窪有河，志稱琉璃，霪潦阻涉。嘉靖乙亥，勅工部尚書甘爲霖督修，越歲乙巳，復命侍郎楊麒、內官監太監臣陳準、袁亨建石橋，然無隄，每水發，環橋南北，盡爲巨河，病是者又八年矣。會辛酉仲冬，諭尚書徐杲降帑銀八萬兩理之，議築二隄，專用條石，中添小橋一座，并設水溝，以殺水勢。凡爲隄南北、東西共長五百餘丈，橋一座，長四丈五寸，闊三丈五尺，高一丈三尺五寸，水溝八道。又立元恩、咸濟坊凡二，至壬戌孟冬報成。按：辛酉爲嘉靖四十年，溯前八年，非乙巳也。乙巳與乙亥又何得謂越歲耶？楊嗣奇良鄉志載此記，有譌文。陳嵋良鄉志云：琉璃橋，萬曆辛巳修。亦誤。良鄉楊志：橋旁鐵柱，莫考所始，大畧以鎮蛟螭。曰長陽橋，城東北十里石。曰永安橋，城北十里，以上二橋，跨廣陽水。曰石羊橋，城東南十二里前石羊村，石。曰普濟橋，城之南關外，明萬曆三十七年，交道村民顧口修以石。國朝康熙三十六年，知縣傅作楫倡修砌，今圮。已上二橋，跨牤牛河。曰挾括河橋，城西南四十五里，與涿州、房山交界處。明將軍王鐣建。同治八年修。又北曰石橋，同治十一年，知縣高建勳建。曰中石橋，十二年，府尹彭祖賢建。曰四益橋，在琉璃河村東，跨挾括河，光緒七年建。曰長安橋，城東九里，跨籬笆房河。曰安陽橋，城東北。曰仙安橋，城東北七里，已上二橋，跨黃管屯河。曰濟陽橋，城東北三里。曰廣濟橋，城東北四里。曰野谷莊橋，城北九里，亦名雅河橋，已上三橋跨雅河。曰固村橋，城西北三里跨茨尾河。曰護城河橋，東、西、南、北門外各一。曰三空橋，城南一里，跨新引河。曰竇店橋，城西南二十五里。曰白草窪橋，城西南二十七里。以上據一統志，良鄉楊志、陳志。曰通濟橋，在岡窪，雍正三年建。方望溪集：良鄉縣岡窪村新建通濟橋碑記：沛上人嘗興壽因寺於良鄉，每經岡窪村，憫行旅涉河之艱，竭資建石橋，工耗之不就，郡丞得其情，將詰治，乃獲訖工，時雍正三年三月也。越十年請余爲碑記。橋去京城四十里，乾隆二年八月記。

固安縣曰甯遠橋，城東濠上。曰迎薰橋，城南。曰豐樂橋，城西。曰拱極橋，城北，已上四橋，明嘉靖甲子，知縣何永慶建。萬曆辛酉，知縣胡其俊用磚修。崇禎庚午，知縣秦士奇改爲弔橋，架木，後惟南門有木橋，餘圮。曰十里鋪橋，城北十里，跨減河。乾隆四年，總督孫嘉淦以求賢邨草壩出水，舊有遥河，爲京南通衢，架木，長六丈，寬一丈四尺，空五。十一年重修。曰南趙邨橋，城西南三十里，跨金門石壩引河，乾隆四年，總河顧琮架木，長九丈一尺，寬一丈四尺，空七。曰獨流邨橋，城西南二十五里，乾隆四年，總河顧琮架木，長六丈，寬一丈四尺，空五。曰牛坨鎮橋，城南四十五里，乾隆四年，總河顧琮重建，長八丈四尺，寬一丈四尺，空七。按：水至橋下分流，南爲牤牛河，東爲王家河，爲東省至京孔衢。已上二橋，跨金門閘東股引河。曰卧虹橋，在褚家營，咸豐元年修。曰謝家莊石橋。曰東橋，在南柏村，乾隆五十九年修。曰三邨石橋，城西二十餘里，今圮。

永清縣曰南源橋，城南五十步，明弘治中建，今圮。據畿輔安瀾志。

東安縣曰葛漁城橋，城東南二十里，乾隆十二年，總河高斌以永定河下口水沿北埝入淀，因接北埝至葛漁城修疊道三百八十二丈八尺，建單空橋凡三，各長一丈二尺，邨民歲修。據畿輔安瀾志。曰通濟橋，在左奕隄，東跨渾河西界，一名西浮橋，南通益津關，北通耿就橋。據一統志，參東安李志。曰大石橋，城南，跨渾河，一名大通橋，宋時往來互市之地，北通長慶宫，南接信安寨。據采訪册。曰八里橋，即東浮橋，在土樓東罩馬河，南通六道口，北通鳳河。東安李志。一統志云，渾河支流自六道口經此，大石橋之流爲東川，西浮橋之流爲西川，八里橋之流爲南川，是爲三川，晉劉琨守此，以拒石勒。曰小石橋，城西二十里，馬子莊迤南石橋邨，跨渾河故道，遼爲往來牧放處。畿輔安瀾志。曰飛虹橋，城南跨界河川，今無考。按：東安李志云，漢武帝元狩二年建，劉琨曾飲於此。雖據舊志，難可徵信。曰茨平橋，城西。按：東安李志，遼長慶宫有大石橋，今茨平屯乃其舊地。曰濟公橋，縣北七十里，明嘉靖初建。曰永年橋，東沽港中流，明嘉靖二年建。據一統志。曰耿就橋，唐貞觀中，安次城由常道城移于耿就橋行市。已上八橋，今無考。曰隄上營橋，城北，跨鳳河土築，亦呼小土橋。據畿輔輿圖說。曰永豐橋，城北永豐邨。曰永安橋，城東北田莊。曰萬善橋，在皮家鋪田莊，跨龍河，此二橋並民孫萬厫等重建。曰張家務橋，城東土築。曰南昌小石橋，城西北南昌邨，已上五橋，跨龍河。曰廣安橋，在響邨口，跨啞吧河，民徐文彥等重修。據東安李志，參畿輔圖說。曰丈房河小木橋。曰響口小石橋，凡二。據畿輔安瀾志。

香河縣曰拱極橋，城北門外。曰百家灣橋，城北八里。曰安瀾橋。曰雙惠橋。曰青龍橋，已上三橋，在百家灣橋東，跨窩頭河。曰潘兒莊石橋，城南二十餘里，跨王家務減河。據畿輔圖說，參香河劉志。

通州曰雙橋，城西十二里。按：此在三間房南，與大興縣交界。文徵明詩：立馬雙橋日欲斜。即此。曰永通橋，城西八里，俗呼八里橋，有莊，亦呼八里莊橋，明正統十一年敕建，東西五丈，南北二十丈，空三，祭酒李時勉作碑記。李時勉敕建永通橋碑記：通州城西八里有河，京東諸水會流而東，夏、秋交，嘗架木爲橋，或比舟爲梁，數易速壞。內官太監李德以聞，欲建石橋，乃命發漕卒，未三月工就，橋東西五十尺，爲水道三券，券與平底石皆交互通貫，錮以鐵，分水石，護以鐵柱當其沖，橋南北二百尺，兩旁以石爲欄干，作二牌樓，題曰永通橋，上所賜名也。經始於正統十一年八月二十七日，成於十二月十九日。義倉圖：八里橋距楊家閘三里。安瀾志：永通橋在通州西普濟閘東，以去州八里，亦名八里莊橋。曰元寶橋，城內西海子，今廢。曰羅家橋，城內無攩橋東北，士劉文熙架木，道光二十六年，同治五年重修，光緒元年，知州高建勳易石。通州高志：羅家橋在閘橋之西，紳劉文熙修，道光二十六年、同治五年，州人重修，光緒元年，知州高建勳、紳李錫文、毛毓璘、張起勸捐，改石橋。曰無攩橋，在羅家橋西，南跨倉溝，亦通惠河南出小支也，始建未詳，光緒三年重修。通州高志：無攩橋在城西大街，始建無考。曰黃家橋，跨通惠河北出小支，在羅家橋北。通州高志：橋在州城魚市西口。曰通流閘橋，在羅家橋東，道光二十六年建以石。據通州高志。曰通利橋，在通流橋東，民居文炳建，士劉文熙修，架木，道光二十七年，易石。據采訪圖册。曰石橋，西門大街。曰薛家橋，城内東大街。曰東水門内橋，初名板橋，民鄭鐸修，士劉文熙又修，後易石。曰東水關橋，民田大禄建，士劉文熙修。通州高志：在州東關十王廟前。曰善人橋，在土壩北。通州高志：善人橋在東門外。曰西水門橋，初呼板橋，劉文熙重修。曰青龍橋，西門外北。曰新城西關石橋，州人田大禄建。曰戴家橋，新城南門西。曰新城南關石橋，亦田大禄建。曰南糧橋，一統志所謂運糧橋，即此，一名護城河橋，在舊城南，明萬曆中坐糧廳郎中于士廉建。國朝順治十二年，坐糧廳郎中宋翔、州人杜質偉修。曰南薰橋，東關外少南，俗呼哈叭橋，順治間州人楊世揚建，田大禄修。雍正間，知州黃成章又修，更名七星橋，士陳誠撰碑記。道光二十八年，士丁鶴皋易木以石。漕運通判畢昌緒重修哈叭橋滾水壩普渡橋碑記：通州南門外迤東哈叭橋，爲南溪閘洩水之區，順治、雍正間，兩次重修，百餘年就圮。橋之北有滾水壩一座，向係以木爲橋，現已數朽。迤西普渡橋坍塌。州士鶴皋丁君於捐修石路時，請獨力捐修，將哈叭橋加高三尺，滾水壩與普渡橋俱改建石橋。道光二十八年三月興工，閱兩月而竣。一統志：南薰橋在通州之東關外稍南，通惠河上，爲寶坻、香河大路，俗名哈叭橋。通州高志：知州黃成章偕紳士重修，易名七星橋。曰滾水壩橋，在南浦橋北。曰普渡橋，在南薰橋西，已上二橋，初架木，道光二十八年，士丁鶴皋易石。（據吴鍾駿重修石路橋壩碑記。餘詳上。）曰南浦橋，城南，萬曆三十二年建。（詳南浦閘。）圮，復修。曰觀音橋，在城南南、溪寺莊。（按：南浦亦曰南溪，詳南浦閘注。通州高志：觀音橋在州城南門外南溪寺莊。）曰北門外下關橋，初名板橋，後易石。曰天橋，北門外。曰通濟橋，一名卧虎橋，北關月城外，初架木，明萬曆六年，工部郎中李熹、内監李奉易石，天啟七年，内監李永貞修。曰小石橋，初名小木橋，在通濟橋西，道光二十四年易石。曰雙龍橋，在北關，初以木，道光三十年，大興人趙芳、州人何柱菴等易石。曰羊營閘橋，明宣德七年修。（行水金鑑一百七引明實録。）今廢。已上諸橋，跨通惠河經流枝津。曰善橋，初名草橋，在通州東北平家疃西，咸豐七年，王振綱等建，同治六年，劉鳳苞等修，更名。曰三空橋，城北雙埠頭西，富豪莊東，架木，同治三年，王德瑞等易石。（通州高志：雙埠頭，城北十二里。）曰東浮橋，在城東北四里隆旺莊西。（畿輔輿圖。）先是，明洪武二十四年，北平布政使司左參政周偉言，通州白河橋圮，修築勞民，舊糧船六十餘艘，宜改浮梁。議行之。永樂十五年修通州城東富河橋，宣德三年又修，四年改用官船爲梁。正統元年，造白河浮橋，以馬快船、運甎船爲之。九年修富河白河橋。（據明實録。）橋久圮，置浮梁。（舊聞考。）國朝移城北。康熙十八年，設船五十，夫四十五。十七年，拆造橋船二十有二，分設東西兩河，西即榆河也，夫二十。乾隆三十七年，榆河增船九，將舊船悉爲白河浮橋，夫二十二。（會典事例七百八：康熙十八年，將順天府通州額設橋船五十内，撥給三河縣泃河六船。五十七年，拆造通州橋船二十二，作爲定額。雍正八年，通州橋船定限十年拆造，仍照舊例，拆造三年後，每船給歲修工價錢三兩，桐油十二斤，川麻三十六斤，歲修之年爲始，間年給長二丈一尺、徑一尺三寸松木二根，長一丈一尺、徑一尺四寸松木六根，以資修埝。其搭造浮橋需檁木板片，五年增補一次。通州高志：浮橋舊在州東門外羅家口，設船浮白河上。明洪武三十四年，巡撫洪鍾建。正統元年冬，造白河浮橋，以馬快船及預備運甎船爲之。舊例，密雲道委千總駐防衛撥軍夫十八名，州撥民夫六名看守。萬曆三十六年，工部員外郎陸基恕，憫橋户消乏，檄知州陳隨，詳准將修橋銀量加毫釐，照例派徵，遇修橋年份，請部委官修理。自是橋户紓困。國朝改移州北門外水淺處，修理橋船經費，請部發帑。額設橋船五十，本州僉派橋夫四十，每名月給米七斗五升。嗣改二十二船，分設東、西兩河橋，夫二十名，每名月給工食銀九錢七分五釐。乾隆三十年，部准在地糧項下動給。三十五、六兩年，河水漲發，河岸沖刷寬闊，原設二十二船，不敷搭濟，加用十八船，雇自民間不便。三十七年，知州龍舜琴詳准添設九船，將原設二十二船盡歸東河，新建九船撥西河，新船共銷銀一千五百二十九兩二錢三分五釐，樗檁椿板，准銷銀五百七十五兩二錢三分，在司庫大工節省并耗羡銀内動用。又因新舊三十一船，原設夫二十名，不敷，照添夫九，將二十名工食，攤給二十九名。東河二十二船，用夫二十二，西河九船，用夫七。橋夫自行議定，按月輪管。每年九月蓋橋船，次年四月拆卸，三年大修，十年排造，每年油艌一次。曰紅橋，城東三里鑾子營。曰土橋，張家灣北二里，初架木，明時易石。曰虹橋，城東三十里，明宣德三年渡潞河，駐蹕虹橋，即此。國朝乾隆四十五年，天津士王起鳳修。曰漷縣城門橋，東、西、南、北凡四，今存北橋，已上跨白河正支諸水。曰西浮橋，在城北三里，跨榆河，在白河東浮橋之西六里許，初造船二十二，與東浮橋分設，乾隆三十七年，以舊橋船歸東，於此置新船九，夫七，歲于九月比爲梁，四月去。注詳白河東浮橋。曰西牛家務橋，初名土橋，嘉慶十年易石。曰東趙村橋，初名土橋，咸豐三年易石。曰絳橋，城外，已上三橋，跨窩頭河。曰馬駒橋，城西南三十里，一名壓渾，初架木，明天順七年易石。據通州高志。長二十有五丈，洞九，賜名宏仁，大學士李賢撰碑記。李賢宏仁橋碑記：都城之南，一水横于巽方，其源由兑而坤，而離，四來沮洳，會而爲河，至巽乃有一大津，在南苑左，去城四十里，每歲駕木橋，然寒沍不免涉冰。天順癸未春，命創建石橋，所需不干於民，木石灰鐵以萬計，長二十五丈，廣三丈，爲洞九，以釃水爲闌于兩旁，經始四月十五日，訖工十月一日，賜名曰宏仁橋。國朝乾隆三十八年，發帑重修，明年二月建碑。御製重修馬駒橋碑記：水自南苑出者二：其南源曰團河，出南苑牆東南，釃爲鳳河，又東滌永定之濁，由大清河以歸海，向固疏治之矣。其北源曰一畝泉，出新衙門北，屈曲東南，流逕二牐，涼水河自北來會之。涼水河者，出右安門西南鳳泉，東流，逕萬泉寺分爲二：其一，南逕草橋，曲折東注；一自北逕廣恩寺，曲折東注，至永勝橋，復匯爲一。東南流，循南苑繚垣而東至小紅門之西，入苑牆東南，逕沙底橋，折而南，與一畝泉合，又南而東至鹿圈村，三海子以上之水，自西南來注之。又東南流，穿苑垣而出，逶迤至張家灣，入運河。是水之初出苑垣也，渶演歕欲，千溜一趨，瓴如矢如迴，激弗止。則有巨鍵之曰馬駒橋，建自勝國。歲渝寖以圮壞，農旅交病，石阤入水，水梗或溢出妨民田廬，而中澀則旁淤，間塞水所由道，益不可以不亟治。乃命將作相視，因其舊材，撤而新之，縱之得丈二十有五，横之得尺亦二十有五，爲孔洞者七，視昔制雖少狹，而壯固有餘，工始於乾隆三十八年之春，越其冬落成。夫治水者，必溯其源，由源而及其支流條派，剔之釁之，乃可以不紊。今一畝泉源委既以剗治，而涼水河所逕，漫流積潦，寖成沮洳，爰自鳳泉至馬駒橋，濬河八千餘丈，修葺橋牐凡九，新建牐五，即以濬河之土，於右安門外築甬道一千餘丈，以便行人，其河旁稻田數千頃，既墾且闢，益資灌溉之利，而兹橋實下游關鍵，暢尾閭以利導之，尤施工之弗可已者。若前代著述家睫視臆論委以玉泉，傅合南海子之水，舛錯糾紛，至可嗤笑。曩賦海子行，曾詳著其說，兹因所司請記，復爲詮敍水道大畧，俾方來圖經輿記，知所考據，而若河，若塗，若橋，皆王政之大端所繫綦鉅，毋廢毋墜，誠有司所當務。書之碑，用示來許。曰水南邨橋，漷縣故城西三十里。曰新河店橋，在漷縣故城，架木，冬置，夏撤。曰通運橋，在張家灣城南，初名南門板橋，圮，萬曆三十三年，內監張華易石。國朝咸豐元年，丁鶴臯修。曰善人橋，在張家灣城南長店，初壘以小石，明萬曆三十三年，張華易以大石。此又一善人橋。已上跨涼水河新舊水道。曰韓公橋，在東路廳署，康熙二十七年，同知韓鎬建。曰趕驢橋，州新城西門內。曰棗林石橋，在州城南二十里棗林莊東，同治六年，士蘭福昌、落瑞建。曰通濟橋，在張家灣南門外，架木，光緒四年，士姚守忠、馬鳴珂易石。曰乾石橋，州城鐘鼓樓北。曰花園橋，在雙橋西一里許。曰天津橋，在漷縣城西北二十五里，元總管郭汝梅建。據通州舊志。曰南雙橋，在城南四十五里，對城西雙橋言也，今邨猶以橋名。曰廣濟橋。曰煙墩橋，並在張家灣。曰廣福橋，張家灣接待寺前。曰彌陀橋，一名鮮魚橋，亦在張家灣。曰通利橋，在彌陀橋北。曰廣利橋，初名雞鵝橋，在張家灣北。

三河縣曰燕口橋，在城東燕兒莊西。畿輔輿圖。曰錯橋，城東南五里，畿輔輿圖。一名草橋，一統志。明宣德三年修，明實錄：宣德三年七月，三河縣奏：錯橋東通遼海，西達京師，五月山水壞橋，甃石缺，乞撥軍夫工匠，於華山石廠取石修砌。從之。長安客話：錯橋在縣東五里七渡河，橋名最古，載入名勝志、燕石集。後圮。國朝康熙十八年，設橋船四，撥自通州橋船。據會典事例七百八，及三河陳志。冬架木。據畿輔圖說。已上二橋，跨泃河。曰永濟橋，在南門外，一統志謂之小河橋，跨泃河支流，初架木，明正德十二年，縣人張明易石，大學士楊一清作碑記，萬曆四十六年，知縣張所蘊重修。國朝順治七年，知縣孟希舜，康熙三十年，知縣熊繹祖修。楊一清三河縣泃河石橋記：城南百餘步有河，古泃河也。東通錯橋，西達金雞壇，歲修浮橋。御馬監張鋭，邑人也，謀于其兄後軍都督張明，伐石築，長三十步，高五尺，正德十年十月成。朱國俊重修泃河橋記：張明創橋，今百五十年，圮，邑侯孟公重修，始于庚寅三月，迄六月。曰蔡官屯小石橋，在城西北，跨泇河分支。畿輔圖說。曰夏店馬東石橋，凡二。曰南馬房小石橋。曰趙各莊小石橋。曰白家莊小石橋，凡二。曰薄各莊小石橋。曰大府莊小石橋。曰韶道菴小石橋，凡二。曰神靈小石橋。曰賈管營小石橋。已上十一橋，跨鮑邱河。據三河陳志。曰小顧現莊小石橋，跨顧現河。曰夏店西小石橋，跨麻兒窩溝。曰胡家橋，跨月池溝。曰新店東石橋。曰三官廟小石橋。曰南店南口小石橋。曰河東興隆店石橋。曰石碑西小石橋。曰石碑東石橋，大、小各一。曰不老淀小石橋。曰渠頭大石橋。曰黄鎮莊小石橋。曰黄土莊小石橋，凡二。曰雙邨小石橋。曰楊家橋。已上十四橋，均跨溝。曰烈虎橋，在樊各莊北，石柱，木面，跨山澗。

武清縣曰堠上落虹橋，石。曰桐林橋，卽扶頭橋也，城東北十五里，水北爲扶頭邨，水南爲桐林邨，故互稱之。曰漫漫橋，城東少北十里，狗塚邨東。曰新莊橋，石。曰徐莊橋，石。曰楊莊橋，亦呼楊店橋，城東十里。曰泗邨橋，城東南二十里。曰南宫橋，城東南三十里。曰柳巷橋，城東南三十八里。曰黄家橋。曰東洲橋，城東南四十里。曰龎莊橋。此十一橋皆石。曰程莊橋，亦呼程校尉橋，城東南十五里。曰艾甫莊橋，城東四十里。此二橋皆土。曰小營橋，木。已上十五橋，跨鳳河。曰馬莊橋，石。曰陸掘河橋，石，亦名大石橋。曰朱馬頭橋。曰六大莊橋。曰唐房橋，凡二。曰大康莊橋。曰吴辛莊橋。此六橋皆木。曰頓邱橋，在城東南四十里筐兒港西。曰梅廠橋，城東南。曰大石橋，城東北十五里，乾隆五年，監生李志培修。曰韓勝橋。此四橋並石。已上十二橋，跨筐兒港減河。曰王務橋，城北二十里，今廢。武清吴志。

寶坻縣曰武曲橋，在縣城學宫東北。曰文明橋，學宫東南。曰階升橋，泮池東渠入水處。曰漱潤橋，泮池出水處，或云舊名升僊。曰雲津橋，泮池南。曰拱都雙橋，在文昌閣前。曰通津橋，初木，易石。已上八橋，惟雙橋爲士王詢等建，餘俱乾隆七年知縣洪肇楙重修，均跨内城河。曰海濱橋，城東。曰廣川橋，城南。曰望都橋，城西。曰外渠陽橋，城北。曰平政橋，亦城北。此五橋明弘治中知縣莊襗建，均跨外城河。按畿輔輿圖，政作雙。曰何家營橋，城西北二十五里。曰大吴家橋，城東北十三里。曰小月河橋，城東南八十六里，界甯河縣之大月河，乾隆七年建。已上三橋，跨薊運河。曰彪陷店橋，城西二十里。曰朱家鋪橋，城西十五里。曰黑豆窩楊家橋，城西南八里。曰西石橋，城南五里。曰李各莊橋，城東南十八里。曰口東莊橋，城東南二十里。曰張各莊橋，城東南二十里。曰張司馬莊橋，城東南二十五里。曰下王各莊橋，城東南三十里，圮。曰周家莊橋，城東南五十里。曰石橋，二，光緒十年，總督李鴻章、府尹周家楣建。已上十二橋，跨窩頭河。曰楊家口橋，城東十三里。曰溝頭莊橋，城西北三十里。曰齊河務橋，城北五里。曰高八埊橋，城東八里。曰王補莊橋，城東南二十五里。按：此爲鮑邱與窩頭合流處。曰石橋，五，談家鋪下，王卜莊上。光緒十年，總督李鴻章、府尹周家楣建。已上十橋，跨鮑邱河。曰茶棚菴橋，城西南三十五里，今廢。曰口下哨橋，城西南四十里，圮。曰牛家排橋，城南四十五里。曰苑紅橋，城南六十里。已上四橋，跨褭鹹口支河。曰竇家橋，城西十五里。曰朝霞店橋，城西八里。曰韓家橋，城東南里許。已上三橋，跨古泃河。甯河縣曰東門橋，石，乾隆八年建，三十八年修。曰西門橋，石，乾隆九年建。曰北門橋，大、小橋各一，在西城莊，並木，乾隆六年，知縣洪肇楙建，四十三年修。曰通濟橋，西關莊北。曰廣濟橋，西關莊東，此二橋初架木，乾隆十二年，談有序重修，二十六年易石。曰張家橋。曰任家橋。此二橋並在西關莊，乾隆十二年談有序重修，二十六年又修。曰東窩莊橋，在莊東，石，雍正二年修。曰南沽莊橋，二，初架木，乾隆三十七年，知縣黄紹魁易石。曰米廠莊橋，在莊南，初架木，乾隆七年易石。曰木頭窩莊橋，在莊西南，初架木，乾隆十六年，知縣李之蓉易石。曰馮家臺橋，在莊東，大、小凡二，雍正七年建。曰青泥橋，凡二，一莊北，一莊南，雍正六年架木，乾隆四十二年易石。曰劉可莊橋，在莊西南，石，乾隆二十六年建。曰江窪口橋，石，萬曆二十四年苗從美建，乾隆三十三年修。曰板橋莊東橋，石，乾隆三十九年建。曰板橋莊西橋，架木，雍正八年，民鮮惠修。曰青坨莊橋，在莊南，大石橋三，小石橋二，康熙四十年，民李思德建。曰苗家莊橋，在莊北，康熙三十九年修，乾隆六年重修。曰閻家莊橋，架木，雍正三年建，乾隆四十三年李漢章修。曰大月河莊橋，雍正十二年架木，乾隆十五年修，三十年易石，名永甯橋。曰王御史橋，在莊東，初架木，乾隆四十二年易石。曰蘆臺橋，東、西、南各一，並石，乾隆十年修。曰蘆臺河北橋，石，乾隆三十六年重修。曰漢沽莊橋，在莊北，初架木，乾隆三十四年易石，名永濟橋。曰漢沽莊木橋，在莊西北，乾隆三十四年重修。曰鐵獅坨橋，在莊北，架木，乾隆四十三年修。曰營城橋，在莊東，初架木，乾隆三十年縣人邵承富易石，名允穀橋。曰營城莊橋，在莊東，乾隆三十九年重修。曰屠公橋，在潘莊王家務河，初以船，乾隆十八年，知縣屠祖賚修。曰潘莊橋，在莊東，石，雍正四年建。曰南淮魚淀莊橋，在莊西，架木，雍正九年建。曰造甲城莊橋，石。曰東隄頭莊西橋，雍正六年架木，乾隆四十二年易石。曰東隄頭莊東橋，石，康熙三十二年建，乾隆三十八年修。曰西堤頭莊橋，康熙三十五年架木，乾隆十八年易石。按，此界天津。曰北塘莊木橋，在莊南，雍正八年建，乾隆二十八年修。曰北塘莊石橋，在莊西南，乾隆四十一年，知縣關廷牧建。曰新河莊南木橋，乾隆三十九年，商人許賢修。曰新河莊東木橋，乾隆十九年重修。曰新河莊北木橋，乾隆二十三年重修。曰塘兒沽橋，乾隆二十年架木。曰甯車沽新河橋，凡三，並石。一、赤城灘，一、甯車沽，一、傅家堼，同治十三年，直隸總督李鴻章令知縣李賡雲建。曰石橋三，曰木橋一，並跨罾口河，光緒十年，總督李鴻章、府尹周家楣建。曰西門外襟河橋，初木，後石，廢。采訪冊。

昌平州曰安濟橋，在鞏華城南，明正統十三年，命工部右侍郎王永壽建，嘉靖二十年重修。曰朝宗橋，在鞏華城北，明正統十三年建。曰湯山馬房橋，在馬房邨南。已上三橋，跨沙河。曰立水橋，在太平莊南五里，跨清河。曰老官橋，在小湯山邨南。曰永安橋，在城南。曰迎恩橋，城西北二十八里。曰永福橋，城西南三十五里，榆河邨北。曰三水橋，城西南四十五里。曰史家橋，城西南二十里。曰芹城橋，芹城村西。曰南莊橋。曰牛房橋。曰香屯橋。曰葫蘆河邨橋。已上四橋，跨芹城水下流。曰七空橋，曰五空橋。已上二橋，在明陵大紅門内。曰紅橋，城西南十五里，元文宗爲燕鐵木兒建祠立碑處，今橋廢，而邨仍舊名。曰永甯橋，城西南十八里，跨雙塔河，廢。曰永通橋，城西南，跨通榆河故道。曰石橋，元時建。元黃溍昌平州石橋記：由都城北抵上京，驛十有二，而昌平縣當其第一驛，水逕闤闠中，橫絶通衢，縣尹畢侯架以石爲橋，其修六、七丈，其廣得修四之一。畢名文質。今無考。昌平宋志。

順義縣曰東門橋，平秩門外。曰西門橋，晴嵐門外。曰高郎橋，城東二十五里。曰魯各莊石橋，城東北二十五里。曰北采橋，城東北十八里。采一作來。曰薛各莊橋，城東北十八里。曰疊翠橋，城北，廢。據一統志。

密雲縣曰超渡橋，石橋，城東北四十里，跨金溝水。曰山安口石橋，城東北五十五里，通石匣城道。曰白河澗石橋，城東北七十五里，跨黑龍潭水。曰古北口石橋，城東北一百二里，通古北口正關道。密雲丁志。

懷柔縣曰東大橋，城東北房家莊之西北，空凡二十，跨白河。曰西大橋，城西一里，空十，跨七度河。曰南富樂橋，城東一里，石面，架木，空二，跨小泉河。曰王化莊橋，在城東王化莊東，空六。曰疊道小橋，亦在王化莊，跨雁溪河，下有深潭，西地沮洳，疊土爲道，二里許，稱疊道云。懷柔吴志：已上五橋皆在御路，每歲四、九月，工部遣官監塔噶堦爾氣驗之，康熙五十五年，部議工料銀共一百零五兩三錢，著爲例。

涿州曰永濟橋，舊名巨河橋，城北，明萬曆二年建以石，高廣各二丈，長三十丈有奇。據張居正碑記。十六年修改，空凡九。據李廷機碑記。天啟六年又修。國朝乾隆二十四年十一月，直隸總督方觀承以河流北徙，請改修之，據漢名臣傳二十九。明年橋成，空凡九。舊橋改葺石堤，下爲涵洞十有八，直接新橋，長二百丈有奇。賜名永濟，有御製碑記。道光三年，水嚙其北，知州包棻重修。十五年，知州趙庭椿又修。咸豐七年，知州張和又修。同治十二年，總督伯李鴻章復修之。曰挾河石橋，城北二十五里，明將軍王鏜建。國朝同治八年修。曰胡良橋，城北口十里，明萬曆二年建，高廣各二丈，長三十丈有奇。據張居正碑記。按：州志引穀城山房筆麈，萬曆甲戌，詔發帑爲橋涿之胡良河。曰范水草橋，城西，架木，跨巨馬河。據一統志。曰乾石橋，城南。

房山縣曰韓邨河橋，城南二十五里。曰段家橋，城西南五里。曰獨樹河橋，城西南四十八里。曰石窩西店橋，城西南五十里。曰黑石岡橋，城西南四十里，獨樹村北。曰公主墳橋，城東北十八里。曰磁家務橋，城北二十里。曰坨頭邨橋，在邨東南。曰沿邨橋，城西南三十里。曰西峪寺橋，城西南六十里。曰長溝橋，城西南三十五里。曰謍石橋，城南三十里。曰西東橋，城南三十里。曰甘池橋，城西南三十里。已上十四橋，皆石。曰鎮子營板橋，城西南六十里。曰蘆邨河板橋，城東南十八里。

霸州曰柏木橋，城南四十里瑞麥屯，康熙元年隄決，毀。曰通濟橋，嘉善廂玉皇閣前。曰石橋，信安鎮，北宋楊延朗建。曰磚橋，城東邊家河。曰板橋，凡三：一、信安鎮西，通楊延朗城，一、信安鎮東，一、堂二務，楊延朗城，即信安城，在城東五十里，古爲淤口關。已上七橋，跨永定河故道，廢。據畿輔安瀾志。曰北落店利濟橋，城西北，乾隆十八年重修，高一丈六尺，寬一丈八尺，長六丈五尺，跨東股引河。曰永濟橋，城東南二十里苑家口，亦名苑家口橋，明弘治十一年，知州劉珩建。據顧清霸州修河繕城記。國朝康熙三十三年敕修。據一統志。同治十一年重修，中空增高二尺，據霸州知州周乃大稟。跨清河。曰裕順橋，城老隄頭，架木。曰廣惠橋，一名安濟橋，城東南十五里栲栳圈，架木。曰魚廠邨橋，亦名利濟橋，城東南，架木，圮。據畿輔輿圖。曰通濟橋，亦在魚廠邨，雍正六年架木，乾隆初易石，道光二十一年修。崔廷詔重修通濟橋記：橋起于雍正六年，魚廠村人彩雲李君與其姪敬先架木，乾隆初，敬先購石成橋，與村人王興等爲之。道光二年壞。二十有一年，其村李士端、李誠一、李彩中、王越重、李思齊、李建峯、王鳴歧、李占鰲、李誠三、李恆久、葉永和、李逢泰、李兆臣，商于楊家莊恭菴高君，高命其姪炳勸輸督工。曰中亭橋，在河尾，故名。已上五橋，跨中亭河。曰城門橋，凡四，當城之門，明弘治十一年建，跨護城河。據顧清霸州修河繕城記。曰蘇家橋，城東南二十里，文安縣北四十里交界處，光緒七年，清河道史克寬重修。據采訪册。

文安縣曰弔橋五：一東，一南，一小南，一西，一北，各當其門。北橋廢。曰勝芳橋，凡三：一鎮西，一鎮東，一鎮北，跨清河北支。曰石溝石橋。曰橋兒窪橋。曰柴溝水橋，城東南柴溝邨。曰石漕河橋，城東北石漕邨。曰大甯橋，城東南八里曲隄店，廢。曰急水河橋，廢。曰脖項骨橋，廢。已上六橋，跨子牙河故道。據畿輔安瀾志、文安楊志。

大城縣曰城門橋，凡四，康熙十一年，知縣張象燦重修。曰小石橋，城東南二十里賴二莊。曰白洋橋，城東南十二里，架木。曰南趙扶橋，城東南十里，架木。曰姚家馬頭橋，城東北十餘里。曰子牙鎮橋，城東北三十里，架木。曰王家口橋，一統志所謂普濟橋卽此，城東北五十里，明成化年架木，萬曆四年，知縣趙汝思修。已上五橋，跨子牙河。畿輔安瀾志云，王家口橋，西黑龍港河上，非也。曰通津橋，明萬曆四十六年，知縣梁綱言水患，云大城之滹沱河諸水，由河間轉入縣東北，會王家口，經通津橋。今無考。

薊州曰溵溜橋，城南十二里，土木爲之。曰上倉橋，城南三十里。曰板橋，城南康各莊。曰白龍港橋，城南六十五里。已上四橋，跨薊運河。曰西板橋，城西南六十里馬道莊。曰大板橋，城西南六十里侯家營。曰亮水橋，城西南六十里三岔口。已上三橋，跨泃河。曰永濟橋，城南五里，跨沽河，初名沽河橋，明天順四年以石建，更名，三十四年，拓之，圮，易木。明御史永濟橋記：橋之創無可考，永樂間，水大作，河徙北，而橋淤爲平地。正統戊午，守土者一嘗疏通，未幾復南決，迄今二十餘年，冬涉夏渡。天順庚辰，守備薊州署都指揮僉事劉公輔請于朝，發坿近軍二千人，開故道爲河，壘石爲橋，始工是年二月己未，落成於三月己卯，橋在前門南五里許，舊名沽河，以潰決無恒，改今名。明祭酒成憲增修永濟橋記：萬曆辛丑，高唐杜公飭兵于薊，甲辰、乙巳大雨潦，橋益圮，乃出俸金六百七十七兩有奇，米二百石，諸官士民助金千二百五十八兩，米三十石，經始于甲辰五月，訖工於丙午四月，自舊橋增修石橋，長二十丈五尺，廣二丈一尺五寸，崇一丈九尺餘，舊橋得新橋爲倚護。按：梨河亦曰沽河。曰通濟河橋，城西五里，亦名五里橋，跨沙河。曰現渠橋，城南十六里石橋莊，東跨現渠河。曰龔家橋，在東門内。曰郭家橋，在南門内。曰東門城河橋，康熙四十二年，民姚文重建。曰龍石橋，城東。曰西門城河橋。曰西五里橋，城西五里，架木。曰刀子營橋，城西七里，康熙四十二年建。曰南門城河橋。曰豪門橋，城東二十里。曰窰鋪橋，窰一作姚，城東三十里窰鋪莊東。曰景家橋，城東二十三里馬伸店西。曰馬伸橋，城東三十五里馬伸店西栅外。曰店東橋，馬伸店東栅外。曰牛頭山橋，城西二十五里大孫各莊西。曰店中橋，城西三十里邦均南店。曰獻橋，城東南二十五里獻橋莊西。曰亮水橋，小石橋，並在城西南三十里棒莊屯南。此又一亮水橋。曰破石橋，城西南四十五里李家莊西。曰毛家莊石橋，城西南五十里毛家莊西。曰新石橋，城東南二十里鋪西。曰上碾頭石橋，城東二十五里上碾頭東。曰西石橋，城東南五十里枯樹莊西。曰郭家橋，城南三十里八溝莊西。曰梁家橋。曰莫家橋，此二橋在八溝莊中。曰雙橋，八溝莊東。曰殷家橋，八溝莊南。曰東大橋，城西四十里小漫河東。曰西大橋，小漫河中。曰馬龍橋，城南五十里馬龍港。曰板橋，城南五十五里康各莊。曰界橋，城東南六十里黄土坎東。曰太和橋，城南六十里太和莊。曰廟西橋，城東南六十里薛官莊西南。曰東土橋，城東南六十五里迷王會。曰西板橋，迷王會東。曰中界橋，城東南六十五里喬家菴西。曰莊前橋，城南五十二里蒙家圈中。曰南石橋，城南四十里半圈莊南。曰大石橋，城西南三十里張家店南。曰普濟橋，城西南四十五里青淀莊。

平谷縣曰東門橋。曰西門橋。曰馬各莊橋，城東。曰楊各莊橋，城東南。此二橋跨泃河。據畿輔輿圖。曰洩水橋，城西，明隆慶五年，知縣劉愛條陳疏通六渠入河，此其一也。曰魯家莊橋，城西十里。曰周邨橋，城西南。此二橋跨周邨河。據畿輔輿圖。曰解骨橋，城西北十里。曰小碾頭橋，城南五里。曰高家石橋，城西十五里。曰龍家務橋，城東五里。據平谷朱志。

其渡：宛平縣曰長安城大渡，在永定河南二工。

良鄉縣曰趙邨小渡，城東南。在永定河南三工。曰黃土坡渡，城西南三十八里。曰小店渡，城南三十五里。曰路邨渡，城南四十里。已上三渡，均琉璃河。據良鄉陳志。

固安縣曰十里鋪大渡，在永定河南四工。

永清縣曰曹家務小渡。曰南戈奕小渡。此二渡在永定河南五工。曰雙營邨小渡，在永定河南六工。曰辛安莊渡。曰北戈奕渡。曰盧家莊渡。已上三渡，在永定河北四工。

東安縣曰垂楊渡，城東南之東沽港北，夾岸垂楊數里，而遥下通静海。據一統志，參采訪册。

香河縣曰石灰廠渡。曰王家擺渡。曰江廟渡。曰雙街渡。已上四渡，均運河。

三河縣曰泃河渡，康熙十八年給船六，撥自通州橋船。據會典事例七百八。又云，乾隆八年，議准，泃河渡船歲給修艌銀四兩。曰錯河渡，城東南五里。畿輔圖說。

武清縣曰河西務渡。曰蔡邨渡。曰楊邨渡。曰黃莊渡。曰旱溝渡。已上五渡，均運河。

寶坻縣曰白龍港渡，城東二十里。按：一統志，二十八里。今據畿輔輿圖，寶坻洪志。船一。曰北潭渡，城東三十里，先是渡在三岔口，明萬曆中，知縣丁應詔塞三岔口，移渡北潭。船十。曰三汊口渡，城北十里，即三岔口渡，復置之。曰新安鎮渡，城東四十里。船一。曰新集渡，城西北四十里，船一。先是，明時渡在黃甫營後，今移此。曰張窩頭渡，城東南八十五里。已上六渡，均薊運河。曰八門城渡，城東南八十里。曰新馬頭渡。曰楊馬頭渡。已上三渡，均袖鹹河，其後二係明時渡，今無。

甯河縣曰東窩莊渡，城東。船二。乾隆八年，縣人談有序、陳玉崑捐設。乾隆二十二年，縣人劉玉倉、劉岐山重修。三十八年，縣人談有序、士杜懋綸、劉格臣、邵景東等重修。同治十三年，知縣李賡雲勸修。大渡船二，小渡船一。曰江窪口渡，城東北。船二。明萬曆二十四年，苗從美設。國朝康熙二年，孫哲元重修。四十六年，孫國屏等修。乾隆七年，孫成業、孫國柱、靜維昇等重修。三十二年，孫緒武、靜維昇等重修。曰埋珠莊南渡，城西北。船一。明萬曆年修。曰蘆臺渡，城南三十里。船二。雍正八年修。乾隆二年、十年、二十年、二十八年、三十七年、四十三年、光緒二年重修。曰北塘莊渡，城南九十里。船一。乾隆二十四年修。曰窑上莊渡。船一。雍正元年修。曰北窩莊渡，船一。乾隆六年，縣人談有序、陳玉崑設。二十三年、三十八年重修。曰小楊莊南渡。船一。乾隆八年，談有序、陳玉崑設。三十八年，士杜懋綸、劉格臣、邵景東等修。曰米廠莊西渡。船一。康熙年建，乾隆八年修。曰任鳳莊北渡。船一。乾隆二十七年修。曰馬杓沽渡。船一。乾隆十五年建。曰南澗沽渡。船一。曰孟家莊南渡。船一。曰李家沽北渡。船一。曰劉家莊東渡。船一。乾隆三十七年設。曰造甲城莊東南渡。船一。乾隆十五年設。曰甯車沽莊北渡。船一。乾隆三十八年設。據一統志。已上十八渡，均薊運河。曰梁城渡，城南一里。

昌平州曰月兒灣渡，城西南，榆河。（畿輔輿圖。）

順義縣曰牛欄、白河、梭草郵渡。（船三。按：畿輔輿圖云，牛欄山渡，梭草郵渡。今依順義黃志、采訪册。）曰李家橋渡。（船一。）曰北河渡。（船一。）曰河南郵渡。曰捧伯郵渡，亦名風伯渡。（船一。）曰新莊渡。（船一。）曰榆林渡。（船一。）曰向陽郵渡。已上七渡，均白河。

密雲縣曰白河渡，城西三里。（通京師道。）曰白河秀家莊渡，城西二里。（通大水峪道。）曰白河旗鼓莊渡，城北二十里。（通石塘路道。）曰潮河渡，城東北九十里南天門。（通古北口城道。）曰潮河河南塞渡，城西南三里。（通夾山道。）曰潮河迎水郵渡，城南五里。（通銀冶嶺道。）曰潮河白巖渡，城東八里。（通牆子路道。）曰潮河柳林營渡，城東北一百三里。（通柳林營道。按：會典事例七百八，雍正元年奏云，古北口灤河設渡河四，交與汛官辦理。十年題，古北口灤河渡船朽壞，改造二船，又別設渡船二，增橋船十四。乾隆八年奏，密雲縣潮河、白河設大渡船二，小渡船四。）

懷柔縣曰東、西兩河渡，各一。（水手二十。據懷柔吴志。）

涿州曰向陽渡，城東向陽郵。曰佟郵渡，城東。曰茨郵渡，城東茨郵。已上三渡，巨馬河。

霸州曰苑家口渡，城東南苑家口玉帶河。

大城縣曰白洋渡，城東南十里。曰姚馬渡，亦呼姚家渡，城東北二十里。曰臧莊渡，城東北二十餘里。曰驀門渡。曰十里灣渡。曰次花渡。均子牙河。

保定縣曰柏橋渡，城南柏木橋，古柏卧流如倚可渡，故名。據畿輔安瀾志，參畿輔圖說。

薊州曰上倉渡，城南三十里。曰蕭各莊渡，城南二十里。按：一統志云，城南十二里。今據圖册。並薊運河。

平谷縣曰東河渡。曰寺渠渡。曰周邨渡，城西南。曰鹿角渡，亦呼鹿渠渡，城西。據平谷朱志。

德清傅范初校

河渠志十三

水利

德清傅雲龍纂　江陰繆荃孫覆輯

周官：大司徒率遂人治野，夫間有遂，十夫有溝，百夫有洫，千夫有澮，萬夫有川。王畿之内，稻人設專官，蓋稻爲農本，畿内又天下之本也。然則順天之營稻田，不綦重與！明邱濬大學衍義補曰：京畿地勢平衍，莫若少仿遂人之制，以河爲主，爲大溝，廣一丈以上者，達河；開小溝，廣四尺以上者，達大溝；又細溝廣二、三尺以上者，達小溝。國朝沈夢蘭五省溝洫圖説曰：先視通河爲川，次視小水，每距二十里爲一澮，川縱則澮橫，每距七百二十步爲一洫，横距八十步爲一遂，縱距二百四十步爲一溝，其説爲營田設，即爲治水設也。必水盡治，而後營田。道光三年，舉而復輟，職是之故。溯雍正年所營府屬州縣稻田凡十三萬三千畝有奇，中熟之歲，畝出穀五石，爲米二石五斗，凡三十萬二千五百石，舉而不廢，年增一年，萬世根本之利在是矣。兹爲篇二，首成效，次集説。志水利。

成效第一

康熙四十五年三月壬戌，大學士等議，如直隸巡撫趙弘燮疏，開水田。諭：此處水田，不比江南，與甯夏、澤州等處水田約畧相似，大都俱恃開溝以引河水。今直隸河道，處處俱通，若開通三河縣河，亦可直抵薊州。昔開護城河，甚有利益。今朕又欲開濬清河。此河一開，於右翼人衆亦大有利益矣。雍正二年，御史顧如華奏：復井田于固安縣城南七十里四鋪頭、小營子邨之間，畫井田二百頃，遺區尚在，曰試行井田處。固安陳志。三年十一月，命怡親王允祥、大學士朱軾勘直隸水利事。據東華録，參畿輔水利初案。疏言：北方本三代分田授井之區，有流泉潮汐之滋潤，農田利興則泛濫害消，惟小民難與慮始。請擇薊州、文安、霸州等處，設官經畫熟田，歲納十一。怡賢親王營田疏：北方本三代分田授井之區，而畿輔土壤膏腴，甲于天下，東南濱海，西北負山，有流泉潮汐之滋潤，無秦晉巖阿之阻格，豫徐黃淮之激盪，言水利於此地，所謂用力少而成功多者也。潤物者水，其爲人害者，由人之不能用水也。農田之利興，則泛濫之害消。惟是小民可與樂成，難與慮始。請擇沿河瀕海、施功容易之地，若京東之灤、薊、天津，京南之文、霸、任邱、新、雄等處，各設營田專官，經畫疆理，召募南方老農，課導耕種。小民力不能辦者，動支正項，代爲經理，田熟，歲納十分之一，補庫帑足額而止。其有力之家，率先遵奉，圩田一頃以上，分别旌賞，違者督責。有能出資代人營治者，民則優旌，官則議敍，仍照庫帑例，歲收十分之一，歸還原本。至各屬官田，約數萬頃，請遣官會同有司，首先舉行，爲農民倡率。其濬流圩岸，以及瀦水、節水、引水、戽水之法，一一仿照成規，次第興修。一年田成，二年小稔，三年而粒米狼戾，小民必鼓舞趨效。抑臣更有請者，从來非常之利，言之而不行，與行之而不究者，非局外之浮議爲阻，實局内之規畫未周也。臣等恭聆皇上訓旨，凡民間之小屋，有礙水道者，加倍償價。大哉王言！順人情而溥美利，無過於是矣。臣等伏念：濬河築圩，損數夫之産，利干耦之耕，甚而富家百頃，俱享平成，貧人數畦，偏值挖壓，若概償官價，不惟所費不貲，亦非民情所願，請計畝均攤，通融撥抵，視本田數加十二、三。其河淀淤地，已經成熟報課，必須挖掘者，將附近官地照數撥補。如有豪强惑於風水，抗拒不遵者，嚴加治罪。部議如疏。報可。四年二月，怡賢親王疏曰：京東白河，爲漕運要津，農田蓄洩不與焉。涼水河至張家灣入運，請於高各莊開河，分流至堠上，循鳳河故道疏濬，由大河頭入分流處，各建一閘，以時啟閉，可溉田疇。寶坻潮水自八門逆流入河，於農田亦有利焉。薊州運河，東南至寶坻，會白龍港，又南合洓水達海，源遠流長，所謂棄之則害，用之則利者也。請先築隄，後于下倉以南建石橋，橋空下閘壅水，而升之注於兩岸，以資灌溉，多開溝澮，自近而遠，從横貫注，用之不乏矣。按：疏陳京東水利，今第摘録其關涉順天府境者，餘仿此。諭令速行。四月，又疏言：京西巨馬，鉅流也。東至房山分二，一入涿州，一入淶水，二派合而爲白溝，胡良河入焉。胡良所經，地稱膏腴，擴而廣之，房、涿之間皆稻鄉也。淶水一派，石亭、赤土樓邨秔稻最盛，而房之張坊至駱家莊，涿之高邨，及城之西北一路，分渠引流，又有王家莊、茂林莊、毛家屯等邨溝渠，現在改爲旱田，約百餘頃，應于房山鐵鎖崖分流處，深溝側注，以均其來。白溝之上相地建閘，以節其去。王家、茂林等處百餘頃，復爲水田。于是設水利營田府，命怡親王總其事，置觀察使一。十月，怡賢親王奏：營田七百一十四頃九十三畝，內有薊州營田五十餘頃，畝收稻穀三、四石不等，聞風自種者，保定則三十六頃九十九畝，霸州、大城各二十頃，文安則至二百四頃二十七畝之多，而設局之議以起。五年，設局四：一、京東隸自白溝以東，轄州縣八，豐潤、玉田、薊州、寶坻、平谷、武清、灤州、遷安。而薊州、武清、寶坻、平谷與焉。一、京西隸自苑口以西，轄州縣十有四，宛平、涿州、房山、淶水、慶都、唐縣、安肅、新城、霸州、任邱、定州、行唐、新樂、滿城。而宛平、涿州、房山、霸州與焉。一、京南隸自滹沱以西，轄州縣十一，正定、平山、井陘、邢臺、沙河、南和、磁州、永平、平鄉、任縣。一、天津隸自苑口以東，轄州縣三。天津、靜海、滄州，暨興國、富國二場，今水田郇莊，悉隸天津。局有長，有副，而願耕水田者，皆給以農本，責守土者以時達之水利營田府。當是時，世宗憲皇帝以和衷勵地方吏，故以功擢者有寶坻知縣吴棨。自五年至七年營田六千頃有奇。在順天府境者，京東局薊州山岡莊、鄭各莊、馬伸橋等處營田，引大小海子泉水，洩於淋河，淋河納州北各山泉，至白龍港，會泃河，爲溵流，可資灌溉。後魏裴延壽修漁堰，明徐貞明指鎮國莊水利，亦可概見。先自州城東西水近沮洳之壤，導山泉，置閘開渠田，成五千餘畝，由此而南，漸次營治，利尤數倍。所營稻田，五年，治東大屯莊、三家店，治西山岡莊等處二十頃六十四畝五分，農民自營二十九頃四十二畝。六年，治東三家店、丁家莊，治西夏各莊等處四頃五十四畝七分，農民自營一頃九十四畝九分。九年，改旱田十三頃四十一畝。寶坻縣八門城、尹家圈、下王各莊等處營田，引薊運河潮水，仍洩水於本河。潮水性温，發苗最沃，一日再至，不失晷刻，雖少雨之歲，灌溉自饒，浙、閩所謂潮田也。疏舊渠，置閘洞，瀕海瀉鹵，漸成膏腴。但水須車戽，北農苦挽溉，改蔬圃者六七。所營稻田，五年，治東南尹家圈、八門城等處二十五頃五十三畝九分五釐，農民自營三十四頃二十八畝七分九釐三毫。七年，治東南下王各莊等處四十四頃七十九畝四釐，農民自營七頃五十八畝七分四釐。九年，改旱田四十六頃五十三畝四分。甯河縣析自寶坻，其治西關東、關東窩莊、南窩莊、岳旗莊、江漬口、林家莊、張家莊、齊家沽、田家莊、崔家莊等處，暨縣城，引薊運河潮水，初仍洩于本河，薊運河北來環治，復合爲一，涯廣流深，潮汐沽道，民引岸灌疏，至是因地瀋渠置閘，沿河數十邨溝塍繡錯，宛然江鄉，而蘆臺一帶，民利魚鹽，不以沾塗自給，多改旱田，存者二十七莊，皆獲豐稔。所營稻田，五年，三十三頃四十五畝，農民自營四十九頃八十一畝一分五釐三毫。七年，縣城及蘆臺等處，農民自營二十頃三十九畝九分六釐，九年，改旱田三十七頃一十畝七分四釐。平谷縣治東龍家務、東北水峪寺，卽明徐貞明歷指京東州邑以之爲著者也。按其所指，引泃河及山泉水置閘疏渠，果成膏壤。相近之東高邨、稻地莊，亦有山泉，次第治之。所營稻田，五年，五頃三十五畝，農民自營七十六畝五分。九年，改旱田三頃五十畝。武清縣引鳳河水于治西北桐林邨等處，疏渠引溉苑囿以南，淀河以北，行潦順流，秔稻葱郁，五年，成田十八頃二畝五分一釐。宛平縣治西南，盧溝橋西北，修家莊、三家店等處，引永定河水洩之邨南沙溝，不糞而沃，六年凡營成稻田一十六頃。涿州城南海龍寺，有督亢舊跡，土人於挾括河引水莉稻，溝渠圩岸，具有條理，擴而充之，引巨馬、胡良諸水營畝三千。五年，營州治西茂林莊、毛家屯、藍家營等處十九頃五十二畝，農民自營四十八畝。六年，營州治西北普利莊、北魯坡、泗各莊等處七頃五十一畝，農民自營二頃五十五畝。房山縣士人於縣治西南玉塘泉，引水蓺稻，涓流無多。而巨馬河逕鐵嶺巖而東，挾括河東南貫注，開渠設閘，隨取而足，十餘里塍禾相望。所營稻田，五年則縣治西南廣潤莊、高家莊等處二十頃四十二畝六分，農民自營二頃七十二畝八分。六年則縣治西南良家莊、長溝邨二頃八十九畝，農民自營四十畝。霸州治南玉帶河，衆流奔注，蓄洩轉艱，而中亭枝津，挹注多寡，操縱隨意，圍埝立閘，浸灌漸充。所營田，六年則州治東南魚廠邨、高各莊、徐各莊稻田二十九頃二十三畝二分，農民自營一十二頃有十二畝。九年，改旱田四十一頃三十五畝二分。十一年則州治東南臺山邨、小圈内稻田十頃。又十間房、平口等邨，營田觀察副使光禄卿王鈞建閘築圍，營成稻田五十頃。又京西文安縣爲七十二河匯流之區，先是，會同河自西而東，子牙河自南而北，至治東北合流于淀，土人瀕水芟刈茭蘆，插蒔粳稻，然水漲輒没，營田觀察副使劉勷、革職效力員外秦嶠，受命代民圍埝建閘疏渠，以防以灌。所營稻田，十一年則縣治西北蒼耳淀一百五十四頃四十畝。十二年則縣治東北李齊淀，流河淀三百五頃。文安縣子牙河于治東北王家口入淀，其時會同清流西來，會之餘波倒漾，匯爲李齊、流河諸淀，從衡數千頃，邨落以數十計，跨文安、大城間，居民於平灘淺瀨，畫田插秧，收穫輒倍，水大之年，則靡遺粒。其地三面皆隄也，北近巨淀，捍防闕如。十一年，營田觀察使顧琮議令秦嶠築隄，秋收即豐。明年，觀察使陳時夏奏請建閘於其南，引子牙河流灌以渠，仍以秦嶠任其事，副使王鈞、劉勷，咸出貲圍埝，又于北隄開涵洞，備宣洩也。所營稻田，十一年則李齊淀三十二頃九十七畝四分。十二年則李齊淀、流河淀三百頃，之二縣皆開局時所未逮者。先是，八年，怡賢親王病去，司局者以私意爲舉廢。九年，大學士朱軾、河道總督劉於義奏，遣太僕卿顧琮乘傳覈之，取可田狀著籍，距水遠者聽民種植，議設觀察使二、副使二，率州縣營可田地，無力輒貸牛種，費秋還，舊田渠閘修治，俾無壞。據畿輔唐志，參畿輔水利初案，吳邦慶畿輔營田圖說。按：漢名臣傳云，雍正七年，霸州營田觀察使陳時夏奏，文安、大城界内，修築横隄千五百餘丈，本年營田四十八頃，俱獲豐收，但恐水涸即旱，請于大隄東南尚家村建石閘，隄内挑引河，引子牙河灌溉，仍于北岸多建涵洞小閘，以資宣洩。從之。霸州周志云：營田東隄，在下六工隄内，圍外之水不浸入圍内，歲得豐收。十間房、平口村，營田在州東南。雍正十一年，觀察副使光禄卿王鈞建閘，營稻田五十頃。其説年分、頃數，互有微異。乾隆時，霸州稻田改旱田二十頃有奇，葦蕩地八頃，交民租種。據霸州周志。九年，御史柴潮生疏云：國朝李光地爲巡撫，請興水田，言涿州水佔之地，每畝售錢二百，尚無欲者，一成水田，畝易銀十兩。上年，直督高斌請開永定河灌田，亦云所至衆情欣悦。又臣聞石景山有莊頭修姓，能自引渾河灌田，比常農畝收數倍，旱潦不致爲災。霸州知州朱一蜚，二、三月間勸民開井二十餘，今頗賴之。得旨：興水利乃第一要務，著劉於義會同高斌詳議。十一月勘奏水利云，文安縣之蒼耳淀營田，日久湮廢，應于圍内南北挑渠長五里餘，添建南、北涵洞二，宣洩灌注。霸州十間房圍埝内地五十餘頃，建有水閘一，引水灌溉，内稻地十餘頃，雜糧地二十餘頃，葦蕩地八頃，餘民種官租，年解通倉稻米並雜糧，變價銀數百兩，相度情形，應再挑小溝，以便高下節次引灌，並開蓄水渠。報可。二十七年，工部侍郎范時紀奏：京南霸州、文安、固安、寶坻等處，地低水多之年，廣種秧稻，水小仍可布種秋禾，黍稷即不能皆成，稻田或行於數縣數邨，亦不無裨益。命直隸總督方觀承議，京南惟霸州東北煎茶鋪等數邨，及文安之畢家坊、朱家莊等十數邨，近濱窪地，俱宜稻，水歉聽種黍粟，固安、保定等處，未便概施，從之。滿洲名臣傳。它如洪肇楙寶坻志曰：八門城河，潮河支流也，逆注七十二沽，俱在縣城東南，民資灌溉。佟有年房山志曰：壩兒河，會諸山澗溪，于周口店作溝洫，浸灌園畦。黄元章順義志曰：靈蹟泉湧出西流，溉稻田五十餘畝。一統志曰：寶帶渠在懷柔縣城外，縣人鍾其濚鑿渠引水，鹹土遂成水田。宋文昌平志曰：黑泉在治東南西小口，鄉人開渠引流，蒔粳稻菱蕩之屬，百泉莊、馬池口、涼水河邨、大小湯山、芹城、暴榆泉、黑泉、太舟務、勃海所，俱有稻田。按：宋志又云，亭子莊、四家莊、小埝頭有葦塘，勃海所一帶又有水碓四十餘，以研香料。朱克閱平谷志曰：靈泉出縣治東北二十里，灌溉田園，多賴其利。丁符九甯河志曰：道光二十四年，知縣喬邦哲造水車式，勸民種稻。而徵之近事，若大學士直隸總督肅毅伯李鴻章，以涿州稻田水冲沙壓，于光緒四年，檄候補知縣崔迺翬勘築普利莊決口，濬舊溝。起花園邨，至青岡邨，長八里，北引白玉塘泉水南流，灌溉二十餘邨，稻田賴之。據光緒五年知州查光泰稟，參五年崔迺翬稟勘碑記。此國朝營田成效之著于順天境也。

其在前代，後漢書張堪傳：堪拜漁陽太守，迺於狐奴開稻田八千餘頃，勸民耕種，以致殷富。黄元章順義志云：狐奴山在治東二十五里，即堪墾田處，鄧訓開水田二千餘頃，今尚存。水經鮑邱注：魏劉靖以嘉平二年，導高梁，造戾陵堰，開車箱渠，灌田歲二千頃，凡所封地百餘萬畝。景元三年，遣謁者樊晨，更制水門，限田千頃，刻地四千三百一十六頃，出給郡縣，改定田五千九百三十頃。水流乘車箱渠，自薊西北逕昌平，東逕漁陽、潞縣，凡所潤含宋本作合。四、五百里，所灌田萬有餘頃。魏書裴延儁傳：延儁轉幽州刺史，范陽郡有舊督亢渠，漁陽燕郡有故戾陵諸堰，皆廢，時水旱不調，民多饑餒。延儁乃表求營造，溉田百萬餘畝，爲利十倍，百姓賴之。按：裴延儁北齊書云裴儁，督亢渠云督亢坡，見盧文偉傳。傳云：盧文偉年三十八，除本州平北府長流參軍，說刺史裴儁，按舊迹修督亢陂，溉田萬餘頃。北齊書斛律金傳：天統元年，斛律羨官幽州刺史，導高梁水，北合于易京，東會於潞，因以灌田，邊儲歲積，轉漕用省，公私獲利焉。隋書食貨志：齊皇建中，開督亢舊陂，營屯，歲收稻粟數十萬石。册府元龜：隋開皇中，幽州都督裴方行引盧溝水，開稻田千頃，百姓賴以豐給。唐書地理志：漁陽郡三河，有孤山陂，溉田三千頃。方輿紀要云：縣西北六十里。宋史河渠志：淳化四年，詔六宅使何承矩等，督戍兵萬八千人，自霸州界引滹沱水灌稻爲屯田。食貨志：承矩爲制置，河北沿邊屯田使黃懋爲九卿寺丞，充判官，發諸州鎮兵給其役，凡雄、莫、霸州、平戎、順安等軍，興堰六百里，置斗門，引淀水灌溉。初年種稻，值霜不成熟，懋以晚稻九月熟，北霜早而地氣遲，江東早稻七月卽熟，取其種，課種之，八月稻熟。金史食貨志：承安二年，勅放白蓮潭東牐水，與百姓溉田。三年，又命勿毀高梁河閘，從民灌溉。金史傳：謹言，世宗時護作太甯宮，引宮左流泉溉田，歲獲稻萬斛。元河渠志：至元二十八年，都水監郭守敬奉詔興舉水利，建言：疏鑿通州至都河，引渾水灌田。元順帝紀：脱脱言，京畿近水地，召募南人耕種，歲可收百萬餘石，于是西至西山，北抵檀、順，凡係官地屯田，悉從分司，農司立法佃種，歲乃大稔。按：此在至正十二年後。順義黃志：明嘉靖間，順義訓導劉志，開新渠以溉稻田。明史徐貞明傳：萬曆十三年，尚寶少卿徐貞明兼御史領墾田使，後謫官，著潞水客譚，論水利十四條。時巡撫張國彦、副使顧養謙方開水利於薊有效，給事中王敬民薦貞明，召還賜勅勘水利。貞明乃先治京東州邑，如密雲燕樂莊，平谷水峪寺、龍家務莊，三河塘會莊、順慶屯地，薊州城北黃厓營，城西白馬泉、鎮國莊，城東馬仲橋、夾林河而下别山鋪，夾陰流河而下，墾田三萬九千餘畝。畿輔通志：明袁黄爲寶坻令，開疏沽道，引戽潮流于壺盧窩等邨，教民種稻。按：寶坻志，黄知縣事在萬曆十六年，刊勸農書、水利説，行之有效。明史左光斗傳：萬曆年，御史左光斗出理屯田，水利大興，北人始知蓺稻。鄒元標嘗曰：三十年前，都人不知稻草何物，今所在皆稻，種水田利也。陳暴三河志：明萬曆年，知縣張所藴教民種秔稻，資水利。明史董應舉傳：天啓二年，太僕卿董應舉經理屯務，乃分處遼人萬三千餘户於順天、永平、河間、保定，用公帑六千，買民田十二萬餘畝，合閒田凡十八萬餘畝，募耕者畀工廪田器牛種，濬渠築防，教之蓺稻，農舍、倉廨、場圃、舟車畢具，費二萬六千，而所收黍、麥、穀五萬五千餘石。王洽傳：崇禎元年，兵部尚書王洽言，寶坻、香河、三河、順義諸縣閒田，元虞集有京東水田之議。萬曆初，總督張佳允巡撫張國彦行之薊鎮，爲豪右所阻，今已墾者荒，未墾者置不問，乞勅力行。帝稱善，即命行之。一統志：西湖，明季水田利盡決諸窪，隄塍菑畬，宛似江南。按：西湖在玉泉山下。詳京師水道。載之史册如彼，録之志乘又如此，寓創于因，是在善法成效者。

集説第二

言水利于畿輔，順天其首也。而難之者三：一曰水害。不知害未除，正由利未興。元文安尹吴質德政碑曰：延祐己未，質覽滹沱溢，疏河築堰，功成水退，獲粒食田頃計者五百有奇。明史徐貞明傳：水利議曰，北人未習水利，惟苦水害。今順天諸郡，桑麻之區半爲沮洳。誠于上流疏渠濬溝，引之灌田，以殺水勢。下流多開支河，以洩横流，淀之最下者留以瀦水，稍高者如南人築圩制，則利興害亦除。袁黄寶坻勸農書曰：井田畛涂溝澮，不必盡泥古法，從横曲直，各隨地勢，淺深高下，各因水勢。中間有卑窪特甚者，量疏爲塘塹，出溝澮之間圍田，築土爲之，環而不斷，隨地形四面築大岸障水，其中又爲小岸，岸下有溝以洩水，或外水高，内水不得出，則車而出之。塗田瀕海之地，潮水往來，淤泥常積，鹹草叢焉。挑溝築岸，樹立樁橛，抵潮汛也。其田形，中央高，兩旁下，約可十餘丈，卽爲小溝，百數丈爲中溝，千數丈爲大溝，以注雨潦，謂之甜水溝。曰甜水，取能刷鹹也。初種水稗，斥鹵盡，乃種稻。沙田，沙淤之田也，民間率視爲棄地，而不知正江淮間所爲腴地也。地近水，潤而不枯，澤而不燥，四圍宜種蘆葦，内則普爲塍岸，可種稻秫等，或中貫湖溝，或旁澆大港，旱則溉，澇則洩。水栅，排木障水也，若溪岸稍深，田在高處，於溪中作栅遏水，使之旁出，下溉田所。其制當流列植樹樁，樁上枕以伏牛，擗以拉木，仍疊塊石，衆楗斜出，以邀水勢。水閘，閉水門也，間有地形高下，水路不均，則跨津築壩以踵之，前立斗門，甃石爲壁，疊木作障，以備啟閉，旱則撒水灌田，爲益實多。水塘，即洿池，因地形坳下，用蓄水潦，周禮所謂以瀦蓄水者也，或修築圳堰，以備溉田。凡陸地平田，別無溪澗井泉以溉者，救旱非塘不可，大者則爲陂塘，古所傳如廬江之芍陂，黃陵之雷陂，潁川之鴻隙陂，沛之鉗廬陂，各溉數千頃，能效此制，利莫大焉。

按：勸農書又曰，翻車，江南所常用也。或曰漢畢嵐始造之，或曰魏馬鈞作。其制，壓欄有木，列檻有樁，車身用板作槽，短一丈，長倍之，皆酌岸之高下；濶自四寸至尺許，高約一尺，槽內架行道長板一條，隨槽闊狹，視漕板首尾俱減尺，置大小輪軸同行道板，上下通週以龍骨板葉，其在上大軸兩端，各枘木四莖，置岸上木架間，憑架踏木，則龍骨板隨轉，循環行道，板刮水上岸，凡臨水地，皆宜用之。若岸高，則車與車相接，或兩或三，掘小池，倒水而上之，車亦有水轉，其制略同。但於水岸邊掘狹塹，置車於內，軸外端作豎輪一，輪傍架木立軸，置臥輪二，輪有上下之分，上輪適與車頭豎輻支相間，乃擗木傍激，下輪既轉，則上輪隨撥豎輪，而翻車盤旋，水泊泊乎倒上矣。此臥輪制也。若作立軸，則別置水激立輪，輪輻之末承小輪，輪頭稍濶，以撥車頭之豎輪，此立輪法也。當各視其水勢，隨宜用之。車更有牛轉者，則於無流水處用之。其車如水轉臥輪之制，特去下輪，置諸車傍，岸上用牛曳輪，則翻車隨轉，比人踏，功將倍之。筒車，流水筒輪也。輪大小，視岸高下酌之，使輪高於岸，筒貯于槽，自上流排石倉斜擗水勢，急湊筒輪其輪就軸作轂，軸之兩旁庋於樁柱山口內，輪軸間受水，板外又作木圈，縛繞輪上，繫筒於輪之一周，有竹者，有木者，水激轉輪，衆筒兜水，次第下傾于岸上。所橫之大槽，其名曰天池，連筒以竹通水也。凡所居去泉頗遠，不便汲，乃取大竹，內通其節，令本末相續，連延不斷，閣之平地，或架越澗谷，引水而至，又通激而高之，飛數尺，注池沼。架槽，木架水槽也。間有聚落，去水既遠，各家同力造木爲槽，遞相嵌接，不限高下，引水而至如泉，源頗高，水性趨下，引之特易，在窪處則當戽水上槽，亦可遠達，遇高阜阻礙，或穿之，或鑿之，遇坳險則置叉木，架空而過。其在平地，引渠相接，左右可移，每村公製，日用交濟，何利如之。戽斗，挹水器，唐韵云戽，抒也。凡水岸稍下，不容置車，當旱時，用戽斗，繫以雙綆，兩人挈之，抒水上岸，以溉田稼，或柳筲，或木罌，從所便焉。按：袁黃水柵翻車諸説，本之元王楨灌溉圖譜，楨又有農桑通訣云，田高水下，則設機械用之，如翻車筒輪、戽斗桔槔之類，挈而上之，地曲水遠，則爲槽架連筒，陰溝浚渠陂柵之類，引而達之。寶坻洪志曰：戽斗法，邑人多用之。

方輿紀要引屯政考曰：霸州北之黃崖，營州西之白馬泉、鎮國莊，州東之馬伸橋、夾林河，州西之別山鋪、夾陰流河，以至陰流淀，皆可疏渠爲田。國朝陳黃中京東水利議曰：治水利害，與墾田表裏，使于固安、雄、霸之間，隨地高下，因勢利導，多開小河，漲水之來，有所停蓄，自無蕩田之患。文安以上，雖建閘設壩，然隄圮水齧，若苑家河之逼窄，莽牛河之溢漫，固安、霸州並患之。誠於築隄設壩外，上游疏濬溝渠，引以灌田，下流棄最下之田，蠲其常税，瀦爲陂澤，治水卽以治田。吴山鳳涿州志曰：涿州廣渠深澤，半已澱淤，唯巨馬灤洄貫注，可規以爲利。吴履福涿州續志曰：涿土田平衍，房山、淶水在州之上游，其灌田之水，統注州西北之里池河，逶迤入胡良河，涿田所資，惟州西北之清溝，其水由巨馬河分溉茂林、普利各莊邨，而亦歸于胡良。吴邦慶營田圖説曰：平谷泃河，可用成田，水峪寺、龍家務，可用泉以成田，甯河、寶坻可用潮汐以成田，霸州、文安等可用築圍通渠以成田，安在其有棄水！沈夢蘭五省溝洫圖説曰：水漲以疏洩爲灌輸，此善用其決；水消以挑濬爲糞治，此善用其淤，以沈説用之，順天境易決易淤之永定、子牙諸水，尤切要也。徐貞明潞水客談：水聚之則害，散之則利，棄之則害，用之則利。林則徐畿輔水利議：溝洫修而田制備，地中之水無一勺不疏如血脈，水旁之地無一畝不化爲膏腴。大禹之利粒烝民，不外濬川、距海、濬畎澮，然則營田亦盡力溝洫而已。直隸八郡，地勢西北高，東南下，而一郡之中，又有高下，擇負山高仰之地，可導泉引溉，則爲陂，爲塘，以備暵暘。濱河平廣之地，可疏渠引溉，則爲閘，爲堰，以齊旱澇。瀕海近淀之地，可築圍引溉，則爲圩，爲隄，以防漫溢。如是則水之爲田患者寡，水之不爲田用者亦寡。一曰土瘠，然考今順天境，爲禹時冀州，禹貢曰：厥田中中。劉向別録曰：督亢，燕膏腴之地也。畿輔安瀾志曰：渾水性肥，所過變斥鹵爲膏壤。昔年文、霸所屬信安、勝芳等邨，乃濱水荒鄉，康熙戊寅開河後，濁流旁衍，地肥土潤，今且畦塍相望。盧溝以上之修家莊，地居山麓，大半河磧，乃農人自營稻田，歷數十餘年不廢。蓋務此者，晉人，性習勤，故業成，卒享其利。其蓺稻法，布列石渠，卽于沙石之上，引水留泥，于四、五月河水涓細時，通水而上，借以插秧，水足則仍洩于本河。吳山鳳涿州志曰：涿爲燕東沃野，陂田百萬，濕水、巨馬爲之襟帶，水利之修，爲功最易。督亢故道已湮，而州有引水、洩水各溝，以時開濬，卽遂人制地遺意也。陳黄中曰：不治則沃壤亦鞠爲萑葦，斯言括之矣。一曰不宜稻，而考古證今，皆大不然，周禮職方氏曰：幽州穀宜三種。鄭注：黍、稷、稻。賈公彥疏：幽與冀相接，冀皆黍、稷，幽則宜稻。不第惟是，漢張堪，魏劉靖、樊晨、裴延儁，齊斛律羨，隋裴方行，宋何承矩，元郭守敬、脱脱，明劉志、徐貞明、袁黄、左光斗、張所藴、董應舉輩，以溉以種之，在今竟何物耶？我朝世宗憲皇帝命怡賢親王營於宛平、房山、涿、霸、薊、寶坻、平谷、武清諸州縣，凡若干頃，皆稻田也。餘田不盡稻，何也？則以溝洫未周，故去水遠者，且聽民植它穀。今京師人曰御田米者，溉自玉泉。畿輔通志載，宛平縣産稻，有糯、稉二種。香河縣産稉稻、糯稻、水稻、旱稻。昌平州産膳米。房山縣産稻，紅、白二種。王爾琨房山志：白玉塘水田産米，珍貴異常品。吳邦慶澤農要録云：宛平、涿州、房山有種名御稻米者，微紅，粒長而味腴。四月插秧，六月可熟，土人珍之。善夫吳邦慶之言曰：不必盡藉稻之地，未嘗無可以藉稻之地。

明姜揚武稻田議：余垂髫時，冏卿徐公貞明奉使開三輔水利，阻于浮議，曰：北土不宜稻也。庚戌，陳生國紀於涿鹿覔越人之習水利者，疏畦引水，創爲稻田，阻于衆口，曰：北土不宜稻也。余私詫曰：今淶、涿、漁陽，廣種秔稻，民獲其利。剏職方氏云，幽州，穀宜三種。鄭云，黍、稷、稻。賈公彥疏云，幽與冀相接，冀皆黍、稷，幽則宜稻，故云三種，黍、稷、稻也。是幽之宜稻，其來舊矣。或曰：淶涿之間，山泉清淺，正劉靖紀勳碑所云，疏之斯溉，決之斯散也者。吾鄉亢旱，則涸及三泉，隄潰則水深五丈。障之猶虞蕩決，引之便益奔衝，潰水田於豐利，非徒無益，實增之害也。余聞之輾然曰：若所云云，真夏蟲不可語冰，而井蛙不可語天者乎！漳水可以灌鄴旁，涇水可以富關中，何吾鄉之於河避之如仇，而畏之如虎耶？及讀宋史何承矩傳，自順安瀕海東西三百餘里，南北五七十里，悉爲稻田。食貨志云：凡雄、鄚、霸州、平戎、順等軍興堰六百里，置斗門引水淀灌溉，吾鄉始爲塘濼，終爲稻田，防塞實邊，具有成績。稻田有八利，多爲溝渠，引填淤之水，利一；分爲支河，疏壅塞之害，利二；旱不虞枯槁，利三；水不虞泛漲，利四；通舟楫以便轉輸，利五；稻一斗易粟數斗，利六；逋賦易完，利七；戎馬不得馳突，利八。然始必壞民丘壠多起，丁夫變置川原，遷延歲月，都邑易騰浮議，愚民潛布流言，未驅載穗之車，已中鑠金之口，必主之密勿，付之重臣，勿因小害而阻撓，勿倖微利而鹵莽，寬其文網，需以歲時，則數百載之曠典可舉矣。文安楊志：國朝胡蒡稻田議：今上御極之四十一年壬午季春，爲楊明府堯藪涖任之二年，讀先正姜掖令起秀亭集，有稻田一則，不容默然，曰，語稻田於文邑，其利誠美。可說者曰，北土不宜稻。此爲文安之水言，非爲文安之土言也。文邑釜底之區，其非無水可知也。有水而水非無用，可知也。往往受害，而不享其利，蓋素不爲水用，卽欲得水而用之，取給於一旦，如驅市人而赴戰。請先言當下不可用之水。稻爲水田，佈稻於穀雨後，旱則壞於地霜，插秧在夏至前，遲則槁於白露，啄于鳧雁，秧必出水寸許。五寸之秧，需三、四寸之水，插秧經旬餘始蘇，仲夏焦炎枯燥，不旬日而四寸之水頓涸，如天時順利，細雨接降，秧可滋長，稍遲入伏，暴雨霪霖過頂，盡成漂溺。此皆河決之年，沿傍水邊堪秧之處，寬不數武，下此則煙波浩渺，悉屬間曠，所謂得尺則尺，得寸則寸，此文邑目前之稻田也。曰，不宜稻，非土之故，實關於水耳。明季西馬頭陳別駕國紀，于涿鹿覔越人之習水利者，創興稻田。攷其村，蘇橋迤東十二里，經坌河之末流，其村西河外有田一區，名上馬堂，南臨河岸，值歲亢旱，開溝引水，用通竿灌稻，但彼時當旱乾，流經分漫，地隸隄外，故曾創舉，非爲今日。自康熙二十五年，保定下五哥莊隄決，三十二年，大城縣廣安隄決，大民將長城古隄盜決二十二口，三十六、三十九年，大城一片汪洋，安得寸土乾封而與之議開，議濬，議灌溉哉！欲踵陳公之事，由一鄉一家推而廣之，以及蘇橋之西，當大河之衝，並隄以內田地，舍目前而計長久，必於旱乾之時早爲經理，倣古井田遺意，十夫萬夫，通盤計算，多作溝洫，俟渠既成，度地相宜，再議開隄放水，如是則有源而不涸，水由地中盈科後行而不溢，凡隄內之地，在在皆可蓄水，一興稻田，而展河，而遥隄，而鄰邑協修，段段可省，此番工夫吃緊在未成稻田之先，非伊朝夕，艱且鉅矣。所謂欲用水而先爲水用者也。而更有進者，愚民難於慮始，必得專任賢明而董率之，庶不至阻於浮議曰北土不宜稻也。林則徐畿輔水利議：稻，水穀也，禹謨六事，始水終穀，天下有水之地，無不宜稻之田，內地無論已，廸化在沙漠之地，而有泉可引，宜禾，錫以嘉名。臺灣懸閩海之中，而有潮可通，產米甲于諸郡，此皆從古天荒，開自本朝，可知稻田之不廣，良由人事之未修。雖然，三難未已，疑忌參半，如宋何承矩初營霸州稻田，沮之者衆，武臣習攻戰，亦恥營葺，既晚稻不成，羣議愈甚，事幾爲罷。至承矩載稻穗數車，遣吏送闕下，議者乃息。徐貞明初上水利議，格不行，遲之十年，重以蘇瓚、徐待、王敬民、申時行之力，僅得一試於密雲、平谷、三河、薊州等處，而奄人勳戚，占間田爲業者，恐水田興，已失其利，爲蜚語。御史王之棟遂以一疏罷之。舉事何難，撓事何易，可慨也已！營田者防微杜漸，自立於不撓，其道有不可者二，有不必者一，有不得不行者三。將有所取，必有所棄。明潘鳳梧曰：計開田先計儲水。荒政要覽曰：川不得澤不止，然則文安之大窪，武清、寶坻、甯河之淀泊，皆儲水澤也，以涸時之澤爲田，必以溢時之田爲澤，而所棄轉多。經世挈要云：寶坻有七里海，足以浸灌千頃田，今皆棄爲汙池，誠師虞集海田之議，用脱脱營田之規，墾之歲可得粟百萬斛，厥説大謬。七里海爲北運河王家務引河諸水所藉以蓄洩者，其西北爲鯽魚淀，又北爲香油淀，雨多則潦歸，歲旱諸淀皆涸，所恃以通北塘潮汐，惟七里海之甯車沽一道而田之，所謂與水爭道也。寶坻洪志：邑東南一百三十里，有七里海者，計二百五十二里，有荒地二萬一千五百餘頃。明正德中，太監汪直立莊其中，相傳爲御用監公物，而民墾其内者一千四百六十餘頃。嘉靖初，有姦民以水退地百餘頃，欲奪民業獻内監，民訴闕下，遣主事柴儒往勘，奏曰：民之久業，輸糧，飼馬，煎鹽，輸税，養生送死，出其中，不宜漁奪，惟水退堪熟，地可入本監，然亦當聽民漁獵樵採。上曰：地既勘明，如擬撥給內監，餘悉與民。經世挈要云：寶坻有七里海，墾之歲可得粟百萬斛，其説非也。是本無源之水，北運河青龍灣藉以蓄洩，西北爲鯽魚洵，又北爲香游洵，遊一作油，洵雨多則聚潦歸焉，旱年諸洵皆涸，惟此海有甯車沽一道，下通北塘潮汐。雍正四年，怡賢親王查歷至此，委員開挖長四十里，以達北塘，向有附近居民報墾升科，有司不察，反以增賦爲己績，故七里海年來涸減，浦溆變爲萊蕪，亦有報糧認業者，夫寶邑地本卑窪，惟近城二、三十里爲高壤，雨水過多，全恃七里海爲容蓄，若乘其減涸，逐漸認耕，所害多矣。幾輔通志詳哉言之，慎勿惑於經世挈要之謬説，規小利而忘大害也。乾隆三十七年，諭曰：淀泊利在寬深，旁有淤地，偶然涸出，當讓之水，乃愚民貪淤地肥潤，占墾效尤，所占之地日益增，則蓄水之區日益減，不獨直隸爲然，嗣後勿許占耕。大哉王言，可弗懔哉！此其不可者一。雍正六年，水利營田府奏，主簿梁文中在薊州營田，將已種豇豆高糧拔去。命怡賢親王確察，所奏俱實有其事，革梁文中職，於工所枷號示衆，其所毁豇豆，即於梁文中名下照數追賠。藉非聖主賢王一心一德，幾何不浮議乘之，如梁文中其人所謂因利之弊也。此其不可者二。潞水客談曰：不必如宋人勸農之名，亦不必如今制責以水利之職，選擇守令，久任而責成之，殿最繫焉，利興而民不知者，可坐致也。國朝怡賢親王疏言：營田交地方官收管。范時紀京南窪地種稻疏言：霸州、文安、大城、固安、寶坻等處，地窪雨多，河淀輒爲巨浸，久之地畝皆廢，請令直隸總督於所屬州縣，遴員詳勘，何村可以挖溝渠，濬支河，築隄埝，作爲稻田，行之有效，優敍觀效，自可變瘠爲腴，然則經始，貴于擇人，善後責之司牧，此議設專官之不必者也，其不得不行者何也？一、奬勸。袁黄皇都水利書：開田賞功論：元泰定中，虞集進言，京師之東，聽富民欲得官者，授以地，官定其畔以爲限，能以萬夫耕者，授以萬夫之田，爲萬夫長，千夫、百夫，亦如之。三年後，視其成，以次漸征之。五年有積蓄，命以官就所儲給以禄。十年不廢，得以世襲如軍官法。至正間，脱脱略倣集議，於江南募能種水田及修築圍堰之人，各一千爲農師，降空名勑牒十二道，能募百人，授正九品，二百人，正八品，三百人，從七品，就令管領所募之人。嘉靖中，秦鼇言：幾輔之地，水土沃饒，乞選江浙之士爲之長吏，仍仿古者孝弟力田科，有能率衆墾田萬畝者，授其官，千畝亦如之，果勸課有法，不吝超遷，三數年必有萬倉之儲矣。徐光啟農政全書：墾田不煩官帑，非如虞集言不可，惟集言世襲，空名也，必以空銜爲根著，而又使得入籍登進以爲勸。户部議覆大學士朱軾條奏：一、自營己田者，照田畝多寡，給九品以上，五品以下頂帶；一、効力營田，酌量工程録用；一、罣誤降革之員，効力營田，准復；一、流徒以上犯，効力營田，准減等。一、緩科。林則徐畿輔水利議：水田之興，西北大利也，然議及歲供，則民情懼罹重賦，昔徐貞明領墾田使，北人懼，東南漕儲派于西北，事初舉，煩言頓起，遂以中止，此明徵也。我朝西北賦輕而役重，役既無可議減，賦又何可議增？請自今新開水田，本係行糧，地畝照原額不增，或無糧荒，亦寬年限，緩科輕則。謹按墾荒定例，六年起科。康熙十二年，諭，十年起科。一、償礙水田。林則徐畿輔水利議：方田法，二百四十步爲畝，畝折四步爲溝洫，損四步以益二百三十六步，若池塘渠道，需地愈多，爲利愈廣，或利周一邑，或利關數郡，有用民地處，輒生異議者，虧一家產，充一方利，非恒情所樂。憲皇帝爰有加倍賞償之諭。嗣經怡賢親王奏請均攤撥抵，部議准行。立法盡善。乾隆間，旗地仍歸撥補，民地改行給價，惟時值不齊，少給則不洽，多給則不貲。徐貞明滹沱之役，以償價不敷，致滋忌者口實，知給價正多格礙也。公利自應公派，所有挖壓田地，仍宜于灌溉所及之地，計畝均勻撥還。至若明徐貞明之十利，明徐貞明傳：潞水客談：西北之地，旱則赤地千里，潦則洪流萬頃，雨暘時若，庶幾樂歲無飢，此可常恃哉！水利興而後旱潦始備。利一。中人始生，必有常稔田，以國家之全盛，待哺東南，豈計之得哉！水利興而後餘糧棲畝，皆倉庾之積。利二。西北有一石之入，東南省數石之輸。利三。西北無溝洫，故河水横流，修復水田，則可分河流，殺水患。利四。西北平曠，游騎得以長驅，若澮溝並舉，田野皆金湯。利五。游民輕去鄉土，易爲亂，水利興則業農者依田里，游民有所歸。利六。招南人以耕西北之田，民均田亦均。利七。西北罹重徭之苦，田墾民聚，則徭可減。利八。沿邊諸鎮有積貯，轉輸不煩。利九。天下浮户依富家爲佃客者何限，募之爲農，而簡之爲兵，則屯政無不舉矣。利十。左光斗之三因、十四議，明左光斗傳：左光斗興水利條三因、十四議曰：因天之時，因地之利，因人之情。曰議濬川，議疏渠，議引流，議設壩，議建閘，議設陂，議相地，議築塘，議招徠，議擇人，議擇將，議兵屯，議力田設科，議富民拜爵。姜揚武之八利，詳上注。國朝沈夢蘭之十五利，五省溝洫圖説：溝洫之設，旱潦有備。利一。淤泥肥田，墝确悉膏腴。利二。溝塗縱横，戎馬不能踰越。利三。貿遷舟載通行，車脚費省，物價可平。利四。蝗蝻間作，溝深易捕。利五。西北耕田，人力無所施用，俗語所謂望天收，溝洫既開，縵田悉作甽田。利六。西北地廣人稀，歲入無多，家無蓄藏，水利興將饒沃，無異東南。利七。東南民奢而勤，西北民儉而惰，以西北之儉，師東南之勤，民食自裕。利八。邪教之起，由多游民，百姓皆從事於隴畝，風俗自靖。利九。東南轉輸，一石費至數石，故昔人謂西北有一石之收，則東南省數石之費。利十。河漲發，時憂衝缺，五省徧開溝洫，計可容漲二萬餘千丈。利十一。漲流既有所容，河隄搶築，歲費漸可裁省。利十二。軍政莫善於屯田，溝洫通利，荒土悉可墾種，因此召募開屯，不費餉而兵額充足。利十三。經畫一定，邱段分明，民間無争占之端，里胥無飛灑之弊。利十四。每地方二十里，同溝共井，相救相助，聯保甲，興社倉，諸事便易。利十五。林則徐之十二議，畿輔水利議。與夫陸隴其、李光地、朱軾、徐越、湯世昌、胡寶瑔、柴潮生、藍鼎元、吴邦慶之疏牒圖説，不僅就順天之營田言，而無不可參而行之也。

德清傅范初校

食貨志一

户口

黄岡洪良品纂　江陰繆荃孫覆輯

周官小司寇孟冬祀司民，獻民數於王，王拜受之，登於天府，重邦本也。職方東北曰幽州，其民一男三女。漢崔實謂幽州土曠人稀，厥田宜稼，悉不墾發，然生齒繁耗，因時消息，我國家煦嫗休養，奠基兹土，八旗之所蕃育，萬國之所輻輳，安居保聚，歷有年所。康熙時，丁不加賦；雍正時，均丁於地；逮乾隆中葉，罷編審例，始令督撫上民數户部，以備稽録。宅是鎬京，首沐王化。詩云：邦畿千里，惟民所止。庶矣哉，何道之隆歟！志户口。

漢

廣陽國，户二萬七百四十，口七萬六百五十八。漢地理志。按：沿革詳載地理，兹不複述。

後漢

廣陽郡五城，户四萬四千五百五十，口二十八萬六百。後漢郡國志。

漁陽郡九城，户六萬八千四百五十六，口四十三萬五千七百四十。後漢郡國志。

晉

燕國，統縣十，户二萬九千。晉地理志。

魏

燕郡，領縣五，户五千七百四十八，口二萬二千五百五十九。魏地形志。

隋

涿郡，統縣九，户八萬四千五十九。隋地理志。

漁陽郡，統縣一，户三千九百二十五。隋地理志。

安樂郡，統縣二，户七百五十一。隋地理志。

唐

幽州范陽郡，縣九，户六萬七千二百四十二，口三十九萬一千三百一十二。（新書地理志。）

檀州密雲郡，户六千六十四，口三萬二百四十六。（新書地理志。案：舊書地理志云，舊領縣二，户一千七百三十七，口六千四百六十八。天寶户六千六十四，口三萬二百四十六。户口視前加增。）

薊州漁陽郡，户五千三百一十七，口二萬八千五百二十一。（新書地理志。）

歸順州天寶領縣一，户一千三十七，口四千四百六十九。（舊書地理志。）

遼

南京析津府，統縣十，轄軍府州城九，有丁五十六萬六千。（遼兵衛志。）

析津縣，民户二萬，（遼地理志。）丁四萬。（兵衛志。）

宛平縣，户二萬二千，（遼地理志。）丁四萬四千。（兵衛志。）

昌平縣，户七千，（遼地理志。）丁一萬四千。（兵衛志。）

良鄉縣，户七千，（遼地理志。）丁一萬一千。（兵衛志。）

潞縣，户三千，（遼地理志。）丁一萬一千。（兵衛志。）

安次縣，户一萬二千，遼地理志。丁二萬四千。兵衛志。
永清縣，户五千，遼地理志。丁一萬。兵衛志。
武清縣，户一萬，遼地理志。丁二萬。兵衛志。
香河縣，户七千，遼地理志。丁一萬四千。兵衛志。
玉河縣，户一千，遼地理志。丁二千兵衛志。
漷陰縣，户五千，遼地理志。丁一萬。兵衛志。
懷柔縣，户五千，遼地理志。丁一萬。兵衛志。
密雲縣，户五千，遼地理志。丁一萬。兵衛志。
范陽縣，户一萬，遼地理志。丁二萬。兵衛志。
漁陽縣，户四千，遼地理志。丁八千。兵衛志。
三河縣，户三千，遼地理志。丁六千。兵衛志。

宋

霸州崇甯，户一萬五千九百一十八，口二萬一千五百一十六。宋地理志。按：燕山府涿、檀、順、薊等州，崇甯時尚屬遼，宣和四、五年間始屬宋，尋入於金，故宋史地理志但有地名，而無户口。朱彝尊曰：宋幽州本在化外，無户口數目。具見載記者止霸州及信安、保安三軍而已。

霸州防禦，縣二，文安、大城，户主一萬四千一百二，客九百五十七。（元豐九域志。）

信安軍，户主三百一十八，客三百九十一；保安軍，户主八百二十八，客一百三十三。（元豐九域志。按：文獻通考，政和三年，蔡攸何志同言天下户口數，類多不實，如霸州主客户二萬二千四百七十七，而口纔二萬四千七百一十六，率三户四口，則户版刻隱，不待校而知之。）

金

大興府上，户二十二萬五千五百九十二。（金史地理志。）

通州下刺史，户三萬五千九十九。（金史地理志。）

薊州中刺史，户六萬九千一十五。（金史地理志。）

涿州中刺史，户一十一萬四千九百一十二。（金史地理志。）

順州下刺史，户三萬三千四百三十三。（金史地理志。）

霸州下刺史，户四萬一千二百七十六。（金史地理志。）

元

大都路版籍，户一十四萬七千五百九十，口四十萬一千三百五十。（元史地理志。）

明

順天府，宏治四年，編户一十萬五百一十八，口六十六萬九千三十三。萬曆六年，户一十萬一千一百三十四，口七十萬六千八百六十一。明史地理志。按：畿輔唐志云，大興縣編户三十六里，宛平縣編户七十五里，順義縣編户二十七里，昌平州編户二十七里，良鄉縣編户二十五里，密雲縣編户一十九里，懷柔縣編户一十四里，東安縣編户三十八里，永清縣編户二十八里，漷縣編户一十五里，寶坻縣編户三十二里，涿州編户四十六里，房山縣編户一十六里，霸州編户三十一里，文安編户三十四里，大城縣編户二十三里，保定縣編户六里，薊州編户二十六里，平谷縣編户一十三里。明洪武十四年，創編賦役黃册，以一百一十户爲一里，大興縣三十六里，則三千九百六十户，宛平七十五里，則八千二百五十户之類。

大興縣，原額一萬五千一百六十三户，七萬一千七百九十七丁口；實在一萬五千一百六十三户，七萬一千七丁口。萬曆沈志。

宛平縣，原額一萬四千四百四十一户，六萬一千二百一十五丁口；實在一萬四千四百四十一户，六萬二千六十七丁口。萬曆沈志。

良鄉縣，原額二千九百户，一萬三千七百七丁口；實在二千九百一户，一萬四千八百六丁口。萬曆沈志。

固安縣，原額四千三百三十五户，四萬四千一百三十五丁口；實在四千三百三十五户，三萬五千一百三十五丁口。萬曆沈志。

東安縣，原額一千八百三十八户，一萬二千五十四丁口；實在三千六百八十一户，一萬三千二百四十八丁口。萬曆沈志。

永清縣，原額一千三百一十户，一萬二千九百九十四丁口；實在一千三百一十户，一萬三千二百四十八丁口。萬曆沈志。

香河縣，原額一千三百六十一户，八千九百三十一丁口；實在一千三百六十一户，九千一百九十四丁口。萬曆沈志。

通州，原額三千八百九十六户，一萬八千五百七丁口；實在三千六百八十七户，一萬二千九百五十四丁口。萬曆沈志。

三河縣，原額二千八百三十二户，一萬八千七百二丁口；實在一千四百一十二户，一萬四千一百五十二丁口。萬曆沈志。

武清縣，原額三千三百三十户，二萬七千六百九十七丁口；實在一千六百七十三户，二萬一百八十三丁口。萬曆沈志。

漷縣，原額一千一百户，四千一百四十八丁口；實在一千一百户，四千二百八十丁口。萬曆沈志。

寶坻縣，原額三千六百七十八户，三萬二千三百四十五丁口；實在三千七百二十户，三萬六千六百八十四丁口。萬曆沈志。

薊州，原額二千三百九十八户，一萬七千八百七十五丁口；實在二千二百五十四户，一萬六千七百九十丁口。萬曆沈志。

平谷縣，原額一千二百三户，八千九十六丁口；實在一千八十七户，五千三百四十四丁口。萬曆沈志。

昌平州，原額三千六百八十户，一萬六千九百四十六丁口；實在二千九百九十户，一萬五千四百七十三丁口。萬曆沈志。

密雲縣，原額一千六百四十七户，一萬六千四百四十七丁口；實在一千六百四十七户，一萬七千五十一丁口。萬曆沈志。

順義縣，原額一千二百四十七户，一萬二千四百七十七丁口；實在一千二百四十七户，一萬二千九百六十六丁口。萬曆沈志。

懷柔縣，原額一千二十户，六千六百四十二丁口；實在一千二十户，七千三百一十六丁口。萬曆沈志。

涿州，原額五千四百六十四户，三萬八千八百六十九丁口；實在五千四百六十四户，三萬九千四百三十丁口。萬曆沈志。

房山縣，原額一千八百二十九户，一萬二百九十七丁口；實在一千三百四十八户，一萬六百四十七丁口。萬曆沈志。

霸州，原額三千七百二十户，六萬五千一百二十二丁口；實在三千七十二户，六萬五千三百五十六丁口。萬曆沈志。

文安縣，原額三千六百三十户，二萬四百八十九丁口；實在三千六百三十户，二萬五千六百九十五丁口。萬曆沈志。

大城縣，原額三千一百九十九户，三萬一千一百八十丁口；實在三千一百九十九户，三萬一千九百七十三丁口。萬曆沈志。

保定縣，原額六百五十五户，三千五百丁口；實在七百二十户，七千一百一十四丁口。萬曆沈志。

國朝

順治十八年，順天府人丁一十萬四千三百九十二。大清會典三百四十五。

康熙二十四年，順天府人丁一十三萬五千一百三十一。會典。

雍正二年，順天府人丁一十五萬八千一百三十三。會典。

雍正十二年，順天府人丁一十四萬五千四百五十二丁，内除滋生人丁六千七百一十六丁，欽奉恩詔，永不加賦。又優免人丁二千四百八十二丁外，實在人丁共一十三萬六千二百五十四丁，内分吏承供丁三千四百八十一丁，新更人丁四千四丁，竈丁九百一十二丁，門頭門丁三百丁，行差人丁一十二萬七千五百五十七丁。會典。

乾隆三十七年，西路同知屬縣大興、宛平、良鄉、涿州、房山五州縣，實在各則行差人丁叁萬玖千貳百壹拾叁丁；南路同知屬縣霸州、保定、文安、固安、永清、大城、東安七州縣，實在各則行差人丁伍萬柒千捌拾捌丁；東路同知屬縣通州、三河、寶坻、薊州、武清、香河、甯河七州縣，實在各則行差人丁貳萬柒拾柒丁；北路同知屬縣昌平、順義、密雲、懷柔、平谷五州縣，實在各則行差人丁貳萬叁千伍百陸拾伍丁。畿輔條鞭賦役全書。

大興縣，光緒八年彙報，村莊一萬九千六百二十五户，共計男女大小十八萬零一百八十四口。采訪冊。

宛平縣，光緒八年彙報，西、南、北三鄉四萬五千一百二十三户，共計男女大小二十萬零六千四百五十六口。采訪冊。

良鄉縣，光緒九年彙報，城鄉實七千三百零六户，共計男女大小三萬五千二百三十三口。采訪冊。

固安縣，光緒八年彙報，城鄉一萬九千九百九十八户，共計男女大小十萬零六百一十九口。采訪冊。

永清縣，光緒九年彙報，城鄉二萬六千四百户，共計男女大小八萬二千三百三十八口。采訪冊。

東安縣，光緒九年彙報，城鄉三萬六千四百户，共計男女大小十萬五千一百三十八口。采訪冊。

香河縣，光緒九年彙報，城鄉八千七百一十户，共計男女大小三萬五千四百八口。采訪冊。

通州，光緒九年彙報，城鄉四萬七千五百五十九户，共計男女大小二十七萬零八百九十五口。采訪冊。

三河縣，光緒八年彙報，城鄉二萬五千八百二十九户，共計男女大小十九萬二千零二十三口。采訪冊。

武清縣，光緒九年彙報，城鄉六萬二千四百二十三户，共計男女大小三十七萬二千九百三十九口。采訪冊。

寶坻縣，光緒九年彙報，七萬八千五百一十五户，共計男女大小三十二萬六千五百九十一口。采訪冊。

甯河縣，光緒八年彙報，城鄉三萬一百四户，共計男女大小二十一萬二千六百五十二口。采訪冊。

昌平州，光緒九年彙報，城鄉二萬一千二百四十八户，共計男女大小十二萬七百十三口。采訪冊。

順義縣，光緒九年彙報，城鄉一萬九千零五十六户，共計男女大小八萬四千零七十七口。采訪冊。

密雲縣，光緒九年彙報，一萬六千二百零七户，共計男女大小十一萬六千六百五十一口。采訪冊。

懷柔縣，光緒九年彙報，城鄉五千一百七十七户，共計男女大小五萬零二百六十三口。采訪冊。

涿州，光緒八年彙報，城鄉一萬八千四百八十户，共計男女大小八萬七千零七十二口。采訪冊。

房山縣，光緒九年彙報，城鄉一萬一千六百零一户，共計男女大小七萬九千三百五十六口。采訪冊。

霸州，光緒九年彙報，城鄉二萬二千七百五十六户，共計男女大小一十四萬一百零九口。采訪冊。

文安縣，光緒九年彙報，城鄉五萬九千一百三十九户，共計男女大小二十萬零一百九十四口。采訪冊。

大城縣，光緒八年彙報，城鄉二萬二千五百九十户，共計男女大小十一萬四千二百二十一口。采訪冊。

保定縣，光緒九年彙報，城鄉二千七百九十六户，共計男女大小一萬四千二百九十五口。采訪冊。

薊州，光緒九年彙報，城鄉六萬二千四百三户，共計男女大小二十萬八千二百零六十口。采訪冊。

平谷縣，光緒九年彙報，城鄉七千零九十八户，共計男女大小三萬九千九百七十三口。采訪冊。

定遠方孝傑校

食貨志二

物産

德清蔡賡年纂　江陰繆荃孫覆輯

嘗攷天官九職，自九穀至疏材必詳，而大司徒則以土會之法，辨物之所宜，凡厚生利用之資，無微不具。誠以百穀蓁蓁，庶草蘇蕪，暨鳥獸魚鼈，咸若皆輔相財成所及。況首善之區，天府之國，滋液滲漉，何生不育，居方辨物，豈容忽諸。謹从各邑乘所述，參以羣書，證以目驗，譌者訂之，缺者補之，而穀，而蔬，而果，而藥，而草木蟲魚鳥獸，以及金石布帛薪炭，若關土物，必舉大凡。比釋名之例，不厭求詳，法地員之篇，惟在從實，將以驗萬貨之原，彰煦育之澤也。若夫各操土音，字同語異，則方言有專門，茲不複述。志物産。

穀屬

黍，宛平王志：黍有黑、白二種。東安李志：黍色有赤、黑，黏者爲秫。甯河關志：黍、稷之黏者，大而黄，今呼爲黄米，可酒餌，可糕粥。昌平宋志：爾雅，翼日以大暑種之，故曰黍。性黏者宜酒，不黏者宜飯。按：黍，稷、粱三穀，牽混最甚。説文：黍，禾屬而黏者也。秫，稷之黏者。是黍與稷不容假借。程瑤田九穀考曰：黍之不黏者有穈與穄之名，於是黏者得專稱黍矣。聞之農人云：黍、穈二穀，其色皆有黑、白、黃、赤之異。及與人索取其種，凡持以至者，有黑黍、白黍，又有赤黍、雜黑黍中者，而獨無黃黍。惟穈則類多黃者。余因以取目驗難農人，農人無以應。然則黄黍者穈也、穄也，古則直呼曰黍，而今人乃以爲稷，豈不謬哉！程説甚辨。玉燭寶典：九月九日食餌者，其時黍、秫并收，因以黏米嘉味，觸類嘗新。是黍與秫同時成熟。秫本專指稷之黏者，而他穀黏者或通稱爲秫。黍與稷遂相冒矣。土人呼黍穈爲黃米，呼稷爲小米，人無異詞，正得據方言以辨冒黍爲稷之失。

稷，高粱蜀黍，一作秫。玉蜀黍，皆稷屬，不別出。宛平王志：稷即穈子。永清李志：稷有三種。甯河關志：稷，穄也，關西謂之糜，今呼爲穈子。米粒如穀而光澤，米如黃米而不黏，作飯食，其味淡。昌平宋志：曲禮曰，明粢。故祀神需此。房山佟志：稷五穀之長，今之穄米也。平谷朱志：稷俗稱穈子。按：穈作糜，已誤。而以稷爲穈子，爲穄米，尤誤。穈、穄爲黍屬，不得冒爲稷。説文：稷、穧互釋。九穀考曰：稷，穧大名也。黏者爲秫。北方謂之高粱，或謂之紅粱，通謂之秫。又謂之蜀黍，高大似蘆。月令：首種不入。鄭注：首種，謂稷，今以北方諸穀播種先後考之，高粱最先，北方稷、穄音相邇，穄奪稷名，承譌日久，論者因謂稷、穄一物，而以黏、不黏分黍、稷，失之矣。郝懿行爾雅義疏曰：以今北方驗之，黍爲大黄米，稷爲穀子，其米爲小米。稷又包高粱。高粱與粟同種差早。郝説別粟于高粱，尤足正以粟爲稷之誤。蓋粟，粱也，而高粱、蘆粟，冒粱名，蘆穄、蜀黍冒黍名，第比類通稱耳。孫星衍稷考曰：稷者，今呼小米，顆圓，色黃，後世不知，以爲穄米，非也。稷則今小米，秫則今高粱。説文：以霰爲稷，雪霰即雹之小者，形圓，與今小米相似，亦一證矣。今人又呼高粱稈爲秫秸，知秫爲高粱也。

稻，聖祖御製御稻米文：豐澤園中，有水田數區，布玉田穀種，六月下旬，穀穗方穎，忽見一棵高出衆，稻實已堅好，因收藏其種，待來年驗其成熟之早否。明歲六月，果先熟，米色微紅而粒長，氣香而味腴，以其生自苑田，故名御稻米，一歲兩種，亦能成兩熟。幾輔唐志：引燕山叢録：房山石窩稻，色白味香美，爲飯，雖盛暑，經數宿不餲。宛平王志：稻有糯、粳二種。香河劉志：稻有四種：粳稻，糯稻，水稻，旱稻。甯河關志：粳稻，穀之總名也。南人呼稻米，北人呼粳米，南人多水種，北人多旱種。邑近海，水鹹，故旱種米，有紅、白二色。國初營田，因水土不利，輒罷之。昌平宋志：稻，秔糯也，玉泉山枹榆泉更佳，御用膳米需焉。懷柔吴志：稻有水、旱兩種。房山佟志：稻紅、白二種，復有玉糖稻、馬尾稻、玉樣白、粳糯諸名色之不同。保定成志：稻不産，蓋隄南地薄，堤北水大，稻宜水，而水大即租種，又十年九潦焉。按：稻爲通稱，其稱秔、稱稉者，黏、不黏之別耳。顔注急就篇：秔謂稻之不黏，以別於稉也。粳、糯即秔、稉或體字。説文：稻、稌互訓，爲稻之總名也。稴、穖皆云不黏，即今之秈也。秔、秏皆云稻屬，即今之粳也。沛國爲稻爲稬，即今之糯也。宋食貨志載：端拱年間，河朔連年大水，六宅使何承矩言：宜因積潦，蓄爲陂爲塘，大作稻田，以足食。會滄州臨津令黃懋上書言：河北州軍多陂塘，引水溉田，省功易就。遂以承矩爲河北屯田使，懋爲大理寺丞充判官。懋以晚稻九月熟，河北霜早，地氣遲，江東早稻，七月卽熟，取其種，課令種之，是歲八月稻熟，而莞蒲蜃蛤之饒，民賴其利。朱昆田日下舊聞補曰：雄、霸之間，無處非水，地最宜稻。北人不好食稻，每云食之病熱，然都城百萬户，糴太倉稻米食者甚多，未見其病，安在習俗之不可移乎？使倣何、黄之法行之，誠足民之要術也。賡年謂水稻、旱稻，並可相地之宜，教民廣種，內則陸稻，管子陵稻，皆旱稻也。

粱，卽粟。宛平王志：粱，粟類。甯河關志：穀子，粟也。今呼爲小米，苗似稷、黍，而粟穗，有三月下種，五六月收者，亦有七八月收者。昌平宋志：粱俗呼粱穀，米色白。按：說文，禾，嘉穀也。粟，嘉穀實也。粱，米名也。九穀考曰：禾，黍之有稾者也，其實粟也，其米粱也。禾有赤苗、白苗之異，謂之虋芑。詩曰：維糜維芑，是也。今細詢農人，又以目驗知之。是故黍亦禾屬，稱嘉穀，而知嘉穀之虋芑必非黍者，以黍之苗惟一色，而無赤、白之異。然則此一穀也，始生曰苗，成秀曰禾，禾實曰粟，粟實曰米，米名曰粱。內則言：飯有粱，又有黄粱。是粱者，白粱也。今北方猶呼粟米之純白者曰粱米。程説多本目驗，故其辨黍、稷、粱三穀，判然得全其爲黍，爲稷，爲粱矣。大抵黍秀舒散，稷則連蜷句屈，不似黍之舒散也，粱則穗垂向根，張平子思元賦所謂垂穎顧本者是也。

大麥，䵃麥附。**小麥，蕎麥，**宛平王志：麥有三種。通州高志：有大、小麥，䵃麥，蕎麥。甯河關志：大麥，邑人春爲麥仁，飯香美。小麥粒小於麱，爲用較大麥尤廣。蕎麥耐旱易成，種最晚，邑人栽以給冬儲，春卽不食，云能發風動氣。按：大麥、䵃麥皆春種夏收。本草：䵃麥似大麥，皮厚者。陶注：此是馬所食也。今本土有黄大麥、米大麥之分，云米大麥可食，然多用以作火酒。黄大麥形似米大麥，皮厚難脱，人不堪食用，以飤馬，一如本草説。其呼黄大麥者，黄䵃聲近也。小麥秋種，冬長，春秀，夏實，具中和之氣，性厚宜人，礱末作麫，作醬，作餅餌，最爲日用所需。土人喜食麥，故種之最廣，其莖可織扇。元和郡縣志：河間府貢麥絹扇，是也。今本土亦織扇，織笠。大麥、小麥爲九穀之二，特分別之。蕎麥花白，莖青或紫，麩黑有棱，立秋下種，寒露收，味滑性寒，亦堪作麫。廣羣芳譜云：北人作餅餌以供常食，農人以爲禦冬之具也。別有一種味苦者，名苦蕎麥。

青大豆，黄大豆，黑大豆，白大豆，褐豆，虎斑豆，紫豆，按：九穀考云，豆有大豆、小豆。小豆曰答菽，其大名也。先後鄭皆分爲九穀之二，小豆蒸熟則糜爛，大豆雖熟猶脆矣。今據其説而釐別之：青大豆味淡而脆，可以充蔬，土人或以生者和麫食；黄大豆用甚廣，甘可榨油，造醬，作腐。今本土無豆油，造醬亦祇用麫，惟作腐及以水浸之生白芽以爲常食。黑大豆一名烏豆，可入藥，本土取以代黄豆作腐。白大豆一名白馬豆，可和飯食。虎斑豆，一名花豆，一歲兩熟，色灰，有細紅斑，土人謂之麻絳豆，亦和米作飯。紫豆初熟摘之，莢可爲蔬，俗呼櫻豆，褐豆。見昌平志。

黄小豆，白小豆，赤小豆，黑小豆，綠豆，按：黄小豆、白小豆，種同而色別。本草：飯豆，小豆之白者也，亦有黄色者。王禎農書則云：大豆白者粥飯皆可拌食，是大、小白豆並可爲飯豆矣。赤小豆，本草以緊小而赤點色者爲可入藥，其鮮紅、淡紅色者，可煑可𤇃，可作粥飯。煑爛去皮，可澄沙作餻餅餡。黑小豆卽本草之穭豆。陳藏器曰：古名𧯷豆。營、穭蓋聲轉字。農書：一名料豆。料、穭又聲之轉也。今土人取麥麩拌之，以飼驢馬，稱爲麩料。綠豆，本草云：粒粗而色鮮者爲官緑；皮厚而粉多，粒小而色深者爲油緑；皮厚而粉少，早種者爲摘緑，可頻摘也；遲種者爲拔緑，一拔而已。用之最廣，可作粥、飯、酒，煼食，麨食。䃺而爲麪，可作餅餌；盪皮搓索，亦可澄沙作餡。又以水浸之，生白芽，又爲蔬中佳品。昌平志以緑豆爲大豆，誤青豆爲緑豆也。

蠶豆，宛平王志：按本土不廣産，京師于甫含漿時卽食之，其老者亦可煑爛作餡。昌平宋志：豆角狀如老蠶。王禎農書謂蠶時始熟，故名。

豌豆，昌平宋志：廣雅謂之留豆。飲食正要謂之回鶻豆。百穀之中最爲先登，宜餡。里人製成糕，謂之豌豆黃。按：豌豆枝莖柔弱，布地而生，葉形頗圓，兩兩相值，初生時肥嫩可食，本土謂之豌豆苗兒，四時不絕，法如唐花，火迫而發也。其豆初結時，粒細如珠，京師亦食之。

刀豆，按：刀豆嫩時可鹽，可醬，可煑食，可蜜煎。今京師鹽小菜中有此。

豇豆，昌平宋志：一名跭𨇰，此豆紅色居多，莢必雙生，故有是名。按：豇豆莢有白色、紫赤、斑駮數色，長者至二尺，今京師呼嫩者爲菜豆，言可充蔬也。老者爲跭豆，或稱豇豆，莢長雙結下垂，故又稱裙帶豆。香河志：豇豆、裙帶豆分列，誤一物爲二物矣。亦可澄沙作餡。

藊豆，按：本草綱目，子有黑、白、赤、斑四色，入藥用白者。黑者名鵲豆，蓋以其黑間有白道如鵲羽也。其莢凡十餘樣，或長，或圓，或如龍爪、虎爪，或如豬耳、刀鐮，種種不同。嫩時可充蔬，老則收子煑食。然則龍爪豆、藊豆，一物也。宛平志、香河志誤分爲二。昌平志：一名蛾眉豆。薊州志：一稱羊眼豆。

麻，三河陳志載有火麻。按：麻爲九穀之一。本草綱目所云大麻，爲今火麻仁者，卽穀屬也。說文：枲，麻也，萉枲，實也，或作䕡。內則蕡注：熬枲實。周禮，麷蕡注：枲，實也。蕡爲萉之或字。古人多以蕡爲豆籩之實，故太宰職之三農，今則或作油燃燈，罕取以充食饌者。香河志：穀屬有檾麻，誤。檾卽周禮典枲注：葛䔛。掌葛注：䔛紵之䔛，是草非穀。今入草屬。

脂麻，按：脂麻，胡麻也。爲麻之別種，非九穀中之麻也。本草有遲、早二種，黑、白、赤三色，取油以白者爲勝，服食以黑者爲良。今本土植此最廣，取其仁作油燃燈及和味，其稃作爲麻醬，其稃有節如竹，土人至臘月祀神爇之，謂之節節高。昌平志作芝蔴，非。

茋，一作菰。九穀考曰：鄭康成注周禮，以六穀用食醫之六宜有茋，九穀亦當有之。九穀之有茋，康成氏定之也。其根生小菌曰菰菜，亦稱茭白。其生莖者作穗結子，其實曰雕菰，炊以作食曰菰食，亦曰菰飯，亦曰雕胡之飯，亦曰安胡之飯。按：今西直門外海淀産菰。通州志並載有茭白，特從九穀考而增之。茭白詳蔬屬。

稗，䵒，甯河關志：稗，稊稗也。俗名家稗。六月種，八月熟，多種下溼地。其莖、葉、穗，並如粟。有野稗，邑東南地瘠，徧地俱生，暮秋落地，田家埽土篩簸，出粒作粥，味香，人多賴之。按：九穀考曰，禾別曰稗，黍別曰䵒。丙申歲居京師，庭中芒種後生一本數十莖，貼地橫出，至生節處，乃屈而上，聳節如鶴膝，莖淡紫色，葉色深緑，每一莖，又節節抽莖成數穗，穗疏散，至大暑後而穀熟，光澤如黍。余以爲此必䵒也。見農人問之，則曰稗也。余曰：農家其種稗似粟，與此殊不類。則對曰：此野稗也，亦曰水稗。余乃檢玉篇、廣韻中，䵒皆有稗音，䵒爲黍別，無疑也。稗、䵒並宜卑溼地，然則甯河志之野稗，實黍別也，並爲害穀之草，而足以療飢，故附穀屬。

蔬屬

葱，畿輔唐志：葱有四種：曰凍，曰胡，曰漢，曰茖。固安陳志：葱，大、小二種。甯河關志：葱有冬葱，大管葱也；漢葱，木葱也；胡葱，回回葱也；山葱，茖葱也。邑人所栽冬葱、漢葱二種，冬葱尤勝。按：茖通作格，生有枝格，旋摘旋生，冬亦不枯，其味甘而不辛。韭，甯河關志：韭一歲四五剪，剪而復生，至久不乏，故名長生菜。春初嫩黃，最稱珍品，花亦作茹。昌平宋志：莖名韭白，冬日稍葉，名韭黃，韭之美在黃，黃乃纔出土耳。按：韭花可爲葅。蒜，固安陳志：蒜，紫、白皮二種。甯河關志：蒜有大、小二種，根莖皆小，瓣少味辣者爲薍，卽小蒜也；根莖皆大，瓣多味辛帶甘者，爲葫，卽大蒜也。又一種澤蒜，多野生。按：薍當爲卵，然以卵蒜爲小蒜，亦非。卵蒜自別一種，非凡蒜皆稱卵也。蒜是總名，葫又俗稱。爾雅：翼以大者爲葫。非也。蒜遇夏抽莖生薹，或稱蒜條，一名蒜苗，可爊，可醋。胡荽，一作芫荽。固安陳志：芫荽一名圓荽。昌平志作蒝荽。按：文選閒居賦，李善注：荽，香菜也。今土人亦呼爲香菜。其性能舒散，與蘇同。䪥，甯河關志：䪥葉似韭而闊，間有野生者。按：䪥，五音篇海，胡戒切，薤菜也，古與葱、韭並稱，今惟用葱，不用䪥矣。白菜，固安陳志：白菜數種，一名黃芽。甯河關志：白菜古名菘，有青、白二種。青者莖圓厚，曰箭桿白。白者莖扁薄，曰黃芽菜。五月下種，六月畦栽，霜後收治，故曰秋末晚菘也。味甘香，蔬中勝品。居易録：今京師以安肅白菜爲珍品，肥美香嫩，南方士大夫以爲渡江所無。按：黃芽菜爲菘之最晚者，莖直心黃，緊束如捲，今土人專稱爲白菜，蔬食甘而腴，作鹹齏尤美。其根宿在土中，至春續生苗，土人謂之唐白菜，蔬食亦佳。唐白菜，見上注。油菜，本名蕓薹。本草綱目：此菜易起薹，須採其薹，食則分枝必多。冬種，至春起薹摘之，名薹心菜。後留其花，結子收之，可榨油。今按：京師專名油菜，枝莖細小，爊食甚佳。瓢兒菜，按：爲菘之別種也，因其形似瓢而名。心黃，葉濃緑，蔬食甜而輭。菾菜，一名莙薘，一名甜菜。平谷朱志誤分莙薘、甜菜爲二。蘧蕒菜，一稱苦蕒。宛平王志、房山佟志並作苦蕒，字之譌也。廣雅：蕒，藘也。王懷祖疏證曰：此苦菜之一種也。藘或作蘧，或作苣。今北方處處原野生之。家種者莖葉闊大，北方謂之蘧蕒菜。萵苣菜，固安陳志：俗呼萵苣筍，出咼國，故名。按：可生拌，可鹽醬，其葉可爊食。生萵菜，見薊州沈志。按：卽白苣也。南方或謂之生菜，言其葉脆可生食也。本草拾遺：白苣如萵苣，葉有白毛。又按釋智朴盤山志：有苦益菜，言似野菊葉，叢生溝澗中，三月中采之，醃蒸三、五次，作乾菜，頗佳。疑苦益亦卽白苣也。白苣一稱苦苣，益苣爲聲近字。苣本字作𦱤，廣韻𦱤菜似蕨，生水中是也。三月可菜食。南方有諺云：三月食苦。卽此菜也。蔞蒿，固安陳志作茼蒿，云一名蔞蒿。按：茼當爲蔏。釋草郭注：蔏蒿，蔞蒿也。蘇軾詩：蔞蒿滿地蘆芽短，正是河豚欲上時。今京師於二三月食之，正稱蔞蒿其名。茼蒿者別一種。藜，甯河關志：藜一名落藜，初生葉嫩可食，莖老可爲杖。別一種名落帚，根叢生，攢簇直上，性最柔弱，枯時田家取作帚苗，嫩時亦可供茹。按：落帚即紅灰菜也，似藋而葉心赤，三河陳志作埽帚菜。

灰藋，甯河關志：灰條菜也。按：條當爲蓧，即堇之不苦者。一名白藋，又名灰菜。廣雅疏證曰：今處處原野有之。四月，其苗有紫紅線稜，葉端有缺，面青，背有白灰。

蕨，昌平宋志：初生如拳，采爲茹，亦可爲粉。盤山志：蕨生於九華峯後。按：齊民要術引詩義疏曰：蕨，山菜也。爾雅義疏曰：今蕨菜全似貫衆而差小，初出時，如小兒拳，故名拳菜。其莖紫色，故名紫蕨。光禄寺則例名麒麟菜，每歲二月，由昌平州例進，祭奉先殿用。

蔓菁，宛平王志：似菜而根苦。盤山志：諸葛菜即山芥菜，野蔬之最早者，産上方寺及桃園溝。按：蔓菁即葑也。陸璣詩疏，幽州人或謂之芥。郝懿行曰：以蔓菁爲芥，非矣。芥味辛，蔓菁味甜，燒食蒸啖甚美。然則盤山志指爲山芥，誤也。別有一種花紫者，名蒠菜，與蔓青相似，俗亦呼爲諸葛菜。

莧，固安陳志：有馬齒莧、紅莧、白莧。甯河關志：有青、紅二種，味甘滑，其野出者，葉如瓜子，爲馬齒莧。莧與鼈同食，能殺人。按：赤莧莖葉純紫，濃如燕支，根淺赤色，嫩時作蔬，較白莧味滑。白莧莖老可作葅，野莧根治霍亂轉筋甚效。

白花菜，東安李志：即野菜。按：即葍也。畿輔唐志：蔬屬有葍。釋草郭注：大葉，白華。義疏曰：葍蔓生難治，故詩傳云：葍，惡菜也。

黃花菜，畿輔唐志：一名金針。盤山志：黃花菜一名綠葱，盤山溝澗中處處有之。按：即蘐草花也。五月抽莖作花，其嫩苗及花跗鮮時，燭食極美，乾亦可佐羞。

紅花菜，即山丹花，詳下百合注。

菠薐，宛平王志：即赤根菜。甯河關志：俗呼菠菜，正二月種，可備春蔬，八、九月種，可供冬乏。

茭白，見通州志。按：即菰菜，生水鄉，春抽白萌，五月采食，南方以爲常蔬，至秋不絕，本土産此甚尠。今西直門外海淀有之，目爲蔬中珍品，其實即菰米，詳穀屬。

荇，見宛平王志。按：荇與蓴相似，其莖白，其葉如蓮錢，夏日開黃花，或有白者，莖葉可食，餘詳藥屬。

芹，昌平山水記：芹城在州東三十里，有橋，橋下有水，出芹。甯河關志：可作葅及瀹食之，有赤、白二種，白芽爲佳。

蘋，甯河關志：蘋葉四合，成中折十字如田形，夏秋開小白花，瀹之可食。按：即萍之大者。萍見藥屬。

竹筍，蘆筍，蒲筍，甯河關志：筍有蘆、竹、蒲諸植，邑祇有蘆、蒲二種。文安楊志：蒲筍，灘裏村出者佳。按：本土産竹處甚少，其産者半如南方之石竹，長細而勁，三月間抽萌，土人掘而食之，名爲小竹筍，近年來萌蘖於昔矣。

蒿，薊州沈志作蓬蒿。按：當作皤蒿，其色白，春初生，及秋香美可食，土人呼爲蒿菜，餘詳藥屬。

茄，固安陳志：紫、白、水三種。甯河關志：茄，落蘇也。有紫、白二種。白者味勝，謂之水茄。昌平志：海茄色紫極大，宜熟食，摘葉布路上，以灰圍之，則子必繁，謂之嫁茄。水茄色有紫、白。按：水茄、白茄實二種，惟色皆白耳。本草：水茄甜嫩而生食。固安志：水、白分爲二。是也。

辣，今增。按：一名辣椒，有大小數種，長而尖，實俱下垂，其味辛。亦有圓如小柹者，初則純青，老則純赤，青時可生食。

薺，見三河陳志。按：薺菜野生，無栽種之法，可燭，可生拌。

菌，畿輔唐志：木生者如芝，草生者如蓋，土生者如丁，土人總名曰蘑菇。惟凍黃、天花、延壽、猴頭、羊肚、雞骰爲最。盤山志：菌北人呼爲蘑，有數種：松蘑黃色，延壽蘑紫色，土人呼爲雞臟蘑，京蘑白色，出蔣福山一帶，大者如盤，雜蘑有青、黃、赤、白色者，有毒，不可食。日下舊聞：松纖出盤山，土人目爲紫蘑菇。按：蘑菇以口外牛羊骨生者爲勝，故稱口蘑。今本土產者土人通稱爲口蘑，鮮時可充茹，其乾者有大口蘑、小口蘑、口蘑丁之分。葦蘑，甯河關志：潮河兩岸以及俵口莊之七里海，每旱年溽暑，則葦灘中敗葉腐草蒸鬱生蘑，村人采而曬乾，味如口蘑，而湯較黑，亦美品也。芥，固安陳志：有數種。甯河關志：芥，古名芥菘，白者上，芥心味香美，扁而細者佳，醃藏作齏，燕曝可經久，白芥子入藥。按：芥類不一，今本土有一種，葉青莖紫者爲紫芥，作齏甚美，土人通稱芥菜。香河劉志：蔬屬無芥，有春不老。不知春不老爲芥屬，非芥之通稱也。擘藍，昌平宋志：入醬甚佳。廣羣芳譜：南方謂之芥藍，葉可擘食，北人故謂之擘藍，葉大于菘，根大于芥臺，苗大于白芥，子大如蕪菁。按：擘藍根如葵，土人醃藏之，四時常食，其臺亦可充蔬，辛味。蘿蔔，固安陳志：即萊菔，紅、白二種。甯河關志：蘿蔔四時可栽，惟末伏初秋爲善，破甲便可供食，兼消麪積。本草綱目：生沙壤者脆而甘，生瘠地者堅而辣，根葉皆可生，可熟，可菹，可醬，可豉，可醋，可餹，可腊，可飯，乃蔬中之最有利益者。按：蘿蔔子入藥，莖葉爲蘿蔔菜，或醃作乾菜，尤美，芽初生可食，土人謂之蘆蔔纓兒。水蘿蔔，昌平志：水萊菔色白，亦有微紫者，味甘，氣辛。按：圓大如葵，皮肉皆綠，近尾則白，亦有皮紅、心白，或皮紫者，祇可生食，極甘脆，土人呼爲水蘿蔔。今京師以西直門外海淀出者爲尤美。胡蘿蔔，甯河關志：胡蘿蔔內黃，外紅，味甘，八月下種，冬月收，根生熟可啖。昌平志：元時始得此種。按：有皮肉俱紅，心微黃者，長二三寸、三四寸不等，純甘，有藥氣。薯蕷，即山藥，一作藷薁。神農本草：薯蕷始生，赤莖細蔓，五月花白，七月實青黃，八月熟落，根中白皮黃，類芋。本草綱目：山藥，藤上所結子名零餘子，煑熟去皮，食之勝于山藥，美于芋子。甯河關志云：零餘子，散綴山藥莖旁，大小不一，霜後收暾，味亦甘滑益人。日下舊聞：產采育者甘美異他處。今按：冬月掘根，可蒸，可燗，京師以猪油及白沙餹和之蒸爛，謂之山藥泥。芋，昌平宋志：土芋一名土豆，圓如卵，可蒸食。按：有水、旱二種。水芋爲勝。京師西直門外海淀產此。能充飢，可餹，可鹽，可醬，可蔬。甯河關志云：芋能備荒，性易活，水邊隴畔皆宜，此地不經見，然秦蜀皆有，未有不宜于此者，故紀之以待老圃之利。甘藷，即番薯，又呼山薯，煑食味甘，生食亦甘脆，微有藥氣。色白，亦有微紅者。土人專呼白薯。甯河關志云：良鄉、涿州俱有，味甘性溫，可代糧，宜廣種。通州王志云：乾隆二十三年，官飭民種，今每年長發利民。百合，甯河關志：百合根如蓮座，六七月可采食，味微苦，能益氣。白花者佳，一種曰山丹，又一種曰卷丹，形味略同。山丹花可入蔬，即今市中紅花菜。盤山志：百合產盤山澗中，秋冬斸之，甘香可食。按：白花者入藥。椿芽，按：香椿樹嫩芽，俗呼香椿頭。可蔬，可菹，今土人醃藏之，名鹽香椿。馬蘭，見東安李志。本草綱目：一名紫菊，可采灼，曝乾爲蔬。荼，昌平宋志：一名天香菜。甯河關志：俗呼曲蟮菜。詩邱風：荼苦。禮月令：苦菜是也。野田皆有之。春初生苗，掘嫩白根，長二寸，醋醬拌食，味苦。五六月，莖高二尺許，中空而脆，葉似鳳仙，開黃花似野菊，刈苗蒸曬，可供歲儲。按：與程氏通蓺録所説荼菜同。荼也，蘼蕒菜也，皆苦菜也，特各種耳。莿頭菜，畿輔唐志引奧室記：大房山有草，葉初生如椿芽，僧摘爲蔬，食之甚腴。昌平志作茨椿頭，云如椿芽，肥似過之，但不香，瀹之去澁，入肉更良。豆苗菜，盤山志：叢生似豆苗，山家采之作羹，極鮮美。杏葉菜，盤山志：形似杏葉，味甘可食。**筆管菜**，昌平宋志：形如筆管，清肥可愛。盤山志：即黃精苗。詳藥屬。**木蘭芽**，昌平宋志：嫩芽可食，老可染皁。**木耳**，昌平宋志：韓文謂之樹雞，出銀山者佳。**龍鬚菜**，盤山志：即知母苗。畿輔唐志引析津日記：天壇生龍鬚菜，清明後鬻于市，食之甚脆。**苜蓿菜**，見固安陳志。按：葉似豌豆，可茹，其苗春生，一科數十莖，一莖三葉，紫花，秋結實似穄，入藥。**甘露**，東安李志：甘露俗名滴露，一名玉環。昌平宋志：一名草石蠶，可蔬，可果。**蘇**，宛平王志：子可作油。昌平宋志：有紫、白二種，可炒食，亦可作油。按：白者爲荏，詳藥屬。**薇**，昌平宋志：薇似藿，即東坡所謂修元菜。按：即野豌豆，一名大巢菜。

瓜屬

胡瓜，即黃瓜。本草綱目：今俗以月令王瓜即此，誤矣。青色，皮上有痦癗如疣子，至老則黃赤色，生熟可食，糟醬不及菜瓜也。按：各縣志或誤作王瓜。固安志，以黃瓜爲王瓜之俗名，尤非。詳下苦瓜注。昌平志：黃瓜有夏、秋二種。今京師正二月有小黃瓜，細長如指，價昂如米，凡宴貴客，用以示珍也。其實火迫而生耳。**甜瓜**，爲香瓜總名。甯河關志：甜瓜有青、綠、黃斑諸色，味甜而香，故得名。按：甜瓜種類不一，本土所産，有皮肉俱白者，土人稱爲蜜瓜；皮黃肉白者，爲棉瓜；皆甜而酥。其皮肉俱青，甜而脆者，則稱香瓜。總之，皆甜瓜也。瓜蒂皆入藥。宛平志誤分香瓜、甜瓜爲二。**絲瓜**，甯河關志：一名天羅結，長二、三尺，深綠色，嫩時去皮，可烹，可瀹，老則枯絲纏絡，可滌釜。按：其絡及藤並入藥品。**梢瓜**，按：即菜瓜，本名越瓜，可生食，俗呼生瓜。有青、白二色，濃淡相間，以甜醬漬之，爲蔬中佳品，土人稱爲醬瓜，用以煑雞肉、猪肉，極美。**西瓜**，甯河關志：種出西域，故名。藝沙田者佳，暑月剖之，脆若嚼冰，甘如啖蔗。帝京景物略：京師七夕以瓜雕刻成花，謂之花瓜。按：瓜肉有紅、黃、白三種，其皮肉子俱白者，土人稱爲三白瓜。紅瓜子可煼作果，瓜汁及翠衣用入藥。**冬瓜**，昌平宋志：一名水芝。初綠色，有毛，老則蒼色，有粉。凡收，忌酒與糯米，犯之必爛。按：宛平志：有東瓜，以配西、南、北者，非也。可蔬可羹，又可蜜煎，其子及皮並入藥。**南瓜**，昌平宋志：色赤多稜，去皮瓤瀹食，味同山藥。按：即番瓜，一名倭瓜。本土所産，有呼爲絞瓜者，形圓而長，至冬乃熟，皮初青，後則微白，其肉有絲纏，蒸熟以箸絞之，可成絲條。有呼爲老倭瓜者，嫩時皮青，老則黃，形圓，有長有扁，長者可二尺許，少子。有呼爲蝦蟆瓜者，皮有痱癗，雜青、白、黑斑文，形圓而不長，皆南瓜也。可煑，可燗，能充飢，其子可燗作果，土人名倭瓜子。**金瓜**，按：不可食。形圓而扁，亦有純圓者，秋深則老色赤，採作盆供，可耐久。宛平志北瓜，即此。**癩葡萄**，甯河關志：即苦瓜，莖葉似葡萄而小，七月結瓜，青色，其皮痱癗，味苦，入饌絕佳。熟時青黃色，自裂，露紅瓤子，北人所食，其實美不在此也。昌平宋志：苦瓜一名錦荔枝，形其似也。**匏，瓠，**按：甯河丁志稱壺盧，通州高志稱甘盧，昌平志作瓠，云似越瓜，長尺餘，夏時便熟，蓋皆指可供蔬者而言。壺盧一作瓠𤬛，古人通謂之匏瓠。考本草綱目，後世以長如越瓜，首尾如一者爲瓠。瓠之一頭有腹，長柄者爲懸瓠。無柄而圓大，形扁者爲匏。匏之有短柄大腹者，爲壺。壺之細腰者，爲蒲盧。各分名色。懸瓠，今所謂茶酒瓢也。蒲蘆，今之藥壺盧也。今驗京師通呼瓠𤬛，而以瓠𤬛之已剖者爲瓢。

果屬

櫻額，聖祖御製文集：櫻額樹叢生，果形如野葡萄而稍小，味甘澀，性温補脾，古北口外亦有之，山莊之千秋島，偏植此種，每當夏日，則纍纍綴枝，游觀其下，殊堪娛目，不獨秋實之可採也。

櫻桃，甯河關志：櫻桃，鶯取含食，故一名含桃，或呼崖蜜，熟最早。昌平宋志：有紅、白二色，南、北二種。林洪山家清供云：櫻桃經雨，則蟲自内生，人莫之見，用水浸良久，乃出，可食。按：櫻桃核可發痘瘄，白者味酸，不及朱櫻。**桃，**宛平王志：有毛桃、秋桃、扁桃、銀桃。又玉桃、金桃，云出上林苑。房山佟志：有黃、白、青、紅數種。昌平宋志：有數種，五月以刀剥其皮，出脂液，則不枯。平谷朱志：有金桃、秋桃、宣桃、麥熟桃。按：今土人以六月采食者爲朱顔青，味甘而脆，可蜜煎爲脯。七月採食者，爲瑪瑙紅。中秋後采食者，爲雁過紅。種類不一。平谷朱志以雁過紅入李類，誤。又桃仁並入藥品。**李，**宛平王志：有玉黃、青脆、牛心、麝香、紅串、鵲紅。房山佟志：有紅、青、黃三種。昌平宋志：有紫者，又有名胡斯賴者。薊州沈志：麝香紅最佳。平谷朱志：有雁過紅。按：雁過紅爲桃名。海録碎事用梯樹接桃枝，晚熟者爲過雁紅，即此。朱志作李，豈方言然歟？麝香紅，舊傳出盤山。**杏，**宛平王志：有土杏、海東、紅金梅、水梅。房山佟志：有紅、黃、青、白數種。昌平宋志：有數種，惟深赭色，核大而扁，乃接成者，味最勝。王禎農書謂之金剛拳。薊州沈志：杏一名甜梅，紅、白二種。長安客話：杏仁皆味苦，有一種甘者，名巴豆杏，或謂之八達杏。按：杏仁入藥品，其甘者鮮食尤美，乾則可爑爲果，可糜爲粉，杏子可蜜餞爲脯。**銀杏，**昌平宋志：一名白果，一名鴨脚，三稜爲雄，二稜爲雌。其仁嫩時緑，久則黃。樹須雌雄相望，乃結實。按：白果乃核中仁也，核外肉臭，不可食。花以夜開，有光，其葉如鴨脚，故名，其仁又名玉果，可爑，可煑。**亲，**俗作榛。昌平宋志：出北山黃花鎮諸處，肥白最良。按：本草，榛生遼東山谷，高丈許，子如小栗，中土亦有。今本土産此甚廣，爑食極脆美。**栗，**昌平宋志：有板、錐、莘、茅、山、楔六種。其花如條，大如筯頭，長四、五寸，可以點燈。毛詩陸疏：五方皆有栗，惟漁陽范陽栗甜美長味。金史地理志：薊州貢栗。析津日記：遼于南京置栗園司，蕭罕嘉奴爲右通造，典南京栗園是也。元昌平縣亦有栗園。薩里傳：戰于栗園，殺二人。是也。蘇秦謂：燕民雖不耕作，而足于棗栗。唐時，范陽以爲土貢。今燕京市肆，及秋，則以錫拌，雜石子爆之。栗比南中差小，而味頗甘。按：今煞栗以餹。**棗，**固安陳志：有大、小二種。通州高志：兩頭尖者佳，圓者次之。懷柔吳志：有酸棗、瓶兒棗。瓶兒棗較長，棗大而圓，其頂突起，如瓶之有蓋。房山佟志：羊棗俗名黑棗。昌平宋志：棗甘美輕脃，可生可熟，收者以麻油葉同蒸，則色更潤。羊棗一名丁香柹，名苑所謂君遷子，俗名軟棗。昌平山水記：密雲多棗，小而堅緻，北人種之。按：羊棗早熟而甜美。酸棗仁入藥品，詳藥屬。**石榴，**甯河關志：天榴，天漿也，產南方者，樹高尋丈，五月花，秋間熟時，其皮綻裂，子纍纍嵌房內，消渴潤肺。北方所產，有紅、白二種，樹不甚高大，自地作叢，可供賞玩。昌平宋志：一名金罌，色有紅、白，味有甘、酸。**梨，**甯河關志：二月開白花，上巳日無風，結梨必佳。薊州沈志：梨各種，北山密梨、錦梨最佳。按：梨之種類不一，其見于各縣志者，有秋白、香水、紅綃、鶴頂、紅錦、餹雪梨、杜梨等名。杜梨今別詳。紅綃當作紅消。邵康節詩，紅消食之甘如飴，是也。今土人以汁多而微酸者爲波棃，其皮上有紅點者爲金星波棃，甜而爽脃者爲呀兒棃，可蜜餞爲脯，即哀家梨也。哀、呀聲之轉。又有大者，爲半斤酥、馬蹏黃。日下舊聞引燕山紀游稱，仰山村多梨，今西山一帶產植甚廣。**杜梨，**按：固安陳志稱，南方謂之棠棃。詩傳云甘棠也。此本鄭注毛傳。懷柔吳志謂即倒挂果，誤。爾雅：杜，甘棠杜，赤棠杜，兼二名，故通稱爲杜。今土人稱杜梨，細小紫黑色，味酸澀，其爲赤棠無疑。毛詩陸疏云：赤棠與白棠同，白棠，甘棠也，少酢，滑美，赤棠澀而酢無味，俗語澀如杜是。昌平志云，小于羊棗，生黃熟黑，小兒多採之，明其不能食也。其木理堅細，今錄書板用棃木，即此。甘棠疑即今之沙果棃，俗以形似沙果而名，色白微酸、而脃，與陸説白棠同。日下舊聞以今之頻婆果即詩甘棠，殆非。**倒弔果，**聖祖御製文集云：倒弔果，俗名弔搭果，形似山梨而小，體微長，味酢，肉多沙，長蒂，花葉皆下垂，故名。性暖，健脾消食，樹枝葉俱如梨。**呀兒果，**按：以形色，全似呀兒梨而名，一稱呀兒光，聲之轉也。味微酸多沙，疑即沙棠也。西山一帶產此，似與倒弔果同類。**沙果，**畿輔唐志：綿而沙者曰沙果。昌平宋志：以檳微團，色兼紅、白，過肉則紫。呂氏春秋曰：果之美者，沙棠之實。按：沙棠，梨類，沙果似林檎，惟差扁無香耳。皮色初青，老則白而帶紅，酥而不脃，或以爲柰之別種。**虎喇檳，**按：即檳子，似頻婆果差小，體微長。**頻婆果，**昌平宋志：大似甘橘，色兼紅白，須出鎮邊城者，圓小堅實，入罈，過冬不敗。長安客話：韋公莊里許有柰子古樹，婆娑數畝，春時花開，望之如雪。三夏葉特繁密，列坐其下，烈日不到。袁宏道謂：戒壇老松，顯靈宮柏，城南柰子可稱卉木三絕。按：柰子與林檎同種，長者爲柰。本草：柰味苦寒，多食令人臚脹。**林檎，**畿輔唐志：俗名甜果。昌平宋志：俗名檳子，似沙果差大。房山佟志：頻婆一種小而色紅者，名來賓。按：林檎一名來禽，賓、禽聲轉字誤耳。味甘而脃，又名花紅。其花名月臨，極可人。其差大而肉多沙者，爲沙果。房山志：又以林檎爲即沙果，亦誤。**柹，**俗作柿。固安陳志：小者火柹，大者蓋柹。東安李志：牛心紅，即小紅柹。

昌平宋志：有數種，惟花塔一帶爲盛，同蟹食，令人腹痛作瀉，二物俱寒也。按：柹爲赤實，果大者霜後熟，形圓微扁，中有拗，形如蓋，可去皮曬乾爲餅，出精液，白如霜，名柹霜，味甘，食之能消痰。松子，見宛平王志。按：松實成毬，中爲松子，極香美，可入餻餌。山樝，卽杭子。畿輔唐志：俗名山裏紅。房山佟志：紅果卽山樝也。昌平宋志：大而紅者曰糖毬，小而黃者曰山樝。按：糖毬當爲棠梂，經霜乃赤。其稱餹梂者，以餹裹之耳。亦可蜜餞爲果脯。今土人稱爲紅果者，此也。山樝可和餹蜜，擣之爲樝糕，淡紅色者最佳。又入藥品。陽桃，昌平宋志：其色似梨，其形似桃，獮猴喜食，又曰獮猴桃。桑葚，一作椹。昌平宋志：有黑、白二種，可收備荒。按：生啖味甘，煎成膏溫補，老人最宜。無花果，昌平宋志作阿駔。云卽無花果，不花而實，實出枝間，生青，熟紫，味甘無核。薊州沈志：有映日果、文光果、天仙果、優曇鉢、阿駔、古度等名。本草綱目：枝柯如枇杷樹，每至三月發葉，五月內不花而實，狀如木饅頭，軟爛味甘。文官果，昌平宋志：四稜，內有仁如螺，外蔽以房。薊州沈志：形如無花果，味如栗，五月成熟。蒲陶，

聖祖御製文集：近得哈密各種葡萄，植於苑籞中，結實有白者，綠者，長如馬乳者，又一種大葡萄，中間有小者，名公領孫，又一種小者，名瑣瑣葡萄，種類雖殊，食皆甘美，移植南方，便失本味，大約其性於北方沙石水土相宜。皇朝通志：奇石蜜食，綠葡萄也。結實無子，本布哈爾種，西域平後，自回部移植於禁苑。固安陳志：有紫、白、癩三種。通州高志：長者佳，圓者次之。房山佟志：有紅、白瑪瑙二種。薊州沈志：一名草龍珠，有紫、白二種。按：奇石蜜食，回語綠葡萄也。今本土有形長而綠，味甘無子，俗呼爲牛奶葡萄，自從回部移植京師，物遂其生，民間遂得增果實之利。廣羣芳譜：葡萄北方天寒，初冬草裹埋地尺餘，春分後取出，數日架起，子生，去繁葉，使霑風露，則結子肥大也。又按：癩葡萄爲錦荔枝瓜屬，與葡萄別種。固安志誤。今詳瓜屬。蓮的，俗呼蓮肉。郭注釋草蓮，謂房的，蓮中子。按：蓮房去皮存膜，洗硯最宜，並入藥。其的嫩時生噉絶甘脆，至秋表皮黑則老，煮食益人，亦入藥用。蕅，按：今市中鬻者皆海淀所產，夏月啖之甚珍，香氣類荷而味少淡。寺僧或灌入稉米，熟之爲香積蔬品。其節亦入藥用。菱，宛平王志：御河產者佳。薊州沈志：菱，芰實也。按：海淀今產菱極小，而三角，如南方之野菱，土人呼爲菱角，生啖不甚甘脆，惟蒸曝亦可充糧，惜少水鄉，無廣植者。芡，宛平王志：從本草作雞頭。按：芡亦有秔，有稉。稉者爲上，其葉貼水多刺，實大如雞頭，破之得數十子，圓白如珠，久食宜人。其軟根亦可充蔬作羹，今海淀產之，又見房山、文安、香河等縣志。慈姑，見通州高志。按：海淀亦產此。羣芳譜：一歲根，生十二子，有閏，十三子，一名藉姑，一名白地栗。宛平王志：地栗與葧臍分條，則地栗卽慈姑矣。可煮啖，其苗名剪刀草，一名燕尾草，莖嫩時亦可作蔬。葧臍，俗作荸薺，非。按：本草烏芋注，茨菰有烏者，根相似而美，呼爲鳧茨。此說非也。烏芋，今之慈姑也。烏茨，葧臍也。鳧茨苗如龍須，一莖直上無葉，其根圓微黑，肉白甜脆中啖，俗亦稱地栗，充果，充蔬，又入藥品，凡誤吞銅錢，取汁啖之，則銅化爲水而出。蓋物之能消堅破積者。又能避蟲毒，今海淀產此。又見薊州志。烟蘽，昌平宋志：

一名山葡萄，粒小味酸，亦堪作酒。詩云：六月食薁。即此。盤山志：紫黑味酸，七八月間山家採之以款客。王念孫廣雅疏證曰：蘡薁自是葡萄之屬，蔓生，結子滑澤，故人食之。郁李，薊州沈志：唐棣也。按：沈志本陸璣唐棣疏，其實即詩六月食鬱之鬱。齊民要術引詩義疏曰：鬱樹高五六尺，實大如李，正赤色，食之甜。即此。鬱者棣之屬，而以爲即唐棣則非。爾雅義疏引牟願相說，唐棣花白，即今小桃白也。餘詳藥屬。羌桃，昌平宋志：俗名核桃，皮薄肉滿，急促易碎。亦有一種隔子殊劣。按：一名胡桃，其肉即核中仁，故俗名核桃。酉陽雜俎：殼薄仁肥者佳。宋啟文長安可游記：王平口山坳多核桃。鐵梨，今增。按：爾雅作櫨梨，內則作租梨。說文：櫨果似梨而酢。齊民要術引風土記，相梨肉屬堅而香。爾雅義疏曰：櫨，即今鐵梨，黃赤而圓，肉堅酸澀，入湯煮熟則甜滑，今順天人呼之鐵梨是也。今本土或稱爲堅梨，晚秋始採，堅不能啖，必先以白蒿覆之。蒿性溫，逾日而梨色變黑，始可食。然生啖酸澀，土人每煮熟而鬻。落花生，今增。按：落花生，藤生花落地而結實，故名。凡沙地皆可藝。今本土西山一帶，產此甚廣，四月下種，八月成熟，煞作果，極香美，惟忌與瓜同食。山荊子。盤山志：形似杜梨，其果大似胡椒，殷紅，霜後可食。其木用接頻婆，甘香有色。

藥屬

沙參，見三河陳志，昌平宋志。按：一名白參，實與根皆白也，味苦，又名苦心。苦參，見固安、三河、昌平志。元參，見薊州沈志。按：莖黑而方，高四五尺。紫參，見昌平志。丹參，同上。蒼朮，盤山志：有蒼、白二種，盤山祇產蒼朮。太平寰宇記：薊州土產白朮。金史地理志：大興府產蒼朮。黃精，盤山志：葉似竹，每葉傍生二黑子。孫氏千金翼方謂黃精於二月採根陰乾，不若秋後之爲愈也。畿輔唐志引天府廣記，昌平駐蹕山西北清水澗，崖間牛奶黃精之屬，紅翠含濡。瞿麥，按：宛平王志作瞿麥。畿輔唐志作瞿麥。皆字之譌。本草陶注：一莖生細葉，花紅紫赤可愛，子頗似麥，故名瞿麥。說文作蘧麥。繫傳云：又名句麥。其小而花色深者，俗謂石竹。忍冬藤，一作金銀藤，即金銀花。甯河關志：藤皆左纏，對節生葉，一蒂兩花，先白後黃。采可供茗，乾則入藥。薄荷，即積雪草。本草陶注：又名胡薄荷。按：可入餻餌或浸酒煎餹，又有薄荷油。牽牛，三河陳志、房山佟志：有黑、白二種。甯河關志：俗呼牽牛郎，蔓生野田，有黑、白二種，皆入藥，採嫩實，蜜煎爲米，俗呼爲天茄。按：其子即天茄。餘詳花屬。瓜蔞，按：即括樓，本字作蒈蔞，一名果蓏，一名天瓜。春間蔓生，夏結實如瓜，秋末取之，其子名瓜蔞仁，其根即天花粉。虵牀子，按：本草一名虵米，言其葉似芎藭，其子如黍米也，又名虵珠。地黃，按：一作乾地黃，其葉似牛舌，其實作房如連翹子，又名地髓。蒺藜，甯河關志：蒺藜布地蔓生，細葉，子有三角，狀如小蔆。茵陳，按：亦蒿類，有山茵陳、綿茵陳二種。山茵陳名角蒿。甯河關志：以青蒿爲可入藥，白蒿、蓬蒿、茵陳蒿，但供茹者，非。茵陳蒿初生苗可茹耳。一作因陳，又作因塵。陳，藏器。本草釋名：此雖蒿類，經冬不死，至春因舊苗而生，故名茵陳。青蒿，見上注。又按：青蒿結子細密如稗子，夏日連枝采之，煮以代茗，可清暑熱。本草作草蒿。凡蒿類十餘種，均入藥。芎藭，按：宛平王志作川芎，非其出蜀中者爲川芎也。其葉卽蘼蕪。木賊，宛平王志：卽節節草。萹蓄，見宛平昌平志。按：卽詩綠竹之竹，節間開小紅花，其葉可和麪蒸食，生山谷間。別有水萹蓄，好生水旁。甯河關志作旁道草，云叢生道旁溝邊。營實，按：卽薔薇花子。詳花屬。蘿摩，按：爲芄蘭。陸璣詩疏：幽州人謂之雀瓢。秋蜂兒，甯河關志：卽淡竹葉。春生細莖，高數寸，葉似竹而柔，開碧花，作兩翅似蛾，故名。葉入藥，花可曬粉，染繪最鮮。按：卽詩綠竹之綠，一作菉，所謂王芻也。又名藎草，古方用淡竹葉，乃淡竹之葉，今藥肆中以此草代用，誤。蒼耳，甯河關志：蒼耳，枲耳也。葉如蔺麻，又如茄。初生嫩苗可茹，實如香附而多刺，炒研可作餅餌，亦可入藥。按：卽詩卷耳。陸疏：幽州謂之爵耳。其葉黃色，圓銳，高可二三尺，其花子似蓮實而多刺，又名喝起草。見昌平志。地丁，甯河關志：蒲公英俗呼婆婆英，卽黃花地丁也。解毒，利小水，治一切腫毒，搗敷小兒天花毒結，婦人乳癰，神效。兼洗凍瘡。多生于溝旁溪畔。按：蒲公英野生，不盡在溪澗也。又有紫花地丁，白花地丁。紫蘇，按：宛平志蔬屬有蘇。昌平宋志：穀屬有蘇子。云有白、紫二種，汁可取油。蓋紫者爲蘇，白者爲荏。蘇香，荏不甚香。取油者爲荏子，紫蘇爲桂荏子，色微黑，葉與子並入藥。今土人畜鳥或用荏子，然通稱爲蘇子矣。半夏，見各縣志。金史地理志：大興府產半夏。連翹，按：其莖中空，其實作房。本草謂翹出衆草，故名。威靈仙，按：爲草類，性能舒散風邪。車前子，甯河關志：多生道旁，春初生苗，布地如匙面，花青紫色，子黑，服食家尚之。按：卽芣苢。陸疏：幽州人謂之牛舌草，可鬻作茹大滑，其子治婦人難產。爾雅義疏曰：今驗此有二種，大葉者俗名馬耳，小葉者名驢耳，今藥所用是驢耳，野人亦煮啖之。馬耳水生，不堪啖也。酸棗仁，按：卽孟子養其樲棗之棗。趙岐注：樲棗，小棗、酸棗也。今本孟子，棗作棘。山楂，詳果屬。桑白皮，按：取土中根皮爲良，出土者傷人，故本草作桑根白皮。地膚子，通州高志：卽埽帚子。按：埽帚草枝莖繁密，乾之作帚。苦丁香，卽甜瓜蒂。益母草，甯河關志：莖方葉青，有尖，岐節間叢生穗，小紫花，以不見婦人者入藥良。按：卽詩中谷有蓷之蓷，一名茺蔚，又名鬱臭草。今京師以天壇產者爲良。蕳蕩子，按：一作莨菪，一作狼蓎，縣志中譌作浪蕩。廣雅疏證曰：史記倉公傳曰：菑川王美人懷子而不乳，臣意以莨蕩藥一撮，以酒飲之，旋乳。是蕳蕩實治婦人不產也。然本草別錄及後世醫家無言及者，蓋古方失傳者多矣。槐角子，牛蒡子，並見宛平王志。天麻子，按：天麻卽益母之紫花者。通州高志謂卽蓖麻子，非。山梔，按：卽梔子花之子，一名黃梔。詳花屬。桃仁，詳果屬。杏仁，有甜、苦二種。詳果屬。升麻，按：一名周麻。別有名雞骨升麻，皮青綠色，爲升麻好者。瓦松，詳芝屬。麥亹冬，一作麥門冬。門爲借聲字。薏苡仁，按：今通呼爲米仁，亦有稉、秔二種。秔者，殼厚堅硬，僧家用作念佛珠。浮萍，按：今海淀一帶有之。背紫者，入藥。芍藥，房山佟志：有赤、白二種。按：其根入藥。餘詳花屬。兔絲子，房山佟志：女蘿卽兔絲子也。按：卽詩爰采唐矣之唐。一名兔絲，一名女蘿。初亦根生，及至蔓延，或蔓草上，或蔓松上，故一名松蘿。附物而生，亦寄生之類。地龍，按：亦藤類，本草衍義，繞樹蟠屈如龍，故名。土狗，按：一作杜狗，卽螻蛄也。詳蟲屬。艾，幾輔唐志：有家、野二種。茱萸，見宛平志。按：爲蔓椒也。本草：蔓椒一名家椒。詩：椒聊，陸疏：椒聊如茱萸，是也。盤山志：椒有家、野二種，可證與吳茱萸不同。吳茱萸，爾雅謂之榝，說文謂之藙。蒔蘿，按：爲茴香。萞麻子，甯河關志：莖高丈許，中空有節，葉大而厚，五稜，夏秋作黃花，結實如巴豆，可入藥，亦可取仁榨油，作印色膏最佳。旱蓮，按：旱蓮草可固齒。菖蒲，按：有二種，一則葉細，高四五寸，吳普本草一名堯韭、是也。俗名石菖蒲，服之通竅。生水石間。昌平宋志載之。一則葉有劒脊，高尺餘。甯河關志云：五月五日，小兒佩之，辟邪。本土此類最多，其根可作葅，亦入藥。景天草，見固安陳志。按：一名戒火，一名愼火，或盆養以辟火也。昌平宋志作愼火，云卽佛指甲。樗根，按：臭椿爲樗。宜取土中根皮，與桑白皮同。葛根，按：葛花亦入藥。枸杞，甯河關志：葉似石榴，種肥壤中，待苗生，剪爲蔬，食甚佳。其子入藥，根爲地骨皮。按：亦野生，處處有之。其苗土人呼枸杞頭，煞食微苦，能清目。地骨皮，見上注。葶藶，見武清蔡志、薊州沈志。按：生麥田中，有甜、苦二種。其甜者卽釋草，郭注所謂實葉皆如芥者也。其單莖直上，葉端出角，觕且短者，味至苦。語見翟灝爾雅補郭。豨薟，昌平宋志：出居庸。金稜，銀線，素莖，紫荄。地榆，見固安志、昌平志。芪母，盤山志：知母，盤山最多，采藥者遇之不顧。又見房山志、三河志、昌平志。天南星，見懷柔志、房山志、昌平志。按：其根圓如芋。蔏陸，按：爲草類，俗名王母柳。本草圖經：一名章柳。春生苗，高三四尺，莖青紫色，葉如牛舌，根如蘆菔。遠志，見房山志、昌平志。寰宇記：薊州土產遠志。按：其莖葉俱絕細，俗呼線兒草，卽所謂出山爲小草也。爾雅義疏曰：今見者，苗似麻黃而青，無節。細辛，見房山志、昌平志、薊州志。香附，見永清志、香河志。按：莎草之根爲香附。各縣志草屬，往往有莎，而香附缺載。射干，今增。按：卽烏蓮，今俗稱胡蝶花。三河志、昌平志花屬有之。虎耳，今增。按：宛平王志，花屬，有金絲荷葉。房山佟志，草屬，有虎耳，同一物也，入藥。藿香，今增。按：叢生最多，可清痧，暑夏日取以代茗，最有益。秦椒，昌平宋志：入蔬屬，云大椒也。花椒，昌平宋志：入蔬屬。引上清訣曰，凡人喫飯過飽，以水吞二十枚卽散。透骨草，按：卽花屬之鳳仙，其子名急性，能催生。桔梗，昌平宋志作白桔梗。按：爲山生之草，一莖直上。別有一種，名甜桔梗者，爲薺苨。桔梗花紫碧色，其葉較薺苨橢長而不圓。本草：桔梗葉名隱忍，可煑食之，療蠱毒。天花粉，卽瓜蔞根。詳上。大薊，小薊，甯河關志：貨屬有大薊草云。俗呼欺畦菜，性能散風涼血，上半搗汁煑食，可治吐血，下半連根搗汁㕮服，可治男子便血，婦人血崩。

葉多刺，生于菜畦堿地中。按：本草有大、小薊根圖經，小薊俗名青刺薊，葉多刺，北人呼爲千針草，二月苗生，并根作茹，甚美。大薊根苗與此相似，但肥大耳。**黃芩**，見懷柔志、昌平志、薊州志、平谷志。按：房山志有黃連，疑卽黃苓之譌，不別出。**苷草**，見固安志、房山志。按：卽詩采苓隰有苓之苓，苓與蘦同。釋草：蘦大苦。廣雅疏證曰：大苦，大苄也。苄，苦，古字通，非謂其味之苦也。蘦味甘美，故名甘草，一名美草，別有木甘草，生木間。**木靈芝**，見盤山志。又云，盤山產者紫芝，或謂煎湯服之，能已心疼。**黃檗**，一作黃柏，見薊州志、平谷志。**紅花**，見永清、東安等縣志貨屬。按：可活血，詳花屬。**草決明**，今增。按：野生，花如萊菔，四瓣，白色微紫，結子如豆莢，卽草決明也。鮮時可充蔬，最明目。其莖青，微有粉，近根則紫，葉長尖，本土極多，一名青箱子。**柴胡**，見昌平志、薊州志、平谷志。**防風**，見昌平志、房山志、平谷志。**草烏**，見昌平志、房山志。**荆芥**，見三河志、昌平志、房山志、薊州志。**柏子仁**，詳木屬。**五味子**，見昌平志、薊州志。金史地理志：大興府產五味子。**烏欒**，盤山志：產澗中，藍花叢生，味苦，毒人。**藜蘆**，見房山志、薊州志。畿輔通志：土人謂之憨葱。**茯苓**，房山佟志：土苓也。按：生大松下。本草：其有抱根者，名茯神。**皁莢**，房山佟志作皁角。今詳木屬。**五靈脂**，按：卽鶡旦屎。詳禽屬。**鬱金**，見霸州志。**三稜**，詳草屬。**紫草**，按：其根入藥。餘詳草屬。**蓮殼**，詳果屬。**罌粟殼**，甯河關志作米殼，入貨屬。云一名米囊花，農隙餘地種之，花不妨稼，結子爲油，殼乾入藥。按：罌粟結子如核桃大，有漿，卽鴉片膏。農人貪其利厚，植此甚廣。道光中，禁吸鴉片，并禁植此花，至今亦嚴禁。**萊菔子**，詳蔬屬。**老鴉觜**，按：爲草類，縣志中或作老鸛勺、老鸛觜，同爲一物，字隨音異。**血見雠**，見香河劉志。**郁李仁**，見薊州沈志。按：一名車下李，一名雀李。爾雅義疏曰：雀李，今順天人呼爲側李，樹高二三尺，花、葉、實俱如李，而形小耳。其實正赤，甘酸微澀，寡於肉而豐於核，今藥中郁李用此。餘詳果屬。**貓兒眼**，見薊州沈志。**麻黃**，見東安志、房山志、昌平志。**蠶沙**，見東安志。按：蠶矢一名蠶沙，治風氣痛最驗。治法以蠶沙煎水洗之，或盛以囊，烘熱熨之。又儲諸土窖，用水浸腐，以之糞田亦極肥。**堇菜**，見固安陳志。按：當作苦堇。與烏頭之堇，蒴藋之堇各異，其花紫色。**槀本**，畿輔唐志引密雲志：香陘山出槀本雜香。按：一名槀茇，草之香者。葉圓如蘇，其名本者，以根得名也。史記司馬相如傳索隱引樊光曰：槀本根名蘄芷。**狗脊**，見薊州志。按：狗脊如萆薢，莖有節而疏，直上，有刺，圓而青，有赤脈，其根黃白而凹凸。**鳳尾草**，見房山志。按：卽馬鞭。昌平志：馬鞭節生紫花。**鳳眼草**，按：卽椿樹上叢生莢。**夏枯草**，昌平宋志：一名蕹，益母也。按：一名乃東，一名鐵色草。本草注，此草禀純陽之氣，夏至後卽枯，故名。昌平志誤。**天仙子**，見東安、房山各縣志。**紫背金牛草**，甯河關志：鄉人呼老牛草，戒鴉片之要藥也。似藿香，秋田荒陂多生，煎汁作膏入鴉片煙，則煙散。剋伐物也，多服傷人。**鹿藿**，甯河關志：俗名營豆，生田地中，苗葉似豌豆，三月間開淡粉紫花，結小莢，子黑色。按：關志形狀悉如唐本草注所說。神農經云：鹿藿味苦，主蟲毒，女子腰痛，及腸癰瘰癧等症。**酸漿**，昌平宋志：一名洛神珠，外垂絳囊，中含赤子如珠，甘酸可食。按：一名燈籠草。通州高志：草屬，燈籠窠卽此。或又謂之紅瓜囊。**淡巴菰**，卽煙草。昌平宋志：先白浮山村産者爲良，後城中更勝。甯河關志：淡巴菰出呂宋國，卽今葉菸，一曰相思草，又曰淡肉果，擔不歸，生搗汁，可毒頭蝨。畿輔唐志引食物本草：閩産者佳，燕次之，春種夏花，秋日取葉，切細如髮，草頂數葉名曰蓋露。按：京師盛吸者有高潮煙、蘭花、潮煙，又有片兒煙、葉子煙、白錠子等名。葉子煙則用關東取來煙葉，揉碎而吸之。其煙箭有竹，有烏木，有象牙。爇煙處曰頭，銅鐵爲之。口銜處曰觜，玉石，料石，翠石，瑪瑙，鰍角或銅爲之。竹皆販自南方，箭長不逾尺。其盛煙之囊，有如壺盧式者，花瓶式者，飾金繡花，騁妍爭巧，亦有以皮爲之者。下以火燔，上以口吸，曰吸。明時邊方用以辟瘴、後乃徧及天下。近自南北洋通商以來，水煙箭又盛行矣。來自江蘇、湖北，以黃白銅鑄之，所吸之煙，則福建綿煙，廣東淨絲煙，生切煙，若蘭州水煙，尚不經見。煙葉浸水及煙箭中垢，可治蟲螫蚰蚿，煙灰亦辟蟲。**蒲黃**，按：蒲花上粉名蒲黃。餘詳草屬。**牛舌**，甯河關志：生下溼地，苗高莖赤，葉長尺許似牛舌，開花結子，與葉一色，性能殺蟲治禿，兼解河豚毒。**桑寄生**，見昌平志。按：各木有寄生，惟桑上入藥良。**桑螵蛸**，見宛平志。按：卽螳蜋卵在桑上者。**羊蹏根**，見昌平志。按卽堇草。**夜明沙**，見昌平志。按卽蝙蝠屎。詳禽屬。**旋覆花**，見昌平志。按：一名金沸草，卽六月菊。詳花屬。**穀精草**，昌平志：穀田餘氣所生，故名。白花如星，又曰戴星。**箭頭草**，昌平志：卽紫花地下。**馬兜鈴**，見昌平志。**蠡實**，同上。**翻白草**，同上。**露蠭房**，**十蠭房**，詳蟲屬。**石鍾乳**，**狼毒**，**牛黃**，**鼠粘子**，**禹餘糧**，**王不留行**，**劉寄奴**，按：一名烏藤菜。**狗寶**，**秦艽**，**大戟**，已上見昌平志。**滑石**，見畿輔唐志。金史地理志：大興府産滑石。**代赭石**，同上。**白龍骨**，同上。**蟬脱**，見文安楊志。蛻爲脱。**虵蛻**，同上。蛻又謂退。**芒消**，**朴消**。同上。並詳石屬。

花屬

梅，方逢年帝京景物略：京師右安門外十里曰草橋，居人以花爲業，入春而梅，而山査，而水仙，而探春。按：今草橋居人種花爲業如舊，惟梅花無大本，僅置盆中，爲几席玩。有紅、白二種，亦結實如櫻桃大，味酸苦，不堪啖。**蠟梅**，日下舊聞考引燕都游覽志：隆恩寺小軒蠟梅一株甚大，江南亦不多得。按：蠟梅有九英、磬口、檀香三種，今京師有九英者，亦僅置盆中供玩。**榆葉梅**，畿輔唐志：葉如榆，花開如梅，故名。甯河關志：榆梅三月開，粉紅色，俗名爲粉團。**杏**，日下舊聞引六街花事云：豐臺種花人，都中目爲花兒匠。每月初三、十三、二十三日，以車載雜花至槐樹斜街市之。桃有白者，梨有紅者，杏有千葉者。楊廷秀杏花詩：於中更有紅千葉，且道化工奇不奇。斯亦上苑之異種矣。戴璐藤陰雜記：唐東江有興聖寺看杏花詩：探花一騎西郊迴，爲言紅杏千株開。間尋古寺愜幽賞，枝枝淡冶如肥梅。在昌運宮，非城中興聖寺。查他山有興勝寺杏花歌，亦是此寺。**桃**，畿輔唐志：有山桃、園桃，惟千葉碧桃爲最。**碧桃**，見上注。又按：碧桃花白而瓣繁，不結實。六街花事所云桃有白者，當卽此。今京師臘月蘊火暄之，以充盆玩。**夾竹桃**，按：葉似竹，花似桃，故名。其花自春徂秋不絕，惟性畏寒，入冬必藏之室內，或以稻草護其本。**櫻桃**，見果屬。**李**，**郁李**，並見果屬。又昌平宋志：李，花色白而繁。郁李，花有粉紅、雪白二色。**梨**，甯河關志：梨，北地有之，葉似杏微厚，大而硬，二月開白花，如雪六出。**紅梨**，六街花事：紅梨，歐陽永叔有詩，所云紅梨千葉愛者誰，白髮郎君心好奇。是也。**梔子**，通州高志：藍梔花似桃無果。按：藍疑爲蘭之譌。謝靈運賦：林蘭近雪而楊猗，卽此。廣雅：梔子，桷桃也。名醫別録：一名越桃。酉陽雜俎：諸花少六出者，惟梔子花六出。今驗其花甚香，亦有七出者。色白而黃，其子名山梔，又名黃梔，入藥，并染色，又有一種紅者。**桂**，按：今京師桂花甚珍，僅見小本，供盆盎之玩。伊墨卿秉綬有乾隆辛亥會同年於陶然亭詩句云：若尋簪帽當年桂，聞道蒼蒼已十圍。今其桂已不可考。**石榴**，畿輔唐志引遵生八箋：燕中榴花有千瓣白、千瓣粉紅、千瓣黃、千瓣大黃、千瓣大紅。單瓣者比他處不同，中心花瓣如起樓臺，謂之樓臺石榴。薊州沈志：一名若榴，一名丹若，一名金罌。按：惟單瓣乃結實。**海棠**，宛平王志：有西府海棠、鐵莖海棠。甯河關志：有垂絲、鐵梗、西府、木瓜，而西府最勝。西府之紫錦垂絲者尤佳。薊州沈志：毛葉、鐵梗二種。帝京景物略：海棠，上西府，次鐵梗，次垂絲，贗者木瓜。辨之以其葉，木瓜花先葉，海棠葉先花。韋公、慈仁兩寺，京師海棠盛處。按：木瓜海棠，卽木瓜花。薊志：毛葉乃秋海棠。詳下。今慈仁寺海棠，久無人道，惟西直門外法源寺大盛，花時游譙不絕，其軒額曰國香堂。又海棠亦結果，可生啖，蜜餞尤佳。**秋海棠**，甯河關志：喜陰溼，惡澆灌，宜幽靜背日處種之。有一種白者更佳。按：一名八月春，草莖有節，大葉深緑色，微毛，葉背有筋，筋白者花白，紅者花紅，其莖節亦帶紅色。**紫薇**，宛平王志：百日紅卽此。一稱怕癢花，蓋手爪其皮，徹頂動搖。昌平志以紫荊爲怕癢，誤。**紫荊**，見宛平王志。按：木皮入藥。**木槿**，房山佟志：有紅、白二種。昌平宋志：有紫，有粉紅，應陰而華。按：卽詩顏如舜華之舜，可裁作籬，南方謂之槿樹籬花。花白者可治痢。**小繡毬**，盤山志：叢生石罅中，其花攢簇如毬，潔白可愛，但不能移，移之卽枯。**八仙**，按：卽洋繡毬也。其花八朵成毬，色白。昌平宋志：一名避麝。園亭多植此。**牡丹**，甯河關志：牡丹，木名，俗名富貴花。花有五色，甯邑惟赤、白二種。昌平宋志：以秋分日折其枝插之，次年必活且花。成容若淥水亭雜識：大房山僧多種之，其色有大紅、淡緑，江南所無也。按：今京師唐花有牡丹，歲籥將新，取以進御。士大夫或取飾庭中及相餽送，有不惜費中人之産者。**荷包牡丹**，六街花事：荷包牡丹一名朝鮮牡丹，花似僧鞵菊，而深紫色。其以牡丹名者，因其葉相類也。京師槐樹斜街、慈仁寺、藥王廟花市恆有之。按：荷包牡丹一名魚兒牡丹，蕊白，花紅，二三月間開，狀類雙魚，纍纍相比，枝不勝壓而下垂，其葉如牡丹，其根或謂爲土當歸。花市今在上斜街土地廟，逢月之初三、十三、二十三日，草橋居民肩擔而市。

鼓子花，畿輔唐志：花似牽牛。昌平宋志：花開如拳不放，頂幔如杠鼓式，色微藍。按：卽纏枝牡丹。宛平志作轉枝，又名旋花，入藥品。**丁香**，甯河關志：花狀如丁，白色，芬芳襲人，三月開。亦有紫色者，香略次之。昌平宋志：有紫、白二種，白者更香。盤山志：丁香花產五盆溝一帶，花繁香烈，首夏盛開，纍纍石缺中，如繡。**瑞香**，見房山佟志。**迎春**，甯河關志：狀類丁香而色黃，先春日開，故名迎春。昌平宋志：蘽生，方莖厚葉，花開狀如瑞香，黃色，不結實。按：莖圓不方，木莖細小，花色黃，殘則變白，立春前開，至三四月間，花猶未絕。**探春**，畿輔唐志：白玉、紫香二種。甯河關志：花白色，二月間開，在迎春後，丁香前，故名探春。其香較丁香、迎春更勝。昌平宋志：紅、白二種，異香無比。**金雀**，盤山志：花黃色，叢生，有刺，開最繁，形類金雀。按：在立春前開，與迎春同類。**薔薇**，固安陳志：紅、黃二種。通州高志：有一枝俱五色者。按：其子名營實，入藥。房山志以十姊妹爲卽薔薇，誤。**十姊妹**，按：每枝十朶聚開。亦有七朶者，名七姊妹。酴醿，**刺醿**，甯河關志：荼蘼，紅、白二種，紅者似薔薇，葉厚，條堅，刺硬；白者葉弱而圓尖，作深碧色，條柔，刺細，花大，瓣長，開時如雪。按：一種同類微別。刺醿一名野薔薇，花葉皆香，南方呼爲做絲花，收蠶用其葉。酴醿花作白色，唐宋詩詞每稱粉面額黃。

芍藥，甯河關志：芍藥花類牡丹，而莖實草本，色亦有赤有白，其根可入藥。房山佟志：種類甚多。昌平宋志：有赤、白數種，俗呼千葉者爲小牡丹。涿州吳志：析津日記謂豐臺芍藥，連畦接畛，荷擔市者日萬餘莖。按：北地芍藥之美，勝於江南，不獨豐臺所產也。按：芍藥根亦赤、白二色。**玫瑰**，甯河關志：俗謂之離孃花。分栽則茂。園丁花時售之，獲利倍於葱薤。昌平宋志：有紅、黃二種，紅者合餅爲醬，餅餌之用爲多。盤山志：玫瑰花紫色叢生，有刺，極馥。日下舊聞引遵生八箋：玫瑰有二種，其一種色黃，出燕中，花小於紫玫瑰。朱昆田曰：黃玫瑰，京師目爲刺梅者是也。按：刺梅不香，花似玫瑰而大。**蘐**，甯河關志：宜男草也，叢生柔翠，五月抽莖作花，純黃單瓣者貴，亦名忘憂草。六街花事：萱草一名紫萱，春時葉布地，經暑則朽，及秋花發，則葉已無存矣。都人謂曰孤挺花，花淡紫色，疑卽紫萱也。徐鼎毛詩名物圖說：花六出四垂，朝開暮蔫，有紅、紫、黃三色，結實三角。按：嫩苗及花跗鮮時可食，名黃花菜。詳蔬屬。**紫藤**，畿輔唐志：吏部堂右古藤十丈，爲明侍郎吳寬手植。藤陰雜記：工部藤花，未及吏部著名，而植根亦久。陳澤州午亭集：冬官署中南亭，張敦復英所葺。按：今工部廳事植藤，亦曰藤花廳，旁有齋戒房、節愼庫，旁有捧日亭，相傳爲嚴世蕃書，今削其名。南亭疑卽藤花廳，而人罕知之。又萬善給孤寺東，呂家藤花刻元大德四年字。商寶意盤詩：萬善寺旁呂氏宅，滿架古藤翠如織。鐵幹誰鐫大德年？糢糊別見元朝植。今屢易其主，藤尚無恙。**紅藍**，見宛平王志。通雅：紅藍卽紅花。按：東安、永清各縣志，貨屬有此。本草：紅藍花，一名紅花，曝乾以染真紅，又作臙脂。餘見藥屬。

蘋，甯河關志：四葉合成一葉，中折十字如田形，夏秋開小白花，淪之可食。按：蘋大，萍小，其葉皆浮水上。惟根連水底爲蘋。**向日蓮**，見宛平王志。按：向日蓮形如蔆花，浮水上，開則隨日所在，日入則斂，有黃、白二色。見益部方物記。轉枝蓮，昌平宋志：粉紅色，植者高架，引之盤曲而上，爛漫可觀。按縣志，或作纏枝，或作串枝、穿枝，同一物也。金蓮花，佩文齋廣羣芳譜花譜三十二：金蓮花出山西五臺山，塞外尤多，花色金黃，七瓣兩層，花心亦黃色，碎蕊平正，有尖，小長狹，黃瓣環繞其心，一莖數朶，若蓮而小，六月盛開，一望徧地金色，至秋花乾而不落，結子如粟米而黑，其葉綠色五尖或七尖。今香山有此種。荷，日下舊聞：涼水河蓮塘最勝，有坊額曰十里荷香。按：藤陰雜記稱，積水潭荷花極盛。潭在德勝門內，毗連秦家河沿。荷繁於昔。河沿有荷船一具，仿西湖船式，六、七兩月月望前後，放棹花間，明月清風，如游仙境，忘其爲在人海中也。又西直門外海淀，花亦最盛，後門外十剎海稍次之。玉簪，固安陳志：黃、白、紫三種。甯河關志：玉簪花萼如白玉搔頭，初秋開，綻時皆在日暮，五出，中吐黃蕊，清香襲人。又有紫色者，香稍遜。昌平宋志：一名白鶴仙。按：花有毒，能損齒腐骨，入藥品，治多骨。晚香玉，皇朝通志一百二十五昆蟲草木略一：草類，晚香玉種出西洋，名土[酉必]贏，今京師多種之，花如白玉簪，入晚更香也。聖祖錫以今名，並荷天藻題詠。是花乃西洋種。月季，甯河關志：月季，花名月月紅，以四時長著花也。然春夏則濃妍，秋冬未免淺淡矣。昌平宋志：有深紅、淡紅二種，一名鬥雪紅。按：月季有紅、白、淡紅三色，其紅者雖冬不減。合歡，昌平宋志：俗名馬纓。薊州沈志：一名夜合。崔豹古今注：欲蠲人之忿，則贈以青棠。青棠，合歡也，植之庭中，使人不忿。其花至暮卽合，故又名夜合。葵，固安陳志：紅、白、紫，單、雙葉數種。東安李志：葵有數種，分夏秋。昌平宋志：有冬葵、戎葵、兔葵、龍葵、蜀葵。按：戎葵卽蜀葵，葵之最大者。昌平志誤。秋葵可作蔬。詳蔬屬。山丹，卽紅百合花。詳蔬屬。卷丹，甯河關志：百合一種曰山丹，又一種曰卷丹。昌平宋志：一名渥丹，多生山中。盤山志：根類百合而小，作花亦殷紅可愛。詳蔬屬。鳳仙，固安陳志：有數種。通州高志：卽指甲草。甯河關志：女兒花也。自夏初至秋，芬芳不絕，結子纍纍，觸卽卷裂，故得急性之名。南方名指甲花，女兒取染指甲，故名。昌平宋志：俗名海蒳，又名菊婢。按：花色有紅、黃、白、紫或碧色、雜色者，其花瓣有單、雙。雙者層疊，捲而不散，又名透骨草。詳藥屬。雞冠，畿輔唐志：有紅、黃、白數種，矮者名壽星雞冠。甯河關志：清明前播子，夏月吐秀，入秋始嫣。房山佟志：紅、白、鴛鴦三種。昌平宋志：以狀命名，有紅、白二色。按：黃、紫各半者爲鴛鴦雞冠。金錢，固安陳志：俗名夜落金錢。畿輔唐志：一名子午花。羣芳譜：金錢黃色如錢，又有銀錢一種，七月開。按：銀錢，白色者。石竹，固安陳志：單、雙葉數種。昌平宋志：有數種，皆叢生，一名大蘭，一名燕麥。按：有千瓣者，名洛陽花。草茉莉，通州高志：紅、黃、紫、白各色。昌平宋志作北茉莉，云有紅、白二色，不香。薊州沈志作野茉莉。按：紫者名燕脂花，可染色。蓼，水葓，甯河關志：蓼今呼水紅花，節生似竹，花開蓓蕾而細枝，枝皆下垂，色粉紅可愛，生水邊，故名水紅花。有子如粟，黑小而匾，可食。按：此乃水蓼，又名澤蓼。關說未辨。水蓼葉比水葓而狹，較馬蓼爲小，辛能和味。禮記內則實蓼，卽此。今南方造酒麴、神麴，尚用其汁。水葓卽詩隰有游龍之龍紅草也。下隰地多有之。其莖葉俱似蓼，而高大。畿輔唐志：北地高幾以丈是也。葓一作葒，一名天蓼。薊州沈志作狗尾花云。爾雅謂之紅蘢。古語亦未析。惟昌平志云，似馬蓼而大，斯爲得矣。白蓼，盤山志：產青溝，高五六尺，花純白，性喜水，煎湯濯足，能治痢。按：亦水蓼。剪春羅，剪秋羅，見東安李志。按：二種相似，花皆深紅，一夏開，一秋開，各縣志中或單作剪紅羅。杜鵑，映山紅，扒山虎，盤山志：杜鵑一名映山紅，偏山有之，較南方色微紫。按：杜鵑與映山紅皆名躑躅而微別。杜鵑樹生，高三四尺。映山紅蔓生山上，無甚高者，南方呼爲山鵑，其根名石蛤蚆。扒山虎爲黃躑躅之根，有毒，即蒙汗藥，其子名土連翹，三者同類。今據各縣志，並載而別之。馬蘭花，昌平宋志：似蘭而大，花色紫而不香，俗稱物之大者爲馬也。按：今目驗此花，淡紫色中，有細白紋如絲，故甚嬌麗。四月中開。其葉甚堅韌，可束物。其花如山丹，可充蔬。詳蔬屬。瓊花，昌平宋志：紅色而大，向日則傾，又名向日葵。按：以葵花爲瓊，疑誤。米囊花，甯河闕志：一名賽牡丹、錦被花、麗春花。甯邑於農隙地種之。按：麗春花爲虞美人，罌粟之別種。餘詳藥屬。虞美人，見上注。金銀花，盤山志：黑塔峪最多。按：即忍冬藤。詳藥屬。攣枝，按：房山佟志、薊州沈志，並作蘭枝，茲從畿輔唐志。偶過花市，見其枝叢生，如刺蘼，先花後葉，花紅如月季，其大小亦相等，三四月間開，疑即木芍藥。廣雅：攣夷，芍藥也。崔豹古今注：芍藥有竹芍藥、木芍藥。珍珠，昌平宋志：白色如珠。按：今花兒匠呼爲珍珠蘭，亦叢生，三月初已含葩，蓓蕾如珠，雖名爲蘭，實非蘭類。菊，固安陳志：黃、白、紅數種。甯河闕志：菊種最多，變最奇，惟黃者爲正色，白次之，邑多植以爲秋玩。帝京景物略：菊種最繁。種菊之法，自春徂夏，辛苦過農事。草橋圃人廢晨昏者半歲，而終歲衣食焉。甘菊，盤山志：甘菊黃色，產澗邊，花小而繁，氣最馥。九月采之，置枕中，能明目。按：甘菊爲茶菊，菊之別種，入藥品。金鈴，宋啟明長安可游記：度仰嶺十八盤，有村名桃源，偏開野菊金鈴，聚花如織組。按：爲野菊，一莖五六花，齊頭並開，皆向上，南方呼爲滿天星，即陶隱居所謂苦薏，非真菊也。藍菊，無絲菊，六月菊，萬壽菊，長春菊，西洋菊，三河陳志：藍菊俗名江西臘。昌平宋志：江西臘色碧，大於菊，單瓣。無絲菊作紅、黃間色，莖葉俱奇。畿輔唐志引苑西集，六月菊黃心，藕合瓣，有重紋，自六月開至秋，都人因名之。萬壽菊見東安李志。長春菊一名金盞。昌平志云，葉似萵苣菜，大似指頂，色黃，狀如盞子，四時不絕。西洋菊今增。按：固安志謂金盞有黃、藍二色，非也。藍者爲江西臘。昌平志謂碧色，亦微誤。六月菊一名滴滴金，即旋覆花，見藥屬。西洋菊亦五色具備，六、七月已盛開。六者名爲菊，皆非菊類。敷地錦，盤山志：俗名飯花，高尺許，叢生，花紅紫色，味甘可食，四月中開，偏地如錦。棣棠，固安陳志作地棠。紅姑娘，見通州高志。按：即酸漿。楊慎卮言：燕京野果紅姑娘者，乃紅瓜囊之譌是也。餘詳藥屬。牽牛，畿輔唐志：俗呼紅娘子。昌平宋志同宛平志，作勤娘子。按：此花天明即開，故俗呼勤娘子，又名小喇叭花。餘詳藥屬。水仙，按：花有二種，單瓣者一名金盞、銀盞；千瓣者名玉玲瓏。又有蟹爪形者，莖短狹，皆屈曲橫蟠。草橋圃人每逢廟市肩擔成集。胡蜨花，昌平宋志：一名鳳翼，叢生橫鋪，一面如鳳之翼。按：即射干。詳藥屬。扁竹，見香河、懷柔等志，按即萹蓄。詳藥屬。金絲荷葉，見宛平王志。按：即房山志之山虎耳草。詳藥屬。**石花，**盤山志：產峭壁，性寒，無毒，暑天采之代茶。按：通州王志有石爛，當爲一類。**水蓬花，**見通州高志、房山佟志。**千日紅，**按：一作百日紅，有紅、白二色，花紅者莖亦紅，能耐久，開時采之，經冬如鮮。**素馨，**見房山佟志。按：一名雪瓣。羣芳譜：來自西域，似末麗而小。**望江南，**昌平宋志：高不盈尺，枝柔，葉似槐，開黃花，結莢。**翠蛾眉，**昌平宋志：一名碧蟬，花形似蛾，而瓣如翅，碧色可愛，採汁作畫，色青碧如黛也。**佛指甲，**見各縣志。按：即景天草。詳藥屬。**佛見笑，**見大城張志。**頻婆花，**昌平宋志：紅白雅淡，北花中之最可愛者。**棠梨，林檎，柰，**並詳果屬。**仙人掌，**東安李志：花皆頂開。**優鉢羅花，**日下舊聞：開必四月初八日，至冬而實，中金色佛一尊者，核也。在禮部儀制司。秀水李日華有記，今無。**唐花。**王士禛居易録：今京師臘月即賣牡丹、梅花、緋桃、探春諸花，皆貯暖室，以火烘之，所謂堂花，又名唐花是也。按：漢書召信臣傳，信臣爲少府大官，園種冬生葱、韭、茄，覆以屋廡，晝夜燃蘊火，待溫氣而生。唐人詩：內園分得溫湯水，二月中旬已進瓜。蓋漢、唐以來皆然。

草屬

向陽草，謹按：此草交春即青。乾隆二十三年，御賜今名，復御製詩題之云：年前立春春氣早，更兼霢霂春雨好。栽者培之古所云，向陽暖處有青草。仰荷睿題，託生得地矣。**示儉草，**析津志：草之品，示儉草，包茅蓍草。日下舊聞考曰：析津志之示儉草，考葉世奇草木春秋，又作誓儉草，即柯九思宮詞所稱數尺闌干護青草者也。**芯題草，**帝京景物略：房山縣白蒂山生芯題草。按：漢地志，清河郡題師古曰，芯，古莎字。王念孫讀書雜志曰：字從心聲者，不得有莎音。芯當爲𦬣。說文：沙或作𦬣，故莎從沙聲，而作莎，今作𣲡者，省文也。隸書，心、𦬣相似而誤。然則芯題草，即莎草也。草名之題字當作緹，爲莎之實，夏小正緹縞可證。釋草作媞。緹、媞聲借字。其莖可爲簑，其根即香附，詳藥屬。宛平、東安各縣志，有莎草，茲不別出。**棉花，**房山佟志作木棉。按：棉一名吉貝，有草、木二種，通呼棉花，指其子類如鵞毳也。本土所產者，草棉居多。花有紫、白二色，土人去核取棉，以木爲弓，牽弦以彈，令其勻細，卷爲筒，用以絮衣、絮被、抽緒，紡之如繅絲狀，織以爲布。其子可榨油，油滓可糞地。其稭又可爲薪，所用甚廣，誠生民利益也。恭按仁廟御製文二集，有木棉賦，備詳吉貝所自始，及種植流傳，民資溫燠。純廟御製詩三集，有方觀承進棉花圖十六事，自佈種以至織染，各系以詩，視王象晉棉譜尤詳且盡，而王氏欲移植木棉於山東，今順境農隙餘地尚多，若勸民廣栽木棉，其爲利可更溥也。**檾麻，**按：即白麻，土人又呼藚麻。甯河關志：白麻可供繩索，邑近海，船所用居多。**苧，**按：未見各縣志，今土人與檾麻並種，呼爲綠麻，可績爲布，搓爲線。**藍，**甯河關志：藍有三種，蓼藍如蓼，染緑；大藍如芥，染碧；槐藍如槐，染青色。皆入藥。邑中沿河諸鄉，擅槐藍之利。大城張志有大藍、小藍。莠，薊州沈志：穗如狗尾。茅，日下舊聞引幽燕紀異：茅地經冬燒去枝梗，至春取土中餘根，白如玉者，搗汁煎之，至甘，可爲洗心糖。按：其苗初生爲茅鍼，其根潔白，爲茅筍，皆入藥品。菅，見宛平王志。按：爲茅類，一物二名。說文茅、菅互訓，可證。茜，見宛平王志。按：一作蒨，可染絳，故又名絳草。蘆，按：春初採其芽可爲茹，土人呼爲蘆筍。詳蔬屬。其根入藥，其花名芀，可取以爲帚。葦，按：葦空中而高大，未秀爲蘆，已秀爲葦。今蘆、葦通稱矣。甯河關志：蘆葦可織筐、織席，皆指葦言。荻，按：荻一作適，與蘆同類，蓋對文則異，散文則通也。小於葦而實中，以之爲薄簾，極堅實。蒲，甯河關志：可作簑笠。按：亦可作扇，作席，其嫩苗，春初采之可充蔬，土人呼爲蒲筍。詳蔬屬。其花上黃粉，爲蒲黃。詳藥屬。茭，按：卽菰草，今海淀產此，其萌名茭白。見蔬屬。其子名菰米。見穀屬。藴，藻，按：有牛藻、馬藻。牛藻爲藴，細茸如絲，節節相生，圓繞可愛。陸璣詩疏所謂聚藻葉如蓬者也。馬藻亦大，條長，陸璣所謂葉如雞蘇者也。各縣志只載有藻，因就所見而別之。茨，按：固安陳志，茨與蒺藜分條，其實爲一類。釋草：茨，蒺藜可證。布地蔓生，至秋有刺。詳藥屬。艾，詳藥屬。蒿，按：蒿類不一，詳藥屬。苔，按：生瓦屋上爲屋游，又名博耶，其長者爲瓦松，又名昨葉，在垣者曰昔耶。蓂，見東安李志。按：草之似穀者，卽稊稗之稊，玉篇作䔑，詳穀屬。荇，按：甯河關志謂可供繩索，疑誤。荇入蔬品，並可濟飢。萍，詳藥屬。三稜，甯河關志：多生荒坡下隰地，春時叢生，夏秋抽莖，莖端綴葉，開花六七枝，細碎成穗，黃紫色，中有細子。莖、葉、花、實，俱作三稜。子可食，莖可織屨。馬蘭，詳蔬屬。水葱，見各縣志。馬糾草，見甯河關志。地藜草，見甯河關志。按：疑卽草草。見藥屬。吉祥草，昌平宋志：易生，不拘水土，石上可種。按：可盆植，經冬不凋，妊婦臨蓐時，置室中，可解產厄血㿉，故一名解㿉草。葉如建蘭，而厚勁如箭，入產室則葉垂色瘁，數日乃復。花紫色而圓細，聚開如簇。萬年青，見固安陳志。按：結子甚紅，盆植爲玩木類。有冬青樹，亦名萬年冬青，木名，非草名也。宛平志草屬之冬青，卽萬年青。老少年，一名雁來紅，一名十樣錦，一名漢宮秋。東安李志：三種皆秋色。通州高志作老來紅，云卽五段錦。甯河關志：老少年初生如雞冠，入秋則變色，斑斕可愛，始而淺緑，旋改紅黃，得霜益妍。按：以葉爲花，非花也。各縣志入花屬，今正。虞美人草，見房山佟志。按：此與花屬之虞美人別。西陽雜俎作舞草。垂盆草，東安李志：一莖四五花，色紫。昌平宋志：有三種，皆下垂。鐵埽帚，薊州沈志：卽爾雅王箒蔧。鐵線，見宛平王志。青箭草，見甯河關志。虎鬚，昌平宋志：蒙茸翠碧，葉細如髮，多拳結。猪牙，見各縣志。王母珠，見固安陳志。節節，見各縣志。按：一莖直上，如鳧茨而有節，肥土可二尺長。蝎子草，見香河黃志。觀音草，昌平宋志：葉圓如杏，葉色碧，四時不凋。娘娘拳，黇婦苗，星星草，燈籠窠，並見通州高志。按：燈籠窠卽酸漿草。詳藥屬。

紫草，昌平宋志：爾雅，一名藐根，可以染布。按：本字作茈，因其葉可染紫，故名。其根入藥。爾雅義疏曰：今紫草有二種，人所種者苗葉肥大，以之染色，不及野生者細小尤良也。鈴兒草。昌平宋志：其形似鈴，皆下垂，一蕊挺然如鈴，色紫。

木屬

桑，固安陳志：縣人素不養蠶，舊楊太僕家種桑千株，繰絲紡織之爲衆倡。東安李志：其葚可爲糧。甯河關志：桑有數種，白桑葉大如掌，雞脚桑葉小而薄，子桑先葚後葉，邑植者多子桑。又曰：邑多荒地，宜多植以廣其利，特采蠶桑諸説，輯爲一篇。賡年謂蠶桑隨地可興，而湖州獨甲天下者，不特養蠶之法備，而樹桑先得其道也。今本土所産之桑，吾湖謂之野桑。蓋有接桑之法焉，已接者爲家桑，未接者爲野桑。家桑少葚，葉圓厚而多津；野桑多葚，葉薄而尖。若任其長，肥者成望海桑，瘠者成雞脚桑，蠶家忌之。又有鬮野桑之法焉，有攔桑頭之法焉，有移桑、修桑、刮蟥、壅肥、原性治病、墾地鋤草等法，然必先明接法，而後諸法可次第行之。欲興育蠶之利，必講樹桑之法，若不得其法，而購湖州之桑秧而植之，亦終成爲野桑而已矣。吾湖蠶桑之書不一種，可講求焉。又桑葉、桑葚、桑根、皮並入藥品。檿，房山佟志：山桑也。柘，見房山佟志。按：亦桑類，飼蠶不及桑葉。

槐，宛平王志：槐有青、黄、白。甯河關志：槐季春五日而兔目，十日而鼠耳，更旬而始規，二旬而成葉，初生嫩芽可茹，亦可代茗，夏時開黄花，秋月結實作莢。昌平宋志：竇家莊有大槐，困輪中空，可容數座，相傳爲竇禹鈞故物，惜爲旗丁所伐。迄今舊縣有古槐二株，乃唐槐也。國子監志：彝倫堂之西，講堂階下有古槐一株，元臣許衡手植，老幹不朽，重茁者三四。乾隆十六年，古槐重榮，繚以周垣，大學士蔣溥繪圖以紀，高宗御製五言六韻排律一章題之，監臣勒在講堂正中。今按：國子監古槐發榮如昔。又按：槐花、槐莢，並入藥品。松，聖祖御製避暑山莊詩序：無暑清涼之南，長松環翠，壑虚風度，如笙鏞迭奏，不減西湖萬松嶺也。高宗御製盤山松詩序：盤山松奇秀，不可勝紀，偶寫虬枝以註一臠鼎味。盤山志：盤山之松以百萬計，其奇絶者多生石罅中，擁腫拳曲，枝多旁抽。又有陂陀而生者，大數十圍，龍鱗斑駁。薊州沈志：盤山松皆平頂，枝幹側出如虬龍。柏，畿輔唐志引明志，府西北清白口社柏山，四旁多産柏。盤山志：大城寺塔下一，少林寺殿前一，香水寺殿後二，龍泉寺殿前一，皆千年物也。薊州沈志：城隍廟殿前一，亦有千年。按：側葉者爲扁柏。側葉柏及柏子仁並入藥品。檜，畿輔唐志引西山游紀，碧雲寺殿前有括松十圍，日出映之，山中蓊蓊，如青雲起。按：檜通作栝，其葉似柏而圓，體幹類松而無鱗，今人或呼圓柏。檗，見藥屬。銀杏，即白果。詳果屬。梓，見宛平昌平志。

按：卽楸類。陸璣詩疏，楸之疏理白色，而有子曰梓。**楸，**盤山志：楸樹如核桃。穀雨前山下居民採輭皮售之，名楸皮。東安李志作櫃楸。按：楸與櫃同類異名。郭注釋木：楸細葉者爲榎。義疏曰：榎同櫃，小葉者名櫃，卽知大葉者名楸。今則通呼小葉爲楸，大葉如桐葉者爲櫃楸矣。本草綱目：楸卽梓之赤者也。**櫃，**房山佟志：山楸也。詳上注。**人字柳，**高宗御製人字柳賦序：西苑南，液池北岸，有人字柳者，數百年以上物也，今秋仆於風，命補種之。**柳，**金史地理志：大定四年，命都門外夾道重行植柳各百里。甯河關志：楊柳易生，插枝卽活，直種則葉上揚，倒插則枝下垂，條可編器具，亦可供爨。昌平宋志：垂柳枝柔可愛，絮可捍氈，性冷，宜與小兒卧。按：下垂者俗呼垂楊。**檉，**房山佟志：河柳也。按：卽河邊赤楊，一名三春柳，言一歲三華也。一作三川柳。說文義證引陳啟源說，檉今通呼西湖柳，醫家用之治小兒痲疹。昌平宋志謂可表痘瘡是也。**楊，**聖祖御製文集：明時宮中用馬口柴取給於蔚州、昌平諸州縣，其柴長四尺許，整齊白淨，兩端刻兩口，以繩縛之，故謂之馬口柴。康熙初年，炊爨還用此，今惟天壇焚燎用之。宛平、固安、東安各縣志，楊有青、白二種。按：楊與柳微別，今則通呼楊柳矣。葉闊而尖者楊，人多插壓河邊，抽作長條，輕脆易斷。葉狹而長大，其條柔輭者柳，人呼柳條，可作簸箕。白楊木用作鏤刻花草，板極光潔。**椴，**按：各縣志中誤作椵，今正。郭注釋木：椴，柚屬，椴梔，白椴也，樹如白楊。鄭注檀弓：梔棺所謂椑棺也。蓋椴皮白者材輕耐溼，故可爲棺。今本土用楊木爲棺，或見椴葉如楊，遂認椴爲楊耳。椴有赤、白二種，一如楊之有赤、白也。又酉陽雜俎：鷹，有房山白者，生房山白楊椴樹上。畿輔通志引此，亦譌作椵。**樺，煖木，**房山佟志：樺皮貼弓，榦作矢。昌平宋志：樺似山桃，皮上有紫黑花，勻者裹刀矢用。皮之厚者爲煖木，鑲箱鐙等物。按：說文，檴讀若華，或作樺。繫傳云，此卽今人書樺字，以其皮卷之，然以爲燭。爾雅義疏曰：樺燭，謂此。其皮卽煖皮，緻密輭溫，今人以裹鞍及弓靶者是也。**榆，**宛平王志：有二種。固安陳志：榆亦有刺榆。甯河關志：榆，白枌也，未放葉時先著莢如錢，色白成串，俗呼榆錢，可蒸粉食。昌平宋志：刺榆有針刺，葉如榆，瀹爲蔬羹，滑于白榆，詩所謂山有樞是也。帝京景物略：榆，春錢，天壇拗榆錢，以秋爲京師七奇樹之一。按：赤者爲榆，白者爲枌刺榆，爲樞，今通呼爲榆矣。赤榆先莢後葉，白榆先葉後莢。白榆皮白，剥其麤皺中，更滑白，可礱屑和香，亦入藥。復有椐榆、梜榆。榆莢可食，梜榆之莢不可食。椐榆有青、黃兩種，黃者佳。**栩，**卽柞，一作橡，一作櫟，一曰欂欏。畿輔唐志：緣山谷生之，薊州上方寺者最古，其子名橡斗，可染皁。按：房山佟志、懷柔吳志，橡櫟、橡柞分爲二木，並誤。盤山志又分橡、欂欏爲二。詩：山有苞櫟。苞櫟聲轉爲欂欏也。櫟實外有裹橐，形如螺毛，故曰苞櫟。橡斗俗呼橡栗，亦可礱粉食。其木堅韌，可爲鑿，爲梳，又可爲薪。**榖，**卽楮。見固安、房山等志。按：子如楊梅，入藥品。陸璣詩疏，榖，幽州人謂之榖桑。**檀，**昌平宋志：善木也，故字從亶，肌細而膩，細重而堅，但不似嶺南檀香。**椿，樗，**畿輔唐志：椿芽可充蔬。宛平王志：椿有香、菜、臭三種。按：宛平誤也。香椿芽可食，故俗呼菜椿，非有二種也。臭椿爲樗，其根皮入藥，詳藥屬。桐，按：梧桐，有子者也，青桐則無子，其皮葉俱如梧，今通呼梧桐矣。本土果類無梧桐子。房山佟志作梧，云梧桐，非，今正。婆羅樹，帝京景物畧：香山、卧佛寺婆羅樹，大三圍，皮鱗鱗，枝槎槎，癭櫐櫐，根摶摶，花九房，葉七開，實三稜。西域種也。聖祖御製婆羅樹歌：婆羅珍木不易得，此樹惟應月中植。想見初從西域移，山中有人多未識。海桐結蕊松栝形，千花散盡七葉青。山禽迴翔不敢集，虛堂落子風泠泠。楚州遺碑今已偃，峨眉雪外雙林遠。未若兹山近可游，靈根終古蟠層巘。繁陰亭午轉團圞，回睇精藍路幾盤。憑教紫府仙山樹，寫入披香殿裏間。椒，薊州沈志：爾雅謂之椵。家、野二種。盤山志：有家椒、野椒。野椒出盆溝與小盤山，七月間，居人採之醃菜，味同小茴香。按：椒有閉口者，甚毒。舊説，中其毒者，涼水麻仁湯解之。杜，宛平王志：即梨類。按：甯河關志木屬，有柘，云俗呼柘梨，即此。蓋其實澀而酢，方音讀酢如柘，遂譌柘耳。其木堅細，鐫書板用此。詳果屬。荆，盤山志：荆，爾雅翼云，凡木心圓，荆心方，七月間，山家伐嫩條編器盛糧，曰荆囤。按：荆有青、赤二種，青者爲荆，赤者爲栝。説文義證引陳啟源説。山荆，詳果屬。棘，甯河關志：有赤、白二種，叢生野中，刺有直，有鉤，藩牆用之。木蘭，薊州沈志：花紅黃色，葉可染皁。皁角，昌平宋志：樹高葉大如槐，結實有三種。按：有皁莢，有肥皁莢。皁莢一年生莢，一年生刺，並入藥用。肥皁莢有雌、雄。雌者莢圓而小，雄者莢扁而闊，皆可浣衣去垢。枸橘，昌平宋志：樹葉俱與橘同，但枝幹多刺耳。一名鐵籬寨，色甚青。梣，一名苦歷。昌平宋志：梣皮漬水便碧色，和墨書紙不脱，色微青。按：本草經謂之秦皮。段注説文曰，以一名岑皮，而聲誤作秦耳。其木一名石檀。竹，日下舊聞考引析津志，竹之品，甜竹、苦竹、綠竹。昌平宋志：城東麻子港甚繁，笋亦可食。竹笋詳蔬屬。

鳥屬

雞，甯河關志：田家常畜，種類不一。齊民要術：雞種取桑落時生者，形小，淺毛，脚短細，守窠少聲，善育子。按：種分大小，其大者土人呼爲侯雞。高宗御製雞卵詩：無雞卵不生，無卵雞不成。循環誰爲始？倩彼雞卵評。鴨，甯河關志：舒鳧也，邑多水鄉，故畜之最宜。按：野鴨爲鳧，家鴨爲鶩。本土鴨之肥大勝於他處，有填鴨子之法：取毛羽初成者，用麥麫和硫黄拌之，張其口而填之，填滿其嗉，卽驅之走，不使之息，一日三次，不數日而肥大矣。鵝，寗河關志：舒雁也。逆月而伏卵，能避鷲瘋。夷堅志：麥芒誤中喉中曰穀賊，鵝涎滴之，立解。按：鵝雁之雁，當作鴈，野曰鴈，家曰鵝，蓄之可警夜。鴚鵝，各縣志作天鵞。析津志：天鵞又名駕鵞，大者三、五十斤，小者二十餘斤，俗稱金冠、玉體、乾皁靴是也。每歲大興縣管南柳林飛放之所，彼中縣官，每歲差役鄉民，廣種茨菰以誘之來游食。其湖面甚寬，所種延蔓。天鵞來，千萬爲羣，俟大駕，飛放海青、鴉鶻，所獲甚厚，乃大張筵會以爲慶賞，必數宿乃退。按：藝文類聚引廣志曰，駕鵞，野鵞也。駕與鴚同。天鵞，鵠也。析津志以駕鵞爲天鵞，誤矣。詳下鵠注。鶴，見宛平、香河縣志。雉，一作野雞。寗河關志：雉，介鳥，雄者文彩而尾長，雌者文暗而尾短。沙雞，盤山志：沙雞羣飛多鳴，盤山春初最多者。爾雅：鵽鳩寇雉是也。土人呼爲沙雞，一曰半翅。日下舊聞引芹城小志，鵽鳩褐色，昌平北山有之，或曰卽突厥雀。唐書，車鼻未叛，鳴鵽羣飛入塞。吏曰：所謂突厥雀者南飛，寇必至。爾雅名以寇雉，疑古已有此占矣。爾雅義疏曰：今此鳥淺黄色，文如雌雉，形如鶉鳩，故兼鳩雉之名，其肉甚美，故南都賦以歸鴈、鳴鵽，並標珍味。按：王漁洋居易録云，一名鐵腳。鐵腳卽突厥雀之合聲也。方言，凡物盛多謂之寇，芹城小志失考。鸛，見各縣志。西陽雜俎：羣鸛旋飛爲鸛井，必有風雨。爾雅義疏曰：俗説雅鳥一名大觜鳥，順天人呼寒鴉。寒鴉，鸛鶇之合聲也。鵠，見各縣志。按：本草，鵠大於鴈，羽毛白澤，其翔極高而善步，一名天鵞。然則鴻鵠並稱者，取其皆高飛耳。鵠實鵝類也，有黄、白二色。鴿，寗河關志：鴿性易合，或並鳩爲耦。凡鳥皆雄乘雌，惟鴿以雌乘雄。居易録：近京師花兒市鬻黄鴿二，毛羽作黄金色，索直甚高。按：鴿卵今以爲珍肴。鷹，海東青，廣志：鷹一歲爲黄，二歲爲撫，三歲爲青。寗河關志：鷹，鷙鳥也，來從海外，最健者曰海東青，八九月，人多以媒取之。昌平宋志：鷹在衆鳥間若睡寐，然久之而全剛生，然人得而調之，近之令狎，靜之使安，久之臂而使也，因以獵。析津志：海東青産遼東海外，隔數海而至，常以八月十五渡海而來者甚衆。古人云，疾如鶻子過新羅是也。尼嚕罕田地，是其渡海之第一程，至則人收之，已不能飛動矣。嘗諏錫寶齋云，海東青一翅，七日或八九日始得至尼嚕罕，其氣力不支，或飢而眼亂者多溺死。凡能逮此地者，無不健奮。故其於羽獵之時，獨能破駕鵝之長陣，絶雁鶩之孤蹇。雲間獻奏，臂上功勳，此海青之功也。錫寶齋者，國言養鷹之蒙古名也。鶚，一名鸇，一名鴟，一名鶻，一名鳶，一名隼，皆鷹類也。爾雅義疏曰：鷹、鶚同類。舊説，大爲鷹，小爲鶚，故御覽引古樂府，鷹則鶚之兄。又曰：鳶卽鴟也。鴟，今順天人呼鷂鷹。按：陸璣詩疏，隼，鶚屬也。史記貨殖傳：鷹隼未擊。顔注：隼卽今所呼爲鶻者也。爾雅晨風鸇詩：鴥彼晨風，鴥彼飛隼。説文：鴥、鸇飛兒。是隼又卽鸇也。鶻，宛平、東安等志作雅鶻。昌平宋志：鶻善捉兔。鴟鵂，寗河關志：鴟鵂俗呼貓頭鷹，頭目如貓，有毛角，晝伏夜出，有大、小二種，皆不祥鳥。按：鴟鵂卽鴟鶹，爾雅謂之怪鴟。宛平志作爪鴞，殆本博物志鴟鵂取人爪知吉凶，遂呼爲爪鴞歟？昌平宋志作訓狐，同物異名也。其小者爲萑，似鵂鶹而小，俗亦呼貓兒頭。説文：萑鴟屬有毛角，所鳴其民有禍。鵰，寗河關志：貨屬，有鵰鳥，云寗邑地濱海，遇南風則鵰鳥隨風而至，麗金坨等村張網得之，尾十二枝，可作扇，以有脂麻花爲上品。翮用作箭翎。魚鷹，卽鶚。各縣志俱譌作魚鷲。阿濫，按：有二種，一鴳雀，一切經音義卷十一，鴳一名鳸；一名鴾鴳。纂文云，關中謂鴳爛堆是也。鴳、阿聲轉字。爛、濫聲同字。一青雀，卽桑鳸，俗呼黑阿濫，以其背青黑色也，又名蠟觜。房山志有阿濫。固安、東安等志有桑鳸，其俱爲青雀可知。通州高志作黎雞，云卽鳸黎，亦因其色而名之也。昌平宋志：阿鷵似山鵲，卽鴳雀也。鵲字誤。錫觜，桑鳸之觜，卽青雀也。今不別出。啄木，卽鴷。爾雅，啄作斵。帘河關志：面如桃花，喙足皆青色，利觜如錐，長數寸，舌端有刺，喙蠹卽以舌鉤啖之。昌平宋志：此鳥能以觜畫符，令蟲自出。按：此鳥善啄蟲，故可治蟲齒病。淘河，卽鵜鶘，性好食魚。青鶄，宛平王志作鶄鵁。昌平宋志作鴳鶻，云卽青莊。按：鴳鶻與青鶄別。鴳鶻，鶻字讀爲精，一作交精，又呼茭鶏，多居蘆葦中。青鶄巢於樹上，形大於鴳鶻，尖觜長頸，好食魚，或云卽信天緣。禿鶖，帘河關志：俗作鶖老，水鳥之大者，狀如鶴，青蒼色，好啖魚虵，能與人鬥。昌平宋志：長頸、赤目，頭高七、八尺。按：宛平志，鶖老、禿鶖分條，誤以茲老爲鸕鷀矣。詳下。鴛鴦，昌平宋志：文身如鳧，好浴水中，飛則比翼，宿則交頸。鸂鶒，見文安楊志。按：亦呼鴛鴦，以其色紫，本名紫鴛鴦也。其尾旁有毛如船柁，今畫家繪鴛鴦尾有船柁形，實鸂鶒矣。鴛鴦尾無毛如船柁者。鷺鷥，帘河關志：其色正白，首細而長，脚高尺餘，喙長三寸，頂有長翎如垂絲，欲取魚則弭之。昌平宋志：色潔白，善爲容，脚高七、八寸，頭有絲毛，毿毿然與衆鳥異。鳧，帘河關志：一名野鴨，狀如鴨而小，邑多窪港，此種最多。昌平宋志：水鴨也，青色，背上有文，卑脚短喙。鷗，見通州、房山等志。按一名鷖。鸕鷀，見通州、霸州等志。按：一名水鴉，觜曲如鉤，能沒入深水取魚而食之。羽純黑，盧與茲皆取黑義，一名鷀鷧。東安志謂俗呼茲老，誤。見上禿鶖注。姑惡，見香河劉志。畿輔唐志：一名苦鳥。按：苦鳥當作苦惡，並以其聲得名，亦水鳥也。䳭鴒，房山佟志。昌平宋志並作鶺鴒，從詩脊令也。爾雅義疏曰：埤雅引物類相感志，俗呼雪姑，其色蒼白如雪，鳴則天當大雪。今驗之，良然。鷦鷯，昌平宋志：似黃雀，灰色，有斑。按：薊州志作桃雀，一物也。其尾羽青黃色，眉間有白如粉，或名黃脰子，綠脰子，並同類。綠脰子又呼竹葉青，又有略大於竹葉青而毛雜黑文者，好食蘇子，土人卽以蘇子名之，亦同類也。皆可籠養爲玩。鵪，或作鶴。鶉，帘河關志：鶴、鶉兩物也，今人通以鶴鶉呼之，形相似，但無斑者爲鶴，大而有斑者爲鶉，人能以聲呼取之，畜令搏鬥。按：鶉黃黑雜色，鶴黃色無文，鶴一名鴽。呂覽季春紀注：鴽，鶉也，幽州謂之鶉。鶉、鶴皆鵪之別體。燕，帘河關志：元鳥也，有二種，紫胸者聲小，斑胸者聲大。按：薊州志分紫燕，沙燕色灰不紫，大於紫燕。火燕，盤山志：雄者黑紅色，雌者黃色，巢石孔中或簷下。雁，鴻，帘河關志：雁，候鳥也。急就章注：鴻色正白，雁色蒼黑，夜宿洲中，鴻內，雁外，遞更警備，亦名雁奴。䧿，帘河關志：一名喜鵲，一名乾鵲。昌平宋志：一名喜鵲，一名乾鵲，聲大尾長，陽鳥也。按：乾鵲本字作鳱，知人家有喜事預噪之，故呼喜鵲。山䧿，按：通州志，山鷓卽此，又名鷽，似鵲而有文采，觜足皆赤。舊說，朝鷽叫晴，暮鷽叫雨，亦知喜事，故被鵲名。瓦雀，帘河關志：常栖簷瓦間，羽作褐斑色，頭如蒜顆，目如擘椒，至夜卽盲，躍而不步。卵有花紋，性淫，俗呼麻鵲。薊州志：家雀卽此。麥雀，見懷柔吳志。按：麥下種時，成羣而來，啄麥子，故稱麥雀。黃雀，見通州、香河等縣志。按：小而黃口者爲黃雀，冬月肥美，可爲羞。鐵雀，通州志作鐵腳雀。甯河關志貨屬，有鐵雀，云甯邑地近北山，秋冬間山雀千百爲羣，蔽天而來，形如瓦雀略小，黑觜黑腭，故名鐵雀。網户每捕而售諸市，味脃美，勝他珍。白翎，見宛平、東安等縣志。按：輟耕録引陳雲嶠説，白翎雀出沙漠之地，是亦雀類也。或稱練雀。房山志白練，昌平志拖白練，同此。雅烏，甯河關志：色純黑，曰慈烏，亦曰孝烏。按：小爾雅，純黑而反哺者謂之慈烏，近本脱慈字。今按水經注引，小而腹下白不反哺者，謂之雅烏。雅烏即詩鸒斯。孔疏，此烏好羣聚。今雅、烏通稱。烏雅又呼老鴉，千百爲羣，其聲啞啞。別有一種，小于慈烏，而大于烏雅，其頸白者爲燕烏。畿輔唐志：白頸者名寒鴉。山烏，按：即鸀，似烏而小。爾雅義疏曰，徐星伯松云，巴里坤有此烏，小于常烏觜，足色似珊瑚，冬日穴處山谷間，彼人謂之紅觜鴉。余按：今薊州亦有之，形狀悉如徐説。彼州之人，名爲賜喜兒是也。今按薊州志，但稱烏鴉，而未分析，特据增。又房山志紅鴉，當即此。山和尚，見房山佟志。鳲鳩，香河劉志：布穀即此。其身灰色，翅尾末俱雜黑色，牝牡飛鳴，以羽相拂，聲若布穀然，故謂之布穀。又謂勃姑，又謂之步姑，皆布穀聲相轉也。房山志以布穀爲戴勝，是誤。鵓鳩，斑鳩，鵓鳩見宛平、香河等志。斑鳩見懷柔志。按：本草綱目，勃鳩即斑鳩，實則一類而形色稍別。斑鳩有文彩而不鳴，鵓鳩又名鵓鳩，性最拙，不能爲巢，故或稱拙鳥。天將雨，逐其匹，晴則呼反之。其一種形小而善鳴者，謂之水鵓鴣，因其聲以爲名也。鶌鳩，按：即詩月令之鳴鳩。黃鸝，見宛平、固安等志。按：即鶯，詩：黃鳥。陸疏：幽州謂之黃鸎。魚虎，見東安李志。按：即翠鳥，好食魚，大如燕，而喙極長，尾極短，喙足皆赤色，其毛羽青翠色，可爲婦人之首飾。北畫眉，甯河關志貨屬，有踏踏去鳥，云潮河兩岸皆生蘆葦，四五月間則羣來巢於葦中，接葉作箭而覆雛焉。或探其雛而籠養之，亦能效百鳥鳴，俗呼北畫眉。按：畿輔唐志，北畫眉一名灰串。房山佟志作槐串。灰、槐聲同，一物異文也。白頭翁，見房山佟志。按：即鵯鶋。鷏，甯河關志作鳴牛蟲鳥，云不過二寸，夏秋間多有之，以觜伏地而鳴，聲若洪鐘，見則多蚊。土人云，鳴則蚊從口出。按：即吐蚊鳥也，當名鷏。寒號蟲，昌平宋志：四足，有肉翅，不能遠飛。夏月毛彩五色，鳴曰：鳳凰不如我。至冬，毛落忍寒而號，曰：得過且過。按：即鶡鴠，其屎爲五靈脂。見藥屬。伏翼，即蝙蝠。甯河關志：形類鼠，有肉翅，四足，及尾連合如一。按：能食蚊，其屎中皆蚊眼，名夜明砂，又名天鼠屎，入藥。飛鸓，一名飛生。昌平宋志：飛生鳥，狀如蝙蝠而大，居庸出，産婦持其毛皮易生。地鳪，昌平宋志：似鴈無後迹。地鵏，見宛平、東安等志。鴣汀，見各縣志。石雞，見房山佟志。松雞，烏鸞。並見薊州沈志。

獸屬

豬，甯河關志：豬性喜穢溼。豬短頸，無柔毛，宜子。婁貛，卽野豬，其形如豬，穴于地中，善攻隄岸。又通作貒。本草：貒肥矮，蒸食極美是也。貛有二種，一爲豬，一爲犬。房山志：貛與野豬分條，是專指犬矣。豪豬，畿輔唐志引天府廣記，昌平駐蹕山西北，山鹿之毳，豪豬之毛，丰茸隨風。按：豪豬脊有棘鬣，射人如矢，故一稱箭豬，俗亦呼爲野豬。羊，甯河關志：羊早放早收，勿至日中，汗出染塵，卽生疥癩。秋冬晚放，勿食露草，口鼻生瘡，腹瀉易瘠。房山佟志：羊有山、棉二種。按：頭身相等，而尾短者爲棉羊，可剪其毛爲氈，山羊毛或直或卷，角長尾細，其皮可爲裘。麢羊，日下舊聞考引析津志，京西山廣有之，夜則挂角於險峻巖崖之下以睡，其蹺捷如飛，履險如夷，山人覘其往來多獲之，俗呼爲野羊。按：一作羚羊。牛，甯河關志：牛，黃、黑、赤、白色，或純，或雜，其齒有下無上。相牛經曰：凡牛眼欲大，脛欲長，股欲闊，毛欲密，齒欲白，耳角欲近，尾欲長。凡面短、毛赤、尾豎，並命夭。角冷有病，病則立而不眠。眼下旋毛名曰滴淚，妨主人。睫亂，觸人眼；齦有緣，招官災；兩耳間有亂毛，妨主；耳後有旋毛，招盜賊，勿畜之。毛少骨多者有力，溺射前者良。牛爲農事之本，故特詳焉。按：本土冬月取牸牛乳售與人食，滿洲餑餑鋪奶皮餅，亦用牛乳。馬，甯河關志：馬眼光照人全身者，齒最少，光愈近，齒愈大，歲二十，齒平矣。畏暑不畏寒，宜浴不宜曬。凡駒初生時，卽以乾土徧擦其身，則馴而不蹄齧。明王嘉謨石甕記：幽薊馬四匹，可當中人之產。驢，甯河關志：驢有蒼、黑、白三種。昌平宋志：似馬而耳長，不甚駿。日知録曰：自秦以上，傳紀無言驢者，至漢而名，大抵其種出於塞外。騾，本字作驘。甯河關志：騾形大於驢，力健於馬，其力在腰，後有鎖骨不能開，故不孳乳。昌平宋志：似驢而健，驢力在髀，騾力在腰。按：古今注，驢爲牡，馬爲牝，卽生騾。鹿，盤山志：鹿，盤山處處有之。按：牡鹿曰麚，亦作麚，鹿子曰麛，麛一作麑。又鹿茸入藥。麞，見房山志。按：一名麇，似鹿而小，無角，黃黑色，其乳子日一次，乳食于子，腹結十二小餅，如雲南碁子大，每一時消一餅。南方鄉人候母麞出，卽將乳麞抱歸，剖腹出餅。老羸食之最宜，或食孩提，亦能健身，價直兼金，視爲珍物。又麞皮可爲襪袴。麝，昌平宋志：形似麞，俗呼香麞。按：麞之小者曰麝，臍有香名曰麝香，入藥品。麂，昌平宋志：旄尾，狗足，山中有虎，麂必鳴以告。按：本字作麐，似麞而大，其口兩邊有長牙，好鬥，其皮細縟，用爲襪履甚佳。犬，甯河關志：犬生一子者吉。諺云：犬生獨，家富足。黑犬能辟伏尸。昌平宋志：長喙善獵，短喙善守。按：有小而捷者爲胡犬，今呼爲哈叭狗，又名叭兒狗。其毛長者曰猱獅狗，土人或稱爲獅猔狗。又有田犬，獵人所養。貛狗，甯河關志：形似狗而肥，好食瓜果，皮可爲裘。按：好食瓜果者，誤貛爲貍矣。詳下貍注。臊狗，盤山志：狀如貍，黑黃色，走峭壁，迅疾如飛。貓，甯河關志：貓尾長腰短，眼如金銀，及齶多稜者良。畿輔唐志引燕京賦注，波斯貓極大，拂菻狗極小，今爲京師土產。文貍，卽野貓。盤山志：卽野貍，云能食貓。按：詩，有貓有虎；禮，迎貓迎虎，謂此貓也。能食家貓，一稱金錢豹，指其文也。貍類不一，文貍、香貍，牛尾貍。香貍一名靈貓，作麝香氣，故又呼香貍貓。牛尾貍以果爲糧，或稱果子貍。甯河志貨屬，有狐貍，云多穴荒塚中，皮可爲裘，蓋亦野貓類也。狐，按各縣志，亦有作狐狸者。貉，按：亦狐類，其毛俗稱爲狐貍耳。貍、狐、貛、貉，類相近，而名或相假，其實狐與狸各種也。

縟厚，亦爲裘，煎其膏，又治痔。

虎，盤山志：神虎，昔老僧慈慧住法藏寺，持法華經二十年不下山。有偷兒竊道糧，虎即徧山呼嘯，偷兒寢息，故名神虎。按：虎骨入藥。

豹，昌平宋志：有數種，東人亦謂之失刺。

狼，甯河關志：形大如犬，頭鋭喙尖，白頰駢脇，高前廣後，腳不甚長，毛雜黃黑。亦有灰蒼者。其腸直，鳴則諸孔皆沸，食禽畜，亦能傷人。其糞可作烽煙，直上不斜，故曰狼煙。按：狼全似蒼犬，惟目縱爲異。

豺，昌平宋志：豺狗尾長體細，毛黃褐色。按：豺瘦而猛捷，其形似狗，故一稱豺狗。

狽，甯河關志貨屬有狽，云形如狼，前足短，每依狼而行。狼性狼，而狽多智，往往傷人。俗謂行同狼狽，其詭譎誠有出人意外者。

熊，見房山、昌平、薊州志。按：熊飢則自舐其掌，故掌獨美。其膽入藥。

羆，見房山志。

兔，甯河關志：兔形如貓，故又名野貓。毛褐尾短，耳大而鋭，穴生，邑多棄地，此種最多。按：野貓爲文貍，見上。薊州志亦云野貓即兔，殆土人通稱歟？其毛褐色，亦有白者。

鼠，甯河關志：俗呼老鼠，孕一月而生。其精在膽，能治耳聾。按：牡鼠屎亦入藥。

鼢鼠，見東安李志。按：説文，伯勞之所化也，即田鼠。潛行地中，起土如耕，俗又呼地老鼠。宛平志：糞鼠。薊州志：獖鼠。當爲鼢鼠字之誤也。

鼸鼠，即香鼠。見東安李志。

鼬鼠，即黃鼠狼。昌平宋志：黃鼠足短善走，極肥。甯河關志：黃鼠狼尾作筆良。日下舊聞引古今詩話刁約使遼詩云：醆行三匹製，密賜十貔狸。貔狸似鼠而大，遼以爲珍膳。朱竹垞曰：刁約詩所云貔狸，即黃鼠狼也。藝文類聚引廣志云：黃鼠善走，今俗呼稱黃鼠狼。順天人呼之黃鼬，好食人雞，捕取之，以其尾毛爲筆也。按：今所謂狼毫者是。

松鼠，松狗，昌平宋志：松鼠似貂而小，毛亦粗疏。盤山志：松鼠有二種，一小者，大不過三寸，通身豹紋，最靈黠，名松鼠；一大者，灰色，善盜果實，名臊鼠。按：尾細者爲鼠，毛大者爲狗。

刺蝟，按：蝟毛蒼、白二色，徧身有刺如茅草，見人便藏首尾，圓如栗房，今京師慈雲寺最多，其皮可治胃逆。

獺，見薊州志。按：一稱水獺，居水，食魚，其骨可療食魚骨鯁。

豆處子。甯河關志：形如兔，而尾略長，穴居，頭戴牛糞，向月拱拜，久則人立而能言，曉行多遇之。土人知其性，大聲叱之，即逸去，喜食豆，故名。

龍虵之屬

蛟，盤山志：蛟，龍屬，有足無角，能變化。康熙庚午五月，霖雨十日，盤山水涌數丈，抉石裂山，出蛟百餘。

虵，甯河關志：虵，甯屬最多，然無毒猛者。盤山志：善虵有黃、黑二種，性馴，長六、七尺，不毒人。相傳盤山有五百善虵，潛天城寺塔下，嘗來僧座下聽法，亦嘗潛屋壁，啖雀雛。燕山叢録：薊中不産虵，獨百花山有七尺虵，至毒。按：土人稱爲長蟲。

蜥易，即石龍子。盤山志：布雲虎，蛇屬，尖頭長尾，四足，有二種，一淺黃色，長三、四寸，一黑花色，脊有金暈，尾如娛翠毛，天將雨，能吐雲，俗呼四腳蛇。按：爲蜥易也。博物志有蜥蜴求雨法，以土實巨甕，作木蜥蜴，小童操青竹，青衣以舞，歌曰：蜥蜴蜥蜴，興雲吐霧。雨若滂沱，放汝歸去。蝎虎。即守宮。見蝎則不動，少頃蝎死而空，蓋以氣制之，故名蝎虎。各縣志或作蜥易，或作蝎虎，未見分析，蓋二物同類易混。漢書東方朔傳：巨以爲龍又無角，謂之爲蛇，又有足，跂跂脈脈，善緣壁，是非守宮，即蜥蜴，即蜥易也。其分蜥易、守宮爲二，最爲可据。

魚屬

鯉，固安陳志：渾河得者，味極美。通州高志：產潞河，曰潞鯉。甯河關志：鯉，神農書，魚之君也。范蠡養魚經曰：所以養鯉者，鯉不相害，易長且貴也。順義黃志：白河最佳，俗名順鯉。昌平宋志：出鞏華者佳，其鱗金色閃映，兩目赤暈，味之甘美，勝於他處。鯖，見宛平、東安各志。按：一名青魚。本草圖經：青魚古作鯖字是也。其大者名⿰魚婁。玉篇：⿰魚婁，大青魚。香河志有鰜魚，鰜即⿰魚婁也。亦見玉篇。魴，一作鰟。按即鯿。鰟頭，畿輔唐志：一名鯉後。按：疑即鱅，與鱮同類，而鱅之美在頭，以其似鰟，故曰鰟頭。詩：魴鱮。陸疏：鱮似鰟，厚而頭大，幽州謂之胡鱅。可證。鰿，一名鮒，又作鰶，今俗通作鯽。鯽乃烏鰂之鰂。甯河關志：鮒性喜唼泥，不食他物。冬月肉厚子多，其味尤美。昌平宋志：形似小鯉，色黑而體促，肚大脊隆。石鏈，按：即鱮。鮆，一作鱭，又名魛魚。甯河關志：魛魚狀，類長薄尖刀，白色細鱗，肉中多細刺，煎、炙並美。鱖，見香河劉志。按：諸魚無肚，惟鱖有肚。其皮有斑紋，肉鬆細無骨。今土人稱爲鯚花魚，蓋鱖譌讀厥，遂轉爲鯚也。各志中鯚，即此。正字通：統喙細鱗，俗呼爲鯚。是鯚即鱖之一證，今不別出。鮎，甯河關志，鮎大首扁額，哆口寬腹，鱯身鱧尾，有齒，有骨，有鬚，色雜青黃，涎沫最粘而滑，故以鮎名。昌平宋志：乃無鱗之魚，如食鮎，先刮翅下縣之，則涎自流盡，不粘滑也。鱵，甯河丁志：鱵魚大小形狀並同鱠殘，惟喙尖，有一細黑骨如針爲異耳。鱠殘，即銀魚。甯河丁志：鱠殘魚俗呼壺蘆魚，長三四寸，身圓如筯，潔白如銀，無鱗，乾爲麪條魚。銀魚霜降後自海中蛤山出，逆流北上薊州温泉下育子，其色瑩白如銀。按：分鱠殘、銀魚爲二，非也。鱠殘即銀魚之小者，銀魚即鱠殘之大者，非二種也。鰈，即比目魚。畿輔唐志：魚惟一目，行則二魚相附。甯河丁志：比目魚俗名鞋底魚，細鱗，青黑色，一眼，兩片相合而行，其合處半邊，平白而無鱗，口近腹下，煮烹皆美。北游紀方：房山甘池石將軍廟下穴中，有一目魚，長可四寸，每於清明日出穴。析津日記：甘池有魚一目，涿州有魚重脣，土人呼爲鞋底魚。⿰魚節，甯河丁志：⿰魚節魚形細而色白，冬月取之。鰷，見固安陳志。按：一作鯈，即白條。鱧，即黑魚。見香河劉志。按：一名七星魚，又呼黑鯉頭，若池中有此，小魚皆爲所食，故畜魚者所忌。鱨，即黃頰魚。見香河劉志。按：一名黃顙魚，又名鮧鮠，蓋羣游作聲軋軋也。薊州志汪刺即此，可發痘瘄。鯶，即鯇魚。見懷柔吳志。按：俗呼草魚。鯸，即河豚。甯河丁志：河豚一名鯸鮧，食蘆牙則肥。肝血有毒，不食未爲不知味也。鮻，甯河丁志：鯼魚身圓而長，扁額長喙，腹無泥，以春初爲佳。**鰶鯮**，甯河丁志：魚長三四寸，色蒼黃，細鱗，烹食之有味。**鱠**，甯河丁志：鱠魚肉作瓣，腹中有鰾，最肥，魚中之貴者。按：鱠字未見字書。畿輔唐志作魯，云天津、灤州四月以後出海，然則爲海魚類，疑即鰛鮥魚。今山東登萊地方，呼爲河洛魚。鰛即鰛鮥合聲，殆方言然也。**蘆乍魚**，甯河丁志：潮河甚多，但不若鱸之四鰓者，北人呼鱸爲豸，蘆乍即豸之譌也。**八帶魚**，甯河丁志：產灘溝，探取之，首如雞卵，下垂八條如帶，故名。每口目鱗刺，肉如蚶，春初調早韭食，鮮美勝江瑤柱，但蠢形性寒，間有不食。**少陽魚**，甯河丁志：俗呼魷蓋魚，細鱗無足，腹白背青，狀如盤，口在腹下，目在額上，尾長有節。海人腊之爲夏羞。**嘉魚**，甯河丁志：類黃魚。**勒魚**，甯河丁志：俗名快魚，形色俱如江南鰣魚，但頭上有骨，合之爲鶴喙形。鮮者香美，鹽醃可久。**燕魚**，甯河丁志：魚尾兩叉似燕尾，故名。身扁背青，肉無刺，可鹽醃。**牛魚**，演繁露：遼主達倫河釣牛魚，以其得否，占歲好惡。近世周茂振使金，金主賜之魚，曰：手取親釣者。金亦用遼制也。王易燕北録云：牛魚觜長鱗硬，頭有肥骨，重百斤，即南方鱏魚也。鱏與鱘同。然本草既有鱘魚，又別有牛魚，云生東海，頭如牛。則牛魚別是一種，非鱘也。按：燕北録釋爲鱘，是。二老堂雜志：見日下舊聞補。周樞密麟之充金哀謝使，金主愛之，享以所釣牛魚，非舊例也。聞金人甚貴此魚，一尾之直，與牛同。然則牛魚之名，意必由此。且達掄河，滿洲語飲馬處，與本草所著東海之魚當別。**羊魚**，甯河丁志：羊魚大似小羊，尾如猪，有鍼，俗謂之箭，傷人最毒，故得之先去鍼。肉似脂，羶似羊，故名。**橫魚**，按：即橫鱣，以其性橫，故名。與鱣鮪之鱣異。東安志作淮魚，誤。房山、霸州等志，鱣即此。**金魚**，按：京師金魚池，相傳土人以市金魚爲業。魚種不一，只可畜以爲玩。生擣服，解生鴉片毒。**海蛇**，甯河丁志：俗謂蛇爲蜇，南方名水母，形渾然疑結，其色皆紫，無口眼，腹下有物如絮，羣蝦附之，咂其涎沫，爲潮所擁，蝦去而蛇留，人取之，浸以石灰礬水，去其血汁，則白。其最厚者曰蛇頭，南方爲水母髻，味更勝，生熟皆可食。**鱓**，一作鱔。宛平米志：黃、白二種。昌平宋志：青、黃、白三種。按：白者爲鰻，其形似鱓，本土稱爲白鱓。**鰻**，見上注。**鰌**，一作鰍。甯河丁志：俗名泥鰌。微似鱔而小，沈於泥中，故名。**鰕**，甯河丁志：大小不等，蒸曝去殼，謂之鰕米。又有麻線鰕，細而無肉，土人多糟爲醬，名滷鰕。又有對鰕，大有半觔者，肉稍粗，作醬佳。**冰鮮**。甯河丁志：冰鮮爲甯邑獨產，頻年納貢，民幾不堪。同治二年，邑令吳詳請裁汰，民德之。邑人詠詩以紀事，詩云：冰鮮味美壓他鄉，納貢因之價倍昂。記取吳公裁汰日，從今閭里沐恩長。

介屬

龜，見宛平王志。按：殼白者入藥，以之治顛狂最效。**鼈**，昌平宋志：鼈水居陸生，無耳，以眼代聽。按：俗呼甲魚，其甲亦入藥類。**黿**，見香河劉志。**蠏**，甯河丁志：蠏足二，螯八，跪利鉗尖爪，雄者臍尖，雌者臍團，其黄與白，應月盈虧。霜前有微毒，霜後將蟄，味美。八九月爲蟹浪時，漁者緯蕭承流取之，夜以火照，則畢集。冬月穿冰得，爲紫蠏，取之甚苦。蠘，甯河丁志：蠘，蟹中最大者，其螯尤鋭，剪物如截，故名。生海中，正月初，節出，其殼横，尖而鋭，足扁而闊。蜯，一作蚌。甯河丁志：爾雅作含漿。月令：雉入大水爲蜃，卽蚌也。其種多，老者胎珠，其肉可食，殼可爲粉。按：周禮，鼈人。鄭注，以含漿爲貍物之屬，蓋蚌類多蘊伏泥中，含肉而饒漿，故被斯名。蚌、蛤、蜃，皆同類而稍異，蜃形略長。蟶，甯河丁志：生海泥中，長二三寸，大如指，江南者獨腳，此地雙腳，名女兒蟶。按：河中亦生，不必盡生海泥中也。性最寒，食此者湯宜茱萸，膾宜薑漬、酒、椒。蠣，甯河丁志：磊磊如山，雖河中，實海氣結成，其房有肉名蠣。黄可作羹，房入藥爲石決明。粵人集其房以築室，或燒以代石灰。蛤，甯河丁志：蛤蜊生海濱沙土中，白殼，紫脣，大三四寸，今多作醬，以充海錯，鮮噉尤美。其殼可燒以作石灰之用。蚶，甯河丁志：狀如小蛤，圓而厚，殼上有稜似瓦屋之壟，故一名瓦屋子。三月得者爲桃花蚶子，味鮮美。蠃，一作螺蛳。甯河丁志：大如指甲，而殼厚於田螺，惟食泥水。酒烹，糟食之。清明後，其中有蟲，不堪食。昌平宋志：附殼行，食青泥，清明前食之。田蠃，按：未見各縣志，今本土有之，大如胡桃，殼外或生毛，色緑。

蟲屬

蠶，見宛平、東安各縣志。又昌平宋志云，絲蟲也，有大、小、白、烏，斑色之異。先不知養，今漸相習矣。按：唐書，范陽郡貢綾綿。太平寰宇記，幽州土産綿絹。然則育蠶之利，在昔可徵矣。今本土之桑皆野桑，蠶卽有生於桑間者，卽名桑蠶，形小於蠶，而色黑，着樹作繭，亦可繅絲，南方用作皁綾，今本土亦不聞此。蠭，今作蜂。香河劉志：有土蜂、蜜蜂、馬蜂。薊州沈志：蜂有四種。按：成蜜者爲蜜蜂，有家畜以釀蜜者。黄蜂爲馬蜂，一作木蜂。馬、木聲近字。黑蜂之大者爲土蜂。今則統黑蜂、黄蜂謂之胡蜂。蜂房入藥品。又有鐵胡蜂、卽蠮螉也，一作蒲蘆。蜘蛛，甯河關志：蜘蛛，蠨蛸也。按：蠨蛸爲小蜘蛛，長腳者，一名蟢，俗呼喜子。陸璣詩疏：此蟲着人衣，有親客至。幽州人謂之親客，亦羅網居之，是也。蜘蛛類不一，其空中作網，或花木稠密處，伺飛虫觸網出擒食之者爲咄蟱；其在孔穴中作網，開一孔出入者，爲土蜘蛛。又有草蜘蛛，布網絡幕草上，亦作孔出入，或扁如榆莢，或大如粟粒，又赤斑色，黄赤色，並雜色者。壁鏡，按：亦蜘蛛類，形扁，斑色，八足，作白幕貼壁上。方言，北人呼爲壁繭。今驗京師，亦有此，或亦呼爲喜子，殆以壁鏡有蜘蛛之名，故得通稱歟？又一稱壁錢。蠅虎，按：亦蜘蛛類，惟不羅網，捕飛蠅，捷獲。蠅，按：俗呼飛蠅，本土少蚊多蠅，好齧人，甚惡。有毛蒼蠅、青蒼蠅、金蒼蠅，其子爲胆，取胆曝乾研末，可治小兒食積。又有狗蠅，或呼狗蠅，專齧狗，生狗毛中。蜨，甯河關志：蜨種不一，秋冬作繭草樹間，至春羽化，五色栩栩於方林野草間。按：今通稱胡蜨，或稱蛺蜨。別有麥蜨，朽麥所化。太常仙蜨，國朝揆敘隙光亭雜識：太常寺公署，垂花門之上，有蛺蜨子三枚，黃質而黑章，鬢之末有如珠者二，餘則與常蜨無異也。常以夏至之時祭方澤，各官齋戒，蜨輒先至其所，祭畢，則翩翩而逝，還其故處。或以帛及扇承之，呼曰：老道！便飛而下集，似有知者。見燕子必從而逐之，燕莫之敢抗。秋分後卽去，不知所之。明年復來。此五七年間事，前此所未有者。戴璐藤陰雜記：太常仙蜨，翅長毛茸，通靈解人語，呼爲老道。乾隆戊申，少宗伯德明，捧貯盒内進呈。御賜詩云：蠕動蟄之時，來賓果是奇。異夫羣物體，覩此一仙姿。薌久太常號，神超大造司。欣兹百年遇，用誌五言詩。勒碑大堂。時德定圃宗伯總理寺務，賦七言古詩，亦勒於壁。

蝨，今增。一作肌求。按：蝨足甚多，狀似蜈蚣，足長行駛，其形鬖髿，土人呼爲錢龍，或呼穿錢繩。

蟫，昌平宋志：蠹魚也，色青白光明，尾二歧，似魚。按：一名蛃魚，一名蠹魚，又名白魚。其長約半寸，頗有魚形而歧尾，身如傅粉，好蝕書，書最受傷，或以花瓣夾書辟之。郝懿行曰：古人簡版寫書，非如近今寫紙。而白魚名狀，流播來今，瑰色殊形，含咀英華，異於凡蠹者也。

斑蝥，昌平宋志：黃黑色斑文，烏腹尖喙，尾後常有惡氣射出，甚毒。按：入藥用，或作斑貓。山堂肆考：九、十月還地蟄，卽名地膽。

蠓，按：禾稈及花草莖上多有抱稈蟲，卽蠓蟲。或有翼，或無翼。蠓多則枝悴。又名蠛蠓，微細，羣飛上下如春者主風，回旋如磑者主雨，此見埤雅，今俗語猶然。其生於醋者，爲醯雞。

蜭，今增。按：爲害樹蟲，一名蛓，或呼毛蟲，有刺者爲刺毛蟲。

蠋，今增。按：菜草樹木上多有，與梗一色，俗呼青蟲，亦化蛾蝶。

蝎，今增。按：爲木中蠹，白色，身長足短，口黑無毛，至春羽化爲天牛。在桑名齧桑，一名桑牛，在楊曰楊牛。

蠍，按：各縣志或作蝎，誤。蝎音曷，見上。蠍卽蠆也。陸璣詩疏，幽州謂之蠍。固安陳志引癸辛雜志，有火蠍，毒尤酷。

螽，卽蝗。甯河關志：黃蟲，害苗者。甯地卑窪，遇旱，魚子多變爲蝗。按：蝗類不一，首方額有王字形者爲蝗，其無王字者名蘆蟲，與蝗羣飛無別。蝗子生土中，水浸之，卽生蝦。

𧒂螽，固安陳志：俗呼螞蚱，卽蝗也。按：陳說非也。蚱蜢似蝗而小，不害稼。言卽蝗者，誤以蘆蟲爲蚱蜢耳。蘆蟲首方，蚱蜢首尖。別有土螽，爲泥蚱蜢。

草螽，今增，卽絡緯。詩作草蟲，陸疏謂奇音青色者是也。按：今土人稱爲聒聒，音如哥。聒聒亦青綠色，惟形蠢翼短，與草螽別。又聒聒見宛平志，今不別出。

蟿螽，今增。按：爲螇蚸，形似蚣蝑而細小，作聲唧唧，土人呼之蛤荅板。

蜇螽，今增。按：爲蚣蝑，卽詩螽斯。陸疏，幽州人謂之春箕是也。有三種，色碧綠青，作聲戛戛；斑黑者咨咨；青黃者善跳，聲清亮。皆以股鳴。

蜻蜓，固安陳志：有數種。甯河關志：有青、紅、黃、黑四種。水蟲所化，紅黑色多，則有大水。帝京景物略：蜻蜓大而青者曰老青；紅而黃者曰黃兒；赤者曰紅兒，好挈水而飛。按：今大而青者土人呼爲老琉璃。

螳蜋，按：藥中桑螵蛸，卽螳蜋卵，生桑上者。

蜣蜋，甯河關志：蜣蜋出糞壤，摶丸而化爲蟬，出於汙濁之地，而著清涼之風，亦可謂善變矣。按：有二種，小者體黑而圓，晝飛夜伏，卽轉丸；大者甲黑而光，頂上有一角如錐，晝伏夜出，喜向燈光，飛聲烘烘，入藥用。

蟬，固安陳志：土人呼曰蝍蟟。入秋鳴曰秋涼。甯河關志：蜩螗也。鳴於夏者曰蜩，鳴於秋者曰螗。按：蜩爲蟬之總名，螗似蟬而小名蝘。蟬之最大者爲螞蜩，一名蝒，好在樹顛及楊柳林中。噪大而黑者爲丕蜩，一名王蚊，俗謂之王師太卽此。其最小者爲螓，其聲咨咨。九、十月鳴者爲寒蜩，名蜺，一名寒蜇。七、八月鳴者爲蛁蟧，一名蟪蛄。涿州志以蟪蛄爲寒蛩，亦未辨。蛩，甯河關志：如小蜨而腹便。一種善拂燈火，謂之燈蛾。按：今米中無甲蟲，亦蛻爲蛾，形小而有粉，亦撲燈。蟋，一作促織。帝京景物略：永定門外五里許胡家村，産促織，善鬥，勝他處。又蟋蟀別種三：肥大色澤如油者曰油葫蘆；首大者曰掷子頭；鋭喙者曰老米觜。按：陸璣詩疏，蟋蟀，幽州人謂之趨織。里語曰，趨織鳴，嬾婦驚是也。今順天謂之趨趨，羣畜爲玩，或以相鬥爭勝，不惜傾家爲之。竈馬，昌平宋志：穴竈而居，狀如促織稍大，腳長。俗言有此，足食之兆。按：與蟋蟀同類，惟不能鬥。莎雞，按：詩疏，幽州人謂之蒲錯。本草圖經，一名紅娘子，蓋其內翅正赤也。外翼灰色，飛時索索作聲。今土人謂之吸踏蟲。螢，按：生翼能飛者爲螢，其無翼而似蛹者名蠲。腹下火光大於飛螢，即詩所謂宵行也。有化生者，有卵生者。今年放螢於屋內，明年夏有細螢點點生光，此可爲卵生之驗。叩頭蟲，昌平宋志：形似大豆，呪令叩頭，又令吐血，皆從所教。按：似米中黑甲蟲而差大，翼在甲內，人以手觸之，便叩頭，又名烏板蟲。蟁，一作蚊。甯河關志：白鳥也，水虫化生，嚼人，近水更多。蜎，今增。按：一名孑孓，人家庭院止水中亦生之，俗呼跟頭蟲，即化蚊者。壁蝨，按：俗呼臭蟲。本土最多，行駛，觜尖，齧人甚惡。別有一種名蠜者，黃色，能飛，與此異。臧蜋，按：亦臭蟲類也，好嘬飯及餅餌，取以治疔毒及小兒疳積最良。牛蝱，昌平宋志：作牛蠓。按：蠓、蝱聲近字異。一名牛蝇，齧牛亦齧人。螘，一作蟻。昌平宋志：大、小、黑、黃、赤數種，穴居卵生。畿輔唐志引扈從日録：螞蟻墳在海子東南，清明日，蟻數萬聚。按：螘黑色，其子名蚳，又有赤黃色者、白色者。白螘蠹屋梁柱木，雖以螘名，形色全異。蛭，按：即馬蟥，能食人，肉甚毒。治法用靛青調水塗之用。昌平志入水族，誤。蜈蚣，按：亦齧人，身黑，頭足赤，亦有黃足者，足多，或呼百腳，蜒蚰能制之。蠐螬，昌平宋志：如足大趾，以背滾行，乃駛於腳。按：生糞土中。百蛉，按：土人相呼如此，今無從定其名矣。細小如水蟣，其色白，飛無聲，昏夜潛齧人，人覺，已飽腹而去，故其惡甚於蚊。顛當，按：其背高聳，灰色，能跳，屋地幽溼，此類即多，南方呼爲駱駝。今目驗有此，乃增。蚓，一名曲蟺，善鳴。馬蚿，昌平宋志：作馬陸。按：亦善鳴。莊子秋水篇注，商蚷，北燕謂之馬蚿。方言，北燕謂之蛆蝶。高誘呂覽注，幽州謂之秦渠。今驗其足甚多，寸斷便寸行。土人亦呼之百腳蟲，紫黑色，人觸之，即側臥。蟾蜍，按：各縣志有蝦蟇，而無蟾蜍，似混爲一。甯河志謂蟾、蛙、蛤，種相類，而形色略殊。說亦未辨。居陸，居水，不同，蛤又非專名也。今分條析之：蟾蜍陸居，黑黃色，腹大，皮上多疿瘟，或呼癩蛤蚆，不鳴，人家庭院有之，目中白汁，即蟾酥，入藥。蝦蟆，按：亦陸居，身小而土黃色，能鳴，作呷呷聲，或亦呼爲蛤蚆。別一種背青腹赤者，爲黃蟆，咬人有毒。鼃，一作蛙。按：蛙居水中，形似蝦蟆，背青緑色，尖喙，細腹，鳴聲哇哇，俗呼爲田鷄，捕食。然蛙能食蝗，宜禁捕。螻蟈，一名吠蛤。按：亦居水中，慘黃色，腹下則赤，其鳴聲如曰孤格孤格，合聲即蟈也。人家庭院止水中，亦有此，其聲甚繁，羣聒人耳。蝌蚪，固安陳志：蝦蟇子。按：一名聒子，其形圓而尾尖，并頭尾似斗形，冬月遺子水中，春水夏時鳴聒而生，初生便黑，有尾，無足。螟蛉，蜾蠃，按：螟蛉無定形，蜾蠃亦無定名。螟蛉或蜾小蜘蛛，或細青蟲。蜾蠃則皆蜂類。摙土作房，有在筆帽中者，有在壁柱及窗櫺諸阿處者。生卵房中，而必實以螟蛉者，取其生氣，並借以爲養也。故始則卵化爲蟲如蛹，繼則蛹蜕而蜾蠃形成，破房口而出，而螟蛉已槁，皮膚猶在也。程瑶田釋蟲小記詳之矣，可以破法言螟蛉類我之説，而謂蜾蠃有雄無雌，亦坿會，不足據。**蝸牛**，昌平宋志：背負殼，狀如小螺，驚則首尾縮入，因頭有角，曰蝸牛。按：蝸牛首有四角，二長二短，觸之則縮，或左右偏出，自首尾如蛇皮簇瘭，行則出殼，以腹貼地。背上有肉如月斧。蝸腹有垂邊稜，藏身殼内，腹平，其口蜾者其殼也。又一種殼白者，入藥，凡痘痂誤落，取壁上白色蝸牛擣塗，不成麻。**蜒蚰**，宛平志：作蚰蜒。按：蜒蚰亦有角二長二短，較蝸牛角並微短，其身狹長，腹圓，無垂邊稜，背光，滑行處有涎，可制蜈蚣，治蠍毒。或取蜒蚰浸梅子，治喉風尤良。**水牛**，昌平宋志：黑甲，光如漆，上有黄白點，目前有二黑角甚長，亦有一角者。帝京景物略：金光緑色，甲堅而鬒勁，曰金牛兒；黑色白點者，曰青牛兒。按：緑色者疑卽蟥蚒，長二寸許，金碧瑩然。**金鐘**，見宛平志。按：其形圓，金黑色，翼在甲裏，飛時作聲呟如。**螢**，一作螻蛄。按：有翼而短，不能遠飛，黄色，四足，頭似狗，喜夜鳴如蚓，又喜撲燈光，本土呼爲土狗，卽杜狗也。見藥屬。**蝨**，按：爲齧人蟲，色白，生髮中者黑，用醋抹髮篦，去蝨子可治。**蚤**，按：亦齧人，時將雨，則此蟲預多。**蛓**。見宛平王志。

金屬　珠附

金，金史地理志：大興府産金、銀、銅、鐵。元史食貨志：金之所在腹裏曰檀州。又至元二十五年，罷檀州淘金户。昌平山水記：密雲東北，冶山東有丱洞，昔人陶金址尚存。**銀**，元史食貨志：銀之所在腹裏曰大都。銀在大都者，至元十一年，聽王庭壁於檀州奉先等洞采之。十五年，聽關世顯於薊州豐山採之。**銅**，畿輔唐志引舊志，白溝河東北五里有銅礦山，今無采者。按：昌平宋志，有自然銅，見藥屬。**鐵**，秋澗集：元燕北、燕南設立鐵冶十七處，歲課鐵一千六百餘萬。昌平山水記：元史言，檀州大峪錐山出鐵鑛，至元十三年，立四冶。明代亦嘗開採，後封閉焉。按：後漢書，漁陽泉州有鐵，設有鐵官。**珠**。元史食貨志：珠在大都者，元貞元年聽民於楊沽口撈採，命官買之。

石屬　土附

石，大清一統志：凡採石之制，工程需用之石，各有宜稱，視近畿州縣諸山産石最良者，委官定限採取，按工計運，給發價值，採石煅灰，亦如之。玉石，白石，盤山志：玉石産盧家峪一帶，周數十里。畿輔唐志引五雜俎，京師北山大石窩，水中産白石如玉，專供大内階砌欄楯之用，柔而易琢鏤龍鳳花草形，採盡復生。昌平山水記：凡山陵大工所用白石黝堊，皆取於順義西北諸山。日下舊聞引石譜：燕山石出水中者，奪玉瑩白温潤，土人琢爲器，頗似真玉。畫眉石，燕山叢録：宛平西齋堂村産石，黑色，而性不堅，磨之如墨，金時宫人多以畫眉，名曰眉石，亦曰黛石。析津志：畫眉石出齋堂村，其石燒鍋銚盤，雖百年亦不損壞，以此得名。豆渣石，盤山志：大數十丈，或方或圓，如鑿如削，又能壯樹木，凡依石之樹倍大。明水軒日記：産白虎澗、大石窠。上水石，昌平宋志：乃多年水沫與石液相聚而成，通體玲瓏，有如松柏枝，有如蚯蚓糞，漬水於麓，潤可至頂。青砂石，明水軒日記：産馬鞍山、牛欄山、石徑山。紫石，房山志：産馬鞍山。黑石，遵生八箋：西山黑石，狀若英石，紋片皺裂，可作研山者最多，但石性鬆脆，不受擊觸耳。素園石譜：順天府西山與天壽山相接，其石精巧，人常以充英石，但色枯不甚黑耳。礦灰，即石灰。大清一統志：凡修建宫殿所需物材，攻石煉灰，皆取於京西山麓。昌平宋志：有青，有白，白者亦名白虎，燒青石爲之。硝，有地硝、鹽硝、朴硝。甯河關志：冬日嚴寒，鹽池内經夜即起白鹻，掃鹻熬之爲硝，京都口外用以熟皮，亦可飼駱駝。昌平宋志：札硝出湯山，細民刮土煎鍊而成，能消化諸物，凡熟牛馬皮須此，亦入藥。按：地硝一名地霜，可代焰硝。順天府每歲采辦委解，其款由户部撥。五色土，房山佟志：歲貢之，以爲大社之用。甘子土，房山佟志：可作陶器。紅土，見宛平志。白土，昌平宋志：似粉，入錫和麪，不糝可食，京師售以春米助色。盤山志：産盧家峪東。包金土，昌平宋志：色微黄，中帶金星，用以泥祠殿牆壁，出紅石口。金砂，盤山志：盤山地多金砂，雨後晶光耀目。玉泉砂。見宛平志。

絲縣之屬棉紗及線帶等附

絲，見固安、武清、霸州、大城等志。縣，唐書地理志：幽州范陽郡貢縣。太平寰宇記：霸州土産絲。寰宇記：幽州、霸州土産綿。棉紗，采訪册。按：將彈好棉條，置摇車，一手摇輪，一手曳棉條，抽成細縷，俗稱摇紗，用以織布。棉線，同上。按：即取棉紗合股而成，爲縫紉之用。棉紗帶，同上。按：亦用棉紗縱横績成，分闊狹粗細。麻線。同上。按：用製靴鞋底。

布帛之屬 氈附

棉布，采訪册。按：用棉紗穿筬上機織成，闊者曰大布，狹者曰小布，以筬密縷勻爲佳，其最細者，布面起絨，輕軟而暵。紫花布，按：即棉花紫色者，摇紗織之。盪布，采訪册。按：用晚開棉花細小而黄者，亦摇紗織之，粗而軟，入水又極爽，最便濯垢。集韵：盪滌器也，因名。土人每用作浴布。檽布，同上。按：土人讀檽如冷。筬不密，有細孔，無他用處，惟入夏用以糊窗，故名。麻布，同上。按：有粗、細二種，細者作米口袋。綾，唐書地理志：幽州范陽郡土貢綾。又見唐六典。寰宇記：涿州土産綾。日下舊聞曰：范陽之綾，貢於唐、宋。霸州亦産絲絹，元於涿州設綿局織染提舉司，不知何時遂休其蠶織也。絹，唐書地理志：幽州土貢絹。宋書地理志：霸州信安軍貢綾。寰宇記：幽州土産絹。九域志：霸州信安軍、保定軍、土貢各絹一十匹。按：今亦見霸州志。屯絹，畿輔唐志引舊志：屯絹出京都者佳。羅，唐書地理志：涿州貢羅。氈。日下舊聞考引昌平志册：昌平之南，沙河城内，康熙年間設立氈作局，製造上用及官用氈片，其匠役均在沙河居住，世習爲業。

造釀之屬

酒，北轅録：燕山酒頗佳，館宴所餉，極醇厚，名金瀾，蓋用金瀾水釀之者。鳳洲筆記：薊州薏苡酒，周氏第一，成氏次之，三屯營所造更勝。曲洧舊聞：張能臣天下名酒記，保定軍有知訓堂酒、杏仁酒。西河詩話：御酒坊後牆有街曰長連，又一街曰短連，總曰廊下家。答應、長隨多住此賣酒，京師稱廊下内酒家。相傳明武宗曾遣宫人雜扮壚婦貰酒，歇宿即此。竹葉青，通州高志：州所釀酒名。良鄉黄酒，按：似紹興酒而味遠遜。京師酒家至冬令，每揭曰：寄售良鄉黄酒。醋，見通州高志。按：本土呼爲老醋，有黑、白二種，一稱忌諱。燒酒，按：皆麥燒，本土造酒家稱爲大酒缸，燒酒以乾燒爲最。又玫瑰燒，用玫瑰花熏蒸，香味極美。又茵陳燒、佛手燒諸種，又花露。虎骨燒，按：能活血，舒筋，去風，老年人最宜，蓋取燒酒用虎骨煎之，爲正陽門外樂家藥鋪專門之物。酒孃，按：一稱甜酒孃，一稱酒酪。用稉米釀之，味甘色白，如湩酪，連米食之。醬，清醬，按：有甜醬、黑醬、黄醬，皆麪爲之。黑黄者味鹹。清醬即醬油，亦有白、黑二種。滷鰕醬，甯河關志：鰕細無肉，土人多作爲醬，名滷鰕。按：其油即滷鰕油。油，按：菜油甚少，惟婦人市以潤髮，餘皆脂麻油。蜜，昌平宋志：紅、白二種，紅者味厚，白者多香。按：紅當作黄。蠟，薊州志：有黄、白二種。按：

卽蜂蜜之滓凝結者。**麪筋**，按：用麥麩置水中揉洗成之，其澄出漿粉曰小粉。**小粉**，按：小麥小粉，見上注。又綠豆小粉可盪皮爲粉皮，搓索爲粉條。**豆腐**，按：磨黃豆爲之，或黑豆，點以鹽滷，其嫩者名南豆腐，如南方之水豆腐也。其屬有腐皮、百葉。又腐乾，今京師以延壽寺街王致和家腐乾最著名。**薄粉**，見文安志。**杏仁粉**，按：以杏子仁甜者，磨爲粉，然不盡純，或雜以薯粉，土人和餹調水，爲杏兒茶。**辣醬**，按：以曝乾辣茄棰爲末，以水調之，遠遜南方之油熬者。**芥辣**，按：以白芥子研末爲之。**冬菜**，按：用白菜絲切之，加以花椒醃藏，香味極美。**醬小菜**，按：有刀豆、菜瓜、黃瓜、藕梢之屬，又有滷鰕瓜、滷鰕香椿。**十香菜**，昌平宋志：乃醬瓜之細絲，雜薑、薄絲、紫蘇葉、茴香苗、雀瓜片、杏仁、甘露、小茄蒂、花椒等料爲之，香美異常。**鮺餅**，昌平宋志：始自昌平，用豕皮切至細如龍鬚菜，合以飯糜、瓜子仁，納橡葉中包之，外襄以竹葉，經霜輒有橡葉香。今都門稱勝，而本州不聞矣。按：今京師亦未聞。**柹霜**，詳果屬。**蜜漬果脯**，按：有杏脯、桃脯、頻婆脯。**酸梅**，按：用杏子青者浸爛去核及滓，和以餹，加以冰塊，土人謂之酸漿水。亦有將浸爛杏子撈取略乾，模作餻，可水化食之，暑天食最宜。**松花**，按：南方呼爲皮蛋。本土近數年始有造此，較南方出者尤嫩，惟皮上無松花影也。**牛酪**，按：用牛乳造之。造法將乳入釜，熬以冰餹，攪之，乃傾出，罐盛待冷，面結浮皮，如豆腐皮然，撈取用冰置罐外，漸漸凝成矣。味甘而涼，其浮皮，土人和楂餻食之。**麯**，見通州志。**澱**，按：藍汁所作，用染青色。乾者曰澱花，入藥，卽青黛也。**胰皁**，按：有引見胰、玉容胰，鵞油胰及香皁，雙料皁諸名。用皁莢搗爛去滓，配以香料、藥料合成。**萬壽香**，按：爲綫香，爇灰屈曲而盤，不散落。**安息香**，按：有紫袍安息，恭順安息。寶顏堂筆記稱：萬曆間恭順侯家香最良，然則恭順之名，相傳已久矣。**薩嘛香**，按：爲香末。**香牌**，香乘：枕頂香，印作枕板，陰乾，自大內出者，旁有嘉靖年造，填以金字，鋸作扇牌等用，甚香。按：香牌之名，至今相沿，惟式樣不一。

舟車之屬 帳棚附

旁門車，藤陰雜記：京官向乘肩輿，杜紫綸詔始乘驢車，嗣後漸有騾車。余己卯入都，見京官騾車多而驢車少，然幃幔樸素，且少開旁門者。今則無不旁門，而布幃漸少。錢籜石少宗伯不能走旁門，亦不可解。按：今京師騾車，有大鞍兒、小鞍兒之分，小鞍車隨處可雇，或謂之買賣車。惟五品以上，幃底用紅色作緣，呼爲紅緣兒車。**獨輪車**，按：運水及貨物用之。一人手推，或更加一人挽之。**敞車**，按：一呼大車，無幃幔，用蘆席以遮雨暘，載人裝貨，如南方航船，有坐至十餘人者。**轎**，按：今京師乘轎者惟王公及宰相、尚書耳。**騾轎**，按：不用人舁，前後駕兩騾行之，行遠路者或乘此。**駁船**，按：通州有之。駮運漕米，亦載人，如南方之白殼子，惟頂方底平耳。分前艙、中艙、後艙，有大有小，遇順風，亦張帆。**帶屋船**，按：通州、昌平俱有之，較駮船高大，頭有欄楯，艙有窗檻如房屋然。土人呼爲帶屋子船，一稱花船。**貨船**，按：昌平有此。或呼爲買賣船，載糧食及諸貨焉。其船無棚。**漁船**，按：船甚小，如南方划條船，一人棹而行，棹網捕魚。**冰牀**，按：用小木板牀，以鐵包其足底，一人以繩挽行冰上，其捷如飛，每屆嚴冬，往來絡繹焉。**帳棚**，按：以木爲梁柱，以布周之，有門，有窗，有床，有几，有杌，凡王公大臣扈駕及上陵行禮，置此以休息焉。

器用之屬

筆，香祖筆記：元時張進中字子正，都城耆老，善製筆，管用堅竹，毫用鼬鼠，精鋭宜書。吴興趙子昂、淇上王仲謀、上黨宋齊彦，皆與之善。尚方時有所需，非進中製不用也。每自持筆以入，必蒙賜酒。今京都未聞以善筆名者矣。按：今京師以湖州李玉田所製最著名，十餘年來，凡翰林考差、庶常散館、貢士殿試，必用李製兔穎筆。其餘則通行水筆，仍用鼬尾毫製之，名曰狼毫。**硯**，稗史彙編：薊州褐黃石硯，理麤，發墨不滲，類夔石，土人刻成硯，以草一束燒過爲漫灰，煨之色遂變紫，用之不燥。按：今京師專尚墨盒，石硯久不講矣。惟紫石粗硯尚不缺。**紙**，按：本土不出紙，故紙鋪招牌必號曰南紙，然描金箋、洒金箋、粉箋、蠟箋、青碰箋等，類俱勝於南方，殆必加工本也。乾隆年間造藏經紙，尤著名。紙上有圖記曰乾隆年仿金粟山藏經紙，近已不多見矣。今本土所出者，還魂紙，汙褻字紙，莫此爲甚。近時官京師者，每輸錢以收有字之紙，然還魂紙仍不絕也，豈待有賢宰官禁革耶？**銅墨盒**，按：有白銅、紫銅、黃銅三種，或方、或圓、或如腰子形，始自道光年間，今則盛行矣。蓋上或鐫篆楷，或鏤花木，字有作蠅頭楷者，如蘭亭叙，如柏廬家訓。數年前，以陳寅生刊者爲最工，近則業此者甚多，終遜陳刊者也。**琉璃**，大清一統志：凡陶甓之制，設立琉璃廠於正陽門之西，以陶琉璃器具，質用澄泥，色有青、黃、翡翠、紫、黑、緑，甎甓異名，各按模式，吻有大小、垂脊之飾，各有等差，以供大臣之用。日下舊聞考：琉璃窰，前明以内官司事，乃秕政之尤者。本朝定制，琉璃、亮瓦二廠，皆隸於工部，差滿、漢官二人，筆帖式二人，三年更代。倚晴閣雜抄：漢書西域傳，罽賓國有琥珀流離。顔師古注：此蓋自然之物。考北史，魏太武時，月氏人商販京師，自云能鑄有石五色琉璃，於是采石礦中鑄之，光澤美於西來者。則是西域琉璃，亦用石鑄，非自然生成者矣。今京師廠中所煉，大約本月氏人遺法也。**壺盧器**，高宗御製壺盧器詩序：壺盧器者，出於康熙年間，皇祖命奉宸取架匏而規模之，及熟遂成器焉。盌、盂、盆、盒，惟所命，蓋其朴可尚，而巧亦非人力之所能爲也。爰命園人倣爲之。謹案：壺盧器，非民間所有，惟取瓠瓡，鏤空曝乾，以之盛物，亦名壺盧。蒲器，析津志：蒲器帽盒，蒲合蒸餅盒，酒盞，座團，鞍韉，座酒甕蓋。按：帽盒今有用柳木爲之，餘亦有用藤者。方柳條器，析津志：柳條器，簸箕、斗、升、井杼、車箕筐、撮米擔、擔水斗。按：有栲栳，亦柳條爲之。荆條器，日下舊聞考引圖經：荆條器，笆、筐、笊籃、車搭、雀籠、米囤、雜籠、無底圈、炊飯笆、糞筐、門籬笆、屋椽笆、挑菜筐。按：籬笆或用蘆葦。草器，按：有蓑、笠、屨、葦箔、葦席、葦簾、草薦之類。草薦用稻稈爲之。竹簾，按：編竹絲爲之。冬則風門，夏則竹簾。簾以避蠅，本土住宅中及市肆皆然。煤爐，按：有泥、鐵、銅三種。銅者高大如鼎，三足，其爐面則如棹，四方可圍爐飲焉。泥者爲不灰木鑪。鷫翎扇，甯河關志：鷫尾十二枚可作扇，以有脂麻花者爲上品。海東青乃鷫之最俊者，紋成字形，價益倍之。火鏈子，按：爲取火刀，冶鐵爲之。京師以王麻子家製者爲良。戽斗，甯河關志：挹水器。廣韻云：戽，杼也，凡水岸稍下，當旱時用戽斗，繫以雙綆，兩人掣之，抒水上岸，以溉田稼，或柳筲，或木罌，從所便焉。此法邑人多用之。按：南水車本土不用，此爲農具之一。餘器尚多，不悉載。軋車，按：去棉花子具也。以木爲之，形如三足几，上有兩耳卓立，置木軸於中，有柄在車之左，有輪在車之右，又有鐵梗，有踏板。搖車，按：紡棉紗具也。車上有輪，有軸，有弦線，有鐵鋌，有銅管。經車，經牀，按：經布具也。彈花弓，按：彈棉花有弓，弓上有弦，又有搥，又有搖子，以擀棉條。泥胎漆盒，按：有全金、全紅及描花者，大小粗細不一，亦有極精細者，以泥爲胎，以布爲質，以紙爲皮而漆之，凡漆器不一種，茲不悉載。翠花，按：取翠鳥羽毛爲之，京師翠花最著名。

餅餌之屬

奶皮餅，按：奶衣卽煎牛酪之浮皮也。凡用奶皮，必涼餡，其餅名不一，有仿回回及高麗法者。奶皮花糕，按：奶衣亦不一。奶皮元宵，按：南方呼爲圓子，京師惟正月盛行。凡米粉圓子，通名元宵。細餡餑餑，按：式樣不一。印面餑餑，按：無餡，以麪和餹爲之。壽意餑餑，按：式樣不一送壽禮用之。層臺餑餑，按：本土喪人設座，座前用此，如寶塔然，有高至十二層者。片兒餑餑，按：其薄如紙，兩片合成。賽利馬，按：爲喇嘛點心，今市肆爲之，用麪雜以果品和餹及猪油蒸成，味極美。蜜供，按：用麪切細方條，長寸許，以蜜煎之，每歲暮，祀神敬祖，用充供果，亦有相餽送者。扁食，按：卽餃子。有大，有小，有水餃，燙麪餃，爲土人常食之物，而逢節尤必需此，半用羊肉作餡。小米團子，按：䃾小米粉作爲團，中空無餡。饅頭，按：有實心無餡者。油鎚，按：用麪條油煠之，其發酵者爲麻花。馬蹏，按：卽燒餅，以其形似馬蹏而名。孩兒飯，按：用肉湯煑糙米爲飯，名孩兒飯。其法始自蒙古，而土人倣爲之。**臘八粥。**按：一名八寶粥。每歲臘月八日，雍和宮熬粥，定制派大臣監視，蓋供上膳焉。其粥用稉米、雜果品和餹而熬，民間每家煮之，或相餽遺。

烹飪之屬

燒烤肉，按：取小豬烤之。其不用小豬者，名爲爐肉，本土有爐肉鋪。**燒鴨子，**按：即用填鴨子，故極肥脆，以片兒餑餑夾食之。**童子雞，**按：取雞之嫩者煑而燻之，因名。**五香羊肉，**按：前門内户部街有售此者，如南方羊膏，味極香美。蓋去皮骨，用清醬雜茴香烹之。**湯羊肉，**按：六、七兩月，前門外深溝市湯羊肉，購食者爭先恐後，蓋一日祇鬻半日也。連皮而烹，爛而不羶。**五柳魚，**按：浙江西湖五柳居，煑魚最美，故傳名也。今京師食館倣爲之，亦名五柳魚。**醬肉，**按：爲京師最著名者，幾與金華火腿匹。**白肉，**按：清烹豬肉，爛而不糜，可片食。本土有專售此者，名白肉館。**菊花羹。**按：近數年始盛行。其法先用鱖魚作羹，雜以粉條、麻花和白菊花食之，亦有加椒末、胡荽者。

薪炭之屬

炭，大清一統志：凡薪、炭兩廠，各設監督，鑄給關防，以董其事，歲周更代。昌平宋志：炭出北山，有烏、白二種，惟白者堅而耐燃。按：有山炭，用櫟木、棗木燒之，又有柳炭，土人呼爲抛炭，言其輕，不擔觔兩也。又疙瘩炭，爲炭之最次者。**石炭，**即煤。一統志：凡開採煤窑，如出邊關隘口者，均酌指處所，報部給票，與内地官山各輸常課。民業聽之，其不遵禁約，私擅開採者，論如法。昌平宋志：出河西者爲佳。初出如泥，見風即硬，和黃土然之，炊爨甚便。按：今有生煤、煤末之分，生煤如石，鑿成小塊，極耐燃；煤末和黃土搖成煤毬然之。**煤餅，**按：用煤屑爲之。**柴，**昌平宋志：出北山。按：有櫟柴、柳柴、稻草柴、茅草柴。**無煙柴。**見宛平志。

歸安姚凱元校

食貨志三

吴橋劉恩溥纂　德清傅雲龍覆輯

田賦上雜征徭役坿

禹貢則壤成賦，必首冀州，順天府卽當日冀州地，正耗賦數，損益屢矣，賦役全書，半與今異，故今以光緒七年、八年府册爲斷。七年有閏，九年未齊。其在地丁外者，用禮雜記例曰雜征。府屬賦輕而徭則重，然丁均於地，可無力役之征。役贍於官，出自留支之賦，故徭寓於賦，不自爲門。其不在田賦中者，府册所無，坿録所訪，藉見一斑。前代賦徭，亦著於篇。志田賦。

田賦所出，莫非民地。然析言之，大較有九：一、曰民地，别旗圈地而言也。一、曰船地，昔運南漕船户受地，船裁，則收地入額，亦謂之收地。一、曰兑補地，蓋民地被圈，補以官屯者也。一、曰備邊地，會典所云山邊、水邊、草邊者是，東安縣有水邊，餘難盡析。備充邊餉，故名。一、曰續邊地，初侵自綱户，而續經覈出，其科視邊地例。一、曰馬房地，卽明牧馬廠，廠廢而地墾。一、曰夾空地，此訂賦役全書後所丈出者，報墾之界，於旗、民兩地亦爲夾空。一、曰衛地，卽明燕山、神武、永清、彭城、騰驤、金吾六衛之地，衛除而地復屬民。一、曰增地，則爲備邊、馬房等地之已荒復墾者。初，丁糧有上、中、下三等，分則凡九：曰上上，曰上中，曰上下，曰中上，曰中中，曰中下，曰下上，曰下中，曰下下。康熙五十二年恩詔，嗣後但據五十年丁册定爲額，續生人丁，永不加賦。雍正元年，改令順天府屬丁銀，自二年始攤入地糧，每兩攤銀二錢七釐有奇，閏年加銀七釐九毫四絲一忽一微七纖八沙五塵八埃二渺一漠二虛七澄四清，謂之丁閏。賦羨則曰火耗。良鄉、通、三河、昌平、順義、懷柔、涿、薊八州縣無征，其餘州縣，征亦有差，此其大綱也。

大興縣：地一千八百三十二頃三十六畝一分八釐，畦地二千七百七十一箇。（故事，畦地以箇計。）額征正加有差，綜銀四千一百九兩七錢四分五釐，内有歸併地，遇閏不征，餘則每畝征銀一釐九毫三忽八纖一沙四塵一埃五渺六漠，凡地閏銀二百六十八兩五錢三分六釐，（民地二十八頃六十四畝二釐八絲，每畝正加銀四分六釐一毫一絲八忽七微四沙一塵三埃五渺二漠。屯地六頃八十一畝六分五釐二毫二絲，每畝銀四分一毫一絲八忽四微四纖四沙一塵三埃五渺二漠。又屯地三十八頃四十畝二分五釐二毫一絲，每畝銀三分一毫一絲八忽七微四纖四沙一塵三埃五渺二漠。牧馬地二十五頃四十二畝一分三釐，每畝銀三分一毫一絲八忽七微四纖四沙一塵三埃五渺二漠。撥補馬房地十九頃二十六畝三分八釐六毫，每畝銀四分六釐。又馬房地九頃八十三畝一分三釐一毫五絲五忽，每畝銀四分。撥補馬房署等處地十一頃九十七畝八分三釐二毫二絲，每畝銀三分。下沙地四十八頃八十四畝六分五釐五毫九絲，每畝銀五釐。琉璃、黑窰二廠歸併畦地二千七百七十一箇，每箇銀一分。白地十五畝三分，每畝銀一錢一毫一絲八忽七微四纖四沙一塵三埃五渺二漠。僧道香火地四十二頃十一畝一分五釐，每畝銀二分一毫一絲八忽七微四纖四沙一塵三埃五渺二漠。又香火地二十頃，每畝銀五釐一毫一絲八忽七微四纖四沙一塵三埃五渺二漠。開墾荒沙地七十頃八十九畝六分，每畝銀二分一毫一絲八忽七微四纖四沙一塵三埃五渺八漠。又六十三頃三十三畝三分，每畝銀五釐一毫一絲八忽七微四纖四沙一塵三埃五渺二漠。退出馬房苜蓿等地三頃二十畝，每畝銀四分。退出自首地四十九頃七十七畝六分八毫七絲，每畝銀三分。又地三十五畝，每畝銀二分五釐。又地三十三頃九分，每畝銀二分。又地十九頃三十三畝五分，每畝銀五釐。又地二頃三十畝二分，每畝銀四分六釐。又地二十二頃一畝九分八釐，每畝銀一分。開荒地一頃二十四畝六分，每畝銀四分六釐。又地二十頃七十九畝五分六釐七毫九絲，每畝銀三分。又地一百十七頃一十畝五分五釐，每畝銀二分。又地一頃三十八畝五分，每畝銀一分五釐。又地一百二十二頃八十畝四分，每畝銀五釐。馬光寺退出畦地五十畝，每畝銀一錢。又墳房坑窪地二頃，每畝銀四分六釐。金吾左衛歸併下地十八頃十四畝一分三釐，每畝銀一分一釐九毫六絲七忽九纖三沙二塵六埃七渺。又開荒下地七十一頃七十二畝一分八釐，每畝銀一分二釐。又地六頃一畝九分，每畝銀一分三釐。又告發上地四十六畝四分，每畝銀二分六釐。又自首地二頃五十六畝六分，每畝銀二分五釐。又地十三頃六十一畝八分，每畝銀一分二釐。又地五頃四十畝三分，每畝銀一分五釐。又夾空地一頃三十二畝五分七釐，每畝銀一分一釐四毫四絲八忽。金吾右衛歸併下地十七頃四十六畝七分五釐，每畝銀八釐二毫五絲九忽八微。濟陽燕山前衛歸併下地十七畝六分，每畝銀一分五釐。又墾荒地八十六畝九分，每畝銀一分二釐。又劉之才等自首地八頃七十七畝，每畝銀一分二釐。燕山右衛歸併開荒屯地三頃三畝，每畝銀一分一釐。又首報地四頃四十六畝，每畝銀一分五釐五毫。又地十一頃二畝，每畝銀一分二釐。又下地三十二畝，每畝銀一分二釐五毫。又地三十畝四分九釐，每畝銀一分二釐。永清左衛歸併下地七頃七十四畝七釐，每畝銀一分五釐三毫六絲。又開荒上地三頃十六畝，每畝銀三分。又中地七十五畝五分，每畝銀一分六釐。又下地二頃五十九畝四分三釐，每畝銀一分。又自首地六十三畝三分，每畝銀一分五釐。彭城衛歸併墾荒下地一頃三十七畝，每畝銀一分八釐。神武衛歸併蕃牧所中地一頃十一畝七分，每畝銀二分四釐。尚膳監退圈歸併上地十一畝五分，每畝銀三分。又中地一頃十五畝五分，每畝銀二分四釐。又自首地一頃五十四畝二分五釐，每畝銀一分五釐。又下地三十四頃八十三畝二分二釐，每畝銀一分二釐。又王世登地七十三畝，每畝銀三分一毫九絲八忽六微七纖八沙。蕃育署歸併地一百一十頃七畝三分一釐，每畝銀三分。又地六頃六十一畝五分，每畝銀二分。又地七十七頃三十三畝六分二釐二毫三絲，每畝銀一分。莊頭退出地七十三畝一分，每畝銀一分。開荒地三頃二十畝五分三釐，每畝銀一分。浮額地三百七十五頃四十五畝三分三釐，每畝銀三分。又地一百三頃五十五畝四分八釐三毫二絲，每畝銀四分六釐。又地二頃五十八畝九分一釐，每畝銀六分。又地四十五畝，每畝銀一錢。又地二頃十一畝，每畝銀五分七釐五毫七絲二忽。又地五頃四十六畝四分，每畝銀五分七釐六毫。又地三頃二十九畝，每畝銀五分六釐四毫。又地七頃六畝九分八釐，每畝銀五分六釐。又地七頃四十一畝五分二毫五絲，每畝銀三分九釐。又地五頃九十三畝五分，每畝銀三分二釐。又地一頃十六畝二分，每畝銀七分。通州歸縣開荒地六頃五畝，每畝銀二分一毫七忽九微七纖七沙二塵五渺，每畝征黑豆一升五合六勺八杪。又撥給宛平民馬士清等入官地二頃三十八畝七分七釐六毫五絲，又陳孝入官地七畝，又王國璽入官地一頃八十二畝一分八釐二絲五微，每畝銀二分。草橋開挖泡佔用張肖珍撥補地五十四畝九分六釐，每畝銀一分五釐。又用趙賢琮撥補地九畝五分二釐，每畝銀四分。南苑北紅門開挖稻田佔用民地撥補一頃五十四畝，每畝銀一分。又撥補地二頃二十八畝二分七釐，每畝銀三分。又撥補地十九畝一分三釐，每畝銀二分。又撥補地一頃四十七畝五分，每畝銀一分。又質郡王福晉吉地撥補本府自置地一頃三十二畝六釐，每畝銀一分。嘉慶十二年，報墾地五十三畝，又二十三年報墾地三頃八十七畝七分，又地一頃九十七畝，又地二頃二十四畝四分。又道光九年報墾地七頃七十五畝，又十年報墾地五頃六十八畝，又十三年報墾地五頃五十九畝，又十五年報墾地一頃八十九畝五分，又十七年報墾地十頃八十三畝四分四釐，又十八年報墾地二頃六十四畝，又十九年報墾地三頃六十畝六釐，又李有梅報墾地一頃十三畝三分六釐，光緒元年報墾地十七頃二十一畝四分二釐，又地五頃五十一畝，又四年報墾地十四頃五十八畝八分三釐，已上十五頃，每畝銀一分，總計地一千八百三十二頃三十六畝一分八釐，畦地二千七百七十一箇，遇閏之年，琉璃黑窑二廠歸併畦地、金吾左衞歸併地以下至開荒地三頃三十畝五分三釐，不征地閏，餘俱每畝征銀一釐九毫三忽八纖一沙四塵三埃五渺六漠。先是，人丁八千四百二十八丁，分則征銀一千九百二十三兩九分八釐。又旗改民籍八百二十五丁，又編審歷年滋生一千二百五十二丁，奉恩詔永不加賦。今依雍正二年例，攤入地糧得銀八百五十兩八錢四分一釐，閏年增丁閏銀三十二兩八錢八釐，又房租銀錢分征合銀五十六兩七錢七分九釐，房四間，每間銀六分；房基地二間，每間銀二分六釐；小瓦房八十四間，灰棚四十間，共錢五十六千四百八十七文；例不攤征。工匠亦不征閏。已上額征凡銀五千一十七兩三錢六分五釐，閏年征銀五千三百一十八兩七錢九釐，火耗計兩增銀一錢，又征黑豆九石六斗七合四勺。起運銀三千七十九兩四錢五分，閏年銀三千三百四十三兩五錢四分九釐，火耗各以數增，按，每年銀三百七兩九錢四分五釐，遇閏則三百三十四兩三錢五分五釐，其隨正起運，自乾隆五十三年户部奏定始。黑豆如征數，留支者四一官俸。按，養廉辦公銀，初亦留支，嘉慶十六年，奉旨改解，司庫赴司請領。采育巡檢、黄邨巡檢各俸銀三十一兩五錢二分，凡銀六十三兩四分。一、役食，知縣門子二，每名銀六兩。銀十二兩。馬快十二，每名工食並馬乾銀十六兩八錢。銀二百一兩六錢。民壯三十，每名銀六兩。銀一百八十兩。皁隸十二，每名銀六兩。銀七十二兩。轎扇夫三，每名銀六兩。銀十八兩。庫子四，每名銀六兩。銀二十四兩。斗級二，每名銀六兩。銀十二兩，閏增一兩。倉夫四，每名銀六兩。銀二十四兩，閏增一兩。禁子四，每名銀六兩。銀二十四兩。更夫五，每名銀六兩。銀三十兩。鋪兵三十一，每名銀七兩二錢。銀二百二十三兩二錢，閏增銀十八兩六錢。儒學門斗一，銀七兩二錢。門役二，每名銀三兩。銀六兩。禁子二，每名銀六兩。銀十二兩。庫子四，每名銀六兩。銀二十四兩。鋪兵二，每名銀六兩。銀十二兩。更夫二，每名銀六兩。銀十二兩。滿洲儒學門斗一，銀七兩二錢。縣丞門子一，銀六兩。馬夫一，銀六兩。皁隸四，每名銀六兩。銀二十四兩。禮賢郵縣丞弓兵二十，每名銀二兩五錢。銀五十兩。典史門子一，銀六兩。馬夫一，銀六兩。皁隸四，每名銀六兩。銀二十四兩。采育巡檢弓兵二十，每名銀二兩五錢。銀五十兩。皁隸二，每名銀六兩。銀十二兩。黄郵巡檢弓兵二十，每名銀二兩五錢。銀五十兩。皁隸二，每名銀六兩。銀十二兩。慶豐閘皁隸二，每名銀六兩。銀十二兩。貢院門役一，銀七兩二錢。吹鼓手八，每名銀六兩。銀四十八兩。國子監廟户七，每名銀七兩二錢。銀五十兩四錢。國子監丁役四，每名銀七兩二錢。銀二十八兩八錢，閏增銀二兩四錢。天壇齋宫夫二，每名銀六兩三錢六分。銀十二兩七錢二分。祈穀壇户六，每名銀六兩三錢六分。銀三十八兩一錢六分。先農壇户五，每名銀六兩三錢六分。銀三十一兩八錢。左翼忠義祠役二，每石銀七兩二錢。銀十四兩四錢。左翼節孝祠役二，每名銀七兩二錢。銀十四兩四錢。草廠秤夫一，銀六兩。草場巡邏夫四，每名銀六兩。銀二十四兩。孫堠橋夫十有六，每名銀六兩。銀九十六兩。凡役食銀一千五百三十一兩有八分，閏增銀二十四兩。前數止二十三，今據册數。

一、祀禮，文廟春秋祭，銀四十兩，修籩豆

銀三兩，崇聖祠祭銀二十九兩三錢六分，修籩豆銀一兩五錢。關廟祭銀四十兩，文昌廟祭銀二十六兩六錢六分七釐，朔望行香銀一兩，又加祭銀十三兩三錢三分三釐，三小祭銀十兩，鄉飲酒禮銀二十兩，凡銀一百八十四兩八錢五分九釐。一、驛站凡工料銀一百五十八兩九錢三分六釐，閏增銀十三兩二錢四分五釐。已上留支凡銀一千九百三十七兩九錢一分五釐，閏增銀三十七兩二錢四分五釐。

宛平縣：地一千四百九十七頃四十八畝五分九釐六毫八絲，額征正加有差，綜銀三千六百二十九兩五錢六分四釐九毫，地閏銀二百二十九兩五錢七毫。（民地三百二十四頃一十二畝七分八釐八毫，每畝正加銀二分九釐六絲九忽八微一纖七沙四塵八埃二渺三漠，計銀九百四十三兩六錢八分七釐四毫七絲四忽五微九纖七塵八埃九渺三漠一湖二虛三澄。香火地四十四頃七十四畝五分一釐一毫，每畝銀二分九釐六絲九忽八微一纖七沙四塵八埃二渺三湖，計銀一百二十九兩七錢七分一釐二絲八忽七纖八沙二塵三埃九渺一漠八湖二虛三澄。民地三百六十九頃四十八畝一分四釐六毫四絲八忽五微，每畝銀二分八釐七毫，計銀一千六十兩四錢一分六毫九絲五忽三微一纖九沙五塵。屯地一百八十二頃十四畝五分，每畝銀三分，計銀五百四十八兩五錢三分四釐六毫五絲。水地三頃，每畝銀二分九釐六絲九忽八微一纖七沙四塵八埃二渺三漠，計銀八兩七錢二分一釐九毫四絲五忽二微四沙六塵九埃。墳地十二畝八分，每畝銀二分八釐七毫，計銀三錢六分七釐三毫六絲。已上六項地閏，每畝銀二釐四毫五絲一微八纖六沙二塵二埃一渺五漠。彭城衛中則地十五畝三分，每畝銀一分四釐，計銀二錢一分四釐二毫。入官變價地一頃三十八畝七分二釐，每畝銀二分，計銀二兩七錢四分四釐四毫。金保入官地一百二十五頃八十五畝一釐，每畝銀三分，計銀三百七十七兩五錢五分八釐三毫。下地二十六頃二十二畝六分三釐，每畝銀一分，計銀二十六兩二錢六分六釐三毫。歸併順義縣白紙坊民地一頃十五畝八分，每畝銀三分，計銀三兩四錢七分四釐。已上五項，不加閏。香火地七頃二十八畝六分五釐，每畝銀二分八釐七毫，計銀二十兩九錢一分二釐二毫五絲五忽。地閏每畝征銀二釐四毫五絲一微八纖六沙二塵二埃一渺五漠。山坡下地一頃六十七畝三分四釐一毫，每畝銀一分，計銀一兩七錢七分三釐四毫一絲。不加閏。沙地三頃七十六畝二分，每畝銀二分八釐七毫，計銀十兩七錢九分六釐九毫四絲。地閏每畝征銀二釐四毫五絲一微八纖六沙二塵二埃一渺五漠。又十頃九十四畝，每畝銀一分，計銀十兩九錢四分。開墾地三百七十四頃七十八畝一分九釐二毫八絲，內一分起科地二百九十九頃五十九畝八分五釐五毫八絲，又二分，並二分八釐七毫。

起科地七十五頃一十四畝二分八釐七毫，計共銀四百五十兩六錢四分四釐一毫三絲。撥補地十三頃三十二畝六分九釐九毫，每畝銀二分，計銀二十六兩六錢五分三釐。道光十五年報墾地三頃八畝三分五釐，每畝銀一分，計銀二兩八分四釐。又十八年升科地三頃九十九畝，每畝銀八分，計銀三兩九錢九分。五項不加閏。共地一千四百九十七頃四十八畝五分九釐六毫八絲。先是，人丁一萬二千七百四十有六，分則征銀四千三百三十六兩六錢。又旗改民籍六百四十六丁，又編審歷年滋生三千八百二十八丁，奉恩詔永不加賦。今依雍正二年例，攤入地糧，得銀七百五十一兩四錢二分一釐五毫，閏年增丁閏銀三十兩二錢三分六釐，又房租銀五兩一錢，瓦房二十三間，每間征銀二錢；平房三間，土房二間，每間征銀一錢。已上額征凡銀四千三百八十六兩八分六釐，閏年征銀四千六百四十五兩八錢二分三釐，火耗計兩增銀一錢。起運銀一千六百九十三兩三錢九分一釐，閏年銀一千七百一十六兩七分三釐，火耗各以數增。留支者四：一、官俸，西路同知、石景山同知，各銀八十兩。管河縣丞二，各銀四十兩。凡銀二百四十兩。一、役食，順天府庫子四，每名銀六兩。銀二十四兩。禁子二，每名銀六兩。銀十二兩。門役一，每名銀六兩。銀六兩。更夫三，每名銀六兩。銀十八兩。吹鼓手八，每名銀六兩。銀四十八兩。西路同知門子二，每名銀六兩。銀十二兩，閏增一兩。轎繖扇夫七，每名銀六兩。銀四十二兩，閏增三兩五錢。皁隸十二，每名銀六兩。銀七十二兩，閏增六兩。石景山同知門子二，每名銀六兩。銀十二兩。步快八，每名銀六兩。銀四十八兩。皁隸十二，每名銀六兩。銀七十二兩。轎繖扇夫七，每名銀六兩。銀四十二兩。知縣門子二，每名銀六兩。銀十二兩。皁隸十二，每名銀六兩。銀七十二兩。民壯三十，每名銀六兩。銀一百八十兩。馬快十二，每名銀十六兩八錢。銀二百有一兩六錢。看監禁卒四，每名銀六兩。銀二十四兩。馬夫一，銀六兩。繖扇夫二，每名銀六兩。銀十二兩。斗級四，每名銀六兩。銀二十四兩。倉夫四，每名銀六兩。銀二十四兩，閏增一兩。庫子二，每名銀六兩。銀十二兩。儒學門斗三，每名銀七兩二錢。銀二十一兩六錢。滿洲儒學門斗三，每名銀七兩二錢。銀二十一兩六錢。管河縣丞門子一，銀六兩。皁隸四，每名銀六兩。銀二十四兩。馬夫一，銀六兩。又管河縣丞門子一，銀六兩，閏增銀五錢。馬夫一，銀六兩，閏增銀一兩。民壯四，每名銀六兩。銀二十四兩，閏增銀二兩。皁隸四，每名銀六兩。銀二十四兩，閏增銀二兩。縣丞門子一，銀六兩。皁隸四，每名銀六兩。銀二十四兩。馬夫一，銀六兩。典史門子一，銀六兩。皁隸四，每名銀六兩。銀二十四兩。馬夫一，銀六兩。齊家司巡檢皁隸二，每名銀六兩。銀十二兩。弓兵二十，每名銀二兩五錢。銀五十兩。龐各司巡檢移自王平口。皁隸二，每名銀六兩。銀十二兩。弓兵二十，每名銀二兩五錢。銀五十兩。石港司巡檢皁隸二，每名銀六兩。銀十二兩。弓兵二十，每名銀二兩五錢。銀五十兩。盧溝司巡檢皁隸二，每名銀六兩。銀十二兩。弓兵二十，每名銀二兩五錢。銀五十兩。鋪兵五十一，每名銀七兩二錢。銀三百六十七兩二錢，閏增銀三十兩六錢。貢院門役二，每名銀三兩六錢。銀七兩二錢。更夫五，每名銀六兩。銀三十兩。國子監廟户六，每名銀七兩二錢。銀四十三兩二錢，閏增銀一兩八錢。添丁役四，每名銀七兩二錢。銀二十八兩八錢，閏增銀一兩四錢。夕月壇户六，每名銀六兩三錢。銀三十八兩一錢六分。具服殿壇户四，每名銀六兩三錢六分。銀二十五兩四錢四分。先農壇户五，每名銀六兩三錢六分。銀三十一兩八錢。左右翼忠義、節孝兩祠夫四，每名銀七兩二錢。銀二十八兩八錢。草廠秤夫一，銀六兩。巡邏夫四，每名銀六兩。銀二十四兩。三家店橋夫十六，每名銀一兩二錢。銀十九兩二錢，房舍銀十六兩。迎春夫銀八兩三錢。馬夫馬乾銀一百五十八兩九錢三分六釐。凡役食銀二千一百八兩九錢，閏增銀五十三兩三錢。前數微有參差，今據册數。一、祀禮，文廟祭銀四十兩，修籩豆銀三兩，崇聖祠祭銀二十九兩三錢六分，修籩豆銀一兩五錢，關廟銀四十兩，文昌廟銀二十六兩六錢六分六釐，朔望行香銀一兩，又加祭銀十三兩三錢三分三釐，三小祭銀十兩，鄉飲酒禮銀二十兩，凡銀一百八十四兩八錢五分九釐。一、驛站，凡工料銀一百五十八兩九錢三分六釐，閏增銀十三兩二錢四分五釐。已上留支凡銀二千六百九十二兩六錢九分五釐，閏增銀六十六兩五錢四分五釐。

良鄉縣：地四百八十七頃九十一畝一分五釐，額征正加有差，綜銀一千五十一兩七錢六分一釐，地閏銀五十三兩九錢七分四釐。開墾香火沙薄地八十五頃八十四畝五分五釐九忽，計銀二百五十九兩四錢二分二釐四毫五絲五漠一沙六塵三埃。備荒地四頃六十五畝三分一釐一毫一絲七忽四微九沙，每畝銀二分二毫二絲二忽四微七纖，計銀九兩四錢三釐四毫四絲三忽二微七纖二沙八塵五埃五渺五漠三湖一虛三澄。已上二項地閏，每畝銀一釐二毫四絲九忽九微八纖九沙三塵九埃三渺七漠。荒地四頃三十七畝六分，每畝銀一分一釐七毫八絲六忽四微七纖，計銀五兩一錢五分七釐七毫五絲九忽五微七纖二沙。地閏每畝銀一釐二毫四絲四忽三微四沙四塵一埃六渺九漠。首報沙地一百七十七頃一十二畝四分六釐七毫五絲七忽，每畝銀一分七釐四毫二絲二忽四微七纖，計銀三百九兩六錢九分四釐四絲四微九纖一塵四埃七渺九漠。地閏每畝銀一釐二毫四絲七忽九微八纖九沙三塵九埃三渺七漠。香火沙薄地五十二頃五十三畝六分三釐五毫，每畝銀五分四釐二毫二絲二忽四微七纖，計銀四百八十五兩二分七釐七毫三絲三忽五微八纖八沙四塵五埃。地閏每畝銀一釐二毫四絲九忽八微八纖九沙三塵九埃三渺七漠。備荒地一百五頃四十五畝八釐八毫八絲二忽五微二纖一沙，每畝銀一分二毫二絲二忽四微七纖，計銀一百七兩七錢九分七釐二毫二絲三忽五微四纖二沙六塵四埃四漠六湖八虛七澄。地閏每畝銀一釐二毫四絲九忽九微八纖九沙三塵九埃三渺七漠。竈丁地三十畝，每畝銀一分七釐四毫二絲二忽四微七纖，計銀五錢二分二釐六毫七絲四忽一微。義河廠地二頃六十五畝，每畝銀一分，計銀一兩六錢五分。墾荒地三頃九十一畝，每畝銀一分七釐二毫，計銀六兩七錢三分五釐二毫。永清左衛歸併贍上地一頃八十三畝一分五釐，每畝銀三分八釐，計銀六兩九錢五分九釐七毫，每畝征本色黑豆三合六勺九抄二撮七圭五粟二顆，計黑豆六斗七升六合三勺二抄三撮五圭二粟八顆八絲。存贍下地二十一畝八分九釐，每畝銀一分五釐三毫六絲，計銀三錢三分六釐二毫三絲四微。開墾地八畝八分，每畝銀三分，計銀二錢六分四釐。自首下地八十二畝八分，每畝銀一分五釐，計銀一錢二分四釐。涿鹿衛歸併地、荒沙地一十六頃九十六畝九分五毫，每畝銀一分五釐，計銀二十五兩四錢五分三釐五毫七絲五忽。旱荒民地三十二頃九畝九分四釐，每畝征銀一分，計銀三十二兩九錢九分四釐，閏每畝銀九毫二絲八忽七微九纖四沙二塵。

則征銀三百九十六兩三錢一分。又編審歷年滋生一百七十二丁，奉恩詔永不加賦。今依雍正二年例，攤入地糧，得銀二百二十二兩六錢九分九釐，閏年增丁閏銀八兩四錢七分一釐。已上額征凡銀一千二百七十四兩四錢六分，閏年征銀一千三百三十六兩九錢五釐，火耗無。又黑豆六斗七升六合三勺二抄七撮五圭二粟八顆，征自永清左衛歸併上地。詳上注。起運黑豆如征數，解布政司，彙解户部。銀無。留支者六：一、官俸，知縣銀四十五兩，教諭一、訓導一、縣丞一、管河縣丞二，各銀四十兩，典史銀三十一兩五錢二分，凡銀二百七十六兩五錢二分。一、役食，按察司轎繖扇夫七，每名銀六兩。銀四十二兩。知縣門子二，每名銀六兩。銀十二兩。皁隸十三，每名銀六兩。銀七十八兩。馬快八，每名銀十六兩八錢。銀一百三十四兩四錢。民壯五十，每名銀六兩。銀三百兩。禁卒八，每名銀六兩。銀四十八兩。仵作三，每名銀六兩。銀十八兩。庫子四，每名銀六兩。銀二十四兩。斗級四，每名銀六兩。銀二十四兩。轎繖扇夫七，每名銀六兩。銀四十二兩。縣丞、典史各門子一，銀六兩。皁隸四，每名銀六兩。銀二十四兩。馬夫一，銀六兩。管河縣丞門子二，每名銀六兩。銀十二兩。馬夫二，每名銀六兩。銀十二兩。皁隸八，〔每名銀六兩。〕銀四十八兩。民壯四，〔每名銀六兩。〕銀二十四兩。儒學齋夫三，〔每名銀十二兩。〕銀三十六兩。門斗二，〔每名銀七兩二錢。〕銀十四兩四錢。膳夫二，〔每名銀六兩六錢六分六釐五毫。〕銀十三兩三錢三分三釐。鋪司兵二十五，〔每名銀六兩。〕銀一百五十兩。更夫五，〔每名銀六兩。〕銀三十兩。火夫十，〔每名銀六兩。〕銀六十兩。吹手十二，〔每名銀六兩。〕銀七十二兩。墩夫三十七，〔每名銀六兩。〕銀二百二十二兩。關廟户五，每名〔銀六兩三錢六分。〕銀三十一兩八錢。先農壇農夫二，〔每名銀六兩。〕銀十二兩，閏增銀一兩。凡役食銀一千五百三十一兩九錢三分三釐，閏增銀一兩。一、祀禮，社稷、山川、風雲、雷雨等祠春秋祭，銀三十兩，文廟修銀十兩，文廟崇聖祠春秋祭銀四十兩，關廟祭銀四十兩，文昌廟祭銀二十六兩六錢六分六釐，又增祭銀十三兩三錢三分三釐，朔望行香銀一兩，修龍亭儀仗銀五錢，鄉飲酒禮銀十二兩，凡銀一百八十三兩四錢九分九釐。一、雜項，時憲書銀三兩。廩生二十，〔每名銀三兩二錢。〕銀六十四兩。孤貧二十五，〔每名銀三兩六錢。〕銀九十兩。又冬衣布花銀六兩九錢五分九釐，〔每名冬衣布花銀二錢七分八釐三毫四絲九忽。〕凡銀一百六十三兩九錢五分九釐，閏增銀七兩五錢。一、帶辦，二年一辦貢生花紅旗匾，銀二兩五錢，三年一辦鄉、會場對讀、謄録等銀五兩，會試舉人費銀三兩三錢三分三釐，狀元歸第銀一兩，舉人坊銀二十六兩六錢六分七釐，武舉旗匾銀三兩三錢三分三釐，進士坊銀三十三兩三錢三分三釐，武進士旗匾銀六兩六錢六分七釐，凡銀八十一兩八錢三分三釐，因糧缺無征，實支銀十一兩八錢三分三釐。按：駐防心紅紙張銀三兩七錢，舊係留支，後改領自布政使司。一、驛站，額支工料銀一萬一百六十八兩七錢五分，閏增銀九百二十四兩四分三釐，扛轎夫銀二千五百六十五兩，遞皁銀二百兩，又改自題撥銀二千四百二十五兩一錢四分，閏增銀二百兩四錢七分五釐。已上共銀一萬七千五百二十五兩二錢八分九釐四毫，除文、武舉人、進士旗匾銀七十兩。留支銀如征數，餘領自布政司。

固安縣：地九百一十五頃五十二畝七分四釐，額征正加有差，共銀二千九百五十三兩六錢二分八釐，地閏銀二百四十七兩四錢三分三釐。民地九百五頃九畝六分七釐七毫三絲三忽一微，每畝銀三分二釐四毫三絲八忽五微三纖六沙三塵，計銀二千九百三十五兩八錢八分五釐八絲八忽二微二沙八塵四埃四漠九湖，地閏每畝銀二釐七毫五絲七微。燕山右衛開墾荒地二十六畝，每畝銀一分二釐，計銀三錢一分二釐。自首地三十三畝五分，每畝銀一分五釐，計銀五錢二釐五毫。金吾左衛自首地八畝，每畝銀一分二釐，計銀九分六釐。永清左衛存賸上地八十畝一分七釐，每畝銀三分八釐，計銀三兩四分六釐四毫六絲，每畝又徵本色黑豆三合六勺九抄二撮七圭五粟二顆，計豆二斗九升六合四抄七撮九圭二粟七顆八粒四黍。存賸下地三頃九十九畝五分五釐，每畝銀一分五釐三毫六絲，計銀六兩一錢三分七釐八絲八忽。開墾上地十四畝，每畝銀三分，計銀四錢二分。自查下地一頃三十八畝四分五釐，每畝銀一分五釐，計銀二兩七分六釐七毫五絲。涿鹿衛荒地三頃四十三畝四分一釐五毫，每畝銀一分五釐，計徵銀五兩一錢五分一釐二毫二絲五忽。共地九百十五頃五十二畝七分四釐。按：今府冊與固安陳志所載咸豐四年額征符。先是，人丁一萬二千六百五十一，分則征銀二千八百六十五兩五錢一分五釐。又編審歷年滋生三千四百五十二丁，奉恩詔永不加賦。今依雍正二年例，攤入地糧，得銀六百一十一兩四錢六分四釐，閏年增丁閏銀二十三兩六錢四釐。已上額征銀三千五百六十五兩九分一釐，閏年征銀三千八百三十六兩一錢二分九釐，火耗計兩增銀一錢，又黑豆二斗九升六合四抄七撮九圭二粟。徵自永清左衛存賸上地，詳上注。按：固安陳志載，額外井田屯頭地三十七頃二十五畝四釐，征穀四百八十四石二斗五升五合二勺。井田屯户地六頃三畝四分五釐，征穀七十八石四斗四升八合五勺。民荒陞科地四頃五十畝八分八釐，以道光二十六年抬征銀十七兩六錢五分六釐四毫，解布政司庫爲軍餉籌備之用。嘉慶二十四年，沙壓荒地十六頃四十二畝七分七釐，坐落知子營等村。道光十二年，奉文蠲免。又河淤地一頃七十四畝，每年徵銀五兩二錢二分，解永定河道，爲河防之備。起運銀六十六兩六錢二分三釐，閏年銀二百四十四兩一錢四分二釐，火耗各以數增，黑豆如征數。留支者五：一、官俸，永定河道銀一百有五兩。南路同知、永定河南岸同知、北岸同知，各銀八十兩。知縣銀四十五兩。縣丞二、教諭一、訓導一，各銀四十兩。典史銀三十一兩五錢二分。凡銀五百八十一兩五錢二分。一、役食，府學齋夫一，府滿洲學齋夫一，銀十二兩。南路同知門子二，（每名銀六兩，下十項同）銀十二兩，閏增銀一兩。皁隸十二，銀七十二兩，閏增銀六兩。永定河南岸同知門子二，銀十二兩。皁隸十二，銀七十二兩。快手八，銀四十八兩。轎繖扇夫七，銀四十二兩。永定河北岸同知門子二，銀十二兩。皁隸十二，銀七十二兩。快手八，銀四十八兩。轎繖扇夫七，銀四十二兩。知縣門子二，銀十二兩。馬快八，（每名工食草料銀十六兩八錢。）銀一百三十四兩四錢。皁隸十四，（每名銀六兩，下二十四項同。）銀八十四兩。民壯三十，銀一百八十兩。禁卒八，銀四十八兩。吹手八，銀四十八兩。轎繖扇夫七，銀四十二兩。斗級四，銀二十四兩。更夫五，銀三十兩。庫夫四，銀二十四兩。火夫十，銀六十兩。縣丞門子一，銀六兩，閏增銀五錢。皁隸四，銀二十四兩，閏增銀二兩。民壯四，銀二十四兩。馬夫一，銀六兩，閏增銀五錢。又縣丞皁隸四，銀二十四兩。門子一，馬夫一，各銀六兩。密雲縣丞民壯四，銀二十四兩。武清海河主簿民壯三，銀十八兩。典史門子一，銀六兩。皁隸四，銀二十四兩。馬夫一，銀六兩。教諭齋夫三，每名銀十二兩。銀三十六兩。膳夫二，每名銀六兩六錢六分六釐六毫六絲七忽。銀十三兩三錢三分三釐。門斗三，每名銀七兩二錢。銀二十一兩六錢。駐防屯長八，每名銀四十八兩。銀三百八十四兩，閏增銀三十二兩。永定河二千總房銀三十兩。天壇户五，每名銀六兩三錢六分。銀三十一兩八錢。齋宮夫一，銀六兩三錢六分。先農壇户夫二，每名銀六兩。銀十二兩，閏增銀一兩。凡銀一千八百三十九兩四錢九分三釐，閏年增銀四十三兩。一、祀禮，修文廟銀十兩，社稷、山川等祭銀三十兩，文廟、崇聖祠、名宦、鄉賢，祭銀四十兩，文昌廟祭並加銀三十九兩九錢九分九釐，關廟祭銀四十兩，三小祭銀十兩，朔望行香銀一兩，修龍亭銀十兩，鄉飲酒禮銀十兩，凡銀一百九十兩九錢九分九釐。一、雜項，時憲書銀三兩。廪生二十，每名銀三兩二錢。銀六十四兩。孤貧二十五，每名銀三兩六錢。銀九十兩。又冬衣花布，每名銀二錢七分八釐三毫四絲九忽。銀六兩九錢五分九釐。凡銀一百六十三兩九錢五分九釐，閏增銀七兩五錢。一、帶辦，二年一辦貢生花紅旗匾銀二兩五錢，三年一辦會試舉人盤費銀三兩三錢三分三釐，會試謄録、書手銀一兩四錢，狀元歸第銀四兩，舉人坊銀二十六兩六錢六分七釐，進士坊銀三十三兩三錢三分三釐，武舉花紅旗匾銀三兩三錢三分三釐，武進士花紅旗匾銀六兩六錢六分七釐，武場公費銀五錢四分六釐，凡銀八十一兩七錢七分九釐。一、驛站，銀五百一十六兩二錢一分八釐，閏增銀四十三兩一分八釐。已上留支凡銀三千四百九十八兩四錢六分八釐，閏增銀九十三兩五錢一分八釐。

永清縣：地千二百八十頃三十九畝七分九釐三毫，額征正加有差，共銀五千一百六十八兩六分，地閏銀一百五十四兩六錢七釐。民地一千四百十八頃八十六畝七分二釐七毫九絲三忽，每畝銀二分三釐八毫八絲四忽一微五纖，計銀三千三百八十八兩八錢四分三釐八毫九絲二忽八微八纖九沙二塵九渺五漠，地閏每畝銀六毫九絲八忽五微三纖四沙。二折地一百二十一頃六十二畝九分一釐五毫，每畝銀一分五釐五絲七忽八微五纖，計銀一百八十三兩一錢四分七釐三毫四絲九忽六微三纖二沙七塵五埃，地閏每畝銀六毫九絲八忽五微三纖四沙。退出地十五畝，每畝銀四分七釐七毫六絲八忽三微，計銀七錢一分六釐五毫二絲四忽五微，地閏每畝銀一釐三毫九絲七忽六纖八沙。剥船地四百三十頃二十五畝一釐五毫七絲，每畝銀二分三釐八毫八絲四忽一微五纖，計銀一千二十七兩六錢一分五釐九毫二絲八忽七微三纖一沙一塵五埃五渺，地閏每畝銀六毫九絲八忽五微二纖四沙。永贖屯地二百四十頃五十畝，每畝銀二分三釐八毫二絲六忽二微二纖五沙六塵，計銀五百七十三兩二分七毫二絲五忽六微八纖，地閏每畝銀六毫九絲八忽五微三纖。燕山右衛地一頃八十五畝九分二釐八毫九絲，每畝銀一分五釐，計銀二兩七錢八分八釐九毫三絲三忽五微。又地七十八畝五分，每畝銀一分二釐五毫，計銀九錢八分一釐二毫。又地十四頃二十四畝六分三釐一毫一絲，每畝銀一分二釐，計銀十七兩九分五釐五毫七絲三忽二微。金吾左衛地十五頃十三畝三分二釐，每畝銀一分二釐，計銀十八兩一錢五分九釐八毫四絲。又地六十九畝四分，每畝銀二分五釐，計銀一兩七錢三分五釐。又地一頃六十畝八分，每畝銀一分，計銀一兩六錢八釐。又地八十畝三分，每畝銀一分三釐，計銀二錢三分七釐九毫。永清左衛地八頃四十四畝八分六釐五毫，每畝銀一分五釐三毫六絲，計銀十二兩九錢七分七釐一毫二絲六忽四微。又地五十五畝八分一釐五毫，每畝銀一分五釐，計銀八錢三分七釐二毫二絲五忽。又地十四畝五分，每畝銀一分，計銀一錢四分。又地五分五釐，每畝銀一分二釐，計銀六釐六毫。彭城衛地三頃三十八畝二釐，每畝銀一分四釐，計銀四兩七錢三分二釐二毫八絲。涿鹿衛地六畝五分，每畝銀一分五釐，計銀九分七釐五毫。已上十三項，不征閏。民劉淵等升科地十頃四十二畝，每畝銀一分五釐五絲七忽八微五纖，計銀十五兩六錢九分。民勒寶善升科地十一頃七畝，每畝銀一分五釐五絲七忽八微五纖，計銀十六兩六錢六分九釐。民齊顯學等升科地四十畝三毫，每畝銀二分三釐八毫八絲四忽一微五纖，計銀九錢五分五釐。已上三項地閏，每畝銀六毫九絲六忽五微三纖四沙。先是，人丁一萬二千八十八，分則征銀一萬二百二十兩五錢七分五釐。又編審歷年滋生九百一十五丁，奉恩詔永不加賦。今依雍正二年例，攤入地糧，得銀一千九十兩九錢九分一釐，閏年增丁閏銀四十一兩七錢一分六釐，又房租銀十六兩八錢六分。退出房一百五間，內瓦房三，每間銀二錢，瓦房九十六，每間銀一錢六分，土房二，每間銀一錢七分，土房四，每間銀一錢四分。已上額征銀六千三百七十五兩九錢一分一釐，閏年征銀六千五百七十二兩二錢三分四釐，火耗計兩增銀一錢。起運銀四千二百八十六兩五錢三分六釐，閏年銀四千四百二十九兩三錢八分一釐，火耗各以數增。留支者五：一、官俸，知縣銀四十五兩。管河縣丞二，各銀四十兩。典史銀三十一兩五錢二分。教諭一、訓導一，各銀四十兩。凡二百三十六兩五錢二分。一、役食，知縣門子二，每名銀六兩，下六項同。銀十二兩。皁隸十，銀六十兩。民壯二十五，銀一百五十兩。石景山同知民壯四，銀二十四兩。仵作二，銀十二兩。涿州州判民壯四，銀二十四兩。禁卒八，銀四十八兩。馬快八，每名工食草料銀十六兩八錢。銀一百三十四兩四錢。北運河通判民壯二，每名銀六兩，下七項同。銀十二兩。轎繖扇夫七，銀四十二兩。斗級四，銀二十四兩。庫子四，銀二十四兩。鋪司九，銀五十四兩。更夫五，銀三十兩。火夫十，銀六十兩。吹手四，銀二十四兩。南路廳馬快十二，每名銀十六兩八錢。銀二百一兩六錢，閏增銀十六兩八錢。管河縣丞皁隸四，每名銀六兩，下九項同。銀二十四兩。民壯四，銀二十四兩。馬夫一，銀六兩。門子一，銀六兩。北五工管河縣丞皁隸四，銀二十四兩，閏增銀二兩。馬夫一，銀六兩，閏增銀五錢。門子一，銀六兩，閏增銀五錢。典史皁隸四，銀二十四兩。馬夫一，銀六兩。門子一，銀六兩。儒學門斗二，每名銀七兩二錢。銀十四兩四錢。膳夫二，每名銀六兩六錢六分六釐。銀十三兩三錢三分三釐。齋夫三，每名銀十二兩。銀三十六兩。天壇户五，每名銀六兩三錢六分。銀卅一兩八錢。齋宫夫一，銀六兩三錢六分。先農壇户二，每名銀六兩。銀十二兩，閏增銀一兩。凡銀一千一百八十一兩八錢九分三釐，閏增銀二十兩八錢。一、祭禮，修文廟銀十兩，文廟祭銀四十兩，社稷、山川、風雲、雷雨祭銀三十兩，文昌廟祭並加祭銀三十九兩九錢九分九釐，關廟祭銀四十兩，三小祭銀十兩，朔望行香銀一兩，修龍亭銀五錢，鄉飲酒禮銀八兩，凡銀一百七十九兩四錢九分九釐。一、雜項，時憲書銀三兩。廩生二十，每名銀三兩二錢。銀六十四兩，閏增銀五兩三錢三分三釐。孤貧十二，每名銀三兩六錢。糧銀四十三兩二錢，閏增銀三兩六錢。又冬衣花布每名銀二錢七分八釐四毫九絲。銀三兩三錢四分。凡銀一百十三兩五錢四分，閏增銀八兩九錢三分三釐。一、帶辦，二年一辦貢生花紅旗匾銀二兩五錢，三年一辦鄉、會場對讀、謄録銀十五兩一錢五分，會試舉人盤費銀三兩三錢三分三釐，舉人坊銀二十六兩六錢六分六釐，進士坊銀三十三兩三錢三分三釐，武舉花紅旗匾銀三兩三錢三分三釐，武進士花紅旗匾銀六兩六錢六分六釐，狀元筵宴銀二兩，凡銀九十二兩九錢八分一釐。一、驛站，遞馬工料銀二百八十四兩九錢四分，閏增銀二十三兩七錢四分五釐。已上留支凡銀二千八十九兩三錢七分三釐，閏增銀五十三兩四錢七分八釐。計銀二千一百四十二兩八錢五分一釐。

東安縣：地三千六百五十九頃六十八畝四分一釐六毫，額征正加有差，共銀九千九百五十七兩六錢七分，地閏銀二百六十八兩四錢四分八釐。

認墾地六百七十一頃六十四畝四分三釐四毫，每畝銀五分八釐四毫六絲六忽八微五纖二沙。兑補地三百三十三頃一畝二分五釐，每畝銀二分五毫五絲六忽八微五纖二沙。以上二項地閏，每畝銀一釐五毫二絲七忽九微。退出英王地二十頃六十五畝三分二釐七毫，每畝銀二分五釐五絲六忽八微五纖二沙。退出荒地五頃十五畝，每畝銀三分。還官並報墾地八頃四十三畝四分五釐四毫，每畝銀二分。退民地四頃八畝，每畝銀二分八釐九毫五絲五忽。部發地二頃二十一畝四分，每畝銀一分五釐一毫三絲一微三沙二塵。歸原業地二頃七十八畝，每畝銀二分四釐。備邊地一百六十三頃七十五畝六分六釐，任倫等報墾地一百九十一頃六十三畝二分二釐七毫，每畝征有差，共銀二百十一兩四錢三分二釐一毫八絲九忽五微六纖九沙二塵八埃。歸監馬房認墾備邊等地一千四百五頃七十七畝一分三釐八毫四絲，每畝銀一分。歸併剥船地四百八十二頃八十四畝三分九釐，每畝銀五分四釐四毫六絲六忽八微五纖二沙。王永璧等認墾民小地八頃八十二畝，每畝銀二分八釐九毫五絲五忽，地閏每畝銀一釐五毫二絲七忽九微。下地五頃五十一畝八分四釐，每畝銀一分二釐。張龍等承認質郡王換給民小地十四頃七十六畝一分五釐，每畝銀一分三釐六毫七絲六忽六微六纖六沙，地閏每畝銀一釐五毫二絲七忽九微。金吾衛存賸中地自首地二十六頃六十七畝八分七釐，每畝銀一分五釐。存賸下地十五頃五十畝七分五釐，每畝銀一分一釐九毫六絲七忽九微二沙二塵六埃七渺。存賸中地十頃七十四畝六分，每畝銀一分五釐一毫三絲一忽二纖二塵，每畝征黑豆三合二勺九抄八圭九粟六顆六粒，共黑豆三石五斗三升六合三勺九抄七撮四圭八粟六顆三粒六黍。查出失空下地一頃九十四畝四分三釐，每畝銀一分一釐四毫四忽八微。墾地七十一頃三十七畝六分八釐，每畝銀一分二釐。墾下地十一頃六十四畝，每畝銀一分三釐。歸併存剩上地五畝五分，每畝銀一分八釐。中地三十三畝，每畝銀二分。下地一頃十九畝九分，每畝銀一分。自首地一頃二十八畝六分，每畝銀二分五釐。神武衛退出上地七十畝三釐，每畝銀四分八釐。中地三頃四分五釐，每畝銀二分四釐。告發地一頃八十二畝，每畝銀一分二釐，首墾地三十四頃七十九畝三分二釐，每畝銀一分二釐。永清衛存剩下地十二頃九十九畝四分九釐，每畝銀一分五釐三毫五絲。首墾空地六頃五十八畝六分五釐，每畝銀三分。墾中地七頃七分九釐，每畝銀一分六釐。斷出地二十一頃十六畝九分三釐五毫，每畝銀一分五釐。下地九頃九十六畝七分七釐，每畝銀一分。燕山衛首墾地七頃五十六畝七分一釐，每畝銀一分。墾荒地三十九頃二十八畝七分二釐，每畝銀一分二釐。下地二頃十三畝四分，每畝銀一分。騰驤衛歸併存剩下地七十畝，每畝銀一分四釐一毫九絲二忽，每畝征黑豆四合三勺八抄一撮，共豆三斗六合六勺七抄。墾地八十五畝，每畝銀一分二釐。彭城衛歸併中地五頃七十二畝八分六釐，每畝銀一分四釐。下地二畝，每畝銀一分七釐。李鵬萬等成熟地六頃二十一畝九分七釐六毫，每畝銀一分。透大漠等墾地三十五頃七十八畝七分八釐，每畝銀一分。

先是，人丁五千二百十有三，分則征銀一萬五百八兩三錢九分。

又歷年編審滋生，並旗改民籍一千一百四十九丁，奉恩詔永不加賦。

今依雍

正二年例，攤入地糧，得銀二千五十八兩八錢八分三釐，閏年增丁閏銀七十八兩七錢三分七釐。已上額征銀一萬二千一十六兩五錢五分三釐，閏年征銀一萬二千三百六十三兩七錢三分八釐，火耗計兩增銀一錢，又黑豆三石八斗四升三合一勺。（詳上注。）起運銀九千九百十八兩八錢四分七釐，閏年銀一萬二百三十五兩三錢六分六釐，火耗各以數增。留支者五：一、官俸，知縣銀四十兩。三角淀南七汛主簿一、北二下汛主簿一、北隄七汛主簿一，各銀三十三兩一錢一分四釐。典史一，南路同知司獄一，各銀三十一兩五錢二分。教諭一、訓導一，各銀四十兩。凡二百八十七兩三錢八分二釐。一、役食，按察司，（改自霸昌道。）快手十二，（每名銀六兩，下三項同。）銀七十二兩。知縣門子二，銀一十二兩。皁隸十，銀六十兩。民壯二十五，銀一百五十兩。知縣馬快八，（每名工食草料銀一十六兩八錢。）銀一百三十四兩四錢。炮手四，（每名銀六兩，下十二項同。）銀二十四兩。更夫五，銀三十兩。水火夫八，銀四十八兩。北運河務關同知民壯四，銀二十四兩。北隄七工主簿民壯四，銀二十四兩。三角淀主簿門子一，銀六兩。馬夫一，銀六兩。典史門子一，銀六兩。馬夫一，銀六兩。皁隸四，銀二十四兩。南路司獄皁隸二，銀十二兩，閏增銀一兩。禁卒十二，銀七十二兩，閏增銀六兩。更夫五，銀三十兩，閏增銀二兩五錢。縣學齋宮夫三，（每名銀十二兩。）銀三十六兩。膳夫二，（每名銀六兩六錢六分。）銀十三兩三錢二分三釐。門斗二，（每名銀七兩二錢。）銀十四兩四錢。天壇夫五，（每名銀六兩三錢六分。）銀三十一兩八錢。天壇齋宮夫一，銀六兩三錢六分。先農壇夫二，每名銀六兩。銀十二兩，閏增銀一兩。凡銀一千一百九十六兩二錢九分四釐，閏增銀十兩五錢。一、祀禮，修文廟銀十兩，文廟崇聖、名宦、鄉賢祠祭銀四十兩，社稷、山川等祭銀三十兩，文昌廟祭並加銀三十九兩九錢九分九釐，關廟祭銀四十兩，三小祭銀十兩，朔望行香銀一兩，修龍亭銀五錢，五色土價銀三十二兩五錢，鄉飲酒禮銀十兩，凡銀二百十三兩九錢九分九釐。一、雜項，時憲書銀三兩。廩生二十，每名銀三兩二錢。銀六十四兩。孤貧一，銀三兩六錢，閏增銀三錢，又冬衣布花銀二錢七分八釐。凡銀七十兩八錢七分八釐，閏增銀三錢。一、帶辦，二年一辦貢生花紅旗匾銀二兩五錢，三年一辦鄉試對讀、謄録、書手銀六兩一錢三分七釐，會試對讀、謄録、書手銀五兩四錢五分三釐，會試舉人盤費銀三兩三錢三分三釐，舉人坊銀二十六兩六錢六分七釐，進士坊銀三十三兩三錢三分三釐，武舉花紅旗匾銀三兩三錢三分三釐，武進士花紅旗匾銀六兩六錢六分七釐，狀元歸第銀三兩三錢三分三釐，凡銀九十兩七錢五分六釐。一、驛站，遞馬工料銀二百三十八兩三錢九分七釐，閏增銀十九兩八錢六分六釐。已上留支凡銀二千九十七兩七錢六釐，閏增銀三十兩六錢六分六釐。

香河縣：地一千七百七十四頃七十一畝六分五釐二毫，額征正加有差，共銀三千四百三十八兩有一分一釐，又黑豆折銀一兩三錢六分，地閏銀一百五十七兩有七分三釐。民荒地九頃五十八畝九分，每畝銀一分九釐三毫一忽六微，額外報墾地二百五十六頃九十八畝九分九釐，每畝銀一分九釐三毫一忽六微。教場荒地四十畝，每畝銀二分，已上三項，地閏每畝銀八毫九絲一忽八微七纖。歸併通州左衛地三頃九十三畝七分五釐，崔二認種地十九畝，房基地五頃九十七畝四分七釐，已上三項，每畝銀三分，不加閏。通州改歸薛德地一頃二十一畝七分，每畝銀二分一毫七忽九微七沙二塵四埃五渺，地閏每畝銀一釐一毫六絲六忽二微九纖，又征黑豆一石九斗三升二合五勺九抄六撮，每石折價七錢，共銀一兩三錢五分二釐五毫五絲七忽二微。改歸盈字號船地一頃七十八畝五分，每畝銀三分七絲九微四纖三塵七埃一渺一漠，地閏每畝銀一釐一毫六絲六忽二微九纖。剥船地一百七十一頃四十六畝，每畝銀一分九釐三毫一忽六微，地閏每畝銀八毫九絲一忽八微七纖。燕山左衛荒地一頃十六畝五分，每畝銀一分二釐。歸併武驤下地二頃九十三畝，每畝銀一分。節年墾地一頃十二畝，每畝銀一分二釐。彭城衛歸併中地三頃三十六畝五分，每畝銀一分四釐。永清左衛歸併下地一頃四畝五分，每畝銀一分五釐三毫六絲。中地二畝五分，每畝銀一分六釐。下地九十二畝九分，每畝銀一分五釐。涿鹿衛歸併地一頃三十一畝五分，每畝銀一分五釐。李修地一頃十一畝八分一釐八毫，每畝銀三分，已上九項，不征閏。收回寶坻縣溢餘地九頃五十畝三分五釐，每畝銀二分五毫九絲九忽一微九纖九沙七塵一渺，地閏每畝銀一釐七毫三絲六忽五微一纖二沙七塵九埃四渺。收回延慶衛代征地十九頃六十五畝六分四釐七毫，收回懷柔縣代征地六頃十七畝五分五釐六毫，改額永清衛溢地二十一頃六十四畝五分六釐五毫，斬必發撤入官地四畝二分五釐，升科地十頃三十七畝，分報墾地三百四十頃五十九畝二分六釐六毫，李文德等地三十八頃四十八畝三分一釐，李寬等地五十四頃二十六畝六分九釐五毫，王金等地三十一頃五十五畝七分五釐五毫，李連福等地三十六頃二十九畝九分二釐，于自德等地三十五頃二十二畝九分六釐，劉遠等地四十四頃四十五畝七分六釐，吳天福等地四十二頃二十五畝四毫，李光舜等地五十六頃三十五畝四分一釐，王天相等地五十五頃四十畝九分九釐五毫，楊天佐等地五十四頃四十四畝九分八釐六毫，成士良等地四十七頃三十一畝一分一釐，王士臣等地十三頃一畝九分九釐，趙文舉等地三十三頃五十九畝八分，王發等地二十頃二十五畝六分五釐七毫，胡進升等地十五頃六十九畝一分六釐，張洪等地一頃四十六畝七分，王天德等地五頃二十九畝六分，張容等地三頃四畝九分四釐，張通等地九頃八十畝三分六釐，吳明春等地十一頃二十一畝八分，王良右等地十四頃五十一畝二分八釐，王正等地十一頃八十九畝三分九釐六毫，王忠等地十四頃五十畝五分四釐，王可用等地十二頃七畝九分五釐五毫，王阡等地二十三頃五十九畝七分二釐九毫，丁祿等地十八頃四十三畝七釐，王發等地二十三頃五畝九分二釐五毫，李立業等地十六頃二十六畝四分，孔起元等地十頃八十五畝八分四釐，宋士俊等地六頃六十八畝，李大才等地十五頃四畝九分四釐，李文生等地五頃五畝三分八釐，王玉等地九頃九十九畝八分，李永和地三頃五十畝一分九釐，李連科等地十頃五十五畝，張秀等地九頃二十一畝二分六釐，李成等地七頃六十八畝四分一釐，趙桂等地五頃六畝六釐，王山等地五頃九十六畝六分二釐，張寬等地十一頃八十二畝一分九釐，李富等地二十九頃九十九畝二分二釐，張仁等地十八頃八十二畝九釐，王必等地三十六頃五十三畝二分四釐六毫，已上四十九項，俱每畝征銀一分九釐三毫一忽六微，地閏俱每畝銀八毫九絲一忽八微七纖。先是，人丁一千四百三十有三，分則征銀二百十五兩，又歷年編審滋生四百三十一丁，奉恩詔永不加賦。今依雍正二年例，攤入地糧，得銀七百二十六兩三錢五分八釐，閏年增丁閏銀二十七兩八錢九分一釐。已上額征銀四千二百三十六兩二錢四分二釐，閏年征銀四千四百二十四兩四錢六分四釐，火耗計兩增銀八分。起運銀二千四百九十五兩三錢七分三釐，閏年銀二千六百六十五兩五錢二分五釐，火耗各以數增。留支者五：一、官俸，知縣銀四十兩，主簿銀三十三兩一錢一分四釐，典史銀三十一兩五錢二分，教諭、訓導，各銀四十兩。凡一百八十九兩六錢三分四釐。一、役食，按察司皁隸七，每名銀六兩，下三項同。銀四十二兩。知縣門子二，銀十二兩。皁隸九，銀五十四兩。仵作三，銀十八兩。馬快八，每名銀十六兩八錢。銀一百三十四兩四錢。民壯二十五，每名銀六兩，下十九項同。銀一百五十兩。轎繖扇夫七，銀四十二兩。庫子四，銀二十四兩。斗級四，銀二十四兩。禁卒八，銀四十八兩。更夫五，銀三十兩。火夫十，銀六十兩。鋪兵十，銀六十兩。吹手六，銀三十六兩。楊村通判民壯六，銀三十六兩。務關同知民壯二，銀十二兩。通州漷邑州判民壯二，銀十二兩。主簿門子一，銀六兩。皁隸四，銀二十四兩。馬夫一，銀六兩。民壯四，銀二十四兩，房銀十六兩。典史門子一，銀六兩。皁隸四，銀二十四兩。馬夫一，銀六兩。縣學齋夫三，每名銀十二兩。銀三十六兩。門斗二，每名銀七兩二錢。銀十四兩四錢。膳夫二，每名銀六兩六錢六分六釐五毫。銀十三兩三錢三分三釐。帝王廟户四，（每名銀六兩三錢六分。）銀二十五兩四錢四分。齋宮夫一，銀六兩三錢六分。先農壇户二，（每名銀六兩。）銀十二兩，閏增銀一兩。原住三等公額祠户一，銀六兩三錢六分。凡銀一千二十兩二錢九分三釐，閏增銀一兩。一、祀禮，修文廟銀十兩，文廟崇聖、名宦等祭銀四十兩，社稷、山川等祭銀三十兩，文昌廟祭並加銀三十九兩九錢九分九釐，關廟祭銀四十兩，朔望行香銀一兩，修龍亭銀五錢，鄉飲酒禮銀十兩，凡銀一百八十一兩四錢九分九釐。一、帶辦，二年一辦貢生花紅旗匾銀二兩五錢，三年一辦鄉會場對讀等銀各四兩一錢六分七釐，舉人坊銀二十六兩六錢六分七釐，進士坊銀三十三兩三錢三分三釐，會試舉人盤費銀三兩三錢三分三釐，協濟保定府武場供給銀五錢四分六釐，狀元歸第銀二兩三錢三分三釐，凡銀七十七兩四分六釐。一、雜項，時憲書銀三兩。廪生二十五，（每名銀三兩二錢。）銀六十四兩。孤貧二，（每名銀三兩二錢。）銀七兩，閏增銀六錢。又冬衣花布（每名銀二錢七分八釐三毫四絲九忽。）銀五錢五分七釐。凡銀七十四兩七錢五分七釐。一、驛站，遞馬工料銀一百九十七兩六錢四分，閏增銀十六兩四錢七分。已上留支凡銀一千七百四十兩八錢六分九釐，閏增銀十八兩七分。

通州：地二千九百四十一頃八十九畝四分，額征正加有差，共銀六千七百六十三兩一錢八分八釐九毫，地閏銀三百四兩一錢六分二釐一毫。（漷縣歸併地七十四頃十二畝二分五釐四毫，每畝銀三分七絲七忽九纖四沙三塵七埃一渺一漠。通州民下地三頃九十八畝四釐，每畝銀二分四釐三毫五絲二忽九微七纖七沙二塵四埃五渺，又每畝徵黑豆一升五合八勺八抄，共豆六石三斗二升八勺八抄五撮二圭。郭九退地五分，每畝銀三分一毫七忽九微七纖七沙三塵四埃五渺，又每畝征黑豆一升五合八勺八抄，共豆七合九勺四抄。漷縣額外地五十二頃九十畝八分，每畝銀三分一毫七忽九微七纖七沙二塵四埃五渺。已上三項，地閏每畝銀一釐一毫六絲六忽二微九纖。備邊地四頃八十一畝九分一釐，每畝銀二分三釐。荒地四頃十一畝五分，每畝銀三分。已上二項，不征閏。通州墾地二百二十八頃十九畝九分三釐五毫，每畝銀二分一毫七忽九微七纖七沙二塵四埃五渺，又每畝黑豆一升五合八勺八抄，共三百六十石八斗二升二勺五抄七撮六圭六粟。退出地四頃四十五畝七分七釐，每畝銀三分一毫七忽九微七纖七沙二塵四埃五渺，又每畝黑豆一升五合八勺八抄，共七石七升八合八抄八勺二抄七撮六圭。漷縣開墾並退地一百五十頃八十八畝一分二釐，每畝銀三分七絲七忽九纖四沙三塵四埃一渺一漠。已上三項，地閏每畝銀一釐一毫六絲六忽二微九纖。額外金山口墳地四頃六十四畝三分，每畝銀三分。河灘九頃五十一畝三分，每畝銀一分。神武左衛地八頃八十九畝四分五釐，每畝銀二分三釐五毫九絲五忽。下地一頃八十八畝，每畝銀一分八釐。騰驤右衛歸併地五頃二十五畝六分，每畝銀一分四釐一毫九絲二忽，每畝黑豆四合三勺八抄一撮，共二石三斗二合六勺五抄三撮六圭。自首地七頃六十四畝一分，每畝銀一分二釐。彭城衛地二十三畝七分，每畝銀一分八釐。燕山右衛地五十九頃九十四畝七分四釐，每畝銀一分五釐。自首開荒地七十二頃五十七畝三分六釐，每畝銀一分二釐。下地二十八頃七十八畝二分二釐，每畝銀一分六毫五絲三忽三微七纖五塵四埃七漠。又六頃二十五畝五分，每畝銀一分三釐二毫六絲三忽九纖六沙。武驤左衛地十六頃九十二畝，每畝銀一分。燕山右衛剩地十一頃九十四畝九釐六毫七絲，每畝銀一分一釐，地閏每畝銀一分一釐。中地八十一畝，每畝銀三分五釐。下地四十七畝，每畝銀一分二釐五毫。金吾左衛剩地二十五頃二十一畝四分，每畝銀一分一釐九毫六絲七忽九纖三沙二塵六埃七渺。自首下地十頃六十四畝五分，每畝銀一分二釐。金吾左衛地一頃七十九畝，每畝銀八釐二毫三絲九忽八微。查出地二頃七十九畝三分，每畝銀一分。自首地九十二畝六分，每畝銀二分五釐。又地一頃三十九畝，每畝銀一分五釐。通州查出地九頃十八畝五釐，每畝銀二分一毫七忽九微七纖七沙二塵四埃五渺，每畝黑豆一升五合八勺八抄，共豆十四石五斗七升八合九勺九抄四撮。自首地三十六頃四十八畝二分九釐，每畝銀二分四釐三毫五絲二忽九微七纖七沙二塵四埃五渺。已上二項，地閏每畝銀一釐一毫六絲六忽二微九纖。丈出地一頃五十畝四分，每畝銀六分。劉士炳等地六頃五十三畝，每畝銀二分四釐三毫五絲二忽九微七纖七沙二塵四埃五渺。剩船地二百三十七頃九畝九分五釐，內除咸豐三年大學士賽尚阿地五十畝歸內務府征租外，每畝銀三分七絲七忽九纖四沙三塵七埃一渺一漠。隱地八十畝，每畝銀八分。漷縣報墾地四頃六十畝，每畝銀三分七絲七忽九纖四沙三塵七埃一渺一漠。報墾地三十三畝四分一釐五毫九絲，內除一頃七十五畝六分七釐歸肅府收糧外，每畝銀二分一毫七忽九微七纖七沙二塵四埃五渺。已上二項，地閏每畝銀一釐一毫六絲六忽二微九纖。河淤地三頃一分，照河淤科，則每畝銀一分。大興改歸地二頃二十八畝，每畝銀四分。又地六頃九十九畝四分，每畝銀三分。漷縣剩船地四百五十五頃九十九畝，每畝銀三分七絲七忽九纖四沙三塵七埃一渺一漠。李士豪地七十二畝七分八釐，撥補地一頃七十五畝。此二項地，每畝銀二分一毫七忽九微七纖七沙二塵四漠五渺。又地二頃九十三畝，每畝銀三分七絲七忽九纖四沙三塵七埃一渺一漠。丁有成地五十三頃二十一畝八分七釐七毫，每畝銀二分一毫七忽九微七纖七沙二塵四埃五渺。已上七項，地閏每畝銀一釐九毫三忽八纖一沙四塵三埃五渺六漠。卞永名等地七頃六十一畝一分六釐一毫，每畝銀一分二釐。袁凱等地十七頃六十六畝七分四釐七毫，每畝銀二分一毫七忽九微七纖七沙二塵四埃五渺，地閏每畝銀一釐一毫六絲六忽二微九纖。趙元亨地二頃十七畝五釐一毫，每畝銀一分二釐。甯君弼等地十四頃二十五畝九分二釐一毫，每畝銀二分一毫七忽九微七纖七沙二塵四埃五渺，地閏每畝銀一釐一毫六絲六忽二微九纖。燕山衛屯高有亮地六十八畝七分，張文相地一頃九十八畝二分三釐四毫，此二項，每畝銀一分二釐。曹德侯等地十三頃二十三畝二分七釐，張起鵬等地九頃六十四畝一分，此二項每畝銀二分一毫七忽九微七纖七沙二塵四埃五渺，地閏每畝銀一釐一毫六絲六忽二微九纖。田永和地八十畝，每畝銀一分。張友文地一頃五十畝八分，每畝銀一分二釐。賈同地五十二頃八十三畝九分，每畝銀三分一釐八毫四絲七忽九微七纖七沙二塵四埃五渺。王廷秀等地十八頃十七畝一分五釐，每畝銀二分一毫七忽九微七纖七沙二塵四埃五渺。已上二項，每畝銀一釐一毫六絲六忽二微九纖。金吾衛屯劉惠地八十畝，每畝銀一分一釐九毫六絲七忽九微九沙二塵六埃。朱世泰等地五頃十畝，賈鵬翔等地三十三頃八十四畝五分三釐，此二項，每畝銀二分一毫七忽九微七纖七沙二塵四埃五渺，地閏每畝銀一釐一毫六絲六忽二微九纖。朱倫等地四十七畝，每畝銀二分三釐。王五地一頃七十五畝三分，每畝銀一分二釐。李達地一頃九十九畝，王永貴地四十四頃八十一畝九分九釐七毫四絲，此二項地，每畝銀二分一毫七忽九微七纖七沙二塵四埃五渺，地閏每畝銀一釐一毫六絲六忽二微九纖。徐亮奎地二頃一十七畝，每畝銀二分三釐五毫九絲九忽。謝文臣地一頃十五畝五分，每畝銀一分一釐九毫六絲七忽九微二沙二塵六埃七渺。劉永昇地十五頃五十八畝八分，每畝銀一分二釐。趙文璧等地六十五頃七十五畝二分四釐，金士錫地二畝二分五釐，吳廷貴地四頃二十一畝五分，周玉等地十頃二畝三分，何鏡地二頃九十五畝五分，王存義等地一頃九十六畝八分，張天祥等地六十一畝，王有貴等地四頃八十七畝五分，劉文舉等地十頃五十八畝四分二釐，劉鳳翥等地二十四畝，蕭景雲等地八頃五十六畝五分，馬維新等地八頃三十五畝七分，李有勇等地一頃十畝，劉九成等地十八頃六十四畝四分八釐，劉鳳鳴等地一頃六十六畝七分，李孟林地十七頃四十七畝九分二釐，李有昇地二十頃，宋積善地五頃四畝一分八釐，王國泰地三頃六十二畝，李廷枚地八頃四十五畝七分二釐，周廷瑞地十二頃八十八畝一分五釐，王起順地五頃三十九畝五分二釐，王守寬地二頃九十四畝，李泳寬地二頃十六畝五分，郝元儒地十三頃七十四畝，已上二十五項，每畝銀二分一毫七忽九微七纖七沙二塵四埃五渺，地閏每畝銀一釐一毫六絲六忽二微九纖。馬明善地十六頃十六畝一分八釐，每畝銀一分六毫五絲二微七纖五塵四埃七漠，不徵閏。馬仲倫等地七頃三十三畝五分三釐，李文輝地二頃二畝四分六釐，張文謙地一頃二十四畝，周連地二十頃八畝九分三釐，李琪地六頃七十二畝二分，劉順林地十六頃四十六畝八分三釐，翟俊等地一頃八十二畝六分五釐，李振泰地二頃八十九畝六分，劉養敏地十四頃九十一畝六分二釐，劉景璜等地九頃七十一畝一分，黃興等地六頃七十一畝四分，李仲升等地十四頃七十四畝七分五釐，王永昇等地五頃十三畝五分，周岡等地十九頃九十七畝九分二釐，李成德地三頃六十二畝七分，李廷琦等地二頃九十五畝一分，張文興等地二十頃四畝一分四釐，范執和等地七頃五十八畝四分五釐，田福泰等地三頃八十八畝二分，李玉春等地七頃八十三畝九分五釐八毫，鄧成立等地八頃六十六畝三分三釐六毫，趙永貴等地二頃十六畝四分三釐，姚顯德等地七頃五十一畝二分田莊等地一頃四十四畝二分，賈永和等地四頃六十二畝四分八釐，王起成等地四頃十畝八分，張永和等地七頃十一畝四分，劉順林等地二十頃六十八畝四分，劉廣淇等地十二頃九畝三分三釐八毫，賈萬倉等地一頃四十九畝一分八釐，王興成等地一頃二十二畝，岳林盛地九十四畝四釐四毫，李清廉等地二項十九畝六分六釐，高濮等地九頃五十八畝，已上三十四項，每畝銀二分一毫七忽九微九纖七沙二塵四埃五渺，地閏俱每畝銀一釐一毫六絲六忽二微九纖。户部飭買旗地九頃四十七畝，每畝銀二分四釐，不征閏。周全忠地四十八畝，劉玉財地二十畝，吴繼隆地二頃四十七畝，蕭德茂地一頃三十畝八分，劉起明地三頃三十八畝二分五釐，張國順地三頃四十九畝，張宏通地三頃三十五畝五分，喬環等地四頃三十八畝四分九釐九毫，甯繼盛等地一頃八十五畝七分，孫萬富等地七頃五十六畝八分七釐三毫，劉洪寶等地三十三頃三十一畝六分二釐，李廷貴等地九十八畝四分，許承和等地二頃十二畝四分，王永山等地一頃九十八畝，李景才等地二頃四畝三分三釐，王錦堂地一頃，高殿國等地六頃八十六畝一分，張永亮等地五頃十五畝五分，柴明亮等地六頃十一畝六分三釐，鄧國璽等地六頃八十四畝七分四釐，張永華等地九頃九十九畝九分，宗玉和等地九頃二十七畝九分，郭静煊地四頃十三畝六分八釐九毫，任治貴等地十頃九十九畝二分九釐四毫，高振弼等地九頃八十畝，陳友芝地一頃三十畝，趙連德地一頃二十三畝四分五釐，趙古隆等地三十七畝五分，劉殿元地六十三畝，高起山等地九頃三十九畝八分七釐，劉景賢等地十一頃五十四畝，宋國山等地八頃八十五畝二分，許成等地八頃三十七畝三分五絲，白玉峯地五頃二十六畝，王德瑞地五頃九十畝，劉裕仁地三頃十五畝三分，趙發才地十五頃八十五畝四釐，劉鳳苞等地三頃六十六畝，吕國泰地四頃二十七畝三分五釐，郭景泰等地八頃六十九畝一分，内撥五頃歸惠王府，白玉金地一頃六畝五分，劉興富地五頃六十一畝三分，魏廷俊地一頃三十三畝，李小梅地八頃二分，柳永興地一頃七十七畝六分五釐，劉樂亭地十頃七十畝一分，李維榮地三頃六十七畝，李釗等地三頃五十七畝四分，馬秉利等地二十頃九十畝八分三釐四毫，李永明等地六頃四十二畝二分五釐，楊林地十九頃四十五畝八分六釐，劉殿元地二十三畝六釐五毫六絲，柳文治地二十八畝，王大本地二十九畝七分，李士忠地一頃二十七畝，馬明地五十畝，孟曹良奎地三十六畝六分三釐四毫，魏興隆地十畝一分，徐萬傑地四頃九十五畝，佟永吉等地一頃四十八畝五分，孟起廷等地一頃五分，張永通地五頃八十八畝五分，張亮地二頃二十一畝七分一釐，張郁德地二頃三十畝四分五釐，宋文元地四頃一畝五分，孟永安地五十三畝，魏福地二頃七十一畝五分，王起忠地六頃三十九畝七分，高士興地八十九畝，張述盛地三十五畝一分，張文治地五頃十畝二釐，趙錫禄地六頃二十九畝五分二釐，李惠林地八頃十二畝六分二釐，趙永清地二頃四十三畝，王九皋地四頃十七畝四分一釐，趙德永地三頃二十三畝一分，高玉斑地二頃三十六畝五分，馬文漢地四頃八十六畝，張起龍地七頃二畝七分五釐六毫，王顯地二頃六十五畝四分五釐，張永海地一頃八十八畝五分，李榮等地一頃四十九畝五分九釐，李震等地二頃四十七畝六分，古立志地三頃二十七畝一分，温長春地二頃五十畝八分五釐，李廷誼地十一頃五十五畝，馬蔭堂地七頃四十九畝五分，張玉山地三十畝，魏治寛地六十一畝五分，張培善地五頃九畝三分，王蘭等地一頃九十一畝，賈永和地五頃六十九畝五分，王源等地七頃七十一畝六分六釐，田可植地一頃十六畝一分，彭國亮地四頃六畝九分二釐，楊光弼地七頃四十五畝五分，張有信地五頃八十九畝五分，十二年賈士德地二頃七十四畝七分，李成山地一頃九十九畝九分，曹永發地三頃四十畝七分，郭有寬地二頃八十畝七分三釐，張錦堂地一頃六十四畝四釐五毫，何凌漢地一頃十三畝六分，馮俊智地二頃七十八畝六釐，趙文生地二頃三十八畝，劉永順地一頃七分六釐，劉玉秀地二頃七十六畝三分，劉瑞地一頃八十八畝二分五釐，吳國興地三頃六畝一釐，李永貴地一頃九十一畝，殷起鳳地二頃三十八畝八分，劉福來地三頃五十六畝五分二釐五毫，金兆堂地六頃二十二畝二分六釐，張永亮地四頃六畝七分七釐，徐文煥地六頃八十二畝四毫，楊玉周地三頃三十八畝五分，吳生元地一頃六十九畝，王邦興地一頃二十畝，王廣富地一頃五十三畝，張德清地五頃三十五畝四分九釐，已上一百十六項，每畝銀二分一毫七忽九微七纖七沙二塵四埃五渺，地閏每畝銀一釐一毫六絲六忽二微九纖。先是，通州與漷縣、與衛、與海户，人丁二千一百十有四，分則征銀二百二十九兩五錢，又歷年編審滋生二百二十七丁，奉恩詔永不加賦。今依雍正二年例，攤入地糧，得銀一千三百九十九兩八錢四分一釐一毫，閏年增丁閏銀五十四兩六錢三分七釐九毫。已上額征銀八千一百六十三兩三分，閏年征銀八千五百二十一兩八錢三分，火耗無，又徵黑豆四百五十五石二斗七升九合三勺。起運銀二千三百八十五兩七錢七分，閏年銀二千五百十五兩九錢四分八釐，黑豆如征數。留支者五：一、官俸，通永道銀一百五兩。理事通判銀六十兩。知州銀八十兩。土壩州同銀六十兩。石壩州判、漷縣州判，各銀四十五兩。吏目銀三十一兩五錢二分。和合驛丞兼巡檢、通流閘官，各銀三十一兩五錢二分。學正、訓導，各銀四十兩。凡銀五百六十九兩五錢六分。一、役食，通永道快手十二，每名銀六兩，下十項同。銀七十二兩，閏增銀六兩。皁隷十二，銀七十二兩，閏增銀六兩。廳事隷二，銀十二兩，閏增銀一兩。轎繖扇夫七，銀四十二兩，閏增銀三兩五錢。鋪兵二，銀十二兩，閏增銀一兩。門子四，銀二十四兩，閏增銀二兩。理事通判門子二，銀十二兩，閏增銀一兩。快手八，銀四十八兩，閏增銀四兩。皁隸十二，銀七十二兩，閏增銀六兩。轎繖扇夫七，銀四十二兩，閏增銀三兩五錢。知州門子二，銀十二兩。馬快八，（每名銀十六兩八錢。）銀一百三十四兩四錢。皁隸十二，（每名銀六兩，下二十一項同。）銀七十二兩。民壯五十，銀三百兩。仵作四，銀二十四兩。禁卒八，銀四十八兩。轎繖扇夫七，銀四十二兩。庫子四，銀二十四兩。斗級四，銀二十四兩。通漷鋪司兵五十四，銀三百二十四兩。吹手八，銀四十八兩。更夫五，銀三十兩。火夫十，銀六十兩。州同門子一，銀六兩。皁隸六，銀三十六兩。馬夫一，銀六兩。繖夫一，銀六兩。吏目門子一，銀六兩。皁隸四，銀二十四兩。馬夫一，銀六兩。和合驛丞兼巡檢弓兵八，銀四十八兩，閏增銀四兩。皁隸二，銀十二兩。通流閘官皁隸二，銀十二兩。州學齋夫三，（每名銀十二兩。）銀三十六兩。門斗三，（每名銀七兩二錢。）銀二十一兩六錢。膳夫二，（每名銀六兩六錢六分六釐五毫。）銀十三兩三錢三分三釐。東路同知禁卒六，（每名銀六兩，下九項同。）銀三十六兩。更夫三，銀十八兩。州判門子一，銀六兩。皁隸六，銀三十六兩。馬夫一，銀六兩。繖夫一，銀六兩。漷縣州判門子一，銀六兩。皁隸六，銀三十六兩。馬夫一，銀六兩。繖夫一，銀六兩。通州額設橋夫二十，（每名銀十一兩七錢。）銀二百三十四兩，閏增銀十九兩五錢。夕月壇户六，（每名銀六兩三錢六分。）銀三十八兩一錢六分。先農壇農夫二，（每名銀六兩。）銀十二兩，閏增銀一兩。凡銀二千二百二十九兩四錢九分三釐，閏增銀五十八兩五錢。一、祀禮，修文廟銀十兩，文廟崇聖、名宦、鄉賢祭銀四十兩，社稷、山川等祭銀三十兩，文昌廟祭銀並加銀三十九兩九錢九分九釐，關廟祭銀四十兩，三小祭銀十兩，朔望行香銀一兩，修龍亭銀五錢，鄉飲酒禮銀十二兩，凡銀一百八十三兩四錢九分九釐。一、雜項，時憲書銀三兩。通州廩生三十。灤縣廩生十，每名銀三兩二錢。銀一百二十八兩。孤貧七十七，每名口糧、衣布銀二錢七分八釐三毫四絲九忽。銀二十一兩四錢三分三釐。凡銀一百五十二兩四錢三分三釐。一、帶辦，二年一辦貢生花紅旗匾銀二兩五錢，三年一辦鄉試謄録等銀六兩三錢三分三釐，會試舉人盤費銀三兩三錢三分三釐，會試謄録等銀四兩，舉人坊銀二十六兩六錢六分七釐，進士坊銀三十三兩三錢三分三釐，武舉花紅旗匾銀三兩三錢三分三釐，武進士花紅旗匾銀六兩六錢六分七釐，狀元歸第銀三兩三錢三分三釐，灤縣歸併，二年一辦貢生花紅旗匾銀二兩五錢，三年一辦狀元歸第銀六錢六分七釐，凡銀九十二兩六錢六分六釐，除舉人、進士花紅旗匾銀七十兩缺額，實止支銀二十二兩六錢六分六釐。一、驛站，舊額銀五千九百四十二兩九錢四釐，閏增銀五百四十七兩七錢四分。車價銀六百三十兩，題撥銀三千二百九十兩四錢六分，閏增銀二百七十四兩五錢六釐。凡銀九千八百六十三兩三錢六分九釐，閏增銀八百二十二兩二錢四分六釐。已上應支銀一萬三千二十一兩二分，留支銀五千七百七十七兩二錢六分，閏年應支銀一萬三千九百一兩七錢六分六釐，留支銀六千五兩八錢八分二釐，其餘領自布政司。

三河縣：地二千九百五十四頃八十五畝六分一釐九毫五絲，額征正加有差，共銀五千三百五十一兩四錢五分五釐，地閏銀三百二兩六錢。香火地十八頃六畝，每畝銀二分三釐七毫八絲七忽二微六纖六沙六塵一埃。馬房籽粒地二頃五十畝，每畝銀三分。退出地一百八頃八十一畝三分六釐，每畝銀二分三釐五毫九絲六忽。又地二十一頃九十八畝，每畝銀一分八釐。勸墾地二百二十六頃五十六畝七釐三毫，每畝銀一分八釐。沙地四頃九十畝，每畝銀一分二釐。籽粒地二頃七十八畝一分六釐，歸併興州衛中地七頃三十四畝，每畝銀二分三釐。下地二十一頃六十二畝，每畝銀一分八釐。營州衛中地一頃三分，每畝銀二分三釐五毫九絲五忽。下地一頃二十三畝，每畝銀一分八釐。金台莊衛下地一頃七十畝，每畝銀一分一釐九毫六絲七忽九纖三沙二塵六埃七渺。墾荒地八頃十一畝，每畝銀一分二釐。自首地二頃五畝，每畝銀一分二釐。燕山右衛中地七頃九十一畝六分五釐，每畝銀一分五釐。退圈地四頃六十八畝，每畝銀二分九釐。裁併中義前衛地九十九畝七分八釐，每畝銀三分。下地十九頃六分，每畝銀三分。荒地二頃六十八畝三分，每畝銀一分二釐。自首地一畝五分，每畝銀一分五釐。正白旗退地一頃二十畝，每畝銀一分二釐。墾地三頃七十一畝八分，每畝銀一分四釐。彭城衛中地十二頃四十二畝，每畝銀一分八釐。下地二頃四十一畝五分九釐二毫六絲，每畝銀一分四釐。上地五十畝，每畝銀一分八釐。自首上地三頃二十二畝二分，每畝銀一分八釐。中地七頃三十九畝六分六毫四絲，每畝銀一分四釐。墾荒地十六頃六十二畝七分八釐五毫，每畝銀一分二釐。又地二頃七十四畝六分，每畝銀一分二釐。清出地一百一十八頃十一畝一分七釐八毫三絲五忽，每畝銀一分八釐。馬房地四頃三十五畝七分二釐，每畝銀三分。自首地七頃七十五畝，每畝銀一分八釐。又地一頃五畝，每畝銀二分三釐五毫九絲五忽，每畝黑豆一升一合三勺。史鼇云地二百八十六頃十一畝八分，每畝銀一分八釐。又沙地一百二十八頃六十五畝八分，每畝銀一分五釐。張連地十六頃三十五畝五釐八毫，每畝銀一分八釐。宋文德地十五畝六分三釐，高順地八頃四十六畝七釐，金士重地六頃五十九畝一釐，許宏基地九十六頃八十五畝三分六釐，苻良傑地五頃五十五畝四釐，于三等地一頃十六畝九分，高自亮地六頃三十畝，李大本地二十頃八十二畝四分九釐，高德盛地二十九頃八十八畝八分九釐，曹良弼地七頃三十四畝三分七釐四毫，楊采地二頃十二畝，王澤廣地十頃三十畝九分五釐，劉成惠等地四十八頃九十九畝二分六釐一毫，趙雲鵬地八十五頃三十七畝五分六釐，李懷彥地三十八頃六十五畝六分八釐，楊明義地二十三頃五十四畝七分，郭林地二十三頃二十畝一分八釐五毫，經述善地十五頃八十六畝四分，曹正德地四十二頃八十一畝三分三釐，謝廷俊地二十四頃五十七畝六釐，郝國用地二十五頃四十二畝五分五釐，陳正地十三頃三十七畝五分七釐，楊懷永地十二頃九十一畝二分七釐，溫國輔地五頃八十二畝四分，艾君璋地十頃六十七畝七分，劉昌地二十五頃三畝九分三釐，郭起興地二十一頃九十二畝七分六釐，張瑞地六頃十五畝二分，田均至地五十頃三畝八分九釐，徐文亮地五十一頃四十一畝三分六釐，王文會地十五頃四十八畝九分二釐，劉順地十頃七十三畝三分四釐，李起興地四十一頃十六畝七分四釐，李國瑞地四頃九十八畝二分，劉文士地十六頃五十畝七分六釐，陳采儒地十六頃五十七畝四分五釐，于慶隆地三十一頃六十六畝八釐，韓秉義地十一頃三十畝二分六釐，崔國瑞地二十頃三十四畝六分，張永旺地十九頃六十六畝七分五釐，尹興基地二十五頃二十一畝六釐三毫，潘樹地一頃九十六畝三分三釐三毫，韓國祥地二十九頃四十畝七分五釐，張文富地三十七頃五十一畝九分，田起瑞地三十一頃七十八畝四分五釐，李顯善地三十四頃六十二畝一分四釐，劉順地五頃九十九畝六分，孫永興地七十三頃八十八畝二分七釐五毫，吴金貴地三頃五十五畝八分，李文功地四十五頃二十五畝七分一釐五毫，劉永安地三十五頃十七畝二分四釐，許成章地二頃三十八畝五分，章承亮地九頃五十二畝五分五釐，陳文連地十頃六十八畝三分，郭進信地二十六頃七畝五分五釐，王福榮地三十五頃七畝八分，王治平地三十六頃七畝八分，王惠地三十八頃四十一畝三分六釐，楊安地二十三頃五十二畝六分，田如通地七頃三畝四分，藍景榮地六頃九十一畝八分五釐，孟懷玉地二頃九十二畝五分，周良士地四頃九畝，汪輯瑞地六頃十六畝八分三釐八毫，張永東地九頃二十四畝一分，王君慶地十四頃六十二畝三分六釐六毫，王榮民地四頃六十八畝二分六釐三毫，尹鳳岐地八頃五十七畝一分，劉玉仁地七頃九十畝三分，盧顯龍地二頃九十九畝九分，楊羡地十一頃二十二畝二分四釐三毫，王起旺地四頃十四畝六分，王士敬地十頃九畝七分，李文林地十二頃三十一畝九分六釐七毫五絲，任寶玉地三頃七畝八分三釐三毫，徐兆旺地十五頃九十九畝六分一釐六毫，張國通地八頃十五畝八分三釐，金魁地十四頃五十二畝五分二釐，張秉鈞地十頃七十畝二分，田文舉地十九頃二十九畝五分二釐六毫，薄似先地十三頃四十一畝八分六釐二毫，曹亮等地十九頃八十二畝四分六釐，楊廣涵地九十三頃三十一畝二分一釐九毫，李成龍地十七頃六十五畝三分八釐五毫，劉士澤地四頃七十八畝四分五釐，張連璽地十二頃九十九畝，已上八十六項，内惟王榮、尹鳳岐地征銀不等，共銀二十九兩九錢八分五釐，張國通地每畝銀四分八釐，餘俱每畝銀一分八釐。先是，人丁一千四百五十三，分則征銀三百七十六兩七錢，又歷年編審滋生並旗改民籍八百二十九丁，奉恩詔永不加賦。今依雍正二年例，攤入地糧，地有雍正八年自首墾荒者四百四頃七十七畝六分，例不攤丁，惟以地二千五百八十五頃五十畝八分五釐四毫五絲，額征四千七百二十二兩二錢二分七釐，攤征丁銀九百七十七兩六錢二分六釐，閏年增丁閏銀三十七兩九錢二分一釐。已上額征六千三百九十二兩八錢五分二釐，閏年征銀六千七百三十三兩三錢七分三釐，火耗無，又黑豆一石一斗八升六合五勺。起運銀二千九百五十四兩六錢二分四釐，閏年銀三千一百二十三兩一錢二分五釐，黑豆如征數。留支者五：一、官俸，知縣銀四十五兩，典史銀三十一兩五錢二分，教諭、訓導，各銀四十兩，凡銀一百五十六兩五錢二分。一、役食，知縣門子二，（每名銀六兩，下二項同。）銀十二兩。皁隸十四，銀八十四兩。仵作二，銀十二兩。馬快八，（每名銀十六兩八錢。）銀一百三十四兩四錢。民壯五十，（每名銀六兩，下六項同。）銀三百兩。禁卒八，銀四十八兩。轎繖扇夫七，銀四十二兩。庫丁四，銀二十四兩。斗級四，銀二十四兩。吹手六，銀三十六兩。鋪兵五十六，銀三百三十六兩。更夫五，（每名銀四兩八錢，下一項同。）火夫十，銀四十八兩。典史門子一，銀六兩，馬夫一，銀六兩。皁隸四，（每名銀六兩。）銀二十四兩。縣學齋夫三，（每名銀十二兩。）銀三十六兩。門斗三，（每名銀七兩二錢。）銀二十一兩六錢。膳夫二，（每名銀六兩六錢六分六釐五毫。）銀十三兩三錢三分三釐。昭忠祠户五，（每名銀六兩三錢六分。）銀三十一兩八錢。地壇户一，銀六兩三錢六分。先農壇户二，（每名銀六兩。）銀十二兩。凡銀一千二百八十一兩四錢九分三釐，閏增銀一兩。一、祀禮，修文廟銀十兩，文廟、崇聖、名宦、鄉賢祭銀四十兩，社稷、山川等祭銀三十兩，文昌廟祭並加銀三十九兩九錢九分九釐，關廟祭銀四十兩，小祭銀十兩，朔望行香銀一兩，修龍亭銀五錢，鄉飲酒禮銀十二兩，凡銀一百八十三兩四錢九分九釐。一、雜項，時憲書銀三兩，廩生二十，（每名銀三兩二錢。）銀六十四兩，孤貧五，（每名口糧三兩六錢，冬衣布花銀二錢七分八釐。）銀十九兩三錢九分二釐，閏增銀一兩五錢。一、帶辦，二年一辦貢生旗匾銀二兩五錢，三年一辦鄉試謄録等銀十三兩三錢，會試謄録等銀十九兩九錢六分六釐六毫，武會試厨皁銀五兩六錢，繙譯會試書手等銀十三兩，武場供應銀三兩，會試舉人盤費銀三兩三錢三分三釐三毫，舉人坊銀二十六兩六錢六分六釐六毫，進士坊銀三十三兩三錢三分三釐三毫，武舉花紅旗匾銀三兩三錢三分三釐三毫，武進士花紅旗匾銀六兩六錢六分六釐六毫，狀元歸第銀七兩，凡銀一百三十七兩七錢，内除進士花紅旗匾銀四十兩缺額，實支帶辦銀九十七兩七錢。一、驛站，遞馬工料銀二千九百十九兩一錢三分四釐，閏增銀二百四十三兩二錢六分一釐。扛轎夫銀七百三十七兩九錢，閏增銀六十一兩四錢一分八釐。皁隸工食銀三十二兩四錢，閏增銀二兩七錢。題撥銀三千三十四兩一錢八分六釐，閏增銀二百五十二兩八錢四分七釐。凡銀六千七百二十二兩七錢二分九釐，閏增銀五百六十兩二錢二分六釐。已上應支銀八千九十八兩三錢三分三釐，留支三千四百三十八兩二錢二分八釐，閏年應支銀九千六十一兩五分九釐，留支銀三千六百十兩二錢四分八釐，其餘領自布政司。

武清縣：地七千四百二十二頃九十九畝一分四釐三絲五忽，額征正加有差，共銀八千九百二十四兩三錢五分一釐一毫二忽四微，地閏銀一百有二兩一錢九分五釐。民糧大地二百二十三頃五十九畝二分六釐一毫八忽，民船小地折大地一百四十頃九十五畝五分六釐六毫七絲七忽三微，此二項每畝銀八分二毫六絲二忽一微四纖八沙二澄七渺八漠。竈地三十二頃三十六畝六分六釐五毫，每畝銀四分。水草地一千九百頃三十八畝三分一釐七毫二絲六忽，每畝銀四釐。北草地七頃九十五畝九分一釐，每畝銀一分五釐。備邊地六十六頃五十八畝六分八釐二毫四絲七忽八微，每畝銀三分。湯山地六十四頃六十七畝二分，每畝銀一分八釐四毫八忽。備荒地五百八十頃二畝九分五釐九毫九忽，每畝銀一分。備邊地二十八頃四十六畝四分八釐，每畝銀二分二釐五毫。神木廠地百八十三頃五十畝四分三釐三毫，每畝銀二分。慈甯宮地二十七畝八分三釐，每畝銀三分。天柱地四十一頃一畝六分，每畝銀二分。未央宮地七頃九十畝六分四釐，每畝銀三分。金盞南弦地三千一百十五頃九十七畝八分七釐六毫二絲九忽八微，每畝銀八釐。新慶備邊地三十頃七十二畝五分七釐六毫，每畝銀三分。黃土坡地七十三畝，每畝銀八釐。官地三十八頃六十二畝九分二釐七毫七絲，每畝銀八釐。金盞沱弦地百八十二頃三畝四分八釐六毫，每畝銀一分一釐。御馬監地十頃十八畝四分一釐四毫，每畝銀一分。官地七頃九十九畝，每畝銀三分一毫一絲八忽七微四纖四沙一塵三埃五渺二漠。水草地三百四頃七十六畝八分五釐，每畝銀八釐。官地九頃九十五畝六分，每畝銀三分。張之貴認墾地二十六頃三分二釐，每畝銀不等，共銀三十七兩八分五釐四毫。官地二頃三十九畝六分六釐，每畝銀一分。通州左衛上地二頃四十六畝四分六釐，每畝銀三分。中地十三頃七十五畝一分四釐，每畝銀二分三釐五毫九絲五忽。燕山石衛中地十四頃五畝九分八釐七毫，每畝銀一分五釐。下地七十一頃六十三畝一分，每畝銀一分二釐。歸併武驤右衛地十七頃五十畝二分，每畝銀一分。中地十四頃四十畝二分五釐，每畝銀八釐一毫至二分、三分不等，計共銀二十八兩一錢五分二釐七毫七絲五忽七微五纖九沙二塵二埃九渺二漠二湖三虛七澄五清一淨二逡五巡，每畝黑豆九合六勺三圭，共十三石八斗三升六合八勺三抄三撮七粟九顆。寬河衛中地七頃七十一畝一分二釐，每畝銀一分三釐三毫。忠儀衛中地六頃五十七畝一分一釐，每畝銀一分二釐八毫九絲二忽五微八纖，每畝黑豆二升二合八勺九抄二撮七圭，共十五石四升二合九勺六抄四撮七圭五粟七顆。自首地三頃五十二畝四分，每畝銀三分。下地十一頃四十九畝二分，每畝銀一分二釐五毫。永清右衛退圈地三十五畝，每畝銀二分。開荒地三頃三十八畝二分，每畝銀三分。下地三十五頃四十二畝一分四釐八毫，每畝銀一分五釐三毫六絲。又地九十六頃七十五畝一分一釐七毫，每畝銀一分五釐。節年開地九十八畝九分，每畝銀一分。騰驤左衛墾地三頃六十畝，每畝銀一分二釐。下地一頃三十八畝五分，每畝銀一分。金吾後衛地二頃二十九畝七分，每畝銀六釐，黑豆二升六合九勺二撮五圭九粟二顆七粒，共八石八斗六升九合七勺八抄八撮六圭八粟一顆三粒一黍。彭城衛中地二頃十一畝五分一釐七毫六忽，每畝銀一分四釐。墾地一頃三十五畝二分，每畝銀一分二釐。神武左衛尚膳監退圈上地一頃六十五畝一分五釐，每畝銀三分。歸併地一頃七十六畝三分五釐，上地三頃四十一畝七分一釐，每畝銀四分八釐。自首地三頃二十畝六分三釐，每畝銀一分五釐。下地五頃七十畝二分，每畝銀一分二釐。金吾左衛地二十一畝，每畝銀二分五釐。歸併地四頃二十九畝，每畝銀一分五釐。中地四頃九十七畝二分一釐，每畝銀一分二釐九毫六絲七忽九微三沙二塵六埃七渺。下地十七頃三十一畝一分二釐，每畝銀一分二釐。鑾儀地五十九頃六十八畝四分五釐四毫，每畝銀一分四釐。邢永壽地六十六頃七十一畝一分三釐五毫六絲，陳永順地四十一頃四十三畝三分三釐，陳永利地十三頃五十六畝五釐九毫，王朝富地十六頃五十六畝九分五釐，程世富地四十八畝四分九釐九毫，又陳永順等地一百頃一分七釐，王永順地四十三頃十七畝九分二釐六毫，蕭益發地三十六頃五十六畝二分六釐，張永順地百五十一頃四十畝一分四釐二毫，李福地九十八頃五畝八分六釐七毫八絲，丁順地十頃二十一畝五釐一絲，李咸意地十三頃四十八畝三釐七毫，馬兆才等地五十四畝七分五釐八毫五絲，王作福等地五十三頃六十六畝五分九釐五毫，張福地二十七頃六十二畝七分四釐七毫六絲，王全禮地七十五頃八十二畝一分七釐九毫四絲，王進才地四十六頃四十八畝二分九釐一毫四絲五忽，石永安地四十四頃六十一畝六分五釐七毫，傅有地四十頃三十五畝三分一釐四毫，王景升地四十八頃一畝八分七釐三毫，宋典地二十五頃三十一畝二分三釐二毫，任永年地三十九頃八十七畝五分九釐三毫，榮士魁地二十一頃一十五畝九分六釐三毫，劉永順地二十九頃八十六畝四分九釐二毫，賀清亮地三十八頃七十九畝三分六釐六毫四絲，陳永安地五十五頃八十七畝八分七釐三毫三絲，已上二十六項地，每畝銀八釐。按：額地內征地閏者，惟民大地，民船折大地三百六十四頃五十四畝八分三釐，每畝銀二釐八毫七絲一忽七微，凡地閏銀一百二兩一錢九分五釐。先是，人丁二千六百八十八，分則征銀一千一百四十九兩七錢六分三釐，又歷年編審滋生及旗改民籍一千七百三十九丁，奉恩詔永不加賦。今依雍正二年例，攤入地糧，得銀一千八百四十五兩七錢一分八釐七毫四絲一忽一微三纖，閏年增丁閏銀七十一兩六分七釐三毫九絲四忽六微五纖，又房租銀九兩八錢四分，瓦房四間半，每間征銀二錢，共銀九錢；土房十二間半，每間征有差，共銀二兩一錢；瓦土房三十八間，每間銀一錢八分，共銀六兩八錢四分。已上額征銀一萬七百七十九兩九錢一分，閏年征銀一萬九百五十三兩一錢七分二釐，火耗計兩增銀八分，又黑豆四十八石五斗四升有七勺。起運銀三千一百七十三兩一錢八分八釐，閏年銀三千二百十二兩六錢六釐，火耗各以數增，黑豆如征數。留支者五：一、官俸，北運河同知銀八十兩。通判一、三角淀通判一，各銀六十兩。知縣銀四十五兩。縣丞二、北頭上汛縣丞一、主簿一、三角淀南隄工宋流口主簿一，各銀三十三兩一錢一分四釐。典史一、河西務巡檢一、楊邨驛丞一，各銀三十一兩五錢二分。教諭一、訓導一，各銀四十兩。凡銀六百有五兩七錢八分八釐。一、役食，北運河同知馬快十二，每名銀六兩，下十三項同。銀七十二兩，閏增銀六兩。皁隸十二，銀七十二兩，閏增銀六兩。轎繖扇夫七，銀四十二兩，閏增銀三兩五錢。門子二，銀十二兩，閏增銀一兩。通判皁隸十二，銀七十二兩，閏增銀六兩。快手八，銀四十八兩，閏增銀四兩。轎繖扇夫七，銀四十二兩，閏增銀三兩五錢。門子二，銀十二兩，閏增銀一兩。三角淀通判皁隸十二，銀七十二兩，閏增銀六兩。快手八，銀四十八兩，閏增銀四兩。轎繖扇夫七，銀四十二兩，閏增銀五錢。門子二，銀十二兩，閏增銀一兩。知縣門子二，銀十二兩。皁隸十六，銀九十六兩。馬快八，每名銀十六兩八錢。銀百三十四兩四錢。民壯五十，每名銀六兩，下六項同。銀三百兩。轎繖扇夫七，銀四十二兩。庫丁四，銀二十四兩。斗級四，銀二十四兩，鋪兵十九，銀百十四兩。禁卒八，銀四十八兩。吹手六，銀三十六兩。更夫五，每名銀四兩八錢。銀二十四兩。火夫十，每名銀同上。銀四十八兩。縣丞皁隸四，每名銀六兩，下五項同。銀二十四兩，閏增銀二兩。門子一，銀六兩，閏增銀五錢。馬夫一，銀六兩，閏增銀五錢。又縣丞皁隸四，銀二十四兩。門子一，銀六兩。馬夫一，銀六兩，房舍銀十六兩。主簿皁隸四，每名銀六兩，下二項同。銀二十四兩。門子一，銀六兩。馬夫一，銀六兩，房舍銀十六兩。典史皁隸四，每名銀六兩，下二項同。銀二十四兩。門子一，銀六兩。馬夫一，銀六兩。府學膳夫一，府滿洲學膳夫一，各銀六兩六錢六分七釐。縣學齋夫三，每名銀十二兩。銀三十六兩。門子三，每名銀七兩二錢。銀二十一兩六錢。膳夫二，每名銀六兩六錢六分六釐六毫六絲六忽。銀十三兩三錢三分三釐。河西務巡檢皁隸二，每名銀六兩，下九項同。銀十二兩。弓兵十，銀六十兩。楊邨驛丞兼巡檢弓兵八，銀四十八兩，閏增銀四兩。皁隸二，銀十二兩。北頭上汛淘河縣丞皁隸四，銀六十四兩。馬夫一，銀六兩。南隄八工宋流口主簿皁隸四，民壯四，各銀二十四兩。門子一，銀六兩。馬夫一，銀六兩。地壇齋宫夫一，每名銀六兩三錢六分，下三項同。銀六兩三錢六分。文昌廟户一，銀六兩三錢六分。賢良祠户五，銀三十一兩八錢。旌勇祠户一，銀六兩三錢六分。先農壇户二，每名銀六兩。銀十二兩，閏增銀一兩。青龍灣、三里淺、筐兒港、王甫汛、楊邨南汛管河把總五，各房銀十六兩。凡銀二千一百八十七兩五錢四分七釐，閏增銀六十二兩五錢。一、祀禮，修文廟銀十兩，文廟、崇聖、名宦、鄉賢祭銀四十兩，社稷、山川等祭銀三十兩，文昌廟祭並加銀三十九兩九錢九分九釐，關廟祭銀四十兩，三小祭銀十兩，朔望行香銀一兩，修龍亭銀五錢，鄉飲酒禮銀十兩，凡銀一百八十一兩四錢九分九釐。一、雜項，時憲書銀三兩。廩生二十，每名銀三兩二錢。銀六十四兩。孤貧十，每名銀三兩六錢，閏月銀三兩，又冬衣布花銀二錢七分八釐三毫四絲四忽。銀三十八兩七錢八分三釐，閏增銀三兩。凡銀一百有五兩七錢八分三釐，閏增銀三兩。一、帶辦，二年一辦貢生花紅旗匾銀二兩五錢，三年一辦鄉試謄録等銀四兩三錢三分三釐，會試謄録等銀三兩五錢，會試舉人盤費銀三兩三錢三分四釐，舉人坊銀二十六兩六錢六分七釐，進士坊銀三十三兩三錢三分三釐，武舉花紅旗匾銀三兩三錢三分三釐，武進士花紅旗匾銀六兩六錢六分七釐，狀元歸第銀五兩，凡銀八十八兩六錢六分七釐。一、驛站，題撥銀六千九百四十九兩四錢五分四釐，閏增銀五百七十九兩一錢一分八釐。已上應支銀一萬一百十八兩七錢三分八釐，留支銀七千六百六兩七錢二分二釐，閏年應支銀一萬七百六十三兩三錢五分六釐，留支銀七千七百二十七兩二錢三分三釐，其餘領自布政司。

寶坻縣：地一萬二千二百六頃十二畝八分七釐四毫，額征正加有差，共銀一萬五千九百二十二兩二錢九分三釐，地閏銀一千三百有四兩七錢七分六釐。圈剩民地四十八頃八十一畝六釐六絲，每畝銀二分七毫六絲四忽七纖八塵二埃七渺五漠，又征黑豆九合八抄三撮五圭七粟八粒，得豆四十四石三斗三升七合六勺六抄六撮五圭七粟六顆一粒七黍七稷三糠三粃二粞。撥補民地一千四百三十五頃八畝四分四釐三毫七絲五忽，每畝銀二分五毫九絲九忽一微九纖九沙七塵一渺。此二項每畝地閏銀一釐七毫三絲六忽五微一纖二沙七塵九渺四漠。退出地一千六十六頃四十八畝八分七釐二毫三絲四忽，每畝銀二分五毫九絲九忽一微九纖九沙七塵一渺，內有圈剩地一頃九十三畝八分，每畝額征黑豆九合八抄三撮五圭七粟八粒，得豆一石七斗六升三勺九抄六撮二粟一顆四黍。退墾地六十五畝，每畝銀二分七毫六絲四忽七纖八塵二埃七渺五漠，黑豆每畝九合八抄三撮五圭七粟八粒，共五斗九升四勺三抄二撮一圭二顆。退地一百四十頃十三畝九分一釐三毫五絲二忽，每畝銀二分七毫六絲四忽七纖八塵二埃七渺五漠。退墾地五十九頃五十一畝五分七釐三毫七絲三忽三纖三沙四塵，寄糧地三十頃九十六畝一分五釐，俱每畝銀二分五毫七絲九忽一微九纖九沙七塵一渺，已上五項地閏，每畝銀一釐七毫三絲六忽五微一纖二沙七塵九渺四漠。老竈地七十三頃七十九畝五分八釐九毫一絲五忽四微，每畝銀八釐一毫六絲二忽一微五纖。原額竈地一百四十八頃七十七畝八分八釐八毫一絲五忽四微，每畝黑豆九合八抄三撮五圭七粟八粒，共一百三十五石一斗四升四合二勺二撮五圭八粟。撥竈地二百七十六頃五十七畝八分九毫九絲五忽二微，每畝銀八釐一毫六絲二微五纖。開荒竈地四十九頃五十六畝三釐五毫，每畝銀八釐一毫六絲二忽一微五纖。內有康熙十年地七十五畝，每畝征黑豆九合八抄三撮五圭七粟八粒，共六斗八升一合二勺六抄七撮八圭一粟。賞地三十六畝，每畝銀八釐一毫六絲二忽一微五纖。邊地三百三十九頃八十九畝一分四釐六毫一絲八忽，賞地五十六頃六畝，俱每畝銀一分五釐一毫四絲三忽七微七纖。河東地十四頃五十二畝四分五釐五毫一絲八忽，每畝銀一分三釐一毫二絲一忽三微二纖。駒地二百四頃九十三畝二分一釐七毫七絲五忽，每畝銀二分七釐。賞地六頃九十畝，每畝銀二分七釐。官地九十二頃五十六畝一分五釐九毫二絲，每畝銀二分三毫八絲九纖。金盞地九十三頃七十二畝一分五釐六毫六絲六忽，每畝銀一分六釐五毫。官地三頃三十四畝，每畝銀一分六釐五毫。牧地七十七頃二十畝四釐，每畝銀一分三釐三絲。官地一頃二十八畝，每畝銀一分三毫三絲。監地四頃五十七畝三分二釐六毫，每畝銀三分。官地一頃八十四畝九分七釐九毫，每畝銀三分。水草地一百五頃五十七畝七分三毫九忽四微，每畝銀一分。官地五頃三十七畝，每畝銀一分。馬厰地四十二頃四十五畝三分一釐一毫，每畝銀四釐。官地七百三十八頃五十六畝一分八釐一毫八絲五忽七微四纖，歸併永清衛地一頃五十九畝七分，每畝銀一分五釐。工部開荒地七十三頃十六畝七分八釐五絲六忽，每畝銀三分。香河縣退地三十三畝一分一釐九毫，每畝銀二分。厰地九十七畝五分，每畝銀三分。減賦地四百五十三頃二十八畝七分三絲，每畝銀四釐。內老地十二頃七十八畝五分六釐，每畝黑豆九合八抄三撮五圭七粟八粒，共十一石六斗一升三合七勺六圭一粟六粒三黍二稷。寄糧地十四頃七十八畝五分，每畝銀四釐。墾地一頃二十二畝六分四釐四毫，每畝銀二分七毫六絲四忽七纖八塵二埃七渺五漠，地閏每畝銀一釐七毫三絲六忽五微一纖二沙七塵九渺四漠。墾荒地一百二十頃一畝二分五釐，每畝銀二分五毫九絲九忽一微九纖九沙七塵一渺。民地十二頃九十七畝四分五釐，每畝銀二分五毫九絲九忽一微九纖九沙七塵一渺。水草地六十二畝七釐九毫，每畝銀一分。下則地四十七頃四十八畝五分三釐一毫，每畝銀一分。陳翊地一頃三十畝七分四釐七毫，每畝銀二分五毫九絲九忽一微九纖九沙七塵一渺。寶坻營教場餘地二十畝二分九釐，每畝銀八釐。劉璽邱墾地一頃九十五畝六分一釐，每畝銀一分。高景照地二十八頃五十四畝六分九釐，趙祥地三十五頃三十一畝七分九釐，此二項每畝銀二分五毫九絲九忽一微九纖九沙七塵一渺。閻萬青地十二頃八分七釐，每畝銀四釐。田良德地五頃五畝一分，每畝銀一分。吳永德地三十畝七分，傅繼祥地七頃九十一畝三分九釐，劉文耀地二十三頃十六畝四分七釐，三項每畝銀二分五毫九絲九忽一微九纖九沙七塵一渺。田良墾地五頃五畝九釐，每畝銀一分。王煥章地八頃九十三畝五分七釐，每畝銀二分五毫九絲九忽一微九纖九沙七塵一渺。劉士談地十二頃六十九畝一釐，每畝銀一分，地閏每畝銀一釐七毫三絲六忽五微一纖二沙七塵九渺四漠。趙統菴地七頃七十九畝六分八釐，每畝銀二分五毫九絲九忽一微九纖九沙七塵一渺。李自哲地七十畝九分三釐四毫，每畝銀四釐。吳鑑地九頃六十三畝三分九釐，每畝銀二分五毫九絲九忽一微九纖九沙七塵一渺。牛玉地十七畝九分四釐，每畝銀一分。單昆美地十八頃二十六畝八分二釐，張邦彥地三頃八十二畝三分一釐，陳盛公地二頃七十三畝二分三釐五毫，此三項每畝銀二分五毫九絲九忽一微九纖九沙七塵一渺。趙紹棠地六項六十八畝二分五毫，每畝銀有差，計共銀七兩九錢三分二釐。郭自安地十頃八畝六分二釐，朱文德地十九頃十四畝五分八釐八毫，吳明遠地九頃八十二畝二分三釐一毫，宋廷滋地十四頃九十三畝九分八釐，此四項每畝銀二分五毫九絲九忽一微九纖九沙七塵一渺。楊華國地二十頃四十一畝六分五釐三毫，每畝銀一分，地閏每畝銀一釐七毫三絲六忽五微一纖二沙七塵九渺四漠。金慶福地三十頃十五畝七分四釐七毫，高文花地五十二頃三十四畝八分九釐四毫，此二項每畝銀二分五毫九絲九忽一微九纖九沙七塵一渺。楊廷珍地一百八頃四十四畝七分八釐八毫，劉天户地二百二十三頃七十五畝七分一釐，劉朝必地三十頃九畝六分一釐五毫，此二項每畝銀一分，地閏每畝銀一釐七毫三絲六忽一微一纖二沙七塵九渺四漠。王得才地二十一頃九十五畝八分五釐，每畝銀四釐。李天相地九頃六十六畝一分六釐九毫，李進明地七十四畝一分五釐，王鳳章地六十畝六分六釐九毫，于漢如地十畝九分三釐，劉扶漢地三十六畝九分四釐，何漢如地一頃五十四畝一分四釐七毫，康自得地四畝三分五釐三毫，劉象遠地三十畝，袁進德地三十六畝六釐七毫，馬英地十二畝六分六釐七毫，楊融地六頃六十九畝六分六釐六毫，馬南晛地一頃八十一畝八分九釐九毫，劉治平地七十五畝二分六釐六毫，劉維城地一頃九十四畝七分七釐二毫，李國祥地一頃九十八畝六分一釐二毫，王柱地三十八頃六釐七毫，耿懋地二頃五十九畝二分九釐六毫，孫長福地四頃四十五畝六分五釐二毫，李福德地三頃八十四畝四分八釐一毫，上十九項，每畝銀二分五毫九絲九忽一微九纖九沙七塵一渺。上則地五十七頃八十九畝二分，每畝銀三分。中則地一百三十四頃五十八畝四分四釐二毫，每畝銀二分。下則地五千五百二十頃五十三畝三分九毫三絲，每畝銀一分。籽粒地三十頃三十九畝七分，每畝高粱一升，共三十三石三斗九升七合。先是，人丁六千三百九十有八，分則征銀千六十八兩五錢五分，又歷年編審滋生並旗改民籍一千九十九丁，又於雍正十年分歸甯河八百二十七丁，奉恩詔永不加賦。今依雍正二年例，攤入地糧，得銀三千二百九十六兩三錢六分八釐，閏年增丁閏銀一百二十六兩四錢六分三釐。已上額征銀一萬九千二百十八兩六錢六分一釐，閏年征銀二萬六百四十九兩九錢，火耗計兩增銀一錢，又黑豆一百九十四石一斗二升七合七勺，高粱三十三石九斗九升七合。起運銀一萬七千六百六十二兩四錢二分，火耗各以數增，黑豆、高粱如征數。留支者五：一、官俸，東路同知銀八十兩，知縣銀四十五兩，典史銀三十一兩五錢二分，教諭、訓導，各銀四十兩，凡銀二百三十六兩五錢二分。一、役食，府學齋夫二，每名銀十二兩，下一項同。銀二十四兩。府滿洲學齋夫二，銀二十四兩。東路同知門子二，每名銀六兩，下十項同。銀十二兩，閏增銀一兩。皁隸十二，銀七十二兩，閏增銀六兩。轎夫四，銀二十四兩，閏增銀二兩。繖扇夫三，銀十八兩，閏增銀一兩五錢。知縣門子二，銀十二兩。皁隸十四，銀八十四兩。仵作二，銀十二兩。民壯三十，銀一百八十兩。古北口員外民壯四，銀二十四兩。熱河同知民壯六，銀三十六兩。

武清縣淘河口主簿民壯一，銀六兩。馬快八，（每名銀十六兩八錢。）銀一百三十四兩四錢。禁卒八，（每名銀六兩，下六項同。）銀四十八兩。轎夫四，銀二十四兩。繖扇夫三，銀十八兩。庫子四，銀二十四兩。斗級四，銀二十四兩。鋪兵十，銀六十兩。吹手四，銀二十四兩。火夫十，（每名銀四兩八錢。）銀四十八兩。更夫五，（每名銀四兩八錢。）銀二十四兩。典史門子一，銀六兩。皁隸四，（每名銀六兩，下一項同。）銀二十四兩。馬夫一，銀六兩。縣學齋夫三，（每名銀十二兩。）銀三十六兩。膳夫二，（每名銀六兩六錢六分七釐。）銀十三兩三錢三分四釐。門斗三，（每名銀七兩二錢。）銀二十一兩六錢。地壇户一，地壇齋宫夫一，各銀六兩三錢六分。先農壇户二，（每名銀六兩。）銀十二兩，閏增銀一兩。祈穀壇户四，（每名銀六兩三錢六分。）銀二十五兩四錢四分。旌勇祠户一，文昌廟户一，各銀六兩三錢六分。凡銀一千一百二十六兩二錢一分四釐，閏增銀十一兩五錢。一、祀禮，修文廟銀十兩，文廟祭銀四十兩，社稷、山川等祭銀三十兩，文昌廟祭並加銀三十九兩九錢九分九釐，關廟祭銀四十兩，小祭銀十兩，朔望行香銀一兩，修龍亭銀五錢，鄉飲酒禮銀十二兩，凡一百八十三兩四錢九分九釐。一、雜項，時憲書銀三兩。廩生二十，（每名銀三兩二錢。）銀六十四兩。孤貧二十四，（每名口糧銀三兩六錢，閏月銀七兩二錢，又每名冬衣布花銀二錢七分八釐三毫四絲九忽。）銀一百有二錢八分，閏增銀七兩二錢。凡銀一百六十兩八分，閏增銀七兩二錢。一、帶辦，二年一辦貢生花紅旗匾銀二兩五錢，三年一辦鄉、會試謄録等銀一兩四錢，會試舉人盤費銀三兩三錢三分三釐，舉人坊銀二十六兩六錢六分七釐，進士坊銀三兩三錢三分三釐，武舉花紅旗匾銀三兩三錢三分三釐，武進士花紅旗匾銀六兩六錢六分七釐，武場公費銀二兩五錢，狀元歸第銀三兩三錢三分三釐，凡銀五十三兩六分六釐。一、驛站，遞馬工料銀一百六十五兩六錢，閏增銀十三兩八錢一釐。已上留支凡銀一千九百五十四兩九錢七分九釐，閏年留支銀一千九百七十四兩一錢四分七釐。

甯河縣：地九千六百三十二頃七十七畝六分五釐一毫，額征正加有差，綜銀八千二百八十二兩三錢九分七釐，地閏銀八百九十二兩七分四釐。

民屯官地一百十三頃九十一畝一分，每畝銀一分五釐。民地十二頃四十六畝五分一釐四毫四絲，每畝銀二分七毫六絲四忽七纖八塵二埃七渺六漠，又每畝黑豆九合八抄二撮五圭七粟八粒，共十一石三斗二升二合八勺一抄八圭六粟六顆七粒三黍五稷八糠。折大地三百五頃七十九畝六分三毫四微，每畝銀八釐一毫六絲二忽一微五纖。內地二百四頃八十一畝三分六釐二毫九絲七忽六微，每畝黑豆九合八抄三撮五圭七粟八粒，共一百八十六石四升四合五抄八撮四圭九粟一稷七糠一粃八粞。竈地十八頃八十四畝一分四釐四毫，每畝銀八釐一毫六絲二忽一微五纖。籽粒地十三頃四十五畝三分，每畝高粱一升，共十三石四斗五升三合。監地三十三頃二十一畝六分二釐五毫二絲，每畝銀三分。駒子地四頃六十九畝一分八釐八毫，每畝銀二分七釐。香河退回圈地三頃六十七畝二分，每畝銀三分。牧地八十四畝八分六釐，每畝銀一分三毫三絲。乾清宮地二十七頃二十一畝，每畝銀三分。河東宮地一百七十五頃八畝八分三釐三毫，每畝銀二分三毫八絲九微。開荒邊地三百七十五頃九十五畝二分七釐一毫八絲二忽，每畝銀一分三釐一毫二絲一忽三微三纖。水草地五十六頃三十畝三釐四毫六絲，每畝銀一分。邊地一百十五頃五十畝五分五釐五絲，每畝銀一分五釐一毫四絲三忽七微七纖。民地四百七十九頃十四畝四分一釐五毫八絲一忽一微六沙六塵六埃六渺六漠六湖六虛六澄六清六淨六逡六巡，每畝銀二分五毫九絲九忽一微九纖九沙七塵一渺。金盞地一頃二十四畝八分四釐八毫，每畝銀一分六釐五毫。水草地三千一百五十六頃七畝九分五釐九毫一絲五忽八微三纖，每畝銀四釐。葦草地三十六頃三十六畝三分，每畝銀三分。下地三千六百四十四頃六十三畝二分三釐一毫三絲，每畝銀一分。葦柴地七頃六十二畝，每畝銀七釐。水草地九百八十二頃七十一畝一分二釐五毫，每畝銀五釐。李永順地六十二頃二畝五分五釐一毫，每畝銀四釐。以上每畝地閏不等，共征銀八百九十二兩七分四釐。

先是，人丁一千四百六十，分則征銀一百六十一兩七分，（又歷年編審滋生一百二十丁，奉恩詔永不加賦。）今依雍正二年例，攤入地糧，得銀一千七百十四兩六錢七分七釐，閏年增丁閏銀六十五兩七錢七分三釐。已上額征銀九千九百九十七兩七分四釐，閏年征銀一萬九百五十四兩九錢二分一釐，火耗計兩增銀一錢，又征黑豆一百九十七石三斗六升六合九勺，高粱十三石四斗五升三合。起運銀七千八百三十八兩三分一釐，閏年銀八千七百四十六兩九錢三分，火耗各以數增，黑豆、高粱如征數。留支者五：一、官俸，通判銀六十兩。知縣銀四十五兩。教諭、訓導，各銀四十兩。巡檢、典史，各銀三十一兩五錢。凡銀二百四十八兩四分。一、役食，順天府民壯二，（每名銀六兩，下八項同。）銀十二兩。知縣門子二，銀十二兩。皁隸十六，銀九十六兩。民壯二十八，銀一百六十八兩。天津縣丞民壯四，銀二十四兩。東安主簿民壯四，銀二十四兩。青縣主簿民壯二，銀十二兩。景州州判民壯一，銀六兩。南皮縣主簿民壯二，銀十二兩。馬快八，（每名銀十四兩八錢。）銀一百三十四兩四錢。禁卒八，（每名銀六兩，下十五項同。）銀四十八兩。轎繖扇夫七，銀四十二兩。庫子四，銀二十四兩。斗級四，銀二十四兩。鋪兵十，銀六十兩。鼓手四，銀二十四兩。火夫八，銀四十八兩。更夫四，銀二十四兩。仵作二，銀十二兩。新設蘆臺通判門子二，銀十二兩，閏增銀一兩。步快八，銀四十八兩、閏增銀四兩。皁役十二，銀七十二兩，閏增銀六兩。轎繖扇夫七，銀四十二兩，閏增銀三兩五錢。典史門子一，銀六兩。皁隸四，銀二十四兩。馬夫一，銀六兩。教諭、訓導門斗三，每名銀七兩二錢。銀二十一兩六錢。齋夫三，每名銀十二兩。銀三十六兩。膳夫二，每名銀六兩六錢六分六釐。銀十三兩三錢三分二釐。巡檢青衣二，每名銀六兩，下二項同。銀十二兩。弓兵四，銀二十四兩。先農壇農夫二，銀十二兩，閏增銀一兩。帝王廟户四，每名銀六兩三錢六分。銀二十五兩四錢四分。雙忠祠户一，旌勇祠户一，各銀六兩三錢六分。凡銀一千一百七十三兩四錢九分二釐，閏增銀十五兩五錢。一、祀禮，修文廟銀十兩，文廟祭銀四十兩，社稷、山川等祭銀三十兩，文昌廟祭並加銀三十九兩九錢九分九釐，關廟祭銀四十兩，三小祭銀十兩，朔望行香銀一兩，修龍亭銀五錢，鄉飲酒禮銀十二兩，凡銀一百八十八兩一錢七釐。一、雜項，時憲書銀三兩。廩生二十，每名銀三兩二錢。銀六十四兩。孤貧三十二，口糧銀一百十五兩二錢，閏月銀九兩六錢，又冬衣布花銀八兩九錢七釐。銀一百二十四兩一錢七釐，閏增銀九兩六錢。一、帶辦，二年一辦貢生花紅旗匾銀二兩五錢，三年一辦會試謄録等銀一兩四錢，會試舉人盤費銀三兩三錢三分三釐，舉人坊銀二十六兩六錢六分七釐，進士坊銀三十三兩三錢三分三釐，武舉花紅旗匾銀三兩三錢三分三釐，武進士花紅旗匾銀六兩六錢六分七釐，武場公費銀二兩五錢，凡銀七十九兩七錢三分三釐。一、驛站，遞馬工料銀二百八十六兩一錢七分，閏增銀二十三兩八錢四分八釐。已上留支凡銀二千一百五十九兩四分三釐，閏年留支銀二千二百有七兩九錢九分一釐。

昌平州：地一千三百六十二頃七十九畝六分八釐，額征正加有差，綜銀三千三百二十三兩六錢八分九釐三毫二絲，地閏銀六十二兩二錢五分五釐四毫九絲。民地二百七十七頃十九畝七分七釐九毫，開墾地二百四十六頃三十五畝一分八釐二毫，此二項每畝銀三分一釐二毫六絲五忽三微四纖，地閏並每畝銀四毫四絲四纖五沙九塵三埃七渺。監地一百七十三頃四十七畝九分七毫二絲九忽，每畝銀三分一釐二毫六絲五忽三微四纖。墾荒地一百六頃二畝九分一釐五毫八絲，每畝銀有差，共銀一百八十二兩四錢六釐七毫九絲四忽九微三纖九沙二塵四埃二渺，地閏有差，共銀一兩五錢二分九釐一毫八絲三忽九微一纖七沙九塵二埃一渺五漠八忽三虛。退地一頃七十五畝，補民地六頃八十三畝，此二項每畝銀三分一釐二毫六絲五忽三微四纖，地閏並每畝銀四毫四絲四纖五沙九塵三埃七渺。下地一百十二頃四十二畝一分八釐六毫二絲一忽，每畝銀一分。上地四十頃十八畝一分二釐，每畝銀三分。中地三十三頃二畝三分一釐，每畝銀二分。中地七頃四十一畝，每畝銀二分。神武左衛歸併下地三頃三十九畝，每畝銀一分。番牧所歸併上地二十二頃六十二畝，每畝銀四分八釐。中地三頃六十七畝一分五釐，每畝銀二分四釐。下地五十七頃九十四畝六分，每畝銀一分二釐。剩地十六頃三十三畝九分，每畝銀一分五釐一毫九絲八忽八微七纖八沙。自首上地二十八畝三分，每畝銀四分八釐。中地十五頃三十四畝五分，每畝銀二分四釐。又地四頃六畝三分五釐，每畝銀三分。下地四頃七十五畝二釐，每畝銀一分五釐。墾地十九頃九十六畝四分八釐，每畝銀一分二釐。馬登科地三十九畝，每畝銀二分。自首下地一頃八十二畝，每畝銀一分二釐。開荒下地三頃十八畝六分二釐，每畝銀一分二釐。永清衛下地六頃十一畝三分，每畝銀一分五釐三毫六絲。中地五十畝，每畝銀一分六釐。自首地十三畝五分，每畝銀一分五釐。彭城衛歸併中地二頃三十六畝，每畝銀一分八釐。中地三十畝，每畝銀一分四釐。開荒上地三十五畝七分，每畝銀一分八釐。陵峪上地十九頃八十三畝，每畝銀三分。楊文錦地五頃二十四畝零七分，每畝銀三分。張來福地一頃三十七畝五分八釐，每畝銀三分。李君寶地二頃五十四畝七分八釐，每畝銀三分。李德壽地十六畝，每畝銀三分，又地閏銀四毫四絲四纖四沙九塵三埃七渺。補普安等村挖河地六十二畝三分，每畝銀三分一釐二毫六絲五忽三微四纖。許永順地六十七頃五畝九分二釐，每畝銀一分，又地閏銀二釐二毫六絲一忽。王耀虎地九十四畝五分，每畝銀一分，又地閏銀二釐二毫六絲一忽。趙秉仁地一頃四畝八釐，每畝銀一分，又地閏銀二錢三分五釐三毫。彭廷貴地六十八頃五十三畝五分六釐，每畝銀一分，又地閏銀二釐二毫六絲一忽。湛張氏地一頃八十畝，每畝銀一分，又地閏銀二釐二毫六絲一忽。白涉地十五頃一畝六分四釐，每畝銀一分，又地閏銀二釐二毫六絲一忽。王希武等地十頃四十畝一分，每畝銀一分，又地閏銀二釐二毫六絲一忽。先是，人丁三千八百四十有二，分則征銀九百十一兩四錢五分，又歷年編審滋生並旗改民籍九百六十三丁，奉恩詔永不加賦。今依雍正二年例，攤入地糧，得銀六百七十八兩一錢六分四釐四絲，閏年增丁閏銀二十六兩一分九釐九絲，已上額征銀四千有一兩八錢五分三釐，閏年征銀四千九十兩一錢二分八釐，火耗無，又榛栗三十六石。起運銀一百七十四兩九錢五分六釐，閏年銀二百一十三兩三錢六分六釐，榛栗如征數。按：景陵榛栗八石，解布政司，轉解光禄寺。又獻陵榛栗二十八石，解布政司，轉解户部。留支者五：一、官俸，霸昌道銀一百五兩，北路同知銀八十兩，知州銀八十兩，吏目銀三十一兩五錢二分，州學正一、訓導一，各銀四十兩，凡銀三百七十六兩五錢二分。一、役食，霸昌道步快二，每名銀六兩，下六項同。銀十二兩。門子四，銀二十四兩。北路同知門子二，銀十二兩，閏增銀五錢。皁隸十二，銀七十二兩，閏增銀六兩。知州門子二，銀十二兩。皁隸十三，銀七十八兩。仵作三，銀十八兩。馬快八，每名銀十六兩八錢。銀一百三十四兩四錢。民壯五十，每名銀六兩，下十一項同。銀三百兩。禁卒八，銀四十八兩。轎繖扇夫七，銀四十二兩。庫子四，銀二十四兩。斗級四，銀二十四兩。鋪司三十四，銀二百四兩。鼓手六，銀三十六兩。火夫八，銀四十八兩。更夫四，銀二十四兩。吏目門子一，銀六兩。皁隸四，銀二十四兩。馬夫一，銀六兩。州學齋夫三，每名銀十二兩。銀三十六兩。膳夫二，每名銀六兩六分六釐六毫六絲七忽。銀十二兩一錢有奇。門斗四，每名銀五兩四錢。銀二十一兩六錢。地壇户六，每名銀六兩三錢六分。銀三十八兩一錢六分。齋宫夫一，銀六兩三錢六分。先農壇户二，每名銀六兩。銀十二兩，閏增銀一兩。凡銀一千三百三十五兩八錢五分三釐，閏增銀八兩。一、祀禮，修文廟銀十兩，文廟祭銀四十兩，社稷、山川等祭銀三十兩，文昌祭並加銀三十九兩九錢九分九釐，關廟祭銀四十兩，三小祭銀十兩，朔望行香銀一兩，修龍亭銀五錢，鄉飲酒禮銀十兩，凡銀一百八十一兩四錢九分九釐。一、雜項，時憲書銀三兩。廩生三十，（每名銀三兩二錢。）銀九十六兩。孤貧十七，（每名銀三兩六錢，閏增銀五兩八錢，又每名冬衣布花銀二錢七分八釐三毫四絲九忽。）銀六十五兩九錢三分二釐，閏增銀五兩八錢。凡銀一百六十四兩九錢，閏增銀五兩八錢。一、帶辦，二年一辦貢生花紅旗匾銀二兩五錢，三年一辦會試舉人盤費銀三兩三錢三分三釐，舉人坊銀二十六兩六錢六分七釐，進士坊銀三十三兩三錢三分三釐，武舉花紅旗匾銀三兩三錢三分三釐，武進士花紅旗匾銀六兩六錢六分七釐，武場供應銀二兩八錢三釐，狀元歸第銀六錢六分七釐，凡銀七十九兩三錢三釐。一、驛站，榆河驛馬匹工料銀一千七百二十七兩四分八釐，閏增銀一百四十三兩九錢二分一釐。題撥銀五千七百二十二兩五錢七分七釐，閏增銀四百六十八兩八錢四分九釐。凡銀七千四百四十九兩六錢二分五釐，閏增銀六百十二兩七錢七分。已上共應支銀九千五百八十七兩七錢三分二釐，留支銀三千八百二十六兩八錢九分七釐，閏年應支銀一萬有二百一十三兩六錢二釐，留支銀三千八百六十五兩一錢五分五釐，其餘領自布政司。

順義縣：地六百四十九頃七十八畝八分一釐九毫七絲，額征正加有差，綜銀八百七十二兩三錢六分八釐，地閏銀一百三十一兩九錢六分六釐。（民地三十三頃七十七畝二分五釐三毫三絲，每畝銀五分二釐七毫七絲四忽七微五纖八沙五埃七渺三漠。香火地四頃十畝一分二釐，每畝銀五分二釐五毫五絲四忽。報墾河淤鐵地二百四十五頃四十八畝六分七釐三毫三絲，每畝銀有差，共二百四十五兩四錢六分七毫三絲三忽。已上三項，地閏每畝銀二釐二毫六絲一忽。保德入官地六十九畝一分二釐，每畝銀一分五釐，地閏共銀一錢五分六釐二毫八絲三忽二纖。富德入官地五頃七十畝二分八釐，每畝銀一分，地閏共銀一兩五錢八分九釐。籽粒地十七畝三分三釐二毫，每畝銀四分七釐三毫二絲六忽八微三纖七沙五塵七埃二渺一漠。鐵地十八頃十三畝，每畝銀一分，地閏每畝銀二釐二毫六絲一忽。馬房地六畝，每畝銀三分一釐二毫六絲五忽三微四纖，地閏每畝銀二釐二毫六絲一忽。張瑞地一頃九十四畝，每畝銀一分四釐二毫五絲五忽五纖三沙六埃六渺三漠。燕山衛下地二頃五十一畝五分，每畝銀一分二釐五毫。墾地一頃九十八畝五分，每畝銀一分二釐。金吾左衛剩地八十一畝，每畝銀一分一釐九毫六絲七忽九纖二塵六埃七渺。下地五十一畝三分，每畝銀一分二釐。中地二十五畝五釐，每畝銀一分八釐。墾地一頃四十一畝三分七釐，每畝銀一分，地閏共銀八分七釐二毫七絲。開報地二十五畝三分八釐，每畝銀一分二釐。神武左衛歸併中地一頃九十六畝，每畝銀一分五釐。永清左衛下地三十一畝八分，每畝銀一分五釐三毫六絲。上地三十六畝五分，每畝銀三分。下地十八畝五分九釐，每畝銀一分五釐。彭城衛下地八畝一釐九毫四絲，每畝銀一分四釐。退圈上地二十畝，每畝銀一分八釐。下地二十二畝四分，每畝銀一分二釐。河淤地一頃七十四畝，每畝銀一分，地閏每畝銀二釐二毫六絲一忽。歸併上地十頃十四畝九分一釐二毫，每畝銀三分。中地十八頃九畝三分，每畝銀二分。下地二十四頃四十二畝六分八釐五毫，每畝銀一分，地閏每畝銀二釐二毫六絲一忽。報墾地七頃三十五畝八分九釐，每畝銀一分，地閏每畝銀二釐二毫六絲一忽。河淤地一頃六十六畝三分三釐，每畝銀二分，地閏共銀三錢七分六釐七絲二忽一微三纖。黄士偉地四十畝八分，每畝銀一分，地閏每畝銀二釐二毫六絲一忽。張繼傑地一頃八十一畝一分三釐，每畝銀一分。李桂林地四頃四十六畝一分八釐，每畝銀一分，地閏共銀一兩九釐。張璣地一頃六十九畝三分四釐，每畝銀二分，地閏共銀三錢八分三釐。李景文地五頃四十九畝一分九釐，每畝銀二分，地閏共銀一兩二錢四分二釐。關世英地十六頃六十一畝八分二釐，每畝銀一分，地閏共銀二兩七錢五分七釐。李桂林地二頃六十八畝二分五釐，每畝銀一分，地閏共銀六錢七釐。李華地十二頃十七畝四分五釐，每畝銀一分，地閏共銀四錢六分九釐。高瑛地八頃九十七畝八分六釐，每畝銀有差，共銀十兩三錢九分，地閏共銀二兩三分。史國優地七十二畝四分八釐，每畝銀二分，地閏每畝銀一錢六分四釐。許良捕地五頃九十五畝六分九釐六毫，每畝銀一分，地閏每畝銀一兩三錢四分四釐。李坤地七頃七十七畝九分四釐七毫，每畝銀一分，地閏共銀一兩七錢五分九釐。趙維地三十二頃三十九畝一分三釐五毫，李之秀地九頃五十六畝六分八釐一毫，余静波地十一頃六十六畝九分四釐八毫，李更新地五頃六十六畝七分二釐二毫七絲，趙福地六頃九十六畝三分一釐九毫，郝德之地三頃五十六畝七分二釐四毫，張俊地二頃十五畝六分，張培基地三頃三十六畝六分，王鐸地四頃三十六畝九分二釐，許民地九十九畝五分二釐五毫，趙魁地九十一畝二分，王大章地四頃四十六畝二分六釐，王有金地十頃七十九畝三分四釐三毫，馬仲倫地七頃五十三畝四分七釐，丁德瑞地二頃六十七畝九分三釐，馬仲文地十三頃九十畝九分，趙浚地十一頃六畝九釐，李登富地二頃八畝三分五釐二毫，李國選地一頃二畝一分，李長春地七頃四十七畝一分，郭登璧地二頃七十六畝八分，王有金地三頃七十五畝一分五釐，趙登明地一頃八十畝一分七釐，單太清地八頃十六畝九分七釐六毫，張配祥地十三頃十七畝三分五釐，王鳳鳴地七頃五十一畝，金國棟地七頃二十畝九分五釐，王英地七頃二十三畝二分一釐，張舒翼地三頃八十五畝三分八釐，霍際安地一頃四十三畝八分七釐，鄭玉財地三頃十八畝三釐一毫，張鳳廷地二頃七十六畝九分，已上三十三項，每畝銀一分，地閏每畝銀二釐二毫六絲一忽。分則征銀八百十四兩四錢，又歷年編審滋生七百六十五丁，奉恩詔永不加賦。今依雍正二年例，攤入地糧，得銀一百八十兩九分六釐，閏年增銀六兩九錢五分五釐。已上額征銀一千五十二兩四錢六分四釐，閏年征銀一千一百九十一兩三錢八分五釐，火耗無。起運銀二百五十七兩三錢六分三釐，閏年銀三百十一兩四錢三釐。留支者五：一、官俸，知縣銀四十五兩，訓導銀四十兩，典史銀三十一兩五錢二分，凡銀一百十六兩五錢二分。一、役食，知縣門子二，每名銀六兩，下三項同。銀十二兩。皁隸十三，銀七十八兩。仵作三，銀十八兩。民壯五十，銀三百兩。馬快八，每名銀十六兩八錢。銀百三十四兩四錢。禁卒八，每名銀六兩，下七項同。銀四十八兩。轎繖扇夫七，銀四十二兩。斗級四，銀二十四兩。庫子四，銀二十四兩。鋪司二十四，銀一百四十四兩。吹手六，銀三十六兩。更夫五，銀三十兩。火夫十，銀六十兩。縣學齋夫三，每名銀十二兩。銀三十六兩。膳夫二，每名銀七兩六錢六分六釐五毫。銀十三兩三錢三分三釐。門斗三，每名銀七兩二錢。銀二十一兩六錢。皁隸四，每名銀六兩，下二項同。銀二十四兩。門子一，銀六兩。馬夫一，銀六兩。地壇户四，每名銀六兩三錢六分，下一項同。銀二十五兩四錢四分。地壇齋宮夫二，銀十二兩七錢二分。先農壇户二，每名銀六兩三錢六分。銀十二兩七錢二分，又二，每名銀六兩。銀十二兩。牛欄山修渡船銀一兩五錢。水手三，每名銀三兩。銀九兩。凡銀一千一百三十兩七錢一分三釐。一、祀禮，修文廟銀十兩，文廟祭銀四十兩，社稷、山川等祭銀三十兩，文昌廟祭並加銀三十九兩九錢九分九釐，關廟祭銀四十兩，三小祭銀十兩，朔望行香銀一兩，修龍亭銀五錢，鄉飲酒禮銀十兩，凡銀一百八十一兩四錢九分九釐。一、雜項，時憲書銀三兩。廩生二十，每名銀三兩二錢。銀六十四兩。孤貧三十二，每名銀三兩六錢，又冬衣布花銀八兩九錢七釐。銀一百二十四兩一錢七釐。凡銀一百九十一兩一錢七釐，閏增銀九兩六錢。又駐防城守尉心紅紙張銀二兩四錢。一、帶辦，二年一辦貢生旗匾銀二兩五錢，三年一辦鄉、會場對讀、謄録銀四兩六錢六分七釐，又廚子銀五錢，會試舉人盤費銀三兩三錢三分三釐，舉人坊銀二十六兩六錢六分七釐，進士坊銀三十三兩三錢三分三釐，武舉花紅旗匾銀三兩三錢三分三釐，武進士花紅旗匾銀六兩六錢六分七釐，武場供應銀二兩，狀元歸第銀一兩三錢三分三釐。一、驛站，工料銀四百十九兩六錢五釐，閏增銀四十七兩一錢九分八釐。扛轎夫銀一百七十三兩一錢六分二釐，遞阜銀二十一兩六錢，題撥銀一千二百二十三兩九錢一分，閏增銀一百一兩九錢九分三釐。凡銀一千八百三十八兩二錢七分七釐，閏增銀一百四十九兩一錢九分一釐。已上共應支銀三千五百四十四兩八錢四分九釐，閏增銀一百五十八兩七錢九分一釐，留支銀七百九十五兩九分九釐，閏年銀八百七十九兩九錢八分一釐。

密雲縣：地六百十二頃十六畝九釐，額征正加有差，綜銀一千四百三十九兩三錢六分二釐，地閏銀六十九兩四錢九釐。大糧地四百十三頃十三畝六分一釐七毫，每畝銀二分八釐一毫一絲七忽四微八纖九沙四塵九埃一渺四漠，地閏每畝銀一釐一毫七絲六忽一微，又每畝黑豆三升八合七勺七抄，共一千六百一石七斗二升八合九勺八圭。墾地二十五頃五十二畝六分七釐，每畝銀三分，地閏每畝銀一釐一毫七絲六忽一微。中衛黑地二頃五十畝二分，每畝銀二分七釐，又每畝黑豆三升，共七石五斗六合。籽粒地二頃七十九畝，每畝銀一分，又每畝黑豆二升，共五石五斗八升。窪地四頃九十二畝一分三釐，每畝銀一分，又每畝黑豆一升二合，共豆五石九斗五合五勺六抄。鹽商地五頃三十九畝五分九釐，每畝銀一分，又每畝黑豆一升，共五石三斗九升五合九勺。後衛黑地六十三畝八分四釐一毫，每畝銀四釐二毫九絲一忽，又每畝黑豆六升二合四勺一抄，共三石九斗八升四合三勺一抄六撮八圭一粟。佃地三頃七十五畝，每畝銀一分，又每畝黑豆一升六合，共六石。屯地五十六頃七十六畝七分六釐，每畝銀一分。倉場地一頃二十七畝五分二釐五毫，每畝銀五分。籽粒上地一頃九十八畝三分九釐二毫，每畝銀二分四釐。中地十一頃八十六畝四分二釐六毫，每畝銀一分八釐。下地三頃八十六畝六釐八毫，每畝銀一分二釐。楊廷棟地二十三畝二分九釐，每畝銀三分。石平地七十三畝四分，每畝銀二分八釐一毫一絲七忽四微八纖九沙四塵九埃一渺四漠，地閏每畝銀一釐一毫七絲六忽一微，又每畝黑豆三升八合七勺一抄，共二石八斗四升五合七勺。王謙地三頃六十一畝，每畝銀一分。蘇天成地一頃九十畝九分九釐，每畝銀三分。宗古訓地一頃三十八畝，每畝銀一分。甯鴻烈等地九頃九十一畝，每畝銀一分。張恆等地二頃四畝，每畝銀一分。王兆祥地六頃九十六畝二分三釐，每畝銀一分。已上六項，地閏每畝銀二釐二毫六絲一忽。王靖濤地四頃七十四畝四分九釐，每畝銀一分。甯鴻來地一頃二十三畝，張義雲地三十畝，宋廷舉地十七頃九十四畝二分九釐，張永地三頃三十四畝四分，曹宗和地六頃九十四畝二分八釐三毫，宗暨地三頃三十八畝八分，王興地三頃二十三畝七分二釐，宗燕亭地七頃九十四畝九分五釐，李茂元地二頃三十九畝，王福興地一頃九十畝三分二釐七毫，已上十項，每畝銀一分，地閏每畝銀二釐二毫六絲一忽。先是，人丁五千六百四十有九，分則征銀一千七十四兩四錢六分，又歷年編審並旗改民籍一千六百七十五丁，奉
恩詔永不加賦。今依雍正二年例，攤入地糧，得銀一千七百三十九兩六錢五分九釐，閏年增銀十一兩四錢九分六釐。已上額征銀一千七百三十九兩六錢五分九釐，閏年征銀一千八百二十兩五錢六分四釐，火耗計兩增銀一錢，又黑豆一千六百三十八石九斗四升六合四勺二抄。起運銀六十一兩九錢五分六釐，閏年銀七十六兩六錢一釐，火耗各以數增。

留支者五：一、官俸，古北口同知銀八十兩。知縣銀四十五兩。教諭一、訓導一、石匣縣丞二，各銀四十兩。古北口巡檢一、典史一、各銀三十一兩五錢二分。凡銀三百八兩四分。一、役食，古北口員外門子一，銀六兩，閏增銀五錢。皁隸六，（每名銀六兩，下十項同。）銀三十六兩，閏增銀三兩。步快四，銀二十四兩，閏增銀二兩。北路同知轎繖扇夫七，銀四十二兩，閏增銀三兩五錢。步快八，銀四十八兩，閏增銀四兩。古北口同知門子二，銀十二兩，閏增銀一兩。捕快八，銀四十八兩，閏增銀四兩。皁隸十二，銀七十二兩。轎繖扇夫七，銀四十二兩。知縣門子二，銀十二兩。皁隸十三，銀七十八兩。仵作三，銀十八兩。馬快八，（每名銀十六兩八錢。）銀一百三十四兩四錢。民壯三十，（每名銀六兩，下五項同。）銀一百八十兩。轎繖扇夫七，銀四十二兩。庫子二，銀十二兩。斗級二，銀十二兩。鋪兵十九，銀一百十四兩。增鋪兵十，銀六十兩，閏增銀五兩。水手四，（每名銀二兩四錢。）銀九兩六錢。火夫十，（每名銀六兩，下七項同。）銀六十兩。更夫五，銀三十兩。吹手六，銀三十六兩。縣丞門子一，銀六兩，閏增銀五錢。皁隸四，銀二十四兩，閏增銀二兩。馬夫一，銀六兩，閏增銀五錢。弓兵十二，銀七十二兩，閏增銀六兩。縣學齋夫六，銀三十六兩。門斗三，（每名銀七兩二錢。）銀二十一兩六錢。膳夫二，（每名銀六兩六錢六分六釐六毫六絲七忽。）銀十三兩三錢三分三釐。衛學膳夫二，（每名銀四兩。）銀八兩。巡檢門子一，銀六兩，閏增銀五錢。皁隸四，（每名銀六兩，下六項同。）銀二十四兩，閏增銀二兩。弓兵十，銀六十兩，閏增銀五兩。馬夫一，銀六兩，閏增銀五錢。典史門子一，銀六兩。皁隸四，銀二十四兩。馬夫一，銀六兩。朝日壇夫三，每名銀六兩三錢六分，下三項同。銀十九兩八分。齋宫夫一，雙忠祠户一，三等公祠户一，各銀六兩三錢六分。先農壇夫二，每名銀六兩。銀十二兩，閏增銀一兩。又夫一，銀六兩三錢六分。凡銀一千五百五十一兩四錢五分三釐，閏年共增銀五十兩五錢。一、祀禮，修文廟銀十兩，文廟祭銀四十兩，社稷、山川等祭銀三十兩，文昌廟祭銀三十九兩九錢九分九釐，關廟祭銀四十兩，白龍潭龍神祠祭銀二十六兩六錢六分六釐，三小祭銀十兩，朔望行香銀一兩，修龍亭銀五錢，鄉飲酒禮銀十兩，凡銀二百八兩一錢五分九釐。一、雜項，時憲書銀三兩。縣學廩生二十、衛學廩生二十，每名銀三兩二錢。銀一百二十八兩。孤貧六，每名口糧銀三兩六錢，閏月銀一兩八錢，冬衣布花銀二錢七分八釐三毫四絲九忽。又銀二十三兩二錢七分，閏月銀一兩八錢。凡銀一百五十四兩二錢七分，閏增銀一兩八錢。一、帶辦，二年一辦貢生花紅旗匾銀二兩五錢，三年一辦會試舉人盤費銀三兩三錢三分三釐，武舉盤費銀三兩三錢三分三釐，鄉、會試對讀、謄録等銀十一兩三錢三分三釐，舉人坊銀二十六兩六錢六分七釐，進士坊銀三十三兩三錢三分三釐，武舉花紅旗匾銀三兩三錢三分三釐，武進士花紅旗匾銀六兩六錢六分七釐，武場公費銀二兩，狀元歸第銀二兩，凡銀九十四兩四錢九分九釐。一、驛站，遞馬工料銀七百八十七兩二錢九分九釐，閏月銀六十五兩二錢一分八釐。接遞皁隸銀十六兩六錢一分五釐，題撥銀二千九百九十八兩九錢七分三釐，閏月銀二百四十九兩八錢九分九釐。已上共應支六千一百十九兩三錢八釐，留支銀一千六百七十七兩七錢三釐，閏年應支銀六千四百八十六兩七錢二分五釐，留支銀一千七百四十三兩九錢六分三釐，其餘領自布政司。

懷柔縣：地一百七十九頃九畝四分八釐二毫，額征正加有差，綜銀六百九十三兩五錢四分四釐，地閏銀十六兩七錢二分九釐。大糧地一百二十二頃九十四畝九釐九毫五忽，每畝銀四分九釐四毫一絲四忽六微六纖三沙二塵六埃一渺，閏徵有差，共閏銀十六兩四錢一分五釐一毫五絲三微五沙七塵五埃。河淤地三十七頃七十一畝一分九釐六毫四忽，每畝銀一分五釐，地閏每畝銀一釐四毫七忽七微九纖六沙九塵二埃八漠四忽六虛，共閏銀五分九釐。歸併彭城衛下地七十八畝三分，每畝銀一分四釐。又下地五頃六十畝五釐八毫六絲，每畝銀一分二釐。又上地九十一畝六分，每畝銀一分八釐。永清衛下地二頃六十畝，每畝銀一分五釐三毫六絲。自首地四十九畝五分，每畝銀一分五釐。金吾左衛下地一頃三十五畝五分，每畝銀一分一釐九毫六絲七忽九纖三沙二塵六埃七渺。王瑾等地六頃八十六畝八分七釐，內地一頃四十二畝六分三釐，每畝銀四分九釐四毫一絲四忽六微六纖三沙二塵六埃一渺，地閏銀一錢八分一釐。又地五頃二十畝二分四釐，每畝銀一分五釐。又地二十四畝，每畝銀一分八釐。王大儒等地五十八畝八分七釐，每畝銀四分九釐四毫，閏月銀七分四釐。王大城等地二十三畝四分九釐，每畝銀一分八釐。先是，人丁一千八百八十有七，分則征銀五百七十三兩五錢五分，又歷年編審滋生一百一丁，奉恩詔永不加賦。今依雍正二年例，攤入地糧，得銀一百四十三兩五錢八分五釐，閏年增銀五兩五錢四分三釐。已上額征銀八百三十七兩一錢二分九釐，閏年征銀八百五十九兩四錢一釐，火耗無。起運銀四兩二分二釐，閏年銀四兩一錢二分二釐。留支者五：一、官俸，知縣銀四十五兩，典史銀三十一兩二錢五分，訓導銀四十兩，凡銀一百十六兩五錢二分。一、役食，霸昌道皁隸十二，每名銀六兩，下三項同。銀七十二兩。轎繖扇夫七，銀四十二兩。聽事夫二，銀十二兩。鋪兵二，銀十二兩。北路同知馬快十二，每名銀十六兩八錢。銀二百一兩六錢，閏增銀十六兩八錢。知縣門子二，每名銀六兩，下二項同。銀十二兩。皁隸十二，銀七十二兩。仵作二，銀十二兩。馬快八，每名銀十六兩八錢。銀一百三十四兩四錢。民壯三十，每名銀六兩，下十四項同。内撥府尹民壯二，銀十二兩。留給知縣民壯二十八，銀一百六十八兩。通州州判民壯二，銀十二兩。武清縣丞民壯二，銀十二兩。古北口員外民壯十二，銀七十二兩。禁卒八，銀四十八兩。轎繖扇夫七，銀四十二兩。庫子四，銀二十四兩。鋪兵十五，銀九十兩。斗級四，銀二十四兩。吹手四，銀二十四兩。火夫十，銀六十兩。更夫五，銀三十兩。典史門子一，銀六兩。皁隸四，銀二十四兩。馬夫一，銀六兩。縣學齋夫三，每名銀十二兩。銀三十六兩。膳夫二，每名銀六兩六錢六分六釐五毫。銀十三兩三錢三分三釐。門斗三，每名銀七兩二錢。銀二十一兩六錢。地壇户四，每名銀六兩三錢六分。銀二十五兩四錢四分。齋宫夫一，銀六兩三錢六分。先農壇農夫二，每名銀六兩。銀十二兩，閏增銀一兩。凡銀一千三百三十八兩七錢三分三釐，閏增銀十七兩八錢。一、祀禮，修文廟銀十兩，文廟祭銀四十兩，社稷、山川等祭銀三十兩，文昌廟祭並加銀三十九兩九錢九分九釐，關廟祭銀四十兩，三小祭銀十兩，朔望行香銀一兩，修龍亭銀五錢，鄉飲酒禮銀八兩，凡銀一百七十九兩四錢九分九釐。一、雜項，時憲書銀三兩。廩生二十，銀六十四兩。孤貧十四，口糧銀五十兩四錢，閏月銀四兩二錢，又冬衣布花銀三兩八錢九分七釐。銀五十四兩二錢九分七釐，閏增銀四兩二錢。凡銀一百二十一兩二錢九分七釐，閏增銀四兩二錢。一、帶辦，二年一辦貢生花紅旗匾銀二兩五錢，三年一辦鄉試對讀等銀二錢，會試對讀等銀一兩二錢，會試舉人盤費銀三兩三錢三分三釐，舉人坊銀二十六兩六錢六分七釐，進士坊銀三十三兩三錢三分三釐，武舉花紅旗匾銀三兩三錢三分三釐，武進士花紅旗匾銀六兩六錢六分七釐，武場公費銀一兩二錢，狀元歸第銀一兩三錢三分三釐，凡銀七十九兩七錢六分六釐。一、驛站，遞馬工料銀二百四十一兩三錢六分二釐，閏增銀二十兩一錢一分三釐。已上應支銀二千七十七兩一錢七分七釐，留支銀八百三十三兩一錢七釐，閏年應支銀二千一百十九兩二錢九分，留支銀八百五十五兩二錢七分九釐，其餘領自布政司。

涿州：地一千一百二頃十六畝七分九釐，額征正加有差，綜銀四千七百九十四兩三錢有三釐，地閏無。大糧地六百七十頃五十三畝五分九毫，每畝銀四分九釐八毫二絲二忽九微七纖八沙七塵。屯政開荒地五十五頃九十五畝二分四釐三毫，每畝銀三分二毫八絲四忽二微二纖四塵。又地一百七十九頃五十三畝二分二釐九毫九絲，每畝銀三分。歸併永清衛上地八頃九畝二分七釐七毫，每畝銀三分八釐，黑豆每畝三合六勺九抄二撮七圭五粟二粒，共三石六合八勺八抄三撮一圭二粟六顆一粒六黍。下地八頃九畝四分四釐九毫，每畝銀一分五釐三毫六絲。王大閏中地二十五畝五分，每畝銀三分。永清衛上地二頃四十一畝一分六釐，每畝銀三分。下地三頃三十五畝一分三毫三忽，每畝銀一分五釐。齊應科水涸地七十九畝，每畝銀一分五釐。河淤地三頃八十六畝三分六釐六毫，每畝銀一分五釐三毫六絲。涿鹿衛地三十七頃十三畝四分五釐五毫八絲三忽，每畝銀一分五釐首報地一畝七分，每畝銀一分五釐。河淤地七畝四分九釐九毫，每畝銀一分五釐。香火地十九頃五十五畝六分四釐，每畝銀四分九釐八毫二絲二忽九微九纖八沙七塵。墾荒地十頃八十九畝五分七釐，每畝銀四分九釐八毫二絲二忽九微九纖八沙七塵。河閃墾荒地四頃七十一畝一分二釐四毫，每畝銀四分九釐八毫二絲二忽九微七纖八沙七塵。大糧地五頃八十九畝三分二釐八毫二絲五忽，每畝銀四分九釐八毫二絲二忽九微九纖八沙七塵。屯糧地二十頃四畝五分二釐九毫，每畝銀三分。官地四畝五分五釐五毫，每畝銀六分。劉芳久等河灘地九分九釐五毫，每畝銀一錢。羅顯等地十二畝三分一釐，每畝銀八分。歸回大興受補地六十六頃六十四畝五分，每畝銀四分九釐八毫二絲二忽九微九纖八沙七塵。楊尚禹等地六頃十二畝八分一釐一毫，每畝銀四分九釐八毫二絲二忽九微九纖八沙七塵。楊德等地一頃九十一畝一分三釐八毫五絲，每畝銀一分五釐。德舒認墾地三頃二十二畝一分八釐六毫，每畝銀四分九釐八毫二絲二忽九微九纖八沙七塵。高如淮等地四十畝六釐六毫，每地三畝四分八釐四毫。折大地一畝計折十一畝五分，每畝銀四分九釐八毫二絲二忽九微八沙七塵。先是，人丁一萬一千三百六十有二，分則征銀二千七百四十四兩八錢一分八釐，又歷年編審滋生八千六百九丁，奉恩詔永不加賦。今依雍正二年例，攤入地糧，得銀九百十二兩五錢四分九釐，閏年增銀三十八兩一錢三分五釐。已上額征銀五千七百八十六兩八錢五分二釐，閏年征銀五千八百二十四兩九錢八分七釐，火耗無，又徵黑豆三石六合九勺。起運黑豆如征數。留支者五：一、官俸，知州銀八十兩。州判一、管河州判一、北二汛管河州判一，各銀四十五兩。吏目銀三十一兩五錢二分。學正一、訓導一，各銀四十兩。凡銀三百二十六兩五錢二分。一、役食，府學膳夫一、府滿洲學膳夫一，各銀六兩六錢六分七釐。知州門子二，每名銀六兩，下二項同。銀十二兩。皂隸十六，銀九十六兩。民壯五十，銀三百兩。馬快八，每名銀十六兩八錢。銀一百三十四兩四錢。禁卒八，每名銀六兩，下四項同。銀四十八兩。轎傘扇夫七，銀四十二兩。斗級四，銀二十四兩。庫子四，銀二十四兩。吹手十二，銀七十二兩。更夫五，每名銀四兩八錢，下一項同。銀二十四兩。火夫十，銀四十八兩。墩夫四十四，每名銀六兩，下六項同。銀二百六十四兩，閏增銀二十二兩。鋪兵六十一，銀三百六十六兩。州判皂隸六，銀三十六兩。

門子一，銀六兩。籠馬繖夫二，銀十二兩。吏目皁隸四，銀二十四兩。門子一，銀六兩。馬夫一，銀六兩。縣學齋夫三，每名銀十二兩。銀三十六兩。膳夫二，每名銀六兩六錢六分六釐五毫。銀十三兩三錢三分三釐。門斗三名，每名銀七兩二錢。銀二十一兩六錢。管河州判皁隸六，每名銀六兩，下七項同。銀三十六兩。門子一，銀六兩。籠馬夫一，銀六兩。繖夫一，銀六兩。又管河州判皁隸六，銀三十六兩。門子一，銀六兩。籠馬夫一，銀六兩。繖夫一，銀六兩。朝日壇户六，每名銀六兩三錢六分，下二項同。銀三十八兩一錢六分。齋宫夫二，銀十二兩七錢二分。先農壇户二，銀十二兩七錢二分。農夫二，每名銀六兩。銀十二兩，閏增銀一兩。凡銀一千八百十二兩二錢六分七釐，閏增銀二十三兩。一、祀禮，修文廟銀十兩，文廟祭銀四十兩，社稷、山川等祭銀三十兩，文昌廟祭並加銀三十九兩九錢九分九釐，關廟祭銀四十兩，三小祭銀十兩，朔望行香銀一兩，五色土價銀五十三兩一錢，修龍亭銀五錢，鄉飲酒禮銀十二兩，凡銀二百三十六兩五錢九分九釐。一、雜項，時憲書銀三兩。廩生三十，每名銀三兩二錢。銀九十六兩。孤貧三十六，每名糧銀三兩六錢，閏月銀十兩八錢，又每名冬衣布花銀二錢七分八釐三毫四絲九忽。銀一百五十兩四錢二分一釐，閏增銀十兩八錢。凡銀二百三十八兩六錢二分一釐，閏增銀十兩八錢。一、帶辦，二年一辦貢生花紅旗匾銀二兩五錢，三年一辦鄉、會場謄録等銀十兩九錢，會試舉人盤費銀三兩三錢三分三釐，舉人坊銀二十六兩六錢六分七釐，進士坊銀三十三兩三錢三分三釐，武舉花紅旗匾銀三兩三錢三分三釐，武進士花紅旗匾銀六兩六錢六分七釐，狀元歸第銀四兩，凡銀九十兩七錢三分三釐。一、驛站，工料銀九千九百六十四兩七錢五分七釐，閏增銀九百十四兩二錢九分四釐。遞皁銀一百八十兩。扛轎夫銀二千三百九兩四錢，凡銀一萬二千四百五十四兩一錢五分七釐，閏增銀九百十四兩二錢九分四釐。已上應支銀一萬六千一百有六兩九錢九分一釐，留支銀五千八百二十四兩九錢八分七釐，其餘支自布政司。

房山縣：地五百五十八頃六十五畝三分二釐七毫五絲，額征正加有差，綜銀三千四百六十一兩七錢六分三釐六毫，地閏銀六十三兩九錢一分一釐。民地五百五十三頃三畝二分七釐八毫三絲一忽六纖二沙七塵六渺九湖，徵銀不等，共銀三千四百十九兩九錢七分一釐八絲四忽二微一纖二沙七塵二埃三渺九漠五湖三虛一澄五清。朱之欽地五十一畝三分七釐五毫八絲，每畝銀一錢。朱之欽退出圈地六十七畝七分四釐四毫二絲，每畝倍徵銀一錢二分六釐九毫七絲一忽三微五纖五沙，地閏亦每畝倍征銀二釐五毫。籽粒地六頃十一畝八分八釐，每畝銀五分七釐七毫四忽五微三纖七沙五塵，地閏每畝銀一釐二毫五絲。歸併涿鹿衛地十八頃五畝二分二釐四毫一絲九忽九微，每畝銀一分五釐，例無地閏。楊瑞等小地折册地十六畝八分三釐二毫，每畝銀六分三釐四毫八絲五忽，地閏每畝銀一釐二毫五絲。張泰小地折册地九畝四分四釐五毫，每畝銀六分三釐四毫八絲五忽，每畝銀一釐二毫五絲。先是，人丁三千九百七十四，分則征銀八百三十四兩二錢八分四釐，又歷年編審滋生並旗改民籍七百九十四丁，奉恩詔永不加賦。今依雍正二年例，攤入地糧，得銀七百十六兩六錢七分九釐，閏年增銀二十七兩七錢三分三釐，又房租銀二十八兩七錢二釐，工部官山房三百七十五間半，每間徵銀七分五釐，廠房十八間，每間徵銀二分。已上額征銀四千二百七兩一錢四分五釐，閏年征銀四千二百九十八兩七錢八分九釐，火耗計兩增銀六分。起運無。留支者五：一、官俸，知縣銀四十五兩，縣丞銀四十兩，巡檢一、典史一，各銀三十一兩五錢二分，教諭一、訓導一，各銀四十兩，凡銀二百二十八兩四分。一、役食，順天府飭撥民壯二，（每名銀六兩，下一項同。）銀十二兩。按察使皁隸五，銀三十兩。西路同知馬快十二，（每名銀十六兩八錢。）銀二百一兩六錢，閏增銀十六兩八錢。步快八，（每名銀六兩，下三項同。）銀四十八兩，閏增銀四兩。北運河通判民壯十，銀六十兩。知縣門子二，銀十二兩。皁隸十，銀六十兩。馬快八，（每名銀十六兩八錢。）銀一百三十四兩四錢。民壯二十八，（每名銀六兩，下九項同。）銀一百六十八兩。轎繖扇夫七，銀四十二兩。仵作二，銀十二兩。吹手四，銀二十四兩。庫子四，銀二十四兩。斗級四，銀二十四兩。更夫五，銀三十兩。鋪司十，銀六十兩。火夫十，銀六十兩。禁卒八，銀四十八兩。齋夫三，（每名銀十二兩。）銀三十六兩。門斗二，（每名銀七兩二錢。）銀十四兩四錢。膳夫二，（每名銀六兩六錢六分六釐五毫。）銀十三兩三錢三分三釐。縣丞皁隸四，（每名銀六兩，下八項同。）銀二十四兩，閏增銀三兩。門子一，銀六兩，閏增銀五錢。馬夫一，銀六兩，閏增銀五錢。典史皁隸四，銀二十四兩。門子一，銀六兩。馬夫一，銀六兩。巡檢皁隸二，銀十二兩。弓兵四，銀二十四兩。先農壇户二，銀十二兩，閏增銀一兩。天壇户二，（每名銀六兩三錢六分，下一項同。）銀十二兩七錢二分。賢良祠户五，銀三十一兩八錢。凡銀一千二百七十八兩二錢五分三釐，閏增銀二十四兩八錢。一、祀禮，修文廟銀十兩，文廟祭銀四十兩，社稷、山川等祭銀三十兩，文昌廟祭並加銀三十九兩九錢九分九釐，關廟祭銀四十兩，三小祭銀十兩，朔望行香銀一兩，修龍亭銀五錢，鄉飲酒禮銀八兩。凡銀一百七十九兩四錢九分九釐。一、雜項，時憲書銀三兩。廩生二十，每名銀三兩二錢。銀六十四兩。孤貧二，每名糧銀三兩六錢，閏月加銀六錢，又每名布花銀二錢七分八釐三毫四絲九忽。銀七兩七錢五分七釐，閏增銀六錢。凡銀七十四兩七錢五分七釐，閏增銀六錢。一、帶辦，二年一辦貢生花紅旗匾銀二兩五錢，三年一辦鄉、會試謄録等銀六兩二錢三分二釐，會試對讀銀二兩八錢，會試舉人盤費銀三兩三錢三分三釐，舉人坊銀二十六兩六錢六分七釐，進士坊銀三十三兩三錢三分三釐，武舉花紅旗匾銀三兩三錢三分三釐，武進士花紅旗匾銀六兩六錢六分七釐，狀元歸第銀一兩三錢三分三釐，五色土價銀二十八兩六錢，凡銀一百十四兩七錢九分八釐。一、驛站，工料銀三十七兩七錢六分九釐，閏增銀三兩一錢四分七釐。題撥銀三千四百八十七兩一錢四分，閏增銀二百八十三兩九分五釐。已上應支銀五千四百兩二錢五分六釐，留支銀四千二百七兩一錢四分五釐，閏年應支銀五千七百一十一兩八錢九分八釐，留支銀四千二百九十八兩七錢八分九釐，其餘支自布政司。

霸州：地二千六百三十頃四十七畝三分三釐，額征正加有差，綜銀七千三百四十八兩六錢一分二釐，地閏無。民地七百七十七頃三十八畝四分九釐五毫六絲二忽，每畝銀五分七毫八忽七微五纖九沙五塵。上堡地一百四十五頃二十九畝四分三釐三毫，每畝銀三分一釐七毫二絲。下堡地一百五十一頃十一畝二分七釐六毫，每畝銀二分七釐六毫。荒地九十六頃一分一釐二毫，每畝銀三分。京營地二百三十五頃五十三畝三分八釐八毫五絲，每畝銀三分。京營地五十頃四十八畝五釐七毫，每畝銀一分五釐。舊河泊大地二百頃六十畝三分七釐，每畝銀七釐。新地十九頃二十九畝二分七釐二毫五絲，每畝銀三分。墾荒地二十二頃五十三畝六分二釐五毫，每畝銀一分。漁課地五十二頃五十三畝四釐一毫六絲，每畝銀六釐。高橋里葦課地九頃三十九畝八分六釐九毫，每畝銀六分。菜園村葦地二頃五十九畝四分八釐五毫，每畝銀四分。河泊小地二十三頃十一畝四釐，每畝銀一分五釐。墾荒小地一頃七十六畝五分，每畝銀五釐。舊河泊小地三十五頃八十五畝二分九釐三毫，每畝銀三釐。下堡地七十二畝八分七釐，每畝銀一分三釐五毫三絲。堂二里葦課地九十四頃七十一畝六分九毫五絲，每畝銀二分二釐。策城里葦地三頃六十五畝五分，每畝銀二分六釐。小地四頃六十三畝二分三釐四毫，升大地二頃三十一畝一分一釐七毫，共徵銀六兩九釐四絲九忽。工部葦地十一頃六十九畝一分六釐六毫六絲六微六纖六沙六塵六埃六漠，又地二百二頃二十九畝九分九釐，每畝銀一分一釐。大小地四百八十四頃十六畝四分八釐三毫四絲八忽三微七沙六塵九埃八渺二漠，每畝銀一分三釐。備荒地二頃三十四畝二分三釐二毫，每畝銀一分五釐。永清左衛地一頃四十四畝八分，每畝銀一分五釐。上堡地二畝，每畝銀三分。燕山右衛地一頃七畝九分，每畝銀一分五釐。墾地五畝，每畝銀一分二釐。先是，人丁六千七百有六，分則征銀三千十一兩五錢三分二釐，又歷年編審滋生七百八十四丁，奉恩詔永不加賦。今依雍正二年例，攤入地糧，得銀一千五百二十一兩一錢五分二釐，閏年增銀五十八兩三錢四分八釐，又房租銀三兩二錢八分，退出房二十二間，內房十九間，每間銀一錢六分，又房三間，每間銀八分。已上額征銀八千八百七十二兩四分四釐，閏年征銀八千九百三十兩三錢九分二釐，火耗計兩增銀一錢。起運銀六千二百二十三兩六分八釐，閏年銀六千二百三十五兩四分九釐，火耗各以數增。

留支者五：一、官俸，按察使銀一百三十一兩，知州銀八十兩，淀河州同一、州判一、北六汛管河州判一，各銀四十五兩，吏目銀三十一兩五錢二分，霸永巡檢銀三十一兩五錢二分，學正、訓導，各銀四十兩，凡銀三百十九兩四分。一、役食，知州門子二，每名銀六兩，下三項同。銀十二兩。皁隸十四，銀八十四兩。仵作二，銀十二兩。民壯三十，銀一百八十兩。馬快八，每名銀十六兩八錢。銀一百三十四兩四錢。轎繖扇夫七，每名銀六兩，下六項同。銀四十二兩。禁卒八，銀四十八兩。庫子四，銀二十四兩。斗級四，銀二十四兩。鋪兵十二，銀七十二兩。吹手六，銀三十六兩。更夫四，銀二十四兩。火夫十，每名銀四兩。銀四十兩。齋宫夫一，銀六兩三錢六分。苑家口夫二，每名銀六兩，下四項同。銀十二兩。淀河州同民壯四，銀二十四兩。皁隸四，銀二十四兩。門子一，銀六兩。馬夫一，銀六兩，房銀十六兩。北六汛州判民壯四，每名銀六兩，下六項同。銀二十四兩。皁隸四，銀二十四兩。門子一，銀六兩。馬夫一，銀六兩。吏目門子一，銀六兩。皁隸四，銀二十四兩。馬夫一，銀六兩。巡檢弓兵二十，每名銀二兩五錢。銀五十兩。皁隸二，每名銀六兩。銀十二兩。州學齋夫三，每名銀十二兩。銀三十六兩。門斗三，每名銀七兩二錢。銀二十一兩六錢。膳夫二，每名銀六兩六錢六分五釐。銀十三兩三錢三分三釐。州判門子一，銀六兩。民壯四，每名銀六兩，下四項同。銀二十四兩。皁隸六，銀三十六兩。馬夫一，銀六兩。繖夫一，銀六兩。先農壇農夫二，銀十二兩。帝王廟户四，每名銀六兩三錢六分。銀二十五兩四錢四分。文昌廟增太常寺廟户一，又廟户一，褒忠祠户一，各銀六兩三錢六分。凡銀一千一百九十一兩八錢五分三釐，閏增無。一、祀禮，修文廟銀十兩，文廟祭銀四十兩，社稷、山川等祭銀三十兩，文昌廟祭並加銀三十九兩九錢九分九釐，關廟祭銀四十兩，三小祭銀十兩，朔望行香銀一兩，修龍亭銀五錢，鄉飲酒禮銀十二兩，太常寺秋季五色土價銀三十二兩五錢，凡銀二百十五兩九錢九分九釐。一、雜項，時憲書銀三兩。廩生三十，每名銀三兩二錢。銀九十六兩。孤貧九，每名銀三兩六錢，閏月銀二兩七錢，又每名冬衣布花銀二錢七分八釐三毫四絲九忽。銀三十四兩九錢五釐，閏增銀二兩七錢。凡銀一百三十三兩九錢五釐，閏增銀二兩七錢，凡銀百四十二兩六錢五釐。一、帶辦，二年一辦貢生花紅旗匾銀二兩五錢，三年一辦鄉、會試對讀、謄録銀十二兩三錢五分，會試舉人盤費銀三兩三錢三分三釐，舉人坊銀二十六兩六錢六分七釐，進士坊銀三十三兩三錢三分三釐，武舉花紅旗匾銀三兩三錢三分三釐，武進士花紅旗匾銀六兩六錢六分七釐，會試筵宴銀四兩，凡銀九十二兩一錢八分三釐。一、驛站，遞馬工料銀五百十一兩九錢九分六釐，閏增銀四十二兩六錢六分七釐。已上留支凡銀二千六百四十八兩九錢七分六釐，閏年留支銀二千六百九十五兩三錢四分三釐。

文安縣：地三千五百二十六頃八十一畝三分三釐，額征正加有差，綜銀一萬四百六十八兩九錢九分，地閏銀七十兩九錢六分三釐。額内額外地一千五百九十一頃七十九畝一分四釐一毫，除水淀免租外，實地一千五百三十四頃五十五畝九分四釐四毫三忽二微八纖，每畝銀四分六釐八忽七微一纖五沙二塵，地閏每畝銀三毫六絲五忽七微七纖二沙二塵七埃五渺七漠。屯牧地八百三十四頃六十畝八釐五毫，内免積水成淀地四百七十三頃一十一畝三分二釐一毫五絲，内除涸出開墾地三百三十八頃七十一畝九分三釐九毫五絲，實剩淀地一百三十四頃三十九畝三分八釐一毫，共征銀二百四十三兩三錢八分九釐三毫四絲六微三纖九沙。白龍沙涸出籽粒地十七頃七十一畝二分四釐六毫，每畝銀一分三釐八毫九絲二忽。牛台淀涸出籽粒地四十一頃五十五畝八釐五毫，每畝銀一分五釐五毫六絲四忽。麻窪地淀涸籽粒地二十七頃八十二畝九分一釐一毫，每畝銀一分四釐九毫一絲五忽。火燒淀涸籽粒地十八頃五十三畝四釐三毫，每畝銀一分五釐三毫六絲三忽。效勇營涸出地八十七頃二十一畝二分二釐，每畝銀一分三釐六毫八絲一忽五微。奮武營涸地一百九十四頃一畝二分七釐八毫，每畝銀七釐八毫八絲八忽五纖。鼓勇營涸地四十一頃七十一畝五分五釐二毫，每畝銀七釐六忽。備荒地一百四十五頃七十八畝七分四釐九毫，每畝銀七釐五毫。涸地五十七頃七十六畝三分二釐三毫，每畝銀五釐。備荒地十二頃四畝八分一釐四毫，每畝銀一分。又地十三頃六十一畝九分三釐，每畝銀一分五釐。白龍淀籽粒地四頃三十四畝三分七釐，每畝銀一分三釐八毫九絲二忽。牛台淀地七頃四十畝三分，每畝銀一分五釐五毫六絲四忽。麻窪地十頃八畝八分六釐九毫，每畝銀一分四釐九毫九絲五忽。火燒淀地二十八頃五十六畝九分八毫，每畝銀一分五釐二毫六絲三忽。效勇營地二頃十四畝七分，每畝銀一分三釐六毫八絲一忽五微。舊勇營地三頃五十八畝三分四釐七毫，每畝銀七釐八毫八絲八微五纖。備荒地五十頃六十二畝一分九毫，每畝銀七分五毫。歸併保定左衛屯地十畝，每畝銀四分三釐三毫六絲四忽五微八纖五沙六塵六埃。退地二百十三頃三十一畝六分三釐二毫，每畝銀四分六釐八忽七微一纖五沙三塵，每畝地閏銀三毫六絲五忽七微七纖二沙二塵七埃五渺。退地二十二頃，每畝銀一分四釐九毫一絲五忽。勝芳里葦地五十畝，每畝銀二分。收撥豐潤地一百四十四頃十二畝三分四釐六忽，每畝銀四分六釐八忽七微一纖五沙三塵，每畝地閏銀三毫六絲五忽七微七纖二沙二塵五埃五渺七漠。官地五十八頃八畝二分七釐四毫四絲五忽四微四纖，每畝銀四分六釐八忽七微一纖五沙三塵，每畝地閏銀三毫六絲五忽七微七纖二沙二塵五渺七漠。又地一百七十三頃九十八畝一分七釐一毫，每畝銀七釐五毫。又地二百六十五頃四十七畝一分，每畝銀五釐。葦地八十七頃四十七畝七釐八毫，每畝銀二分。又地六十四頃五十七畝四分七釐六毫，每畝銀一分五釐。又地三十一頃四十畝五分一釐，每畝銀六釐。又報墾地二十六頃七十九畝六分九釐，每畝銀六釐。又地十九頃五十七畝，每畝銀二分。陳璞等地三十一頃八十一畝二分三釐五絲，每畝銀七釐五毫。蔡分錫等地三十六頃七十八畝，每畝銀二分。熟地二十八頃四十七畝二分一釐，每畝銀三分五釐。王素齋等地二十頃八十一畝六分。先是，人丁八千九百有四，分則征銀一千七百九十七兩五錢六分六釐，又歷年編審滋生一千七百三丁，奉恩詔永不加賦。今依雍正二年例，攤入地糧，征銀二千六百六十七兩二錢六分三釐，閏年增銀八十三兩一錢三分六釐。已上額征銀一萬二千六百三十六兩三錢六分二釐，閏年征銀一萬二千七百九十兩四錢六分二釐，火耗計兩增銀一錢。起運銀一萬一百七十五兩一分四釐，閏年銀一萬三百二十九兩一錢一分四釐，火耗各以數增。留支者五：一、官俸，知縣銀四十五兩。典史一、西路司獄一、北路司獄一，各銀三十三兩一錢一分四釐。管河主簿一、文大主簿一，各銀三十三兩一錢一分四釐。教諭一、訓導一，各銀四十兩。凡銀二百八十五兩七錢八分八釐。一、役食，南路同知轎繖扇夫七，（每名銀六兩，下三項同。）銀四十二兩，閏增銀三兩五錢。步快八，銀四十八兩，閏增銀四兩。知縣門子二，銀十二兩。皁隸十一，銀六十六兩。步快八，（每名銀十八兩。）銀一百五十四兩。民壯四十四，（每名銀六兩，下十一項同。）銀六十四兩。仵作三，銀十八兩。禁卒八，銀四十八兩。轎繖扇夫七，銀四十二兩。庫子四，銀二十四兩。斗級四，銀二十四兩。典史門子一，銀六兩。皁隸四，銀二十四兩。馬夫一，銀六兩。文安主簿門子一，銀六兩。皁隸四，銀二十四兩。馬夫一，銀六兩，房銀十六兩。文大主簿門子一，（每名銀六兩，下二項同。）銀六兩，閏增銀五錢。皁隸四，銀二十四兩，閏增銀二兩。馬夫一，銀六兩，閏增銀五錢。縣學門斗三，（每名銀七兩二錢。）銀二十一兩六錢。鋪司九，（每名銀六兩。）銀五十四兩。更夫五，（每名銀四兩八錢，下一項同。）銀二十四兩。火夫十，銀四十八兩。吹手六，（每名銀六兩，下六項同。）銀三十六兩。西路司獄皁隸二，銀十二兩，閏增銀一兩。禁卒十二，銀七十二兩，閏增銀六兩。更夫五，銀三十兩，閏增銀二兩五錢。北路司獄皁隸二，銀十二兩，閏增銀一兩。禁卒十二，銀七十二兩，閏增銀六兩。更夫五，銀三十兩，閏增銀二兩五錢。祈穀壇夫四，（每名銀六兩三錢六分，下二項同。）銀二十五兩四錢四分。齋宮夫一，旌勇祠夫一，各銀六兩三錢六分。齋夫六，（每名銀六兩。）銀三十六兩。膳夫二，（每名銀六兩六錢六分五釐。）銀十三兩三錢三分三釐。先農壇夫二，（每名銀六兩。）銀十二兩，閏增銀一兩。凡銀一千三百五十七兩四錢九分三釐，閏增銀三十兩五錢。一、祀禮，修文廟銀十兩，文廟祭銀四十兩，社稷、山川等祭銀三十兩，文昌廟祭並加銀三十九兩九錢九分九釐，關廟祭銀四十兩，三小祭銀十兩，朔望行香銀一兩，修龍亭銀五錢，鄉飲酒禮銀十二兩，凡銀一百八十三兩四錢九分九釐。一、雜項，時憲書銀三兩。廩生二十，（每名銀三兩二錢。）銀六十四兩。孤貧十六，（每名銀三兩六錢，閏月銀四兩八錢，又冬衣布花銀二錢七分八釐。）銀六十二兩五分四釐，閏增銀四兩八錢。一、帶辦，二年一辦貢生花紅旗匾銀二兩五錢，三年一辦鄉、會場對讀、謄録等銀十三兩一錢四分三釐，會試舉人盤費銀四兩，舉人坊銀二十六兩六錢六分七釐，進士坊銀三十三兩三錢三分三釐，武舉花紅旗匾銀三兩三錢三分三釐，武進士花紅旗匾銀六兩六錢六分六釐，凡銀八十九兩六錢四分二釐。一、驛站，遞馬工料銀四百一十五兩八錢七分二釐，閏增銀三十四兩七錢二分三釐。已上共留支銀二千四百六十一兩三錢四分八釐，閏年留支銀二千五百三十一兩三錢七分一釐。

大城縣：地二千三百九十七頃四十四畝九分五釐，額征正加有差，綜銀一萬七百六十四兩九錢二分三釐，地閏銀二百三十六兩九錢三分一釐。（民地一千六百三十一頃九十七畝三分八釐二毫四絲六忽一微四纖一沙二塵七埃六渺七漠九湖六澄八清八淨，每畝銀五分三釐二毫一微五纖二沙，地閏每畝銀一釐二毫九絲一忽五微四纖七沙四塵一埃一渺。乾隆二十二年升科官地一頃九十畝一分二毫六絲六忽，每小畝銀三分五釐九毫六忽。退撥大畝民地三百五十頃三十四畝二分八釐七毫一絲二忽一微九纖六沙六塵七埃二渺三漠四虚三澄八清，每畝銀五分三釐二毫一微五纖二沙，地閏每畝銀一釐二毫九絲一忽五微四纖七沙四塵一埃一渺。備邊地一百六頃三十七畝五分八釐八毫，每畝銀三分五釐九毫六忽。葦地二百六十六頃二十六畝三釐五毫四絲，每畝銀二分。河間寄莊地二頃五十四畝一分五釐，每畝銀一分五釐一毫七忽八微八纖四沙八塵三埃七渺，地閏每畝銀六毫二微七纖二沙七塵六埃二渺一漠三湖一虛。鳳臺書院認墾地二十頃四分，每畝銀一分。先是，人丁一萬六百一十有七，分則征銀三千二百二十二兩七錢九分，又歷年編審滋生二千二百三十八丁，奉恩詔永不加賦。今依雍正二年例，攤入地糧，征銀二千二百二十四兩四錢八分七釐，閏年增銀八十五兩二錢，已上額征銀一萬二千九百八十九兩四錢一分，閏年征銀一萬三千三百十一兩五錢四分一釐，火耗計兩增銀一錢。起運銀一萬五百五十二兩二錢一分七釐，閏年銀一萬八百三十兩九錢有六釐，火耗各以數增。留支者五：一、官俸，知縣銀四十五兩，北岸同知銀六十兩，縣丞銀四十兩，典史銀三十一兩五錢二分，教諭一、訓導一，各銀四十兩，凡銀二百五十六兩五錢二分。一、役食，霸昌道門子四，每名銀六兩，下三項同。銀二十四兩。知縣門子二，銀十二兩。皁隸十二，銀七十二兩。仵作二，銀十二兩。馬快八，每名銀十六兩八錢。銀一百三十四兩四錢。民壯四十一，每名銀六兩，下十項同。銀二百四十六兩。縣丞皁隸四，銀二十四兩。馬夫一，銀六兩。門子一，銀六兩。禁卒八，銀四十八兩。轎繖扇夫七，銀四十二兩。庫子四，銀二十四兩。斗級四，銀二十四兩。典史皁隸四，銀二十四兩。門子一，銀六兩。馬夫一，銀六兩。縣學齋夫三，每名銀十二兩。銀三十六兩。膳夫二，每名銀六兩六錢六分六釐五毫。銀十三兩三錢三分三釐。門斗三，每名銀七兩二錢。銀二十一兩六錢。鋪兵十，每名銀六兩，下六項同。銀六十兩。更夫五，銀三十兩。吹手六，銀三十六兩。火夫十，銀六十兩。北岸同知快手八，銀四十八兩，閏增銀四兩。民壯十八，銀一百八兩，閏增銀九兩。皁隸十二，銀七十兩，閏增銀六兩。門子二，銀十二兩，閏增銀一兩。轎繖扇夫七，銀四十二兩，閏增銀三兩五錢。神樂觀庫夫四，（每名銀六兩三錢六分，下一項同。）銀二十五兩四錢四分。天壇齋宫夫一，銀六兩三錢六分。先農壇户二，（每名銀六兩。）銀十二兩，閏增銀一兩。凡銀一千二百九十三兩一錢三分三釐，閏增銀二十四兩五錢。一、祀禮，修文廟銀十兩，文廟祭銀四十兩，社稷、山川等祭銀三十兩，文昌廟祭銀三十九兩九錢九分九釐，關廟祭銀四十兩，三小祭銀十兩，朔望行香銀一兩，修龍亭銀五錢，鄉飲酒禮銀十兩，凡銀一百八十一兩四錢九分九釐。一、雜項，時憲書銀三兩。廪生二十，（每名銀三兩二錢。）銀六十四兩。孤貧十四，（每名銀三兩六錢，閏月銀四兩二錢，又冬衣布花銀二錢七分八釐三毫四絲九忽。）銀五十四兩二錢九分七釐，閏增銀四兩二錢。一、帶辦，二年一辦貢生花紅銀二兩五錢，三年一辦鄉、會試謄録銀五兩三錢三分三釐，會試舉人盤費銀三兩三錢三分三釐，舉人坊銀二十六兩六錢六分六釐，進士坊銀三十三兩三錢三分四釐，武舉花紅旗匾銀三兩三錢三分三釐，武進士花紅旗匾銀六兩六錢六分七釐，凡銀八十三兩八錢三分四釐。一、驛站，遞馬工料銀五百兩九錢一分，閏增銀四十一兩七錢四分二釐。已上留支凡銀二千四百三十七兩一錢九分三釐，閏年銀二千五百七兩六錢三分五釐。

保定縣：地三百七十七頃二十四畝七分一釐，額征正加有差，綜銀一千二百八十七兩三錢九分八釐，地閏銀六十七兩七錢一分七釐。民地二百七十頃八十六畝八分，每畝銀四分一釐五毫六絲四忽一微五纖六塵九埃八渺八漠，地閏每畝銀二釐五毫。皇莊地二十四頃六十八畝三分，每畝銀三分。備邊地五頃八十一畝二分五釐一毫，每畝銀二分。充餉地四十九頃七十一畝二分五釐一毫，每畝銀一分。馬草廠地二十六頃十七畝一分八釐，每畝銀一分。先是，人丁八百八十有四，分則征銀三百兩五錢六分，又歷年編審滋生六百四十五丁，奉恩詔永不加賦。今依雍正二年例，攤入地糧，得銀二百六十六兩五錢二分六釐，閏年增銀十兩二錢二分三釐，火耗計兩增銀一錢。起運銀一百十七兩八錢三分七釐，閏年銀一百八十九兩六錢七分七釐，火耗各以數增。留支者五：一、官俸，知縣銀四十五兩，主簿銀三十三兩一錢一分四釐，典史銀三十一兩五錢二分，訓導銀四十兩，凡銀一百四十九兩六錢三分四釐。一、役食，按察司鋪兵二，每名銀六兩，下四項同。銀十二兩。務關民壯四，銀二十四兩。知縣門子二，銀十二兩。皁隸十，銀六十兩。仵作二，銀十二兩。馬快八，每名銀十六兩八錢。銀一百三十四兩四錢。民壯二十五，每名銀六兩，下十一項同。銀一百五十兩。禁卒八，銀四十八兩。轎繖扇夫七，銀四十二兩。更夫五，銀三十兩。庫子四，銀二十四兩。斗級四，銀二十四兩。火夫十，銀六十兩。吹手四，銀二十四兩。鋪兵六，銀三十六兩。典史門子一，銀六兩。馬夫一，銀六兩。皁隸四，銀二十四兩。訓導齋夫三，每名銀十二兩。銀三十六兩。門斗二，每名銀七兩二錢。銀十四兩四錢。膳夫二，每名銀六兩六錢六分七釐。銀十三兩三錢三分四釐。主簿房銀十六兩。馬夫一、門子一，各銀六兩。皁隸四，（每名銀六兩，下二項同。）銀二十四兩。民壯四，銀二十四兩。先農壇户二，銀十二兩，閏增銀一兩。京壇户三，（每名銀六兩三錢六分。）銀十九兩八分。凡銀八百九十九兩二錢一分四釐，閏增銀一兩。一、祀禮，修文廟銀十兩，文廟祭銀四十兩，社稷、山川等祭銀三十兩，文昌廟祭並加銀四十兩，關廟祭銀四十兩，三小祭銀十兩，朔望行香銀一兩，修龍亭銀五錢，鄉飲酒禮銀八兩，凡銀一百七十九兩四錢九分九釐。一、雜項，時憲書銀三兩。廪生二十，（每名銀三兩二錢。）銀六十四兩。孤貧二，（每名銀三兩六錢，閏月銀六錢，又每名冬衣棉布銀二錢七分八釐三毫四絲九忽。）銀七兩七錢五分七釐，閏增銀六錢。一、帶辦，二年一辦貢生花紅旗匾銀二兩五錢，三年一辦鄉試謄録等銀二兩六錢二分五釐，會試謄録等銀五錢二分五釐，會試舉人盤費銀三兩三錢三分三釐，舉人花紅旗匾銀二十六兩六錢七釐，進士坊銀三十三兩三錢三分三釐，武舉花紅旗匾銀三兩三錢三分三釐，武進士坊銀六兩六錢六分七釐，凡銀七十八兩九錢八分三釐。一、驛站，工料銀五十四兩，閏增銀四兩五錢。已上留支銀一千四百三十六兩八分七釐，閏年留支銀一千四百四十二兩一錢八分七釐。

薊州：地四千五百二十七頃六十二畝八分六毫，額征正加有差，綜銀九千九百六兩七分五釐七毫，地閏無。（民地三千八百五十一頃六十三畝九分三釐五毫四絲，每畝銀二分一釐五毫八絲一忽九微三纖五沙六塵二渺。又地四百九十六頃十六畝九分七釐八毫，每畝銀一分八絲一忽九末三纖五沙六塵二渺。又地五頃十畝八分，每畝銀二分五釐八絲一忽九微三纖五沙六塵二渺。又地二十四頃十六畝八分，每畝銀二分二釐八絲一忽九微三纖五沙六塵二渺。山場肥地六頃四畝二分八釐一毫，每畝銀四分八絲一忽九微三纖五沙六塵二渺。瘦地八頃八分七釐五毫，每畝銀二分八絲一忽九微三渺五沙六塵二渺。夾空地八頃二十七畝六分五釐，每畝銀二分二釐七毫一絲。姜進孝地三畝二分八釐，每畝銀五分。郭寡地七畝，折上地二畝三分三釐三毫，每畝銀四分五釐七毫一絲一忽九微一纖一沙。何連等地八頃四十四畝一分七釐，每畝銀二分一釐五毫八絲一忽九微三纖五沙六塵二渺。鄭通用等地三頃三十七畝三分，每畝銀一分八絲一忽九微三纖五沙六塵二渺。丁貴等地十六頃九十一畝四分三釐，每畝銀二分一釐五毫八絲一忽九微三纖五沙六塵二渺。先是，人丁四千九百三十有八，分則征銀一千二百八十四兩四錢八分二釐，又歷年編審滋生八千五百三十二丁，奉恩詔永不加賦。今依雍正二年例，攤入地糧，得銀千八百八十兩九錢六分三釐一毫，閏年增銀七十二兩九錢四分，房租銀一兩九錢五分。已上額征銀一萬九百七十八兩九錢八分九釐，閏年征銀一萬一千五十一兩九錢三分一釐，火耗無。起運銀二千二百九十八兩四錢五分八釐，閏年銀一千八百十三兩七錢一分二釐。留支者五：一、官俸，知州銀八十兩，巡檢一、管河巡檢一、吏目一，各銀三十一兩五錢二分，學正一、訓導一，各銀四十兩，凡銀二百五十四兩五錢六分。一、役食，府滿漢教授門斗二，每名銀七兩二錢。銀十四兩四錢。知州門子二，每名銀六兩，下二項同。銀十二兩。皁隸十二，銀七十二兩。馬快八，每名銀十六兩八錢。銀一百三十四兩四錢。民壯五十，每名銀六兩，下十二項同。銀三百兩。禁卒八，銀四十八兩。仵作三，銀十八兩。轎繖扇夫七，銀四十二兩。庫子四，銀二十四兩。斗級四，銀二十四兩。鋪司六十，銀三百六十兩。更夫六，銀三十六兩。火夫十，銀六十兩。吹手八，銀四十八兩。管河巡檢門子一，銀六兩。皁隸四，銀二十四兩。馬夫一，銀六兩，房銀十六兩。吏目門子一，銀六兩。皁隸四，銀二十四兩。馬夫一，銀六兩。

州學門斗三，（每名銀七兩二錢。）銀二十一兩六錢。齋夫三，（每名銀十二兩。）銀三十六兩。膳夫二，（每名銀六兩六錢六分六釐五毫六絲六忽。）銀十三兩三錢三分三釐。巡檢門子一，銀六兩，閏增銀五錢。弓兵十二，（每名銀六兩。）銀七十二兩，閏增銀六兩。皁隸二，銀十二兩，閏增銀一兩。馬夫一，銀六兩，閏增銀五錢。鋪司二，銀十二兩，閏增銀一兩。凡銀一千五百三兩五錢三分三釐，閏增銀十兩。一、祀禮，修文廟銀十兩，文廟祭銀四十兩，社稷、山川等祭銀三十兩，文昌廟祭並加銀三十九兩九錢九分九釐，關廟祭銀四十兩，三小祭銀十兩，朔望行香銀一兩，修龍亭銀五錢，鄉飲酒禮銀十二兩，凡銀一百八十三兩四錢九分九釐。一、雜項，時憲書銀三兩。廩生三十，（每名銀三兩二錢。）孤貧五十九，（每名銀三兩六錢，閏月銀十七兩三錢，每名布花銀二錢七分八釐三毫四絲九忽。）銀一百三十六兩二錢二分三釐，閏增銀十七兩三錢。凡銀三百二十七兩八錢二分三釐，閏增銀十七兩三錢。一、帶辦，二年一辦貢生花紅旗匾銀二兩五錢，三年一辦鄉、會試對讀、謄録等銀二十五兩五錢八分三釐，繙譯場謄録等銀十三兩，武場供應銀一兩八錢三分三釐，武舉會試盤費銀一兩六錢六分七釐，會試舉人盤費銀三兩三錢三分三釐，舉人坊銀二十六兩六錢六分七釐，進士坊銀三十三兩三錢三分三釐，武舉花紅旗匾銀三兩三錢三分三釐，武進士花紅旗匾銀六兩六錢六分七釐，凡銀一百二十一兩二錢四分九釐。一、驛站，工料銀三千七百一兩五錢九分三釐，閏增銀三百八兩四錢六分六釐。已上共留支銀八千六百八十兩五錢三分一釐，閏年留支銀九千有一十兩二錢九分七釐。

平谷縣：地四百七十七頃七畝四分一釐，又房基地額征正加有差，綜銀一千三十一兩一錢三分七釐，地閏銀五十六兩八錢有三釐。存剩荒地九十二頃四畝八釐，每畝銀四分六釐三毫九絲二忽六微三纖四沙三塵二埃七渺三漠，地閏每畝銀六釐一毫七絲一忽四微二纖五沙二塵六埃九渺四漠三湖，每畝又徵黑豆二升二合四勺五撮一圭六粒，共二百六石二斗一升八合四勺二抄八撮二粟三顆八粒一黍八稷。荒地二百二十九頃五十五畝八釐，每畝銀一分五釐四毫八絲九忽六微三纖四沙三塵二埃七渺三漠。退地三十五頃八十五畝四分，每畝銀一分五釐四毫八絲九忽六微三纖四沙二塵二埃七渺三漠，房基地租銀一兩三錢五分。王弼等地三十頃八十二畝六釐，每畝銀一分五釐四毫八絲九忽六微三纖四沙三塵二埃七渺三漠，例不征閏。曹思忠等地八十四畝三分，內六十七畝，每畝銀一分，十七畝，每畝銀三分，例不征閏。張伯士等地二十二頃八十畝八分，每畝銀一分五釐四毫八絲九忽六微三纖四沙三塵二埃七渺。李連福等地二十三頃八十七畝四分，每畝銀一分五釐四毫八絲七忽六微三塵二埃七渺三漠，例不征閏。王景良地七頃三十六畝七分，每畝銀一分五釐四毫八絲九忽六微三纖四沙三塵二埃七渺三漠，例不征閏。王大福等地二頃十三畝七分一釐，每畝銀一分五釐四毫八絲九忽六微三纖四沙三塵二埃七渺三漠。張居敬等地四頃五十五畝六分一釐，每畝銀一分五釐四毫八絲九忽六微三纖四沙三塵二埃七渺三漠，例不征閏。王良等地六頃八十三畝六分七釐，每畝銀一分五釐四毫八絲九忽六微三纖四沙三塵二埃七渺三漠，例不征閏。張得良等地二頃八十四畝八分，每畝銀一分五釐四毫八絲九忽六微三纖四沙三塵二埃七渺三漠，例不征閏。張佩等地三頃九十五畝六分八釐，每畝銀二分七毫一絲，例不征閏。路明至等地十一頃四十六畝，每畝銀二分七毫一絲。先是，人丁二千九百四十，分則征銀六百十七兩七錢七分二釐，又匠丁十五，征銀六兩七錢五分，又歷年編審滋生一千三百四十二丁，奉恩詔永不加賦。今依雍正二年例，攤入地糧，得銀二百一十三兩四錢二分九釐，閏年增丁閏銀八兩一錢八分七釐。已上額征銀一千二百四十四兩五錢六分六釐，閏年征銀一千三百九兩五錢五分六釐，又征黑豆二百六石二斗一升八合四勺，火耗計兩增銀一錢。起運銀一百九十六兩五錢四分七釐，閏年銀二百兩有八錢二分六釐，火耗各以數增，黑豆如征數。留支者五：一、官俸，知縣銀四十五兩。

典史銀三十一兩五錢二分。教諭、訓導，各銀四十兩。凡銀一百五十六兩五錢二分。

一、役食，知縣門子二，（每名銀六兩，下二項同。）銀十二兩。皁隸十四，銀八十四兩。民壯五十，（內撥承德府五，古北口員外四，大興縣丞四，武清楊村縣丞一，河西務主簿四，宋流口縣丞二，本處三十。）銀三百兩。馬快八，（每名銀十六兩八錢。）銀一百三十四兩四錢。庫子四，（每名銀六兩，下十項同。）銀二十四兩。斗級四、吹鼓手四，各銀二十四兩。轎繖扇夫七，銀四十二兩。禁卒八，銀四十八兩。鋪兵十一，銀六十六兩。更夫八，銀四十八兩。仵作二，銀十二兩。典史門子一，銀六兩。皁隸四，銀二十四兩。馬夫一，銀六兩。縣學齋夫三，（每名銀十二兩。）銀三十六兩。門斗二，（每名銀七兩二錢。）銀十四兩四錢。膳夫二，（每名銀六兩六錢六分六釐五毫六絲六忽。）銀十三兩三錢三分三釐。城隍廟户一，銀六兩三錢六分。雙忠祠户二，（每名銀六兩三錢六分，下二項同。）銀十二兩七錢二分。三等公額祠户一，銀六兩三錢六分。先農壇户一，銀六兩三錢六分。農夫二，（每名銀六兩。）銀十二兩，閏增銀一兩。凡銀九百六十一兩九錢三分三釐，閏增銀一兩。

一、祀禮，修文廟銀十兩，文廟祭銀四十兩，社稷、山川等祭銀三十兩，文昌廟祭並加銀三十九兩九錢九分九釐，關廟祭銀四十兩，三小祭銀十兩，朔望行香銀一兩，修龍亭銀五錢，鄉飲酒禮銀十兩，凡銀一百八十一兩四錢九分九釐。

一、雜項，時憲書銀三兩，廩生二十，（每名銀三兩二錢。）銀六十四兩，孤貧二十，（每名銀三兩六錢，閏月銀六兩，又每名冬衣布花銀二錢七分八釐三毫四絲九忽。）銀七十七兩五錢六分七釐，閏增銀六兩凡銀一百四十四兩五錢六分七釐，閏增銀六兩。一、驛站，遞馬工料銀二百六十六兩三錢六分八釐，閏增銀二十二兩一錢九分七釐。已上共留支銀一千四十八兩有二分九釐，閏年留支銀一千一百八兩七錢三分，其餘支自布政司。

督察者四路同知，初轄自霸昌、通永二道，其改四路同知爲專管，自乾隆十九年直隸總督方觀承奏經户部議定始。乾隆十九年四月二十七日，户部奏，福建司案呈，會議順天府屬各州縣錢穀事件，向隸霸昌、通永二道管轄，至四路同知，原爲專司捕盜而設，並未經管錢糧。今直督方觀承，既稱順天府屬二十六州縣衛分霸昌、通永二道，其倉庫錢糧亦即責成道管。且霸昌一道，轄二十州縣，勢難稽查周密。請將順天府屬州縣倉庫并一切錢糧事件，責令四路同知稽查督察，照府州之例，定以考成，仍令申詳本道，聽其統核。往來盤查諸費，在所必需，於該同知應將養廉之外每員酌增辦公銀三百兩，并添設倉書一，户書一，一體報部等語。查順天府屬各州縣衛徵收地丁錢糧等項，凡酌撥俸餉，留支經費，并一切動支數目款項，原屬繁多，分隸道員管轄，誠恐鞭長莫及，應如該督所議，分隸各該同知稽查督察，添倉書一，户書一，將各吏年貌、籍貫，著役日期，造册報部，五年役滿，照例考職。至辦公銀三百兩，亦准添給。再查四路同知，既經管理該州縣錢糧事務，則與知府、直隸州體察無異，凡遇州縣錢穀案件，應以各該同知爲專理，以霸昌、通永二道爲兼管，其盤查詳請，議處、議敘等案，悉照知府、直隸州知州之例，一體遵行辦理。奉旨：依議。東路同知轄通、三河、武清、香河、寶坻、甯河、薊七州縣，地四萬一千六百二十四頃三十畝三分四釐八毫八絲五忽，武清縣、薊州房七十四有半，合之攤丁額征銀六萬八千有九十六兩一錢三分三釐，粟一百九十六石四斗五升四合二勺，黑豆一千九百九十二石九斗五升五合三勺，高粱四十七石四斗五升，閏增銀三千五百二十八兩八錢三分三釐。共銀七萬三千二百八十九兩五錢九分一釐。西路同知轄大興、宛平、良鄉、房山、涿五州縣，地五千四百七十八頃五十八畝有四釐四毫三絲，畦地二千七百七十一箇，房基地二間，房五百五十間，合之攤丁額征銀二萬六百七十一兩九錢八釐，黑豆十三石二斗九升六勺，閏增銀七百五十三兩三錢五釐。共銀二萬一千四百二十五兩二錢一分五釐。南路同知轄霸、保定、文安、大城、固安、永清、東安七州縣，地一萬五千七百八十七頃五十九畝二分六釐九毫，房百二十有七，合之攤丁額征銀五萬八千有九兩二錢九分五釐，黑豆四石一斗三升九合一勺，閏增銀一千四百二十七兩六分三釐。共銀五萬九千四百三十六兩三錢五分八釐。北路同知轄昌平、順義、懷柔、密雲、平谷五州縣，地三千三百一十八頃六十畝三分八毫七絲，合之攤丁額征銀八千八百七十五兩六錢六分九釐，黑豆一千八百四十五石一斗六升四合八勺二抄，榛、栗三十六石，閏增銀三百九十五兩七錢四分三釐。共銀九千三百二十九兩一錢三分三釐。霸昌、通永二道爲兼管，隸霸昌道者，西路、南路、北路；隸通永者，爲東路。遵化州屬亦隸焉。而順天府則有督催責焉。綜而計之，二十四州縣地六萬六千二百九頃七畝九分七釐八絲五忽，畦地二千七百七十一箇，房七百五十三有半，人丁攤入地糧，額征地丁銀十五萬五千六百五十三兩有五釐，粟一百九十六石四斗五升四合二勺，黑豆二千九百五十五石五斗四升九合八勺二抄，高粱四十七石四斗五升，榛、栗三十六石，閏增銀二千二百六十一兩六錢四分六釐，得銀十六萬一千七百五十七兩九錢四分九釐，餘如常數。其起運銀凡八萬三千五百四十六兩三錢一分七釐，火耗銀七千二百二十七兩四錢九釐，會典事例：涿州、良鄉、昌平、順義、懷柔、通州、三河、薊州八州縣，不徵耗羨，房山每兩耗六分，香河、武清二縣每兩收耗八分，大興、宛平、密雲、平谷、實坻、甯河，每兩收耗一錢。閏年則共銀八萬七千七百七十兩七錢七分七釐，火耗銀七千六百二十三兩七錢二釐。粟、黑豆、高粱、榛、栗所謂本色征也。起運如征數，閏年不增。其留支凡銀七萬二千一百六十六兩六錢九分一釐，應支銀十二萬八千六百九十三兩二錢八分二釐，留支而外，領補之。閏年留支銀七萬三千九百八十七兩一錢七分二釐，應支銀十三萬五千五百三十兩一錢五釐，留支而外，亦領補之。此皆光緒七年，八年數也。

雜征 坿

雜征大較有八：一、田房稅，大興等二十四州縣，並照契載銀數，計兩征銀三分，解視征數。文冊。密雲縣歲征銀十七兩二錢一分一釐，密雲丁志。房山縣歲征銀四百兩至五百餘兩有差，房山王志。其餘州縣無定額。志冊。一、民買旗房稅，近京五百里，民買旗房，初如八旗置房例，赴兩翼投稅，於民未便，乾隆三十七年，户部議，令民於地方官投稅，每兩征銀三分，黏連契尾。四十五年，又議房一至五基地不得過一畝，六至十不得過二畝，十以外不得過三畝，五十至百以外不得過五畝，如逾察實征視頭等地租。大興等州縣均無定額。府冊。一、當稅，每當征銀五兩，良鄉、永清二縣三歲征各銀十五兩。先是，永清縣當凡十有二，今減九。永清周志。香河縣四，歲征銀二十兩。采訪冊。甯河縣八，歲征銀四十兩。甯河丁志。順義縣十一，歲征銀五十五兩。順義黄志。密雲縣十三，歲征銀六十五兩。密雲丁志。涿州六，歲征銀三十兩。先是，當八，今減二。吳志，參采訪冊。房山縣三，歲征銀十五兩。房山王志。其餘州縣無定額。一、牙行帖税，良鄉縣歲征銀一百四十四兩一錢。良鄉新志。固安縣歲征銀一百一十二兩八錢。帖九十六張，固安陳志。香河縣歲征銀七十八兩四錢八釐八毫。采訪冊。通州歲征銀二百二十四兩三錢，先是，牙行六十有三，乾隆十九年，裁四十有一，今存二十有一。通州高志。州額設牙行五十四名，漷邑額設九名，共六十三。乾隆十九年，裁通、漷牙行四十一，現存二十一名。每年征牙税銀一百八十四兩，帖價銀四十兩三錢，共銀二百二十四兩三錢，隨徵隨解，其各牙行名目，州城斗行一名，牙税銀十二兩，帖價銀二兩四錢；房行一名，牙税銀十六兩，帖價銀一兩六錢；又房行一名，牙税銀十二兩，帖價銀一兩二錢；車行一名，牙税銀十六兩，帖價銀四兩；布行一名，牙税銀三十兩，帖價銀六兩；油行一名，牙税銀十二兩，帖價銀一兩六錢；茶行一名，牙税銀二十二兩，帖價銀二兩；豬行一名，牙税銀六兩，帖價銀一兩二錢；張家灣斗行一名，牙税銀八兩，帖價銀四兩；房行一名，牙税銀四兩，帖價銀一兩二錢；車行一名，牙税銀十五兩，帖價銀一兩六錢；扛脚行一名，牙税銀十三兩，帖價銀二兩；宏仁橋斗行一名，牙税銀六兩，帖價銀三兩；西儀集斗行一名，牙税銀十二兩，帖價銀一兩六錢；漷邑集斗行一名，牙税無，帖價銀一兩；永樂集斗行四名，牙税無，帖價銀一兩；驢行一名，牙税帖價銀九錢；靛莊集羊行一名，牙税無，帖價銀一兩。三河縣歲征銀五十三兩二錢。三河陳志：斗行十四名，每名帖價二兩二錢，共征銀三十兩八錢；驢牙五名，每名帖價二兩二錢，共征銀十一兩；豬牙二名，共征銀四兩；牛牙二名，每名帖價二兩六錢，共征銀五兩二錢；布行一名，帖價銀二兩二錢。甯河縣舊征銀七兩四錢。關志：額設牙行二，蘆臺斗行一名，年税銀二兩四錢，馬行一名，年税銀五兩。今無定額。丁志。順義縣歲征銀二十九兩八錢。黃志。密雲縣歲征銀一百四十一兩，遇閏增銀十一兩一錢五分。丁志。涿州歲征銀八十一兩九錢八分七釐。涿州吴志：布行三帖，價銀二十四兩；煙行六帖，價銀十八兩一錢二分九釐二毫；估衣行三帖，價銀六兩；板行一帖，價銀一兩六錢；油行四帖，價銀二十三兩五錢；靛行一帖，價銀二兩；房行三帖，價銀七兩二錢；地行三帖，價銀七兩二錢；鰱行一帖，價銀三兩；灰行二帖，價銀十六兩；馬行一帖，價銀一兩六錢；牛行一帖，價銀二兩；驢行四帖，價銀八兩四錢；車行一帖，價銀八兩；豬行二帖，價銀三兩六錢。房山縣歲征銀十三兩二錢。王志。保定縣歲征銀十兩二錢。保定成志：斗秤牙行課銀三兩六錢，船牙税銀九兩四錢。其餘州縣無定額。一、畜税，良鄉縣牛、驢、豬税銀四十兩七錢三分九釐。采訪冊。順義縣牛、驢税銀二十九兩三錢一分六釐，豬稅銀七兩三錢八分。黃志。密雲縣牲稅銀五十三兩八錢二分有奇。丁志。房山縣牛、驢、騾、馬、豬稅銀五十兩七錢六分，盈餘銀二十四兩六錢。王志。其餘州縣，稅無定額。一、麯稅，通州、三河等州縣，每麯一塊重十斤，每千斤征銀一錢七分六釐六毫。先是，私燒跴麯久爲例禁，其間製爲酒醋用者，征自通州坐糧廳，乾隆二十二年，户部議奏，得旨：令地方官給照，依例征，歲無定額。咸豐三年，改令燒煱稅赴部自納。據通州高志、三河陳志。一、灰磨等課稅，房山縣歲征銀五十八兩一錢。王志。一、海稅，甯河縣北塘口海運米糧，按直計兩征銀三分，無定額。關志。其免稅之彰彰者，則有通州之芝麻、麥子、磨油、磨麪、酒、糖等季鈔。高志：通州鋪户，向徵李鈔。康熙三十七年，通永道祝兆熊以芝麻、麥子、活豬已按石、按口報納，而磨油、磨麪、屠宰，復納季鈔，又以燒、黄酒、零紬、故衣、帽鋪，皆小本經營，詳撫將季鈔名色盡革，勒碑永禁，民甚便。三十九年，稅務歸坐糧廳管理。雍正五年，坐糧廳察故衣、零紬鋪户稅照舊徵收。乾隆七年，坐糧廳將磨油、酒、糖各鋪察明部頒則例仍令報納，各鋪户呈州詳倉場吴拜，吕耀曾於八年具奏，奉硃批：既已寬免多年，即著永免。

徭役 坿

人丁均入地糧矣。在官之役，則留其田賦支以贍之，故數與費具詳留支，其在田賦外者，徭無定時，役有定里，或攤資曰差錢，或征力曰差夫。陵差車輛，則旗三、民七，其大較也。夫與車而外，若騾、若馬、若驢、若秫稭、若土坯、若柴、若炭、若煤、若灰，多無定額，而亦有定者，房山縣馬草十七萬五千三百斤，麥麩四百石，薊州傜目凡二十一：一、大差平地修橋攤之，十六里二十八保無夫，而以錢雇者聽。一、陵差之車民户，分四十股，攤十之七，旗户分四路，東路五牌，西路四牌，南路九牌，别有十大家爲一路，攤十之三。一、東陵差，及官兵過境驛馬不敷，則以差錢買支約馬二十至四十不等，差竣發還。一、西陵差，向調協濟修道夫三百，折實一百五十，又大車六，撥自里保。一、驛馬穀草，於秋後發直買十萬有七千斤，不敷則次年春續派，買草十萬至二十萬不等，遇災則減。一、督學使過境，分二十八保，立車户應之。一、歲供西陵、禮部、兵部、内務府監。端慧皇太子園寢、祭祀冰塊、柴炭折銀七百有六兩，閏加銀五兩，辦自中安、和西、尚義等里。一、歲供東陵祭祀，牛羊喂養草凡三十萬斤，辦自李新莊、馬房莊、顧家莊、蔣福山、七百户、閔家莊、山下屯、黄土莊、索達莊、石人莊、狼兒窩、陳各莊、魯各莊、蒙福莊、小營莊、福里莊、蘇家莊、安家莊，凡十有八邨。一、官兵餉藥等項過境，其車發直雇應。一、東陵祭祀、隆福寺喇嘛諷經坐車，向設車户九十有九，給照募自民。一、十二阿哥園寢祭祀柴炭，向設夫二十有四，亦給照。一、東陵祭祀有冰車户十二，亦給照。一、工部取硝，向解折色銀一百兩，支自硝户五十有四，不足則官足之。一、歲解道書飯食銀三十六兩，閏增銀一兩五錢，募充給照。一、府繕書募充給照。一、太常寺行取都城隍廟户五名，募充給照。一、薊州白澗香華庵地近行宫，奉文添給廟户十八，門夫五，募充給照。一、薊州繕書兵驛房十九，兵清房二十一，兵皁房二十八户，工北房三十，冰窨二十一，提刑房五十四，皆募充給照。一、馬蘭鎮右營守備分汛赤霞峪火夫三十，青山嶺火夫六十，葦子峪火夫六十，募自民。一、景陵樹户四十八，孝陵樹户十八。一、州境鋪司六十名，並募自民。采訪册。

田賦志校勘記

各州縣地畝總數，與細數不符，致額征銀數無從校核。又額征銀數內，除留支外，餘卽起運之數。兹查額征、留支二項內，均有脱誤之處，究竟起運實數若干，殊難懸定，爰逐一標出，以備參考。

大興縣：地總數一千八百三十二頃三十六畝一分八釐，其細數併得一千八百十八頃二十三畝七分八釐二毫五忽五微，與總數不符。

宛平縣：地總數一千四百九十七頃四十八畝五分九釐六毫八絲，其細數併得一千四百九十七頃二十四畝六分三釐八毫二絲八忽五微。又細數內開墾地總數三百七十四頃七十八畝一分九釐二毫八絲，而起科二宗，共三百七十四頃七十四畝一分四釐二毫八絲，均與總數不符。

夕月壇户，每名銀六兩三錢，應是六兩三錢六分。

馬夫馬乾銀，已併入馬快銀二百一兩六錢內，其一百五十八兩九錢三分六釐，應删。

良鄉縣：地總數四百八十七頃九十一畝一分五釐，其細數併得四百八十八頃八十八畝一分三釐七毫六絲五忽五微，與總數不符。

縣丞、典史各門子一，銀六兩。皁隸四，（每名銀六兩。）銀二十四兩。馬夫一，銀六兩。應作門子各一，（每名銀六兩。）銀十二兩。皁隸各四，（每名銀六兩。）銀四十八兩。馬夫各一，（每名銀六兩。）銀十二兩。祀禮內應有三小祭銀十兩，方符一百八十三兩四錢九分九釐之數。

固安縣：地總數九百十五頃五十二畝七分四釐，其細數併得九百十五頃五十二畝七分六釐二毫三絲三忽一微，相差二釐零。

留支原數三千四百九十八兩四錢六分八釐，今核得三千三百七十三兩九錢六分八釐，與原數不符。

永清縣：地總數一千二百八十頃三十九畝七分九釐三毫，其細數併得二千二百八十一頃一畝七分九釐一毫六絲三忽，與總數不符。

東安縣：地總數三千六百五十九頃六十八畝四分一釐六毫，其細數併得三千六百五十八頃十七畝四分八釐一毫四絲，與總數不符。

知縣俸銀四十五兩，誤作四十兩。

膳夫二，（每名銀六兩六錢六分六釐六毫。）銀十三兩三錢三分三釐，誤作（每名銀六兩六錢六分。）銀十三兩三錢二分三釐。

役食，原銀一千一百九十六兩二錢九分四釐，今核得八百五十四兩二錢九分三釐，與原數不符。

留支原銀二千九十七兩七錢六釐，今核得一千七百五十五兩七錢五釐，與原數不符。

香河縣：地總數一千七百七十四頃七十一畝六分五釐二毫，其細數併得一千八百三頃十二畝六分一釐五毫，與總數不符。

額征銀四千二百三十六兩二錢四分二釐，閏年征銀四千四百二十四兩四錢六分四釐，今核得額征銀四千一百六十五兩七錢二分九釐，閏年征銀四千三百五十兩六錢九分三釐，均與原銀數不符。

知縣俸銀四十五兩，誤作四十兩。

門斗二，每名銀七兩二錢。銀十四兩四錢，誤作每名銀七兩二錢二分。銀十四兩四錢四分。

祀禮内應有三小祭銀十兩，方符一百八十一兩四錢九分九釐之數。

孤貧二，每名銀三兩六錢。銀七兩二錢，誤作每名銀三兩二錢。銀七兩。

通州：地總數二千九百四十一頃八十九畝四分，其細數併得二千九百十八頃七十二畝一分七釐五毫一絲，與總數不符。

驛站，凡銀九千八百六十三兩三錢六分九釐，今核得九千八百六十三兩三錢六分四釐，相差五釐。

三河縣：地總數二千九百五十四頃八十五畝六分一釐九毫五絲，其細數併得二千八百二十九頃二十一畝二分三釐七毫八絲五忽，與總數不符。

額征六千三百九十二兩八錢五分二釐，今核得六千三百二十九兩八分一釐，與原數不符。

更夫五，火夫十，銀七十二兩，誤作四十八兩。

役食，閏增銀一兩，應歸何項，並未揭明。

雜項，下脱漏凡銀八十六兩三錢九分二釐。

驛站，遞馬工料凡銀六千七百二十二兩七錢二分九釐，今核得六千七百二十三兩六錢二分，與原數不符。

應支銀八千九十八兩三錢三分三釐，閏年應支九千六十一兩五分九釐，今核得應支銀八千五百二十九兩二錢二分四釐，閏年應支九千九十一兩九錢五分。

武清縣：地總數七千四百二十二頃九十九畝一分四釐三絲五忽，其細數併得八千五百六十頃七十四畝八釐九毫八絲八忽九微，與總數不符。

役食，凡銀二千一百八十七兩五錢四分七釐，閏增銀六十二兩五錢，今核得二千一百十三兩五錢四分七釐，閏增銀五十兩五錢，均與原數不符。

寶坻縣：地總數一萬二千二百六頃十二畝八分七釐四毫，其細數併得一萬二千三百九十八頃八十畝二分三釐七毫二絲八忽一微七纖三沙四塵，與總數不符。

孤貧銀九十三兩八分，誤作一百有二錢八分。
留支，凡銀一千九百五十四兩九錢七分九釐，閏年一千九百七十四兩一錢四分七釐，今核得凡銀一千九百二十四兩九錢七分九釐，閏年一千九百五十七兩四錢八分，均與原數不符。
甯河縣：地總數九千六百三十二頃七十七畝六分五釐一毫，其細數併得九千六百二十五頃七十七畝六分五釐四毫七絲九忽三微四纖，與總數不符。
巡檢、典史俸各銀三十一兩五錢二分，誤作三十一兩五錢。
祀禮，凡銀一百八十三兩四錢九分九釐，誤作一百八十八兩一錢七釐。
留支，凡銀二千一百五十九兩四分三釐，閏年二千二百有七兩九錢九分一釐，今核得凡銀二千九十五兩四分一釐，閏年二千一百四十三兩九錢八分九釐，均與原數不符。
昌平州：地總數一千三百六十二頃七十九畝六分八釐，其細數併得一千三百六十二頃七十八畝九分八釐三絲，與總數不符。
役食，凡銀一千三百三十五兩八錢五分三釐，閏增銀八兩，今核得凡銀一千二百七十四兩六錢五分三釐，閏增銀七兩五錢，均與原數不符。
雜項，凡銀誤少三分二釐。

應支銀九千五百八十七兩七錢三分二釐，閏年應支一萬二百十三兩六錢二釐，今核得應支銀九千五百二十六兩五錢三分二釐，閏年應支一萬一百五十二兩六錢二釐，均與原數不符。

順義縣：地總數六百四十九頃七十八畝八分一釐九毫七絲，其細數併得六百六十三頃三十六畝七分六釐四毫七絲，與總數不符。

孤貧項下，應有閏增銀九兩六錢。

帶辦，脱漏凡銀八十四兩三錢三分三釐。

密雲縣：地總數六百十二頃十六畝九釐，其細數併得六百十四頃五十六畝三分八釐九毫，與總數不符。

征丁銀三百兩二錢九分七釐，誤作一千七百三十九兩六錢五分九釐。

役食，凡銀一千五百五十一兩四錢五分三釐，閏增銀五十兩五錢，今核得凡銀一千五百三兩四錢五分三釐，閏增銀四十一兩，與原數不符。

祀禮凡銀，誤少六釐。

懷柔縣：地總數一百七十九頃九畝四分八釐二毫，其細數併得一百八十頃九畝四分八釐三毫六絲九忽，與總數不符。

涿州：地總數一千一百二頃十六畝七分九釐，其細數併得一千一百九頃六十九畝二分四釐四毫五絲一忽，與總數不符。
征丁銀九百九十二兩五錢四分九釐，誤作九百十二兩五錢四分九釐。
孤貧銀一百三十九兩六錢二分一釐，誤作一百五十兩四錢二分一釐。
房山縣：地總數五百五十八頃六十五畝三分二釐七毫五絲，其細數併得五百七十八頃六十五畝七分七釐九毫五絲九微零，與總數不符。
房租銀誤，多一錢七分九釐五毫。
役食，閏增共銀二十四兩八錢，今核得二十五兩八錢，與原數不符。
霸州：地總數二千六百三十頃四十七畝三分三釐，其細數併得二千六百三十頃三十二畝四釐三毫八絲一忽，與總數不符。
額征及閏年征銀均誤，少一兩。
官俸，凡銀四百八十九兩四分，誤作三百十九兩四分。
役食，凡銀一千一百九十一兩八錢五分三釐，今核得一千一百九十兩二錢一分三釐。
留支，凡銀二千六百四十八兩九錢七分六釐，閏年留支二千六百九十五兩三錢四分三釐，今核得凡銀二千六百三十三兩三錢三分六釐，閏年銀二千六百七十八兩七錢三釐，均與原數不符。

文安縣：地總數三千五百二十六頃八十一畝三分三釐，其細數併得四千二百二十四頃五十七畝七分一釐三毫四忽七微二纖，與總數不符。又細數内，收撥豐潤地，每畝銀三毫六絲有奇，每畝上脱地閏二字。

征丁銀，誤多五百兩。

額征銀，誤多一錢九釐，閏年征銀，誤多一錢一分。

典史、司獄各俸銀三十一兩五錢二分，誤作三十三兩一錢一分四釐。

馬快八，每名銀十六兩八錢。銀一百三十四兩四錢，誤作步快八，每名銀十八兩。銀一百五十四兩。

民壯銀二百六十四兩，誤作六十四兩。

雜項，脱漏凡銀一百二十九兩五分四釐，閏增銀四兩八錢。

大城縣：地總數二千三百九十七頃四十四畝九分五釐，其細數併得二千三百七十九頃三十九畝九分五釐，與總數不符。

北岸同知皁隸銀，誤少二兩。

雜項，脱漏凡銀一百二十一兩二錢九分七釐，閏增銀四兩二錢。

帶辦，凡銀八十三兩八錢三分四釐，今核得八十一兩一錢六分六釐，與原數不符。

留支，凡銀二千四百三十七兩一錢九分三釐，閏年銀二千五百七兩六錢三分五釐，今核得凡銀二千四百三十四兩五錢二分五釐，閏年銀二千五百四兩九錢六分七釐，與原數不符。

保定縣：地細數較多總數七釐二毫。

脱漏額征銀一千五百五十三兩九錢二分四釐，閏年征銀一千六百三十一兩八錢六分四釐。

雜項，脱漏凡銀七十四兩七錢五分七釐，閏增銀六錢。

舉人花紅旗匾銀，誤少六分。

薊州：地總數四千五百二十七頃六十二畝八分六毫，其細數併得四千四百二十八頃十九畝八分三釐二毫四絲，與總數不符。

額征銀一萬九百七十八兩九錢八分九釐，閏年征銀一萬一千五十一兩九錢三分一釐，今核得額征一萬一千七百八十八兩九錢八分八釐八毫，閏年征銀一萬一千八百六十一兩九錢二分八釐八毫，與原數不符。

役食，凡銀一千五百三兩五錢三分三釐，閏增銀十兩，今核得凡銀一千四百五十九兩七錢三分三釐，閏增銀九兩，與原數不符。

廪生脱漏總銀數九十六兩。

孤貧銀二百二十八兩八錢二分三釐，誤作一百三十六兩二錢二分三釐。

帶辦，凡銀一百二十一兩二錢四分九釐，今核得一百十七兩九錢一分六釐。

留支，凡銀八千六百八十兩五錢三分一釐，閏年銀九千一十兩二錢九分七釐，今核得凡銀六千四十五兩一錢二分四釐，閏年銀六千三百七十九兩八錢九分，與原數不符。

平谷縣：地總數四百七十七頃七畝四分一釐，其細數併得四百七十四頃九十五畝二分九釐，與總數不符。

留支，凡銀一千四十八兩二分九釐，閏年銀一千一百八兩七錢三分，今核得凡銀一千七百十兩八錢八分七釐，閏年銀一千七百四十兩八分四釐，與原數不符。

又查通州歲征永樂集斗行四名，價銀一兩，應作各價銀一兩。涿州歲征總銀八十一兩九錢八分七釐，其細數併得一百三十二兩二錢二分九釐二毫，與總數不符。

保定縣歲征總銀十兩二錢，其細數併得十三兩，與總數不符。

德清傅雲龍纂

食貨志四

田賦下

前代田賦考

禹貢：冀州厥土惟白壤，厥賦惟上上，錯厥田爲中中。按：禹貢冀州兼幽州地，它州先田，此獨先賦，賦不盡出于田也。馬融曰：地有上下，相錯通率第一。鄭康成曰：此州入穀不貢賦之差一井，上上出九夫，稅上中出八夫，稅上下出七夫，稅中上出六夫，稅中中出五夫，稅中下出四夫，稅下上出三夫，稅下中出二夫，稅下下出一夫，稅通率九州一井稅五夫。又曰：地當陰陽之中，能吐生萬物者曰土；據人功作力，競得而田之，則謂之田。田著高下之等者，當爲水害備也。據此，則上上云者，言九州之中爲第一也；中中，以田之地勢言，不論肥瘠也。僞傳云，雜出第二。又云，田之肥瘠，均非史記厥並作其。前燕慕容皝以牧牛給貧家田於苑中，公收其八；有牛無地者，亦田苑中，公收其七，三分入私。文獻通考。後魏太和八年，幽州以麻布充稅。魏食貨志。北齊天保八年，議徙冀、定、瀛州無田之人於幽州、范陽，寬以處之，謂之樂遷。隋食貨志。唐范陽郡貢綾二十疋，密雲郡貢人參五斤，漁陽郡貢鹿角膠十斤，歸德郡貢林尾三枚，通典。又幽州貢綿、絹、角弓、栗。唐地理志。開元時，河北不通運，州租皆以絹代。後唐長興四年五月，户部奏，幽大小麥、穬麥、豌豆，六月一日起徵，八月十五日納足，正稅疋帛、錢、鞋、地頭穲麯、蠶、鹽及諸色折科，六月十一日起徵，至八月二十五日納足。文獻通考。宋霸州貢絹。宋地理志。遼大康十五年詔：山前後未納税户，並於密雲、燕樂兩縣占田置業入税。元太祖時，中都田時久荒，兵後無牛可耕，乃於盧溝橋索軍回所，驅牛十取其一，得數千頭，分給近縣。明洪武初，北平田土五十八萬二千四百九十九頃五十一畝，夏税麥三十五萬三千二百八十石，絹三萬二千九百六十二疋，秋糧米八十一萬七千二百四十石。弘治十五年，順天府官田八百三十五頃五十畝零，民田六萬七千八百八十四頃五十七畝零，夏税小麥一萬九千六百三石四斗三升零，人丁絲綿折絹二千一百七十五疋一丈六尺零，農桑絲折絹一千七百六十四疋一丈七尺零，秋糧粳稻，粟米四萬七千一百三十四石二斗三升零，地畝棉花絨九千四百二十六斤一十四兩五錢六分零。續文獻通考。萬曆年，按：沈應文、譚希思府志修于萬曆二十一年。官民田地，大興縣：起運夏税銀三百三十一兩四錢八分五釐八絲二微五纖，存留夏課銀一百二十四兩三錢三分七釐一毫五絲七忽，起運秋糧銀四百九十八兩八分五釐八毫四絲四忽，存留秋糧銀二百六十七兩九錢九毫九絲三忽五微四沙六塵，起運馬草銀二百四十六兩七錢一分五釐，存留馬草銀一千一百五十六兩二錢一分七忽四微一纖九沙，存留户口鹽鈔銀一百六十八兩四錢一分六釐，進宮子粒銀一千一百五十三兩一錢九分五釐三毫六絲七忽三微三纖五塵，馬房子粒銀七十六兩六錢九分八釐，備邊銀八百三十四兩八分二毫三微，給爵銀四百八十六兩九錢七釐。宛平縣：起運夏税銀二百七十六兩二分四釐二毫七忽五微一纖八沙七塵八埃一渺二漠五模，存留夏税銀九十一兩八錢六分一釐六毫二絲七忽九微三纖八沙九塵，起運秋糧銀四百二十二兩四錢九分七釐一毫四絲一忽三微六纖七沙二塵，存留秋糧銀二百四十二兩二錢五分二釐九毫五絲一忽九微一纖四沙二塵，起運馬草銀三百八十七兩八錢八分八釐五毫二絲七忽九微四纖九沙七塵八埃，存留馬草銀二千三十三兩五錢三分四釐三毫四絲一忽八微九纖七沙八塵，起存户口鹽鈔銀二百九兩九錢二分九釐，進宫子粒銀一千二百一十五兩六錢一分五釐五毫九絲六忽二微二纖，馬房子粒銀一百一十二兩九錢九分五釐五毫，備邊銀二百一十七兩五錢八分一釐二毫，給爵銀七百九十六兩一分四釐，站糧銀一千二百八十一兩四錢四分五釐三毫二絲四忽七微八塵。地畝出辦。良鄉縣：起運夏税銀三百一十七兩七錢六分三釐二毫一絲七忽一微八纖七沙五塵，存留夏税銀二百五十三兩八分八釐五毫四絲四忽，起運秋糧銀五百四十四兩七錢九釐七毫二忽九微六纖，存留秋糧銀三百七十六兩六錢六釐六毫五絲七忽二微二纖四沙三塵，起運馬草銀六百四十兩四錢一分五釐，存留馬草銀八百六十三兩三錢二分五釐，起存户口鹽鈔銀一百一兩四錢，進宫子粒銀三百九十四兩九錢六釐三毫六絲，備邊銀六十四兩三錢九分五釐，給爵銀五百七十八兩三錢九分七釐，站糧銀四千六十二兩三錢五分二釐，（地畝出辦。）經費銀二千七百五十兩六錢一釐。（地畝出辦。）固安縣：起運夏税銀五百二十二兩三錢四分一釐五毫五絲九忽三微七纖五沙，存留夏税銀一百八十兩五錢三釐四毫，起運秋糧銀八百二十兩七錢三分七釐五毫，存留秋糧銀四百一十八兩三錢八分七釐二毫九絲一忽三微二纖一沙二塵，起運馬草銀一千九百六十二兩三錢三分八釐，存留馬草銀二千五百四十二兩五分，起存户口鹽鈔銀一百七十三兩一錢一分二釐，備邊銀一百五十三兩三錢一分三釐四毫，給爵銀二百二十九兩五錢三分六釐，站糧銀四千二百五十七兩三錢五毫二釐，（地畝出辦。）經費銀二千一百二十六兩二錢一分，（人丁、地畝出辦。）柴薪銀六十兩。（解本府，地畝出辦。按：固安陳志云，明固安縣官民屯徵糧地四千六十一頃六十二畝九分五釐，夏税額徵小麥七百一十三石二斗三升九合，內起運四百一十三石四升，存留三百石八斗三升九合，通融一條鞭派每石折銀七錢八分六釐五毫三絲六忽，秋糧額徵粟米一千六百七十九石四斗一升二合一勺五抄三撮二圭二粒，內起運九百八十二石一斗，存留六百九十七石三斗一升二合一勺五抄二撮二圭二粒，通融一條鞭派每石折銀七錢五分五釐八毫四絲，馬草額徵一十五萬七千四百三十九束，通融一條鞭派每束折銀二分九釐七毫九絲二忽三微九纖，農桑絲折絹二百一十三疋一丈五尺五寸二分五釐，每疋折銀七錢，人丁絲折絹二十三疋六尺，每疋折銀七錢，地畝棉花絨一千二百六十五斤，每斤折銀八分，以上夏税，秋糧，馬草、絲綿，遞年分派，每地一頃，納銀一兩六錢七分八釐三毫二絲，實徵糧地四千八十一頃七十六畝七分五釐七毫一絲。）東安縣：起運夏税銀五百八十三兩九錢二釐二毫二絲一忽八微七纖五沙，存留夏税銀一百七十四兩九錢四分三釐八毫，起運秋糧銀八百四十四兩五錢三分八釐六毫，存留秋糧銀四百三十五兩四錢二分九釐四毫九絲二忽，起運馬草銀二千九百五十二兩一錢九分，起存户口鹽鈔銀三百一十七兩四分，進宫子粒銀三百二十七兩七錢四分一釐六毫，馬房子粒銀四百三十六兩六錢一分三毫，備邊銀四百兩九錢一分三釐九毫，給爵銀七百七十六兩二錢三分一釐，站糧銀五千六百二十四兩二錢二分一釐七毫一絲六忽七微九纖三塵，地畝出辦。經費銀一千一百六十三兩二錢七分七釐一毫，人丁、地畝出辦。柴薪銀二千四兩。解本府，地畝出辦。永清縣：起運夏稅銀三百三十七兩三錢一釐二毫一絲八忽七微五纖，存留夏稅銀一百三十八兩五錢五分七釐四毫，起運秋糧銀五百六十七兩一錢七分二釐，存留秋糧銀三百一十八兩五錢五分一釐四毫二絲五忽八微六纖，起運馬草銀二千一百五十兩六錢六分二釐，起存户口鹽鈔銀一百七十一兩一錢四分四釐，進宮子粒銀一千六百三十六兩二錢五分七釐三絲五忽，備邊銀三千一百一十九兩八錢四分九釐六毫，給爵銀四千二百二兩五錢六分六釐七毫，站糧銀三千九百三十二兩六錢三分九釐，地畝出辦。經費銀一千二百四十一兩八錢八分，地畝出辦。柴薪銀一十二兩。解本府，地畝出辦。香河縣：起運夏稅銀二百五十五兩六錢五分一釐八毫一絲二忽五微，存留夏稅銀一百一十二兩三錢三分五釐七毫八絲，起運秋糧銀五百一十九兩八錢三分四毫，存留秋糧銀三百一兩九錢三分一釐五毫六絲六忽八微，起運馬草銀五百八十七兩九錢三分，存留馬草銀五十七兩五錢七分五釐，起存户口鹽鈔銀六十六兩七錢二分，進宮子粒銀一百七十三兩三錢六分一釐，馬房子粒銀二千一百八十八兩六錢四分三釐，備邊銀八十二兩六錢一分七釐八毫，給爵銀一千五百五十四兩四錢八分九釐，站糧銀一千五十五兩七錢八分四毫四絲四微四纖，地畝出辦。經費銀一千二百五十一兩一錢四分六釐，人丁、地畝出辦。柴薪銀二十四兩。解本府，地畝出辦。通州：起運夏稅銀六百一十四兩九錢二分三釐三毫五絲五忽四微六纖八沙七塵五埃，存留夏稅銀二百四十四兩二錢七分九釐二毫二絲八忽九微八纖，起運秋糧銀九百四十六兩四錢九分五釐五毫，存留秋糧銀五百六十五兩四釐五毫二絲七忽二微二纖，起運馬草銀九百三十二兩四錢一分五釐，存留馬草銀一千四百二十九兩五錢七分五釐，起存户口鹽鈔銀一百三十八兩七錢六分八釐，進宮子粒銀一千六百三十九兩六錢二分一釐五毫四絲五忽，馬房子粒銀一百五兩八錢六分四釐九毫，備邊銀一百六十一兩三錢三分三釐六毫，給爵銀五百二十四兩九錢八分四釐，站糧銀四千五百五十四兩九錢九分。地畝出辦。三河縣：起運夏稅銀四百三十四兩一錢二分二釐八毫九絲二忽一微八纖九沙五塵，存留夏稅銀一百六十八兩一錢一分七釐九毫六絲，起運秋糧銀六百六十一兩八錢一分八釐八毫二絲，存留秋糧銀三百九十兩二錢七分八毫五絲九忽二微六纖三沙，起運馬草銀一千三兩九錢一分，存留馬草銀一千五百三十七兩一錢二分五釐，起存户口鹽鈔銀一百三十三兩四錢一分六釐，進宮子粒銀九百六十九兩三錢一分八釐九毫，馬房子粒銀二千四百九十七兩九錢七分五釐，備邊銀三百九十二兩三錢九分，給爵銀五千二百八十一兩一錢二分五釐，站糧銀七千一百二十八兩四錢六分二釐四毫，地畝出辦。經費銀四千二百五兩九錢六釐九毫一絲六忽一微七纖七沙七塵，地畝出辦。柴薪銀二十四兩。解本府，地畝出辦。武清縣：起運夏稅銀五百六十二兩二錢七分六毫一絲八忽七微五纖，存留夏稅銀二百三十二兩一錢八分一釐七毫七絲二忽，起運秋糧銀八百七十八兩三錢一分一釐，存留秋糧銀五百三十二兩一錢八釐二毫九絲三微三沙，起運馬草銀二千四百八十五兩八錢一分五釐，起運戶口鹽鈔銀二百兩六錢四分，進宮子粒銀四千六百四十三兩三錢二分九釐四毫九絲五忽二纖，馬房子粒銀四千六百三十九兩二錢五分四釐，備邊銀八百四十兩三釐六毫，給爵銀六千七百兩三錢一分八釐，站糧銀五千八十七兩四錢四分二釐六毫一絲八忽三微七纖，地畝出辦。經費銀一千三百四十兩八錢八分，人丁、地畝出辦。柴薪銀一十二兩。解本府，地畝出辦。漷縣：起運夏稅銀三百八十五兩九錢三分四釐四毫四絲三忽七微五纖，存留夏稅銀一百七十五兩七錢七分六毫三絲三忽一微八纖六塵，起運秋糧銀八百三十三兩一錢九分二釐二毫六絲五忽，存留秋糧銀四百八十八兩六錢六分四毫七絲六忽六微二纖，起運馬草銀一千一百七十兩九錢八分七釐，存留馬草銀六十三兩九錢七分五釐，起存戶口鹽鈔銀三十六兩九錢八分四釐，給爵銀六百四十六兩三錢三分三釐，站糧銀二千二百二十兩一錢九分八釐八毫四絲，地畝出辦。經費銀七百二十兩四分九釐四毫，地畝出辦。寄養馬匹草料銀一千一百八十八兩八錢四分七釐三毫四絲。寶坻縣：起運夏稅銀五百一十兩九錢三分八毫四絲九忽三微七纖五沙，存留夏税銀一百六十九兩五錢四分八釐，起運秋糧銀六百九十七兩九錢四分三釐，存留秋糧銀四百四兩二錢六分三釐六毫三絲四忽七微，起運馬草銀七百六十三兩八錢六分五釐，存留馬草銀一千一百九十兩四錢，起存户口鹽鈔銀二百五兩五錢一分二釐，進宫子粒銀三千八百一十兩，馬房子粒銀八千五百八十四兩三錢一分六釐五毫，備邊銀一千三十二兩二錢七分二釐二毫，給爵銀三千五百二十七兩一錢二分四釐九毫，站糧銀四千四百五十七兩四錢七分一毫，（地畝出辦。）經費銀二千三百一十三兩三錢一分二釐五毫，（人丁、地畝出辦。）柴薪銀四十八兩，（解本府，地畝出辦。）梁城所進宫子粒銀一千一百一十八兩七錢九分一釐四毫。薊州：起運夏税銀四百十三兩六錢一分八釐七毫六絲八忽七微五纖，存留夏税銀一百九十兩三錢八分八釐四毫三絲二忽六微四纖六塵，起運秋糧銀七百四兩五錢五分五釐五毫，存留秋糧銀四百三十六兩三錢一分二釐四毫四絲七忽三微二纖三沙六塵，起運馬草銀五百一十八兩九錢九分，存留馬草銀七百九十六兩四錢五分，起存户口鹽鈔銀五十八兩二錢一分二釐，馬房子粒銀六千一百七十九兩三分，備邊銀一千一百六兩二錢五分一釐八毫，給爵銀三千五百二十七兩一錢二分四釐九毫，站糧銀一千四百六十五兩九錢八分五釐四毫八絲，（地畝出辦。）經費銀二千六百八十五兩五錢，（人丁、地畝出辦。）柴薪銀三十六兩。（解本府，地畝出辦。）平谷縣：起運夏税銀一百六十六兩八錢九分七釐四毫三絲七忽五微，存留夏税銀七十一兩九錢八分四釐八毫八絲六忽六微，起運秋糧銀二百六十二兩二錢八分七釐五毫，存留秋糧銀一百六十四兩四錢四分二絲六忽六微，起運馬草銀二百六十六兩八錢四分五釐，存留馬草銀三百七十九兩五錢，起存户口鹽鈔銀八十兩四錢四分八釐，給爵銀二百一十九兩一錢九分三釐，站糧銀六百九十一兩九錢八分一釐三毫六絲九忽二微，地畝出辦。經費銀二千七十二兩六錢六分三釐五毫六絲二忽六微，地畝出辦。柴薪銀一十二兩。解本府，地畝出辦。昌平州：起存夏税銀糧已經奏免，止派京庫人丁絲折絹銀九兩九錢三分一釐二毫五絲，農桑絲折絹銀二十五兩一錢一分九釐六毫三絲四忽三微一纖六沙三塵五埃，地畝棉花絨銀三十四兩七錢一分八釐九毫五絲九纖五沙九塵，起運馬草銀一千四百四十三兩二錢五分九釐六毫一絲九忽一微四纖五沙六塵四埃，存留馬草銀一千八百六十六兩一錢九分六釐八毫六絲六忽五微六纖三沙九塵二埃，起存户口鹽鈔銀一百五十六兩三錢五分，進宫子粒銀二百八十兩三錢四分一釐二毫，馬房子粒銀八百八十一兩二錢八毫，給爵銀一千四百九兩九錢八分一釐二毫，站糧銀三千三百九十九兩七錢七分二釐一毫，地畝出辦。經費銀一百十一兩八錢八釐二毫六絲二忽五微一纖七塵。地畝出辦。密雲縣：起運夏税銀四百一兩八錢六分五釐六毫二絲五忽，存留夏税銀二百一兩六錢二分九釐四毫三絲四微八纖三沙，起運秋糧銀八百八十三兩五錢八分，存留秋糧銀五百五十九兩二錢五分一釐四絲八忽，起運馬草銀一千二百五兩九錢二分五釐，存留馬草銀一千七百七十七兩二錢七分五釐，起存户口鹽鈔銀一百二兩九錢六分，站糧銀二千六十七兩一錢三分九釐二毫六絲，（地畝出辦。）經費銀一千五百五十四兩八錢二分六釐，（人丁、地畝出辦。）柴薪銀二十四兩。（解本府，地畝出辦。）順義縣：起運夏税銀二百九十四兩二錢二分二釐九毫三絲七忽五微，存留夏税銀一百三十八兩九錢四分八釐九毫四絲八忽，起運秋糧銀五百二十七兩五錢一分一釐五毫，存留秋糧銀三百一十七兩六錢九分二釐八絲，起運馬草銀二千四百五十八兩九錢六分，存留馬草銀七千八兩四錢，起存户口鹽鈔銀一百三十七兩五錢九分二釐，進宫子粒銀四百三兩一錢七分，馬房子粒銀一千四百一十六兩九錢九分，備邊銀八十八兩五錢一釐五毫，給爵銀一千一百二十五兩八錢二分五釐二毫，站糧銀二千五百五十八兩九錢二分五釐五毫，（地畝出辦。）經費銀二百六十六兩七錢，（人丁出辦。）扛夫銀六百七十四兩九錢一分，（地畝出辦。）柴薪銀一十二兩。（解本府，地畝出辦。）懷柔縣：起運夏税銀二百九十兩二錢九分四釐一毫七絲，存留夏税銀一百三十二兩九錢四釐一毫七絲，起運秋糧銀五百七十二兩九錢九分五釐五毫，存留秋糧銀三百二十六兩三錢二分三釐三毫八絲，起運馬草銀一千三百三十八兩八錢三分五釐，存留馬草銀六十五兩六錢，起存户口鹽鈔銀六十八兩一錢六分，進宫子粒銀二十二兩七分九釐，給爵銀九十五兩一錢五分四釐，站糧銀一千五百八十六兩二錢八釐六毫一絲五忽，地畝出辦。經費銀六百五十七兩三錢一分三釐二毫。人丁、地畝出辦。涿州：起運夏税銀六百七十七兩八錢五分二釐三毫九絲六微二纖五沙，存留夏税銀二百三十七兩六分五釐三毫一絲六忽四微二沙六塵，起運秋糧銀一千八十九兩二錢七分三釐一毫，存留秋糧銀五百六十兩一錢七分八絲二忽九微一纖三沙，起運馬草銀二千九百四十九兩三錢一分，起運户口鹽鈔銀一百七十二兩七錢四釐，進宫子粒銀四百三十二兩二錢四分九釐，站糧銀八千六百三十二兩四錢四分四釐，經費銀二千二百六十一兩三錢二分，柴薪銀六十兩。解本府，地畝出辦。房山縣：起運夏税銀三百一十兩三錢九分六釐八毫四絲六忽八微七纖五沙，存留夏税銀一百五兩七錢六分四釐八毫五絲九忽五微四纖，起運秋糧銀四百八十二兩四錢六分三釐五毫，存留秋糧銀二百四十三兩四錢三分六毫八絲四忽六微八纖，起運馬草銀一千六百三十兩七錢六分，存留馬草銀六十四兩二錢，起存户口鹽鈔銀五十七兩六錢四分八釐，進宫子粒銀二百四十二兩六錢六分五釐四毫五絲二忽六微，站糧銀二千九百四十一兩八錢一分五釐一毫四絲五忽二微，地畝出辦。經費銀一千一百四十六兩八錢二分三釐四毫九絲九忽六微，人丁、地畝出辦。柴薪銀一十二兩。解本府，地畝出辦。

霸州：起運夏税銀四百三十九兩七錢四分七釐九毫六絲八忽七微五纖，存留夏税銀一百八十九兩四錢六分六釐七毫七絲七忽五微九纖，起運秋糧銀七百八十六兩一錢七釐五毫，存留秋糧銀四百三十九兩三錢六釐二毫二絲二忽六微八纖三沙，起運馬草銀一千九百九十八兩九錢五分，起存户口鹽鈔銀二百四十六兩五錢七分六釐，進宫子粒銀八百四十一兩四錢一分六釐三毫，馬房子粒銀一千五百兩四錢二分七釐，給爵銀六百七十七兩四錢八分三釐八毫，葦課銀一千一十四兩五錢二分三釐一毫六絲，站糧銀三千七百七十八兩八錢七分八釐八毫七絲，地畝出辦。經費銀二千一百二十六兩三錢，人丁、地畝出辦。柴薪銀六十兩。解本府，地畝出辦。文安縣：起運夏税銀一千二百一十七兩三分二釐一毫，存留夏税銀五百二十兩九錢六分七釐九毫九絲三忽一微，起運秋糧銀一千九百七十兩七錢六分六毫，存留秋糧銀一千一百九十六兩四錢三分三釐五毫七絲四微二纖，起運馬草銀三千四百三十四兩六錢六分，起存户口鹽鈔銀二百六十八兩七錢四釐，進宫子粒銀一百三十三兩八錢四分二釐三毫五絲二忽九微四纖，給爵銀五百九十一兩二錢八分七釐六毫，葦課銀三百八十三兩五釐四毫八絲五忽，站糧銀三千八百九兩三錢七分七毫八絲五忽，地畝出辦。經費銀一千七百二十八兩七分六釐，人丁出辦。柴薪銀一十二兩。解本府，地畝出辦。大城縣：起運夏税銀七百五十兩四錢七分八釐五毫二絲一忽八微八纖五沙五塵，存留夏税銀三百六兩七錢三分九釐五毫一絲八忽二微四纖三沙，起運馬草銀一千八十二兩三分五釐，存留户口鹽鈔銀二百六兩九錢四釐，給爵銀一兩三錢二分六釐，葦課銀三百五十八兩二錢九分四釐四毫四絲，站糧銀一千七百二十二兩五錢九分五釐五毫五絲二忽，地畝出辦。經費銀一千五百七十二兩八錢一分，人丁、地畝出辦。柴薪銀三十六兩。解本府，地畝出辦。保定縣：起運夏税銀八十七兩九錢二分八釐九毫三絲七忽五微，存留夏税銀二十九兩二錢五分七釐六毫六絲五忽，起運秋糧銀一百一十兩一錢七分七釐五毫，存留秋糧銀六十八兩四錢三分四釐二毫三絲一忽一纖五沙八塵，起運馬草銀三百七十七兩四錢六分五釐，起存户口鹽鈔銀五十兩三錢四釐，進宫子粒銀八十六兩七錢，站糧銀五百九十六兩二錢二分二釐四毫一絲四忽七微，地畝出辦。經費銀四百一十兩三錢五分，人丁、地畝出辦。已上據萬曆沈志。常賦之外，軍輸雜辦，幾浮其半，所謂號房，即間架也，所謂鈔税，即征商也。萬曆沈志田賦小敍。大興、宛平兩縣，額供內府、監局、閣部、院寺、科道等衙門錢糧，皆取給於鋪行税契，年費約銀一萬三千五百五十三兩有奇。先是，鋪行以九則徵，里甲不革，税契不減。萬曆四年，革里甲。十年，又免鋪行之下三則，房價之不及四十兩，與夫典契之税。府尹謝杰疏請復舊制，而少爲之差。府尹謝杰

疏：據兩縣知縣沈榜、署印縣丞張元芳卷查，兩縣額供內府、監局、閣部、院寺、科道等衙門錢糧，皆取給於鋪行税契之内，其中有一年一額支者，兩縣共一萬一千七十七兩六錢有奇，有三年一待支者，兩縣共四千八百六十六兩七錢零，每年約該積銀一千六百二十二兩零，有五年一待支者，兩縣共六百八十二兩零，每年約積銀一百三十六兩四錢零，有不時取用者，五年之內，如變染布絹、地價、喪禮等項，共銀三千五百九十兩零，每年約該積銀七百一十八兩零。兩縣每年通共約該費銀一萬三千五百五十三兩零。此外，聖駕謁陵，大婚及選駙馬等項，所費千兩、數百兩，猶不與焉，此兩縣出數之大較也。顧計其所入之數，則有大相懸絶者。先年鋪行九則全徵，每年兩縣所收約共萬有餘兩。里甲不革，税契不減，是以經費得以不匱。至萬曆四年，議將兩縣里甲裁革一千八百兩，十年又題將鋪行下三則免徵，約去五千一百八十兩，其税契買價不及四十兩，并典契一概免税，雖四十兩以上者，每兩亦止税

銀一分五釐，約計兩縣每年所入不過鋪行銀五千一百三十七兩三錢，其稅契如十六年審編立法極嚴之時，宛平止五百六十二兩一分一釐，大興止七百八十二兩七錢二分，以舊例六七千兩之稅銀，而一旦減損至此，是十而去其七八也。數年以來，庫藏一空，甚至借支拖欠，束手無措。在宛平縣，借支過鹽院備賑銀一千八十八兩零，又借別項官銀三千九百四十四兩八錢九分零，原借支過屯院備荒銀六百五十餘兩，目今借支見奉提完此兩縣告匱之請，所以年年申瀆未已也。乞將鋪行銀兩，俱照祖制九則全徵，其稅契除城外地畝，已近奉旨欽遵外，其城内房屋，亦照大明律内，不論典買，田宅多寡，每兩俱稅銀三分，候有餘之日，仍照前題減免議處。至於所出之數，如會試、殿試、武會試，天下之公事也，鄉場内八府之公事也，又如聖駕謁陵等費，或變染鋪墊，或給買地價，或如近日佛經泥金，又如兵部取用車輛，合無懇將公事屬天下者，派之各省，屬畿内者，派之八府，屬京府者，取之太倉，則費出有經，官民無累，爲此備由到職。該職看得理財之方，不越二端，惟其入之常裕，斯其出之常羸，則量入爲出者，古今生財之要術也。古者徙郡國豪傑實茂陵，國初徙富民實京師，皆所以培植根本，使之富强，未聞剗之削之，必使之告匱不支如今日者也。臣以爲欲裕其所入，其説有二，欲節其所出，其説亦有二。其説何居？要不過卽二縣之現請者，而申明之。非申明二縣之説，乃申明祖宗之制也。職按大明律内所載，典賣田宅不税契者，笞五十，仍追半價入官，鋪行亦令九則全徵，是此二事者，乃國家二百年通行之舊規。至皇上之初年，當事者始更而張之爾。故職於裕所入之説，其一曰復税契。夫屋契四十兩不税矣，析一契而二之、三之，則八十兩不税，百有二十兩亦不税也。典契不税矣，買而托之於典，則百金不税，千金亦不税也，徒使税之匿無已時也。故不如因而盡復之，而直徵爲之區別四十兩以下者，向以每兩税三分，今則去其三之二，令以一分税焉，或以八釐税焉，典契則去其四之三，以七釐税焉，或以五釐税焉，都城之内，但使家家無不税之契，得寸而寸，得尺而尺，其利固已不貲矣。以概税存高皇之律，以薄税廣皇上之仁，使人無所用其詐，是兩利之道也。其二曰復下則。夫鋪行故共九則，以上中下而三分之則，而曰：下亦貧者也，貧而甚者也，何爲而欲復之？不知免其下則者，乃開一竇以示之匿，爲中則者曰：吾可以下也。爲上則者，亦曰：吾可以下也。貪緣百出，無所不至。故不如亦因而盡復之，而稍爲之差等。向者下下則每年出銀一錢，今或減而爲七分、六分，下中則每年出銀二錢，今或減而爲一錢五分、一錢三分，下上則每年出銀三錢，今或減而爲二錢五分，或二錢，吾既無所不徵，彼亦無所用匿，縱有所匿，亦匿于則之輕，而非匿於則之無也，是又一道也。職於節所出之説，其一曰均遠近。夫尚供之物，獨取諸二縣者，利其近也。如鄉試，則畿内之事遠矣。會試、殿試、武會試，則海内之事尤遠矣。職按舊籍，會試上下馬宴，補辦家火之類，約費府縣銀一千九百一十七兩有奇，殿試及狀元歸第宴費，二縣銀六百四十五兩有奇，鄉試、武會試各項支應約費府縣銀一千七百八十七兩有奇，是皆協濟均出之外，而獨累該縣者也。夫此四千三百四十餘金者，出之二縣，縣各二千一百七十餘金，何其重也？若派之各省，則省各一百九十餘金，派之八府，則府亦各一百八十餘金，又何輕也！派諸各省者，責於省臣之入覲；派諸八府者，責於府臣之入覲；各令順賫解部，以備各試之需，則一轉移間，所釋肩於劇邑者，不翅廣矣。職故以爲均之便也。他如兵部有車輛之費，宜歸之遞運所；膳黄、清黄，有紙劄、木炭之費，宜歸之本府；内府染絹之費宜節，自葦把脚價之費宜蠲，則省一分，受一分之賜，民窮財盡之秋，亦不得不併以請也。其二曰酌徵解。職考鋪行之銀，自萬曆十年以後，始解之，由二縣，而徵之自五城。夫五城既可以徵，自可以解，二縣既可以解，自可以徵，如念二縣之疲極矣，而分其解於五城，令鋪墊之需，守候之苦，不以獨勞，是固息肩之上法也。如謂縣官之解，相沿已久，則責其解，而亦責其徵，復十年以前之舊焉可也。如謂五城之徵解爲便，當年題改不爲無見，則以督察比較屬之於府焉亦可也。錦衣難於比較，聽其仍舊徵解亦可也。但九則全徵則同耳。是亦所當講求者也。夫由前二説，皆裕其所入；由後二説，皆節其所出。是説也，古人量入爲出之説也。職雖至愚極陋，豈不知媚人之可以希悦，節省之可以沽名哉！但節省之云者，亦萬而節之千，或千而節之百，去其太甚之謂也。豈有税契原及六七千，一省而僅存六七百；鋪行原及萬餘兩，一省而僅存五六千；或去其九，或損其半，而可名之曰節省也！故其勢不得不爲之量增也。雖由此而得謗得罪，職不辭也。如果職言不謬，勅下户部，酌量可否，覆請舉行，簡命科道，會同編審。

明馬政編地考

馬養於民，宋王安石保馬法也。永樂初，設太僕寺於北京。十二年，令北畿民計丁養馬，五丁養一，免田租之半。薊州以東，每軍飼種馬一，置草場於畿内，草場日削。弘治初，兵部主事湯冕、太僕卿王霽、給事中韓佑、周旋、御史張淳，皆請清覈。旋言香河縣地占於勢家，霸州有仁壽宫皇莊，乞罷之，以益牧地。雖允行，卒不能清。據明兵志。地有廣狹而民病，養有厚薄而馬病，民困于牧芻，馬疲于顧賃，而人馬俱病。況年不能有豐無歉，歉矣是徒受免租之名，馬不能有生無死，死矣是漸積追賠之累。而其編地之制，有足殷鑒者：大興縣，原額養馬地五百四十七頃五十畝，寄養馬三百六十五匹，勘明荒地百四十三頃六十九畝五分，減馬百五，奉例減馬五十，實編養馬二百十户，將空閑人户地土盡編入户，每養馬一匹，編地二頃六十畝七分。宛平縣，原額養馬地一千四百二十二頃四十三畝八分六釐六毫，寄養馬九百十六匹，勘明荒地百九十四頃十四畝七分四釐七毫五絲，減馬三百七十六，奉例減馬九十九，實編養馬四百四十一户，亦如大興縣將空閑人户地土盡編入户，下同。每養馬一匹，編地三頃二十一畝二釐八毫，原額草場地十四頃九畝七分七釐，每年徵銀四十九兩九錢一分四釐。良鄉縣，原額養馬地一千四百八十六頃，寄養馬一千四百八十六匹，勘明荒地二百二十頃九十三畝三分七釐，減馬二百八十六，奉例減馬五百，實編養馬七百户，每養馬一匹，編地一頃八十畝七分二釐五毫二絲，原額草場地一十二頃八十畝，不堪種地五頃三十畝，堪種地七頃五十畝，每年徵銀三十兩。固安縣，原額養馬地四千三十七頃七十六畝，寄養馬二千四百二十二匹，勘明荒地四百三頃三十五畝一分六釐七毫，減馬三百四十二，奉例減馬七百六十，實編養馬二千三百四十户，每養馬一匹，編地一頃五十六畝六分六釐四毫一絲七忽六微八纖，原額三千等營草場地百四十頃四十三畝一分一釐五毫，每年徵銀四百二十一兩二錢九分五釐四毫五絲，增子粒銀四十兩五錢八釐四毫九絲，每年額徵三千營牧馬子粒銀四百二十一兩二錢九分三釐四毫五絲，解兵部。永清縣，原額養馬地一千九百九十六頃一畝四分四釐，寄養馬一千七百一十六匹，勘明荒地一千二百二十四頃一十五畝四分五釐三毫，減馬一千五十二，奉例減馬二百一十四，實編養馬四百五十户，每養馬一匹，編地四頃四十三畝四分四毫四絲，原額草場地十八頃八十八畝二分，不堪種地一頃九十八畝二分，堪種地十六頃九十畝，每年徵銀六十七兩六錢，原額京營子粒每年徵銀二百一兩三錢，年額徵牧馬子粒銀六十八兩四錢，解兵部，子粒銀三十六兩六錢七分五釐五毫，解户部，敢勇等營上、中、下地銀二百六十六兩二錢四分四釐二毫四絲一忽五纖，寇經新認荒蕪地十六兩二錢，解兵部。東安縣，原額養馬地三千二百三十四頃八十一畝四分六釐七毫，寄養馬二千四百三十八匹，勘明荒地八百六頃七十一畝七分九釐，減馬六百八，奉例減馬九百九十，實編養馬八百四十户，每養馬一匹，編地三頃八十四畝二分三釐八毫。香河縣，原額養馬地三百四十五頃，寄養馬六百九十，勘明荒地二十頃，減馬四十匹，奉例減馬百二十，實編養馬五百三十户，每養馬一匹，編地六十五畝，神機營地三百一十頃三十三畝二分五釐五毫，年徵銀八百六十六兩二分六釐五絲，丈出草場銀百二十八兩八錢八分五釐，嘉靖三十五年，開草場，地租銀六十四兩九錢七分七釐，神機營牧馬子粒銀一千一百四十五兩四錢九分二釐六毫七絲九忽五微，解兵部。通州，原額養馬地八百七十七頃五十畝，寄養馬一千七百五十五匹，勘明荒地四十七頃五十畝，減馬九十五，奉例減馬六百五十八匹，實編養馬一千二户，每養馬一匹，編地八十二畝八分。三河縣，原額養馬地一千七十四頃七十畝，寄養馬二千一百四十九匹，勘明荒地九十六頃，減馬百九十二，奉例減馬一千八十四，實編養馬八百七十三户，每養馬一匹，編地一頃二十三畝，京營草場地五頃八十七畝，年徵銀十五兩九錢，伍軍營牧馬子粒銀十五兩九錢，解兵部，牧馬子粒銀五兩一錢四分，解户部。武清縣，原額養馬地一千二百二十一頃五十畝，寄養馬一千七百四十五匹，勘明荒地五百四頃，減馬七百二十，奉例減馬四百八十五，實編養馬五百四十户，每養馬一匹，編地一頃三十二畝八分七釐。寶坻縣，原額養馬地一千二百三十七頃二十畝，寄養馬二千四十九匹，勘明荒地七十頃三十三畝六分，減馬一百一十六，奉例減馬八百九十，實編養馬一千四十三户，每養馬一匹，編地一頃一十一畝八分七釐五毫七絲，草場地二十一頃七十畝，年徵銀一百四兩三錢六分二毫，焦坨兒、歇馬臺子粒銀八十六兩八錢，解兵部，又子粒銀四十三兩一分七釐二毫四絲，解户部。漷縣，原額養馬地六百七十七頃四十四畝三分七釐五毫，寄養馬七百八十三匹，勘明荒地三十九頃四十八畝三分六釐五毫五絲，減馬四十六，奉例減馬三百七十五，實編養馬三百六十二户，每養馬一匹，編地一頃五十六畝一分，草場地十九頃，不堪種地十四頃十七畝，堪種地四頃八十三畝，每年徵銀十九兩三錢六分。昌平州，原額養馬地九百七十六頃五十畝，寄養馬六百五十一匹，嘉靖二十九年因虜殘，題准休息二十年，隆慶四年三月，復題寄養一半。密雲縣，原額養馬地一千七百一十頃，寄養馬一千七百一十四匹，奉例減馬六百八十匹，實編養馬七百九十八户，每養馬一匹，編地一頃八十四畝。順義縣，原額養馬一千九百二十三匹，寄養馬一千九百二十三匹，勘明荒地百五十頃，減馬百五十匹，奉例減馬七百六十五匹，實編養馬一千八户，每養馬一匹，編地一頃七十五畝九分，原額養草地三十頃九十九畝，不堪種地十五頃五十畝，堪種地十五頃四十九畝，年徵銀六十一兩六錢八分，牧馬子粒銀六十一兩六錢八分，解兵部。懷柔縣，原額養馬地一千三百六十九頃六十一畝五分五釐，原額寄養馬一千一百九匹，勘明荒地二百五十六頃五十四畝四分七釐九毫，減馬二百匹，奉例減馬三百三匹，實編養馬六百六户，每養馬一匹，編地一頃八十三畝五分。涿州，原額養馬地一千八百六十五頃九十五畝八分，寄養馬二千六百四十三匹，勘明荒地一百五十三頃三畝四分，減馬二百七十七，奉例減馬九百九十四，實編養馬一千三百七十二户，每養馬一匹，編地一頃一十九畝四分二釐二毫七絲，原額草場地五十九頃，年徵銀一百七十九兩一錢九分，牧馬子粒銀二十九兩四分九釐，解兵部。房山縣，原額養馬地七百九十二頃三十五畝，寄養馬一千二百一十九匹，勘明荒地八十頃四十八畝一分三釐，減馬一百二十四匹，奉例減馬四百四十匹，實編養馬六百五十五户，每養馬一匹，編地一頃八畝六分六釐二毫二絲四忽五微，草場地一百九十一頃七十八畝六分六釐，不堪種地一百七十六頃五十二畝一分五釐，堪種地一十五頃二十六畝四分八釐，年徵銀六十一兩五分九釐二毫，牧馬子粒銀十九兩七錢一分六釐六毫五絲四忽八纖，解兵部。霸州，原額養馬地二千七百七十四頃三十八畝，寄養馬一千八百六十二匹，勘明荒地二百五頃五畝九釐，減馬一百三十八匹，奉例減馬六百十七匹，實編養馬一千一百七户，每養馬一匹，編地二頃五十畝六分二釐一毫四絲九忽，草場地三十頃一十六畝，年徵銀一百七十三兩三錢六分六釐九毫，原額并神武、三千等營草場地共七百九十頃五十四畝九釐一毫，年徵銀一千二百一十一兩五錢七分八釐七毫三絲，苑家等里京營子粒銀一千五百兩四錢三分七釐八毫七絲八忽，蒼兒淀牧馬子粒銀十九兩四錢三分六釐七毫四絲五忽，黑洋淀牧馬子粒銀八十六兩九錢五分八釐三毫，解兵部。文安縣，原額養馬地一萬八百頃六十九畝七分，寄養馬二千六百九十三匹，勘明荒地四千一百八十頃，減馬一千四十二，奉例減馬四百五十一，實編養馬一千二百户，每養馬一匹，編地小畝九頃五釐八毫，折大畝三頃一十三畝八分六釐八毫，草場地三十七頃五十二畝九分，不堪種地二十一頃六十九畝九分，堪種營地十五頃八十三畝，年徵銀六十九兩二錢六釐八毫，効勇等三營牧馬子粒銀六百三十六兩一分一釐八毫七絲二忽五微，大甯橋牧馬子粒銀四兩五錢九分九釐，解兵部。大城縣，原額養馬地一千七百三十五頃三十畝五分，寄養馬一千六百十八匹，勘明荒地四百七十二頃三十八畝四分，減馬四百四十一，奉例減馬三百四十八匹，實編養馬八百二十九户，每養馬一匹，編地一頃五十二畝三分四釐。保定縣，原額養馬地六百六十九頃七十三畝，寄養馬五百一十匹，勘明荒地一百九十四頃九畝四分，減馬一百一十二，奉例減馬二百一十八，實編養馬八十户，每養馬一匹，編地六頃五十五畝五分。薊州，原額養馬地六百七十五頃五十畝，寄養馬一千三百五十一匹，勘明荒地五十頃五十畝，減馬一百一十一匹，奉例減馬四百一十匹，實編養馬八百三十户，每養馬一匹，編地七十四畝七分，奮武等十二團營子粒銀六千一百三十三兩二錢四分四釐七毫四絲二忽一微，解兵部。平谷縣，原額養馬地三百七十四頃五十畝，寄養馬七百四十九匹，勘明荒地一十八頃五十畝，減馬三十七匹，奉例減馬一百七十七匹，實編養馬五百三十户，每養馬一匹，編地七十畝。萬曆沈志。按：

香河劉志云，明太僕寺寄養馬，本縣原額六百九十匹。嘉靖四十二年節經按院題減一百六十匹，後五百三十匹寄養五百三十户，十社屯置十羣，羣有長，有獸醫。其草料銀，通縣均派，每地六頃五十畝零，馬養一匹，內以地多者一人爲頭。如頭户絶逃，輪二户領養。每馬一匹，於六頃五十畝內人户派起草料銀七兩二錢，許馬户兑支，本縣每月一點驗，太僕寺少卿每歲終一巡查肥瘠虚實，得殿、最，縣官凡瘦損馬除退印外，姑容留養者名曰團槽，限三個月添臕解烙。平時馬有例失，馬户報縣，對領簿驗皮色，失者審核得實，俱取醫鄰結狀存案，通詳太僕寺三堂及順天府馬政廳，下縣照例處之，或免罪納價，或免罪買補，或問罪買補三等，以領養年分遠近爲差。其買補馬匹解寺印烙，先由馬政廳勘驗，次寺丞堂，次大堂，次少卿堂，或本馬不中退回再買。至調發兑軍，亦馬户管解交納，勞費不貲，賠累極苦，五年編審，乃得代焉。太僕寺頒行條欵附例於左：一、倒死馬匹，宜從萬曆三十年少卿施所題例，初次倒死者，十年以上追銀十兩，未及十年者，責令買補，買補復倒，十年以上追銀五兩，五年以上追銀八兩，未及五年者追銀十兩。凡遇災荒年分，顆粒不收，另行申請，以憑隨時酌處。一、科罰之法，宜從萬曆九年少卿蕭所題，例如領養三月內倒死者，免追補買，以領養年月稍近，不服水草所致，三月外倒死者，問罪買補，以服水草，以作踐之罪罪之。三年內倒死者，問罪買補，以領養年近，必作踐所致。三年外倒死者，免罪買補，以領養年分稍久，或羸瘦所致倒死。買補復倒者，例追價銀十二兩。一、若馬倒不行申報寺院，并該府私自買補，名爲冷補者，查出從重究治。一、如走失之馬，問擬查年月久近科之，如出巡走失之馬，不分年月久近。

明徭役考

萬曆二十一年，府尹謝杰題編頭役二千四百五項，共銀十四萬五千一百六十三兩五分二釐六毫五絲二忽一微二纖。大興縣，編頭一百七項，銀二千九百三十二兩二錢。（本府正堂門子一、左堂門子一，每名編銀十二兩。西城坊庫秤三名，每名原編銀一十兩，量增編銀十五兩。貢院門子二，每名原編銀二兩，量減編銀一兩五錢。太倉庫子每年二，每名原編銀十二兩，量減編銀七兩二錢。旛杆寺原編擡旛夫一名，題革。舊州守備衙門民壯五名，原編頭役改編，每名銀二十兩，聽彼募役，按季赴領。）宛平縣，編頭百五十四項，銀三千九百四十兩三錢九分三釐。（本府正堂門子一，更夫一，左堂門子一，每名銀十二兩。增本府刑北匠科書辦工食銀九兩。增三家店橋夫十六，每名銀一兩一錢。本縣正官門子二，每名原編銀三兩六錢，量增編銀四兩六錢。西城坊庫秤五名，每名編銀十兩八錢，量增編銀十五兩。天壇壇户十三名，每名原編銀三兩，量增編銀五兩。盧溝橋、齊家莊、王平口、石港口各巡檢司弓兵各二十，每名原編銀四兩，量增編銀六兩。翰林院門子二，每名原編銀六兩，量增編銀十兩。國子監廟户三名，每名原編銀四兩，量增編銀八兩。平津上水閘夫六，每名原編銀七兩二錢，量增編銀十二兩。下水閘夫一，原編銀七兩，量增編銀十二兩。貢院門子二，每名原編銀二兩，量減編銀一兩五錢。本縣各官下皂隸，共五十，每名原編銀四兩二錢，量減編銀三兩五錢。本縣佐貳等官門子共四，每名原編銀四兩，量減實編銀三兩六錢。甲字庫庫夫三十三，丁字庫庫夫三十，每名原編銀四兩，量減編銀二兩。西湖景原編桶子夫四，每名銀一兩二錢，十七年革，議復二名，編銀仍舊。地壇壇户九名，夕月壇壇户一，原編頭役改編，每名銀三兩六錢。御前擡運夫一，原編頭役，改編十八兩。兵仗局庫庫子一，原編頭役，改編銀四兩。舊州守備衙門快手五名，原編頭役，改編每名銀二十兩，聽彼募役，半年赴領。）良鄉縣，編頭五十八項，銀二千六百三十五兩四錢二分七釐一毫。（壇户五十一名，每名編銀一兩。步快十，民壯十二，每名編銀七兩二錢。浣衣局土工十八，每名原編銀一兩二錢，量增編銀二兩四錢。本縣馬快二十，每名編銀二十兩，量減八名。豐濟倉斗級六，每名編銀三兩六錢，量減二名。鋪司兵四十七，每名編銀六兩，量減十五名。儒學原編銀斗級二名，題革。）固安縣，編頭一百十項，銀八千二百五十二兩三錢九分二釐八毫九絲四忽。本府正堂皂隸二，快手一，陰陽生一，醫生一，弓兵一，左堂快手二，陰陽生一，每名編銀十二兩。治衙皂隸二，快手一，經歷司門子一，皂隸一，每名編銀九兩六錢。本府庫庫子一，司獄司禁子一，每名編銀十二兩。府學齋夫三，每名編銀十二兩。膳夫二，國子監膳夫二，每名編銀十兩，遇閏加增。靈邱公主墳户二名，每名編銀三兩六錢。關院供費銀十六兩五錢，協濟昌平州稅糧銀二兩七錢。天財庫庫夫十八，每名原編銀七兩五錢，量增編銀八兩五錢。本縣更夫五，每名編銀三兩六錢，減三名。永清縣，編頭七十八項，銀四千八百三兩八錢三分五釐六毫一絲。本府正堂皂隸二，陰陽生一，左堂陰陽生一，每名編銀十二兩。治衙門子一，皂隸二，快手一，刑衙快手一，每名編銀九兩六錢。司獄司禁子一，編銀十二兩。府學齋夫一，編銀十二兩，遇閏加一兩。北新廠西城坊庫秤各一名，每名原編銀十兩八錢，量增每名編銀十五兩。本縣吹鼓手八，每名編銀三兩六錢，減二名。東安縣，編頭八十七項，銀六千七百七十六兩六錢八分三毫一絲一忽。本府正堂皂隸一，陰陽生一，左堂陰陽生一，每名編銀十二兩。軍匠衙門子一，皂隸一，陰陽生一，每名編銀九兩六錢。府學齋夫四，每名編銀十二兩。膳夫一，國子監膳夫一，每名編銀十兩，遇閏加增。明智坊庫子四，每名原編銀十兩八錢，量增每名編銀十五兩。天財庫庫夫十八，每名原編銀七兩五錢，量增每名銀八兩五錢。本縣值更夫五，每名編銀三兩六錢，減二名。香河縣，編頭一百二項，銀五千七百一兩二錢六分七釐一毫五絲。本府正堂弓兵一，鋪兵一，左堂皂隸二，每名編銀十二兩。糧衙門子一，軍匠衙皂隸一，刑衙門子一，皂隸一，檢校衙皂隸二，每名編銀九兩六錢。管河廳民壯二，每名編銀七兩二錢。明智坊庫夫三，安仁坊庫夫二，每名原編銀十兩八錢，量增每名編銀十五兩。浣衣局土工一，原編銀一兩二錢，量增編銀二兩四錢。天財庫庫夫二，每名原編銀七兩五錢，量增每名編銀八兩五錢。天師庵庫夫一，原編銀五兩，量增編銀十二兩。撫院快手六，每名編銀二十四兩，減一名。鈔關庫子一，原編銀七兩二錢，量減銀三兩六錢。本縣儒學原編斗級一名，題革。通州，編頭八十七項，銀六千二百一十六兩八錢三釐五毫。本府正堂醫生一，編銀十二兩。治衙快手一，編銀九兩六錢。府學齋夫一，編銀十二兩。國子監膳夫一，編銀十兩。俱遇閏加增。應付夷車墊馬夷布，共銀七百兩。北新廠明智坊、安仁坊、庫秤共九名，每名原編銀十兩八錢，量增每名編銀十五兩。浣衣局土工九，每名原編銀一兩二錢，量增每名編銀二兩四錢。東察院門子七，每名原編銀七兩二錢，量減編銀六兩。馬神廟門子一，原編銀六兩，量減編銀三兩六錢。本州預備倉斗級二，每名原編銀七兩二錢，量減每名編銀三兩六錢。馬快十，內改步快二，馬快每名二十兩，步快每名十兩。陰陽生十六，每名原編銀七兩二錢，量減每名編銀五兩四錢。鋪司兵二十三，每名原編銀九兩六錢，量減每名編銀六兩。潞河驛庫子四，和合驛庫子二，每名原編銀九兩，量減每名八兩。本州儒學原編斗級一名，題革。三河縣，編頭一百九項，銀五千八百六十八兩一錢六分九釐。本府正堂快手一，醫生一，弓兵一，鋪兵一，左堂皂隸一，陰陽生一，每名編銀十二兩。糧衙門子一，皂隸一，快手一，陰陽生一，馬衙門子經歷司快手二，知事衙快手一，檢校衙快手二，每名編銀九兩六錢。本府庫庫子一，編銀十二兩。府學齋夫一，編銀十二兩。國子監膳夫一，編銀十兩。俱遇閏加增。天財庫庫夫十，每名原編銀七兩五錢，量增每名編銀八兩五錢。户部分司鈔關書辦工食原編銀九兩，量減編銀四兩五錢。本縣馬快二十六，每名原編銀二十兩，内改步快十四，步快編銀十兩。都察院快手四，每名編銀二十四兩，減二名。本縣庫子二，每名原編銀七兩二錢，量減一名，實存一名，編銀十二兩。本縣庫書一，原編銀十四兩四錢，量減編銀七兩二錢。本縣原編更夫五名，題革。本縣儒學原編斗級二名，題革。馬神廟例有輪祭銀五十兩，題革。

武清縣編頭一百八項，銀七千九百一十九兩三錢六分二釐。本府正堂皂隸一，左堂皂隸一，每名編銀十二兩。糧衙皂隸一，快手一，刑衙皂隸二，每名編銀九兩六錢。國子監膳夫一，編銀十兩，遇閏加增。管河通判民壯二，每名編銀七兩二錢。本縣孤老冬衣布花，原銀二兩，量增共銀五兩九錢一分。明智坊庫夫三，安仁坊庫夫三，每名原編銀十兩八錢，量增每名編銀十五兩。天財庫庫夫三，每名原編銀七兩五錢，量增每名編銀八兩五錢。撫院快手五，每名原編銀二十四兩，減一名。本縣民壯三十名，每名原編銀八兩，量減每名編銀七兩二錢。弘仁橋巡檢司弓兵二，每名原編銀九兩，量減每名編銀七兩二錢。

寶坻縣，編頭七十九項，銀九千十一兩一錢五分七釐六毫八絲。本府正堂皂隸二，快手一，陰陽生二，弓兵一，更夫一，左堂快手二，陰陽生一，每名編銀十二兩。治衙快手一，糧衙皂隸一，快手一，陰陽生一，刑衙快手一，照磨所皂隸一，快手一，每名編銀九兩六錢。本府庫庫子一，禁子二，每名編銀十二兩。府學齋夫一，編銀十二兩。膳夫一，國子監膳夫一，編銀十二兩，遇閏俱加增。密雲道書辦并抄案工食，原編銀四十九兩二錢，量增編銀五十一兩二錢。明智坊庫夫三，西城坊庫夫一，北新廠廠夫二，每名原編銀十兩八錢，量增每名編銀十五兩。浣衣局土工七名，每名原編銀一兩二錢，量增每名編銀二兩四錢。天財庫庫夫八，每名原編銀七兩五錢，量增每名編銀九兩。都察院快手四，每名原編銀二十四兩，量減一名。户部草廠分司皂隸六，每名原編銀十兩八錢，量減每名編銀九兩。工部料磚廠廠夫五，每名原編銀九兩，量減每名編銀七兩二錢。密雲道皂隸六，每名原編銀十四兩四錢，量減每名編銀十二兩。密雲道快手二十二，每名原編銀二十五兩，量減每名編銀二十二兩。密雲管餉廳皂隸一，原編銀九兩六錢，量減編銀七兩二錢。密雲管餉廳快手一，原編銀二十二兩，量減編銀二十兩。河西務通濟廠廠夫十五，每名原編銀九兩六錢，量減每名編銀七兩二錢。南石渠馬房脚夫四，每名原編銀十五兩，量減每名編銀十二兩。永通橋橋夫二，每名原編銀十兩，量減每名編銀七兩二錢。盧臺巡檢司弓兵二十，每名原編銀十兩，量減每名編銀七兩二錢。河西務巡檢司弓兵五，每名原編銀九兩，量減每名編銀七兩二錢。楊村通府皂隸一，原編銀九兩，量減編銀七兩二錢。本縣庫書一，原編銀十四兩四錢，量減編銀七兩二錢。本縣察院門子一，原編銀七兩二錢，量減編銀三兩六錢。工部河西務看堂門子一，原編銀九兩，量減編銀四兩。廣盈庫庫夫二，每名原編銀十兩八錢，量減每名編銀七兩二錢。本縣儒學門子九，禁子五，每名原編銀九兩，量減每名編銀七兩二錢。本縣更夫五，每名原編銀五兩，量減每名編銀二兩六錢。本縣陰陽生二，每名原編銀七兩二錢，量減每名編銀五兩四錢。本縣吹鼓手八，每名原編銀六兩，量減每名編銀三兩六錢。邠哀王墳户一，本府儒學齋夫一，門子一，俱題革。

灤縣，編頭五十三項，銀二千三百八兩九錢六分四釐一毫。舊州守備弓兵五，每名編銀八兩。本縣鄉飲酒禮銀六兩，量增共銀八兩。西城坊草秤一，原編銀十兩八錢，量增編銀十五兩。天財庫庫夫四，每名原編銀七兩五錢，量增編銀八兩五錢。本縣原編庫子二，每名銀十四兩四錢，題革，止存銀十二兩。

昌平州，編頭一百七項，銀四千五百兩二錢九分五釐五毫。國子監膳夫一，編銀十兩，遇閏加增。各衙門燈籠燒子夫并貼六房書辦工食銀二百四十兩。天財庫庫夫十六，每名原編銀七兩五錢，量增編銀八兩五錢。本州走遞馬十三匹，并馬夫工食草料銀百五十兩，量增編銀二百八十六兩。浣衣局土工七，每名原編銀一兩二錢，量增編銀二兩四錢。本道門子四，每名原編銀九兩，減一名。本道皂隸二十，每名原編銀九兩，減四名。本州知州門子四，每名原編銀九兩，減二名。禁子十六，每名原編銀七兩二錢，減七名。鋪司兵四十二，每名原編銀六兩，減八名。本州陰陽生六，每名原編銀五兩四錢，減二名。各馬房脚夫十一，每名原編銀十二兩，量減編銀十兩。管支房扛夫十六，每名編銀六兩，減二名。廚子八，每名原編銀九兩六錢，減一名。管支夫一，管支寫字二，辦送夫二，本道快手四，陰陽生二，鋪兵二，吹鼓手八，遞解夫四，巡欄二，接遞皂隸四十一，榆河驛頭四十，俱題革。另募槽頭二十名，仍將草料銀給領答應。

密雲縣，編頭八十六項，銀四千九百四十四兩三錢四分五釐八毫四絲。本府正堂鋪兵一，編銀十二兩。照磨所皂隸一，檢校衙快手一，每名編銀九兩六錢。荆栗園鋪司兵三，每名編銀七兩二錢。天財庫庫夫十一，每名原編銀七兩五錢，量增編銀八兩五錢。浣衣局土工十，每名原編銀一兩二錢，量增編銀二兩四錢。密雲驛鋪陳庫子六，每名原編銀九兩，量增編銀十二兩。密雲驛館夫六，每名原編銀十二兩，量增編銀十五兩。軍門庫子三，每名原編銀十二兩，量增編銀十五兩。本縣馬快十，每名原編銀二十二兩，內改步快二，每名編銀十二兩。鋪司兵二十，每名編銀三兩六錢，減二名。吹鼓手八，每名編銀九兩，減四名。民壯四十，每名原編銀九兩，量減編銀七兩二錢。庫子六，儒學斗級十，俱題革。續增本縣庫夫二，每名編銀七兩二錢。帝王廟廟户一，工部分司斗級一，每名編銀二兩。

順義縣，編頭八十八項，銀六千四百六十九兩四錢七分一釐七毫。正堂快手一，陰陽生一，每名編銀十二兩。治衙陰陽生一，糧衙皂隸一，刑衙皂隸一，快手一，知事衙皂隸二，每名編銀九兩六錢。國子監膳夫一，編銀十兩，遇閏加增。牛欄山修渡船銀六兩，水手十二，每名編銀五錢。工部挑河夫一百五，每名徵銀五錢，解彼今編入條鞭。東西大察院三處門子三，燈夫十二，轎夫十二，每名編銀三兩六錢。陵户五十八，每名編銀三兩。墳户十六，壇户九，廟户十九，每名編銀四兩。本縣雜用夫八，每名編銀七兩二錢。看堂庫夫二，每名編銀七兩二錢。新建倉斗級四，預備倉二，社倉二，客兵倉二，每名原編銀三兩，量增編銀七兩二錢。太醫院庫子二，通濟閘閘夫二，每名原編銀九兩，量增編銀十兩。各馬房脚夫三十七，每名原編銀七兩二錢，量增編銀九兩六錢。天財庫庫夫十四，每名原編銀七兩五錢，量增編銀八兩五錢。浣衣局土工七十，每名原編銀十兩二錢，量增每名編銀二兩四錢。本縣雇車裝送銀鞘，原編銀八十八兩，量增銀二百兩。青衣夫六，每名編銀九兩六錢，量減二名。更夫五，每名編銀六兩，量減二名。預備倉老人一，遞解夫四，順義驛館夫九，順義驛馬頭十七，驛頭十七，量減二驢頭四，題革。

懷柔縣，編頭五十六項，銀三千二百四十四兩一錢八分七釐七毫三絲三忽。刑衙門子一，檢校衙皁隸一，每名編銀九兩六錢。天財庫庫夫十三，每名原編銀七兩五錢，量增每名編銀八兩五錢。接遞皁隸二十八，每名編銀六兩，量減十四。撫按標下馬快一，昌平道馬快四，本縣遞解夫四，俱題革。

涿州，編頭一百七項，銀一萬一千二百四十九兩二錢八分七釐九毫二絲三忽。正堂皁隸一，快手一，陰陽生一，醫生一，鋪兵一，左堂快手一，陰陽生二，每名編銀十二兩。治衙皁隸一，快手一，每名編銀九兩六錢。軍匠衙門子一，經歷司皁隸一，本府庫子一，編銀十二兩。府學齋夫二，每名編銀十二兩。國子監膳夫二，每名編銀十兩，閏各加增。靈邱公主墳户二，每名原編銀十二兩。本州同知判官皁隸共二十，每名原編銀七兩二錢，量減四名。吏目皁隸八，每名原編銀七兩二錢，量減二名。本州步快三十，每名原編銀十兩，量減每名編銀七兩二錢。民壯四十，每名編銀七兩二錢，量減五名。本州儒學斗級一，題革。

房山縣，編頭九十五項，銀四千二百六十五兩五錢六分四釐。正堂弓兵二，鋪兵二，每名編銀十二兩。治衙門子一，皁隸一，陰陽生一，每名編銀九兩六錢。司獄司禁子一，編銀十二兩。庫盈庫庫夫一，原編銀五兩四錢，量增編銀六兩六錢，天財庫庫夫六，每名編銀七兩五錢，量增每名編銀八兩五錢。贓罰庫庫夫一，原編銀十二兩，量增編銀十八。兩浣衣局土工二十二，每名原編銀一兩二錢，量增每名編銀二兩四錢。本縣儒學斗級一，題革。

霸州，編頭九十六項，銀八千七百七兩五錢五分七釐五毫七絲五忽。正堂皁隸一，快手二，弓兵一，左堂皁隸一，每名編銀十二兩。軍匠衙快手四，每名編銀九兩六錢。本府庫子一，禁子二，每名編銀十二兩。府學膳夫一，國子監膳夫四，每名編銀十兩，閏各加增。日月壇壇户四，每名編銀三兩六錢。天財庫庫夫十五，每名原編銀七兩五錢，量增每名編銀八兩五錢。本州步下民壯三十，每名編銀七兩二錢，量增五名。吹鼓手八，每名原編銀三兩六錢，量增每名編銀七兩二錢。鋪司兵十二，每名原編銀六兩，量增每名編銀七兩二錢。本府軍匠衙快手四，檢校衙門子一，每名原編銀十二兩，量減編銀九兩六錢。本州更夫五，每名原編銀五兩，量減二名。巡鹽民壯十五，每名原編銀十兩二錢，量減每名編銀七兩二錢。本州預備倉老人一，原編銀九兩二錢，量減編銀七兩二錢。庫子二，每名原編銀七兩二錢，題革。

文安縣，編頭九十六項，銀六千八十五兩三錢二分二釐二毫五絲。正堂快手一，更夫二，左堂皁隸二，每名編銀十二兩。軍匠衙皁隸一，照磨所皁隸二，每名編銀九兩六錢。司獄司禁子，編銀十二兩。府學齋夫二，每名編銀十二兩。膳夫二，國子監膳夫一，每名編銀十兩，閏各加增。永陵陵户二，昭陵陵户四，每名原編銀九兩六錢，量增每名編銀十兩八錢。武宗、賢德二妃陵户共一，原編銀四兩，量增編銀五兩。安仁坊草場庫秤四，每名原編銀十兩八錢，量增每名編銀十五兩。天財庫庫夫十九，每名編銀七兩五錢，量增每名編銀八兩五錢。本府司獄司禁子一，原編銀九兩六錢，量增編銀十二兩。本縣民壯二十五，每名原編銀九兩六錢，量減每名編銀七兩二錢。本縣儒學門子九，每名原編銀七兩二錢，量減三名。本縣儒學斗級一，庫夫二，每名原編銀七兩二錢，題革。

大城縣，編頭八十二項，銀四千三百五十五兩七錢九分六釐六毫五絲。正堂皂隸一，快手一，陰陽生一，弓兵一，每名編銀十二兩。刑衙皂隸一，照磨所快手一，每名編銀九兩六錢。本府庫子一，編銀十二兩。府學膳夫一，國子監膳夫一，每名編銀十兩，閏各加增。天財庫庫夫十，每名原編銀七兩五錢，量增每名編銀八兩五錢。安仁坊草場庫秤一，原編銀十兩八錢，量增編銀十五兩。永陵、康陵、悼陵三陵陵户各一，每名原編銀七兩二錢，量增每名編銀十兩。夕月壇壇户四，每名編銀二兩四錢，量增每名編銀三兩六錢。帝王廟廟户一，原編銀二兩四錢，量增編銀三兩。通州流河閘閘夫三，每名原編銀十兩，量增每名編銀十一兩。本縣值更夫五，每名原編銀三兩六錢，量減二名。

保定縣，編頭三十六項，銀九百四十三兩七錢。本縣值更夫五，每名原編銀三兩六錢，量減二名。

薊州，編頭一百六項，銀七千五百四十六兩七錢三分七釐七毫七絲。正堂皂隸二，快手一，陰陽生二，左堂皂隸一，每名編銀十二兩。馬衙皂隸二，快手二，陰陽生一，軍匠衙皂隸二，陰陽生一，刑衙陰陽生一，經歷司皂隸一，知事衙皂隸一，快手一，每名編銀九兩六錢。北新草廠庫秤四名，西城坊草廠庫秤一名，每名原編銀十兩八錢，量增每名編銀十五兩。天財庫庫夫十一名，每名原編銀七兩五錢，量增編銀八兩五錢。浣衣局土工十九，每名原編銀一兩二錢，量增每名編銀二兩四錢。供用庫油户二，每名原編銀一兩八錢，量增編銀二兩四錢。各馬房脚夫十七，每名原編銀十兩八錢，量增每名編銀十二兩。本州民壯四十，每名原編銀七兩二錢，量增每名編銀八兩。禁子六，每名編銀七兩二錢，量增每名編銀八兩二錢。預備倉斗級四，每名原編銀三兩六錢，量增每名編銀五兩六錢。漁陽驛館人十，每名原編銀六兩，量增每名編銀九兩。本州漁陽驛鋪陳庫子二，每名原編銀二十三兩，量減編銀九兩六錢。張家灣宣課司巡欄二，每名原編銀二兩，量減每名編銀一兩二錢。

平谷縣，編頭七十一項，銀二千七百二十七兩八錢五分三釐四毫。馬衙快手一，知事衙快手一，每名編銀九兩六錢。本縣各官皂隸十六，每名編銀七兩二錢，量減每名編銀七兩。民壯三十，每名編銀七兩八錢，量減每名編銀六兩。吹鼓手八，每名編銀三兩六錢，量減編銀一兩八錢。本縣馬快十二，每名原編銀二十二兩，改步快四名，量減編銀十兩。楮圈頭營倉斗庫六名，每名原編銀七兩二錢，量減二名。本縣儒學斗級八名，每名編銀七兩二錢，量減一名。已上據萬曆沈志。

江陰繆荃孫校

田賦校勘記

前代田賦、馬政、徭役，刊刻脱誤處，摘録如左：

固安縣，站糧銀内毫、釐二字應互易。

府尹謝杰疏内，四千三百四十餘金，以八府派攤，各一百八十餘金，其數不合

密雲縣，實編養馬户與地不符，應有荒地。

順義縣，原額養馬一千九百二十三匹，應作原額養馬地一千九百二十三頃。

編頭役二千四百五頃，共銀十四萬五千一百六十三兩五分二釐六毫五絲二忽一微二纖

今核得編頭二千一百五十八項，共銀十三萬二百五十六兩七錢七分二釐六毫八絲六忽

與原數不符。

昆明林紹清重校

光緒順天府志五十三

德清傅雲龍纂

食貨志五

旗租

旗地猶明莊田，卽古者采地遺意也。國初，八旗王公、官員、兵丁分地，坿近京師，宗室莊田一萬三千三百三十八頃四十五畝有奇，官兵圈地十四萬一百二十八頃七十一畝，凡地十五萬三千四百六十七頃十六畝有奇，厥地不僅隸順天，而順天府境之地被圈爲多。存退，另案，屯莊，莊頭，三次，四次，奴典，公産，所謂八項旗租也。此外又有廣恩庫，鑾儀衞，馬館，西河黑地陞科，儲備軍餉，海防，香燈，博通，普濟等地征租，或報府，或不報府，録可稽者。志旗租。

旗地租大較有八：一、存退地，此順治初旗人圈地也。指圈之地，有餘交官征租，謂之存圈。後還官征租，謂之退。自乾隆十一年始册報名，曰存退。一、另案地，雍正三年，户部咨令將内務府交出旗圈餘地，又八旗報抵虧公之地，又察抄入官房地，交地方官征解，自七年始另立一案，名曰另案。據文册。一、屯莊地，旗屯承種霸州、固安縣、永清縣按：户部則例，此三州縣外尚有新城縣，非順天府屬。井田，合已未長租者，每户分田一百二十五畝，歲輸屯穀十二石五斗，令地方官征解。自乾隆十七年，户部定爲例，始名曰屯莊。户部則例，參檔册。一、莊頭地，内務府莊頭退出地畝，交地方征解，自乾隆二十二年，户部咨准，始專案册報，名曰莊頭。一、三次贖地，八旗地私自典賣與民，動帑贖回，起乾隆十年，訖十二年，謂之初次；起十三年，訖十五年，謂之二次；起十六年，訖十八年，謂之三次；厥後定章並册造報，名曰三次。一、四次贖地，起乾隆十九年，訖二十五年，征解如三次例，而自爲一册，名曰四次。一、奴典贖地，八旗人私自典地與旗奴，動帑贖地，起乾隆十九年，訖二十三年，交地方官征解，專册造報，名曰奴典。一、公産地，八旗地私典與民，發覺入官，交地方官征解，專册造報，名曰公産。據府册。二十四州縣，有無互見。

大興縣，旗租目凡六：一、存退地五十八頃九十一畝六分五釐七毫二絲，房十三，征銀五百五十二兩五錢七分，内撥民糧二兩三錢二分。一、另案地五十八頃九十五畝六分五釐五毫九絲，房二十，隨房地六分，葦坑地二十三畝一分七釐，井一，征銀五百九十四兩八錢七分六釐。又基空地四畝九分四釐，墳地七畝九分七釐，房基十五，房七，魚池十三，無租。一、莊頭地四頃八十七畝，房基地一塊，額征銀三十六兩一錢七分三釐。一、三次贖典地一頃八十五畝二分二釐，征銀十八兩五錢三分二釐。一、四次贖典地七十二頃七十二畝三分二釐五毫，場園基地五畝七分二釐，房四十七，征銀八百六十六兩九錢八分七釐。一、奴典地六十六頃十九畝二分四釐四毫九絲三忽，場園房基地七畝二分八釐，房五十九，征銀八百十兩一錢八分。一、公産地二十三頃四十二畝九分一釐七毫三絲九忽，房基地七畝九分一釐，房四十三，井一，征銀二百八十九兩六錢八分。又空院一，土井一，無租。已上無租而外，凡地二百八十七頃三十四畝二釐一毫二絲二忽。又葦園房基地四十四畝八釐，房一百七十有四，基地一塊，窨三，井二，額征銀三千一百六十八兩九錢九分八釐，内除民糧銀二兩三錢二分，得銀三千一百六十六兩六錢七分八釐，解内務府銀五十一兩六錢二分九釐，解司庫銀三千一百十五兩四分九釐。

宛平縣，旗租目凡七：一、存退地九十七頃五十五畝七分九釐四毫，房一，征銀五百七十四兩一錢九分。又房三，無租。一、另案地六十二頃八十三畝五分七釐七毫五絲，房基場院地二十一畝九分五釐，房一百六十有一，井一，征銀六百四十一兩四錢九分七釐，内除民糧銀八兩二分九釐。又房九十五間，枯井十四，無租。一、莊頭地一頃二十二畝，征銀六兩五錢四分一釐。一、三次贖地二頃五十一畝五分二釐，征銀十二兩七錢七分五釐。一、四次贖地二十一頃六十三畝四分三釐，征銀二百四十五兩三錢八釐。一、奴典地三十三頃二十三畝八分二釐，莊窠地五分，房一，征銀三百六十一兩六錢一分七釐。又房地二分五釐，房九，無租。一、公産地五頃四畝七分九釐四毫四絲，莊窠房基等地二十六畝八分三釐，房七十六，征銀二百七十五兩四錢八分七釐。又房六，無租。已上無租而外，凡地二百二十四頃四畝九分三釐五毫九絲，莊窠等地四十九畝二分八釐，房二百四十九有半，井一，額征銀二千一百十七兩四錢一分九釐，内除民糧銀九兩一錢一分五釐，得銀二千一百有八兩三錢有四釐，解内務府銀二十八兩二錢四分一釐，户部定南武莊王銀一百六兩六錢三分，司庫銀一千九百七十三兩四錢三分三釐。

良鄉縣，旗租目凡六：一、存退地三十四頃一十一畝八分七釐六毫八絲，征銀三百三十八兩四錢三分二釐。一、另案地十六頃九十三畝四分七釐，莊窠園基地十一塊，房四十二，井一，征銀一百八兩七錢三分二釐。一、三次贖典地十三頃九十六畝四分五釐，莊窠園基地二十一畝八分三釐，房五，征銀一百九十七兩六錢五分三釐。一、四次贖典地八十二頃二十七畝五分六釐，莊窠地二十八畝四分五釐，地基四畝，場園三分，坑場一塊，莊窠場園十四，房六十一有半，征銀一千一百九十四兩九分三釐。一、奴典地二十九頃六十三畝四分一釐二毫，莊窠等地六十三畝七分三釐，莊窠六，房五十三，井一，碾二，土坑一，征銀四百三十兩二錢二釐。一、公産地十頃三十四畝三分一釐三毫，墳地五畝七分二釐，莊窠九，地十二畝九分二釐三毫，房八，征銀一百八十兩二錢六分三釐。已上地凡一百八十七頃二十七畝八釐一毫八絲，莊窠等地一頃三十五畝九分五釐七毫，莊園基坑四十四，房一百七十二有半，井二，碾二，土坑一，額征銀二千四百四十九兩三錢七分五釐，解内務府銀一兩七錢一分，司庫銀二千四百四十七兩六錢六分五釐。

固安縣，旗租凡八：一、存退地二十四頃五十六畝一分五釐三毫，莊窠地一畝五分，房十一，征銀二百二兩九錢二分三釐。一、另案地一百五頃二十四畝六分九釐，莊窠等地十七畝一分五釐，碾二，井一，莊窠一段，房四十八，征銀一千三百七十七兩六釐。又莊窠一，荒地五畝，房十三，無租。一、屯莊地五十四頃五分一釐，房一百八十有八，征銀二百十二兩二錢八分二釐，穀四百八十四石二斗五升五合二勺。一、莊頭地二十三頃十五畝九分六釐，征銀八十八兩七錢八分五釐。一、三次贖典地四十七頃七十二畝六分二釐，房二，征銀五百九十六兩七錢三分六釐。一、四次贖典地四十二頃十四畝二分三釐，莊窠園地十塊，井一，房二十三，征銀五百八十五兩三錢五分二釐。又房四十五，無租。一、奴典地一百八十二頃九十九畝八分九釐，莊窠地四十二畝二分，場園三，房二十，井一，征銀二千六百九十六兩四錢一分九釐。又房一百七十間，無租。一、公産地五十頃五十二畝八分五釐八毫，房基、莊窠、場園地十一畝九分七釐，園地九分，房十有三，征銀七百四十兩九錢二釐。已上無租而外，凡地五百三十頃三十六畝九分一釐一毫，莊園十五，莊基場園地七十三畝七分二釐，碾二，井三，房一百六十三，額征銀六千五百兩四錢五釐，穀四百八十四石二斗五升五合二勺，解部庫。

永清縣，旗租地凡八：一、存退地九十九頃八十三畝九分二釐三毫，莊窠園基地六畝一分九釐，房三十一，征銀九百七十九兩八錢九分五釐。又房一，棚九，無租。一、另案地二百二頃九十六畝七分七毫，莊窠園基地九十四畝七分八釐七毫，房三百有四，井一，征銀二千五百三十七兩六錢四釐。又坑地十八畝四分三釐，房棚一百七十二間有半，柳一，無租。一、莊頭地一頃八畝，征銀八兩六錢三分二釐。一、屯莊地七頃五十畝，房二十，征銀十七兩八錢九分一釐，穀八十一石二斗五升。一、三次贖典地四十二頃八十五畝四分六釐九毫，莊窠園地三十五畝九分，基地三塊，房三十有六，棚一，征銀四百五十四兩三錢四分。又房三間有半，無租。一、四次贖典地一百一十九頃三十六畝六釐六毫，莊窠園基地三頃六畝三分六釐五毫，過道一百二十七塊，房四百四十四，征銀一千五百六十五兩七錢一釐。又莊窠一塊，房五十七，無租。一、奴典地一百八十七頃十四畝七分，莊窠園基地七十三畝三分二釐八毫，場十塊，井二，房一百五十七，征銀一千八百九十兩四錢五釐。又房七，無租。一、公産地八十一頃九十八畝九分三釐二毫五絲，莊窠基墳地一頃二十六畝六分五釐四毫，房棚五十八，隨地房七，征銀八百八兩八錢六分六釐。又溝道地十二畝九分四釐，無租。已上無租而外，凡地七百四十二頃六十三畝八分六釐八毫五絲，莊窠、園場、墳地六頃四十三畝七分二釐四毫，莊窠一塊，過道一百四十塊，井一，房棚一千三百六間有半，額征銀八千二百六十三兩三錢三分四釐，穀八十一石二斗五升，解户部定南武莊王租銀一百五十三兩九錢二釐，司庫銀八千一百九兩四錢三分二釐。

東安縣，旗租地凡六：一、存退地二百二十九頃十九畝八分四釐四毫，莊基地六畝，莊窠地三畝四分四釐，房三，征銀一千四百十五兩六錢三分五釐。一、另案地二百三頃四十五畝九分九釐九毫，場園地十五畝，莊基地十三畝六分九釐，隨房基地二畝七分，莊基一塊，莊窠地六畝，房一百二十，井三，征銀三千五十五兩九錢九分七釐。又莊窠一塊，無租。一、三次贖典地三十八畝，征銀三兩五錢七分四釐。一、四次贖典地一百九頃二十五畝二分七釐，莊窠三塊，場園基地八十四畝七分九釐，房一百五十有七，征銀一千三百二十四兩六錢九釐。又白地水坑八畝五分，民自蓋房二十二，無租。一、奴典地一百七十一頃二十八畝九分五釐，場園二十七塊，計地二十三畝，莊窠一塊，房二百六十一間有半，棚十二，征銀一千八百七十七兩八錢八分。又井三，無租。一、公産地一百六頃八十一畝一分六釐三毫，園地十九畝，莊窠地二十三畝六分一釐，房一百三十九，場園房佔地二十九畝二分二釐五毫，隨地場十四畝一分七釐，征銀九百二十四兩五錢五分七釐。又民自蓋房棚一百十五間有半，無租。已上無租而外，凡地九百二十頃三十九畝二分二釐六毫，場園房基地二頃三畝二分二釐六毫，莊窠三塊房六百九十七，井六，額征銀八千六百二兩二錢五分二釐，解户部定南武莊王銀三百八兩八錢二分九釐，司庫銀八千二百九十三兩四錢二分三釐。

香河縣，旗租地凡七：一、存退地六十九頃七十八畝二分六釐三毫，征銀四百七十三兩四錢八分三釐，每兩征耗銀八分，計征銀三十七兩八錢七分九釐。一、莊頭地二頃二十畝，征銀十三兩二錢七分三釐，每兩征耗銀八分，計征銀一兩六分二釐。一、另案地六十五頃九十九畝四分二釐，基地四十二畝一分四釐，房身地一塊，房二百五十五，征銀六百六十四兩一錢三分六釐。一、三次贖典地一頃七十九畝四分，征銀二十三兩五錢七分七釐。一、四次贖典地一百七十七頃八十九畝六分四釐，場園房基五十二畝五分八釐，房一百有五，征銀二千一百八十六兩一錢四分九釐。一、奴典地四十五頃七畝九分四釐，房基園地六畝四分，房六十二有半，征銀六百十三兩八錢八分三釐。一、公産地五十六頃四十五畝八分八釐八毫，房五十八間有半，場園地七畝三分九釐，基地十五畝一分一釐七毫，房基等地一畝九分一釐，房基十間，連地二十三畝六分八釐，空地十畝五分八釐，征銀五百七十八兩五錢四釐。又房十，無租。已上無租而外，凡地四百十九頃二十畝五分五釐一毫，房基場園地一頃五畝七分九釐七毫，房六百十九，額征銀四千五百五十五兩五釐，解圓明園銀二百六兩七錢一分五釐，解府轉解户部庫銀四千三百四十八兩二錢九分。又存退莊頭地耗銀三十八兩九錢四分一釐。

通州，旗租地凡七：一、存退地二百七十四頃九畝九分五釐九毫，房基等地三十畝七分三釐四毫，房基二十三間，房四十五，征銀一千四百七十九兩二釐。又房二，無租。一、另案地一百六十七頃九十五畝五分，房三百七十七，房身地七分四釐，房基二間，空地一塊，征銀一千二百七十二兩七錢三分九釐。又地五畝，房六十九有半，無租。一、莊頭地十五頃二十八畝八分一釐，征銀四十三兩九錢七分一釐。一、三次贖典地七頃二十一畝五分九釐，征銀三十八兩一錢四分。一、四次贖典地一百二十頃三十二畝三釐七毫，房十八，征銀一千四百十四兩九錢四分三釐。又房一百四十有半，無租。一、奴典地九十四頃四十七畝九分七釐，房三十七，征銀一千一百四十七兩四錢五分四釐。又空地一塊，房一百十四，無租。一、公産地五十八頃四十四畝四分二釐五毫，墳地五畝，房二十一，征銀五百六十八兩六錢八分四釐。已上無租而外，凡地七百三十七頃七十

另案，三次、四次、奴典、公産，例不征耗。

十八畝九分八釐七毫，墳地五畝，房四百九十有八，空房二，空地一塊，房基地二十七畝五分一釐四毫，房基二十三間，房身四塊，額征銀五千九百二十六兩六錢四分五釐，内除民糧銀十六兩九錢三分，得銀五千九百九兩七錢一分一釐，解太常寺銀三百三十三兩五錢六分三釐，司庫銀五千五百七十六兩一錢四分八釐。滑縣州判管旗租，另案地五頃八十六畝八分，征銀四十二兩三分三釐，内除民糧銀二十二兩五錢二分四釐，得銀十九兩五錢九釐，解府轉解户部。

三河縣，旗租地凡七：一、存退地二百四十三頃二十八畝一分五釐，莊窠等地二頃六十九畝三分二釐五毫，房身一百七十四間有半，征銀一千八百六十六兩七錢五分七釐。又房八十三，房基一，無租。一、另案地二百二十三頃八畝一分八釐，莊窠等地一頃七畝一分二釐，房基二十八，房二百二十四，隨房地四分九釐五毫，征銀二千六百六兩五錢三分六釐。又房一百九十一間半，無租。一、莊頭地四十五頃六十二畝五分七釐，征銀三百十二兩三錢七分三釐。一、三次贖典地三頃十一畝九分七釐，征銀三十八兩七錢三分六釐。一、四次贖典地二百七十七頃八十四畝九分四釐，房園基地七十九畝五分，莊窠七十三塊半，房身十四，征銀三千三百四十六兩九錢一釐。又房十二，莊窠二，無租。一、奴典地一百六十六頃八十一畝七分二釐，房一百九十，場基等地九塊，房基二十七，莊窠房基三，征銀二千十兩三錢四分二釐。又房五十八，無租。一、公産地九十九頃四十三畝六分一毫，墳地五分，房園基地一頃十畝二分七釐，房基一，房一百三十有半，征銀一千八十六兩三錢九分四釐。又房一百二十三有半，無租。已上無租而外，凡地一千五十九頃二十一畝一分三釐六毫，莊窠等地五頃六十六畝二分一釐五毫，莊窠房基等地一百三十七塊有半，房八百有七，房基六十八有半，隨房地四分九釐五毫，額征銀一萬一千二百六十八兩三分九釐，内除民糧銀一兩五錢三分一釐，房基糧銀一錢四分三釐，得銀一萬一千二百六十六兩三錢六分五釐，解内務府銀四十二兩九錢一釐，司庫部庫銀一萬一千二百二十三兩四錢六分四釐。按：采訪册云，額征銀一萬一千五百四兩二錢七分九釐九毫，今據布政使司咨府册。

武清縣，旗租地凡七：一、存退地三百三十四頃十六畝五分二釐，房十六，房基地二頃三畝八分七釐七毫，房基一塊，征銀一千三百六十一兩四錢八分三釐。一、莊頭地七頃三十九畝四分四釐，征銀二十二兩三錢一分五釐。一、另案地四百四十九頃七十九畝九分八釐六毫，房基場園地四頃十九畝一分七釐，房基五百四十七有半，隨房地二十四畝七分三釐四毫，征銀三千一百三兩一錢一分四釐。又房五百一十六有半，隨房地三十六畝五分五釐六毫，井二，木九，無租。一、三次贖典地十九頃八十四畝一分七釐，房柵十四有半，連地五畝一分八釐，征銀二百十二兩四錢五分九釐。一、四次贖典地三百二十二頃十五畝四分九釐，房一百十四有半，房基等地一頃九十七畝三分三釐，房地二頃，征銀三千七百十七兩九分七釐。一、奴典地一百三十一頃二十五畝七分一釐，房一百十八有半，場園等地六十七畝八分五釐，征銀一千二百九十七兩四錢九分四釐。一、公産地一百七十二頃八十五畝四分六釐，房基等地一頃四十一畝一分三釐八毫，房五十有半，征銀一千五百十一兩五錢二分八釐。又房九，無租。已上無租而外，凡地一千四百三十五頃四十一畝七分七釐六毫，房六百八十二，房身等地八頃五十五畝二分七釐九毫，房基一塊，額征銀一萬一千二百二十五兩四錢九分，内除民糧銀十四兩一錢二分，得銀一萬一千二百十一兩三錢七分，解内務府銀二百十七兩八錢六分，司庫銀一萬九百九十三兩五錢一分。

寶坻縣，旗租地凡七：一、存退地一百五十八頃十畝一分九釐三毫一絲，莊窠地基十畝五分二毫，基地十七畝六釐一毫，房一百三十，隨房地二畝三分一釐九毫，征銀一千三百四十八兩四錢二分四釐。一、莊頭地十七畝，征銀五錢七分六釐。一、另案地二百七十二頃九十六畝七分三釐八毫八絲，莊窠房基地五十四畝一分七釐八毫，房二百二十四，土房一百二十六有半，空基三間，征銀二千三百六十二兩八錢六分四釐。又房一百八十三有半，棚八間有半，無租。一、三次贖典地七頃四十六畝九分二釐，征銀九十一兩五錢三分一釐。一、四次贖典地五百七十八頃四十二畝七分七釐三毫，場園房基地四頃五十五畝六分八釐二毫，房棚一千六百五十三有半，征銀七千五百十二兩二錢八分五釐。一、奴典地二百五頃八十三畝一分二釐五毫，場園葦地一頃三十七畝七分七釐一毫，房棚五百七十六，征銀二千四百六十四兩四分五釐。一、公産地一百五十九頃七十八畝三分一釐三毫，場園房基地一頃三畝二分六釐四毫，空基地三畝九分五釐一毫，丈基地五畝七分六釐五毫，莊窠八分，房棚一百十七有半，征銀一千四百五十三兩四錢四分八釐。又房棚一百三十五有半，無租。已上無租而外，凡地一千三百八十二頃七十四畝六釐二毫八絲，莊窠房基場園葦地九十一畝二分九釐三毫，房二千八百四十有一，空基三，額征銀一萬五千二百三十三兩一錢七分三釐，内除民糧、黑豆值銀二十三兩一錢七分一釐，得銀一萬五千二百十兩七分七釐，遇閏除民糧、黑豆值銀二十三兩二錢九分三釐，得銀一萬五千二百九兩五分五釐，解府轉解户部。

甯河縣，旗租地凡二：一、存退地六分五釐，征銀一分六釐。一、另案地五十二頃二十四畝九分八釐，莊窠房六十八有半，征銀六十三兩一錢一分九釐。已上地凡五十二頃二十五畝六分三釐，房六十八有半，額征銀六十三兩一錢三分五釐，内除民糧銀九兩六錢五分六釐，得銀五十三兩四錢七分九釐，解部庫。

昌平州，旗租地凡七：一、存退地五十七頃九十四畝一分一釐，房六，房基地二畝，征銀二百五十七兩一錢三分三釐。又房三十六，無租。一、另案地一百四十七頃九十八畝三分九釐五毫，莊窠地二畝二分五釐，基地六十三畝一分九釐，菜田一分五釐，房八十六有半，征銀一千六百七十六兩四錢一分一釐。又房十九，檩木三，無租。一、莊頭地三十三頃七十畝四分六釐，征銀一百九十二兩六錢三分八釐。一、三次贖典地十六頃六十二畝，房基地一畝七分六釐，房四，征銀一百九十七兩八錢五分六釐。一、四次贖典地四十五頃三十三畝九釐，莊窠基地三畝一分五釐，園地二畝二分五釐，菜畦五分，房七有半，征銀五百二十九兩七錢。一、奴典地十六頃九十七畝七分，房十有一，征銀二百十六兩一分六釐。一、公産地五十頃四畝一分八釐六毫，場地十六畝，征銀五百六十三兩二錢二分三釐。又房三，無租。已上無租而外，凡地三百六十八頃五十九畝九分二釐六毫，莊窠、房基、菜畦、場地八十五畝二分六釐，房一百五十五，額征銀三千六百三十二兩九錢七分七釐，内除民糧銀六錢五釐，得銀三千六百三十二兩三錢七分二釐，解部庫。

順義縣，旗租地凡七：一、存退地一百八十二頃八十五畝六釐，房基場園地四畝八分，房七十，征銀八百四十三兩四錢二分四釐。一、另案地一百十八頃八十九畝四分五釐八毫，房基場園地十七畝，莊窠園十二，房三百二十七有半，隨房園基地四畝三分四釐，房佔地一頃六十三畝二分，征銀一千六十二兩五錢七分八釐。一、莊頭地五頃十畝九分五釐，征銀十七兩四錢四分四釐。一、三次贖典地四頃十九畝三分，房十四，征銀三十七兩二分五釐。一、四次贖典地二百五十三頃九十二畝六分二釐，園地十七畝七分六釐，場園基地二十七塊，莊窠房基二，所房一百九十三，棚一，井一，征銀二千七百三十八兩一錢三分。一、奴典地八十七頃九十四畝一分三釐六毫，場園地四畝五分，房基五塊，房三十二有半，征銀一千兩八錢三分七釐。一、公産地三百一十一頃五畝一分三釐四毫，房基園墳地七十八畝八分一釐二毫，莊園二十九塊，場園二塊，計地二畝五分六釐，莊窠地四畝八分二釐，房身六所，房一百五十七，征銀一千九百二十七兩七錢五分。已上地凡九百六十三頃九十六畝六分五釐八毫，莊窠、場園、房基、墳地二頃九十七畝七分九釐二毫。又地八十一塊，房棚七百九十，額征銀七千六百二十七兩一錢八分八釐，解内務府，銀一百一十四兩五錢九分七釐，司庫銀七千五百一十二兩五錢九分一釐。

密雲縣，旗租地凡五：一、存退地四十八頃四十三畝七釐四毫，房七，征銀三百七兩一錢三分四釐。一、另案地六十二頃六十八畝三分二釐八毫，房十八，隨房基地五畝四分一釐六毫，征銀三百七十二兩一錢三分九釐。一、四次贖典地九十四頃二十三畝四分七釐，場園莊窠地七畝一分，房九十二有半，征銀一千二百四十五兩二錢一分五釐。一、奴典地十三頃七十三畝一釐，莊窠場園地一畝六分四釐三毫，房二十一，征銀一百六十九兩三錢七分一釐。一、公産地十一頃七十一畝六分五毫，征銀八十五兩九錢六分七釐。已上地凡二百三十頃八十七畝四分八釐七毫，莊窠園房基地十四畝一分五釐九毫，房一百三十八有半，額征銀二千一百七十九兩八錢二分六釐，内除民糧銀三兩二錢七分八釐，得銀二千一百七十六兩五錢四分八釐，解部庫。

懷柔縣，旗租地凡七：一、存退地二十六頃九十三畝五分七釐一毫，房三有半，征銀一百七十七兩一錢七分三釐。一、另案地三十八頃七十四畝九分二釐，房五，征銀四百一兩二錢二分。又房一百五十有半，松三百二十一，無租。一、莊頭地三十畝，征銀六錢九分四釐。一、三次贖典地五頃三十一畝五分一釐，征銀六十二兩一錢三分八釐。一、四次贖典地三十八頃五十六畝七分六釐，房五十四，磚窑一，征銀五百十四兩一錢八分八釐。又井一，無租。一、奴典地二十九頃四十二畝二分二釐，房十，征銀四百二十六兩九錢三分三釐。一、公産地三十六頃七十四畝三釐，房三，征銀二百六十七兩六分三釐。又房十六，無租。已上無租而外，凡地一百七十六頃二畝九分六釐一毫，房七十五有半，磚窑一，額征銀一千八百五十兩四錢九釐，解府轉解户部庫。按：采訪册云，額征銀一千八百四十四兩七錢九分九釐五毫，今據布政使咨府册。

涿州，旗租地凡六：一、存退地八十九頃二十八畝二分七釐五毫五絲，莊窠地六畝，又二塊，水坑地二十畝，莊基地六畝五釐，房三十有一，征銀七百九十三兩八錢八分九釐。又坑地一十二畝九分五釐，無租。一、另案地八十七頃六十五畝三分一釐七毫，莊基地六十畝五分六釐二毫，莊窠一塊，房二十有一，井一，征銀一千三百五十五兩六錢二分二釐。又房八十七有半，井一，無租。一、三次贖典地十五頃二十四畝八分六釐，莊基地四分，征銀二百十七兩七錢五分。一、四次贖典地二百四十八頃六十八畝七分五毫，莊園基地一頃五十八畝七分五釐八毫，房一百六十二有半，碾、磨各一，征銀四千一百二十兩七錢七分八釐。又房三十有二，無租。一、奴典地一百二十六頃九十六畝七分八釐七毫，莊園基地二十五畝一分一釐八毫，又八塊，房五十有九，征銀一千九百九十二兩三錢八分五釐。又莊園基地二分九釐，又八塊，房八十有二，無租。一、公産地一百頃五十畝四分四釐三毫，莊窠、園基地六十畝四分三釐一毫，房十八，征銀一千三百八十兩五錢四分五釐。又莊窠二所，房六十，無租。已上無租而外，凡地六百六十八頃三十四畝三分八釐五毫五絲，莊窠、園基、墳地三頃十七畝三分一釐九毫，水坑地二十畝，房二百八十四有半，井二，額征銀九千八百六十兩九錢七分四釐九毫，存退另案，内解太常寺銀一百四十九兩三錢二分，其餘解内務府侍衛銀二百三十七兩四錢九釐，司庫銀九千四百七十四兩二錢五釐。

房山縣，旗租地凡六：一、存退地十八頃三十二畝七分六釐，房十有八，征銀一百六十一兩八錢八釐。一、另案地七十四頃五十五畝六分三釐四毫，園地八畝，坡地六十六畝，莊基地八畝六釐，場園一畝，房一千二百十八有半，丈明基地七十一畝四分八釐七毫，隨房地二十間有半，又地一塊，又地五分，征銀六百二十四兩一錢一分三釐。一、三次贖典地二頃八十畝八分二釐，征銀四十五兩五錢三分一釐。一、四次贖典地八十七頃九十七畝四分八釐八毫，莊窠、菜畦、場園地七十七畝一分九釐六毫，房六十有四，井一，征銀一千四百一十三兩二錢一分六釐。一、奴典地二十五頃五十四畝三分六釐，菜園地十畝，場園房基地一畝，房三，征銀四百一兩四分七釐。一、公産地六頃十五畝九分三釐二毫，莊窠六畝八分五釐三毫，征銀一百六兩三錢九分二釐。已上地凡二百十五頃三十六畝九分九釐四毫，莊窠、菜畦、場園、丈基等地一頃八十四畝九釐六毫，房一千三百有三，房基十間，基地一塊，額征銀二千七百五十五兩一錢七釐，内除民糧銀四十九兩一分三釐，得銀二千七百六兩九分四釐，解府轉解户部。

霸州，旗租地凡七：一、存退地十三頃九十二畝二分四釐二毫，房十有八，征銀二百五兩八錢七釐。一、另案地二十八頃八十一畝一分，莊窠基地一畝二分，房五十六有半，征銀三百五十五兩八錢一分二釐。一、屯莊地十頃九十四畝房基地五畝，房十有四，征銀一百十一兩六分八釐，租穀四十石四斗九升五合。一、三次贖典地七頃五十三畝八分六釐，柳墩八行，房三，征銀一百一十七兩八錢四分。一、四次贖典地二百六十二頃九十三畝四分七釐，莊窠、場園基地六十三畝三分，隨地場園一塊，莊窠基一塊，房一百一有半，征銀四千二百九十三兩五錢六分七釐。一、奴典地六十二頃九十畝八分，場園、莊基、井地一十三畝八分，莊窠一處，場園一塊，井一，房六十四，征銀一千三十六兩五錢八分七釐。一、公產地二十三頃四十九畝六分四釐，莊窠地九分有奇，房七十一有半，征銀三百三十一兩七錢六分七釐。已上地凡四百一十頃五十畝一分一釐二毫，莊窠場園房基井地八十九畝二分有奇，莊窠、場園各一，井一，柳墩八行，房三百二十八有半，額征銀六千四百五十二兩四錢四分八釐，穀四十石四斗九升五合，解部庫。

文安縣，旗租地凡六：一、存退地一百四十四頃七十六畝三分五釐七毫，房一百二十九，莊基地一畝七分，征銀九百一十四兩二分。一、另案地二百六頃五十五畝四分二釐六毫，房六十有七，征銀一千五百三十六兩五錢三分五釐。一、三次贖典地一十八頃二十八畝九分七釐，征銀二百二兩八錢九分一釐。一、四次贖典地一百一十三頃一十八畝二分，莊園地三畝七分，莊窠、場園九塊，房七十四，征銀一千三百一十六兩一錢七分九釐。一、奴典地六十三頃三十九畝七分，莊基、場園七塊，莊窠地二分五釐，房二十六，征銀六百九十兩九錢九分。一、公産地一百十一頃九十六畝五分三釐六毫，莊基地六十八畝一分四釐七毫，墳地十畝，場園、莊基五塊，房十八，征銀一千九十四兩五錢一分。已上地凡六百五十七頃十四畝六分八釐九毫，莊園墳基地八十三畝七分九釐七毫，莊窠、場園二十一塊，房三百一十四，額征銀五千七百五十五兩一錢二分五釐，解内務府銀五十二兩四錢四分八釐，司庫銀五千七百二兩六錢七分七釐。

大城縣，旗租地凡三：一、另案地一百一十二頃七十三畝，征銀四百四十六兩八錢五分。一、三次贖典地一十四畝，征銀一兩四錢一分一釐。一、公産地二十八畝，征銀二兩九錢三分七釐。已上地凡一百一十三頃十五畝，額征銀四百五十一兩一錢九分八釐，解部庫。

保定縣，旗租地凡五：一、存退地二頃二十四畝五分，房一百十有八，征銀十四兩一錢二分四釐。一、另案地二十二頃二分五釐，征銀二百六十七兩七錢五分五釐。一、四次贖典地二頃三十一畝，征銀十三兩三錢二分七釐。一、奴典地三頃三十畝，征銀十二兩八錢九分二釐。一、公産地四頃八十二畝，征銀八錢三分四釐。已上地凡四十四頃六十七畝七分五釐，房十有八，額征銀三百二十一兩九錢三分二釐，解内務府銀十二兩五錢四分，司庫銀三百九兩三錢九分二釐。

薊州，旗租地凡七：一、存退地五百一十八頃五十一畝五分八釐八毫，房基地二畝七分八釐，場基、房基等地十一塊，房四百十六有半，征銀四千二百七十四兩二錢二分六釐。又地二十三畝七分三釐，無租。一、另案地三百二十三頃二十畝一釐三絲六忽，場園、房基等地八十一畝三分八釐八毫，空基、場園四塊，果樹三百二十五，房一千六十六，井一，征銀三千五百三十八兩七錢三分五釐。又房佔地三十一畝三分四釐，房二百八十九有半，無租。一、莊頭地六十六頃九十七畝九分，征銀三百八十九兩一錢七分。一、三次贖典地二十四頃三畝五分八釐，莊窠、場園地七畝二分七釐，房四十八有半，征銀二百七十六兩七錢三分九釐。一、四次贖典地三百七十五頃五十一畝八釐九毫五絲，莊窠、場園、房基地三頃三十九畝二分六釐，墳地七畝九分八釐，房九百二十六有半，樹二百有二，征銀四千八百六兩九錢三分。一、奴典地一百八十二頃八十三畝七釐一毫，場園、坑房基地一頃五十八畝八分一釐，墳地一畝四分一釐，房六百五十九有半，征銀二千四百三十兩五錢三釐。一、公産地一百二十六頃四十三畝五分五釐七毫五絲，墳地二十一畝八分，場園、房基地二十三畝一分三釐五毫，房一百一十二有半，征銀一千二百七十九兩二分五釐。已上無租而外，凡地一千六百一十七頃五十畝七分九釐六毫三絲六忽，場園、莊窠、房基、坑、墳地六頃四十三畝三釐三毫，房三千二百四十九有半，房基、場園七塊，房佔地五十五畝有七釐，樹五百二十七，井一，額征銀一萬六千九百九十五兩三錢二分八釐，内除民糧一十九兩七錢八分六釐，征銀一萬六千九百七十五兩五錢四分二釐，解内務府銀五十兩九錢七分五釐，司庫銀一萬六千九百二十四兩五錢六分七釐。

平谷縣，旗租地凡五：一、存退地二十一頃九十九畝七釐，征銀二百一兩六錢七分二釐。一、另案地一頃二十四畝八分，房園地二畝九分，房一十四，征銀一十五兩二錢八分五釐。一、四次贖典地二十一頃八十六畝，莊窠四處，場園三塊，房二十五有半，征銀三百二十二兩五錢四釐。一、奴典地六十九頃六十四畝一分，莊窠、場園二十有二，房基、場園地十二畝五分，房棚一百六十六，征銀一千一百五兩三錢九分六釐。一、公産地二十四頃四十七畝四分八釐，房三十三，基地一畝，征銀二百二十八兩三錢四分三釐。已上地凡一百三十六頃二十六畝八釐，莊窠等地二十六畝四分，場園等地二十有九處，房棚二百三十八有半，額征銀一千八百七十三兩二錢，内除民糧三錢九分一釐，得銀一千八百七十二兩八錢九釐，解部庫。

督察者四路同知，東路轄通、三河、武清、香河、寶坻、甯河、薊，州縣凡七，而漷邑州判所管旗租地坿之。西路轄大興、宛平、良鄉、房山、涿，州縣凡五。南路轄霸、保定、文安、大城、固安、永清、東安，州縣凡七。北路轄昌平、順義、懷柔、密雲、平谷，州縣凡五。以霸昌、通永二道爲兼管，而順天府則有督催責焉。綜而計之，凡額征二十四州縣旗租銀一十三萬九千一百七十一兩一分四釐五毫，内除民糧銀一百七十二兩五錢八分七釐，計銀一十三萬八千九百九十八兩四錢二分八釐，解圓明園太常寺等處銀六百八十九兩五錢九分八釐，由布政司轉解内務府户部等處銀一千三百七十九兩六錢七分一釐，解司庫銀一十三萬六千九百二十九兩一錢五分九釐，穀六百六石二勺，此爲光緒八年數，閏無增。

八項外，又有泰陵廣恩庫地租，其在府屬州縣凡十有二：固安縣地二頃六十四畝，（每畝銀八分。）征銀二十一兩一錢二分。永清縣地三頃三十畝，（每畝銀有差，下同。）征銀六十三兩二錢五分。東安縣地一頃十二畝，征銀十六兩六錢。香河縣地四頃七十八畝九分，基地九畝七分八釐四毫四絲，征銀六十二兩六分。又房二十八，無租。通州地三頃六十九畝九分，征銀四十七兩三錢四分。漷邑州判管地五頃，征銀四十五兩。三河縣地二十二頃八十畝二分六釐六毫，房八十有六，征銀二百九十三兩九錢一分一釐。武清縣地六十五畝，征銀一兩九錢五分。甯河縣地三頃六分一釐二毫，征銀三十六兩七分三釐五毫，內除正耗地糧銀一十五兩六錢三分，計銀二十兩四錢四分三釐五毫，遇閏則除正耗地糧銀一十七兩二錢八分，計銀一十八兩七錢九分三釐五毫。又草房一百，無租。順義縣地四頃一十畝三釐，房六，征銀三十五兩二釐。涿州地九十畝，征銀九兩四錢一分六釐。房山縣地九十二畝五分，基地十四畝，征銀二十七兩七錢七分六釐。保定縣地六頃三十八畝六分五釐，征銀一百兩有一分。已上各州縣，惟保定解由府尹轉解户部，餘俱解布政司庫。東路同知專管通、三河、武清、香河、甯河五州縣，而漷邑州判坿之。西路同知專管涿、房山二州縣。南路同知專管固安、永清、東安、保定四縣。北路同知專管順義縣。而霸昌道則兼管西、南、北三同知之旗租地焉。總計順天府屬固安等十二州縣廣恩庫地，凡五十九頃三十九畝八分五釐八毫，基地二十三畝七分八釐四毫四絲，房八十四，額征銀七百五十九兩五錢八釐五毫，內除甯河縣正耗銀十五兩六錢二分，入地糧册，計征銀七百四十三兩八錢七分八釐五毫，此光緒八年數也，閏則除甯河縣正耗銀十七兩二錢八分而外，應征銀七百四十二兩二錢二分八釐五毫，此光緒七年之數，凡閏視此。

又有鑾儀衛地租：固安縣地十二頃五十五畝，歲征租銀一百五十兩，京錢二百十五千一百文，解布政司庫。陳志。通州地三頃九十八畝一分，鑾儀衛咨收正藍滿州貝子弘隆出賣崔家樓等處地一頃八十三畝五分，征銀六十兩八錢一分，又收滿洲觀惠出典永樂店等地三十四畝六分，征銀十七兩四錢五分，又咨收恆安出典東堡地一頃八畝，征銀二十七兩九錢。征銀一百六兩一錢六分。采訪冊。武清縣地□□□，歲征銀五十九兩八錢八分。檔冊。寶坻縣地十八頃八分五釐，地五頃二十七畝，每畝租銀八分至一錢六分不等，額征銀七十兩八錢四分。又地十二頃七十三畝八分五釐，每畝租京錢一百三十文至六百五十文不等，額征京錢四百五千二百三十四文。自乾隆四十五年始歲征銀七十兩八錢四分，京錢四百五千二百三十四文。縣文。密雲縣地□□□，頃歲征銀一百七十二兩二錢一釐。丁志。霸州地四十一畝，歲征錢十九千三百五十文，解布政司庫。此乾隆五十二年入官旗地。周志。

又有兵部馬館地租：固安縣地六頃六十七畝，歲征銀一百三兩七錢，解布政司庫。陳志。通州地二十三頃六十九畝，房基地四畝一分，房園地二畝五分，房六十四，歲征銀二百八十八兩三錢七分。檔冊。武清縣地□□□，歲征銀四十三兩四錢。印冊。寶坻縣地十頃八十八畝一分八釐，房八間，每畝每間銀一錢至二錢五分不等。歲征銀一百九十兩九錢八分一釐，自乾隆六十年及嘉慶元年始。采訪冊。密雲縣地□□□，歲征銀一百二十兩四錢三分。丁志。霸州地一頃，每畝征銀一錢二分。歲征銀一十二兩，此嘉慶元年入官地。周志。

又有步軍統領衙門西河地租：其在府屬州縣凡十有三，大興縣銀十四兩，固安縣銀一百八十一兩五錢五分五釐，永清縣銀二十六兩一錢九分八釐，東安縣銀五十兩，香河縣銀一百三兩四錢七分一釐，通州銀三十七兩六錢一分，武清縣銀三十二兩，寶坻縣銀五十五兩二分二釐，順義縣銀十六兩五錢，密雲縣銀三十六兩，涿州銀六兩八錢一分七釐，薊州銀三百八十四兩四錢四釐，平谷縣銀十一兩。又房租在府屬凡三：武清縣銀七十五兩九錢七分七釐五毫，順義縣銀五十七兩七錢五分，密雲縣銀六十兩。又僧人入官地租，涿州銀二十六兩二錢四分六釐。步軍統領衙門咨文。按：固安陳志云，西河歲修地八頃一十三畝，年征京錢三百六十三千一百十文。又有雍和宮香燈地租：固安縣地八頃三畝，歲征銀一百六十四兩七錢五分。陳志。武清縣地□□□，歲征銀六錢。甲冊。寶坻縣地二十一頃二十畝五分七釐九毫，每畝銀一錢五分至二錢八分不等。歲征銀四百四十七兩二分八釐，房六十間，每間銀二錢至二錢二分七釐不等。歲征銀十二兩四錢三分六釐，自乾隆十六年及四十七年始。采訪冊。霸州地八頃七十三畝，房基地一分六釐一毫三絲，房十七，麥四，應征銀七十三兩二分二釐四毫，秋六，應征銀一百九兩五錢三分三釐六毫。歲征銀一百八十二兩五錢五分六釐。周志。皆解内務府。

又有陞科黑地租，自咸豐三年，户部奏准旗民交産始。户部奏畧：例載典賣旗地，業主、售主，照違制律治罪等語，如果恪遵功令，原可無庸變通，無如趨避更巧，有曰指地借錢者，有曰支使長租者，顯避典賣之名，陰行典賣之實，除王公莊田外，未典賣者鮮矣，授胥役訛詐之柄，而富豪與胥役勾通霸占，莫如變通旗民交産舊例。諭：嗣後順天等處旗地，無論老圈、自置，京旗屯居，及何項民人，俱准互相買賣，照例税契陞科。户部議奏章程十六條：一、私買旗地，歷年花利免追。一、旗宜劃除民地。一、陞科、寬予限期。一、典當改立賣，律例載典，賣在三十年外，並無絶賣字樣，但未註回贖者，以絶産論。今旗贖限期以二十年爲斷，凡民典旗地立契在道光十三年前，雖註回贖字樣，亦不准回贖，即令民投税陞科在十三年後者，准贖，若無力，許憑找貼一次，立絶賣契紙，若不願找貼，聽其別賣還償。一、旗地改歸買主，從前旗民交産，禁嚴故絶賣字，半係民人賄囑旗人頂名，今准於三箇月限内，在縣繳出字據，改歸本人補税民契。一、屯居宜分別辦理，八旗不能外出，是以地畝令其招佃取租，至屯居旗人，以種田爲業，難保無私買私賣，詭寄旗人名下之弊，應照章准其改歸本主，自咸豐三年正月起，屯居旗人，契買旗産，照民人例，在縣納税陞科。從前本有地，不在此例，仍令直隸總督、順天府尹飭將境内屯居旗人舊地造册報部。一、補納税科銀，每年解部一次。一、新陞科地宜定額，例載無糧租之黑地，夾空地，每畝議租八分，此項地錯處民田，應比照四圍民田賦額，酌中定擬，如四面民田不同，卽將每畝賦額合計均分，取四分之一。如一面每畝二分，一面每畝三分，一面每畝四分，一面每畝五分，合計一錢四分，四股均分，每股三分五釐，卽可定爲新陞科，餘類推。如一面濱河，或山林，或廬舍，卽將三面民田賦額合計均分，酌取三分之一。如止二面民田，酌取二分之一。如止一面民田，卽照賦額。如四面無納賦民田，照前交旗人租減十之五。如較本縣下則尚輕，照下則征收交錢，以紋銀一兩抵制錢一串八百文。一、新賣旗地，親赴户部俸餉處呈明，司員三日呈堂，咨取佐領圖結，到部三日後，内發給旗人，轉給買地民人，赴縣呈繳。奉旨：後由部知照直隸總督、順天府尹，轉飭藩司，令州縣征收税科，令民呈繳圖結，換給契尾。一、奏銷考成從嚴。查地丁錢糧，經征、催征、督征各官，均按十分計算，此項旗産奏銷，自咸豐四年起，每年四月起，題銷到部分數，考成期限，照直隸省地丁例。一、定期解部。自咸豐四年起，於每年六月，由藩司委員解交部庫。一、隨地莊園，准其並售。一、旗産歸旗。如係已陞科之旗地，應令旗人在翼税契，在縣過割名糧，如現任官員及兵丁，准其呈請，以所得俸餉銀，就近如數扣抵部庫。一、州縣賢否，分别勸懲。請旨飭下直隸總督、順天府尹，飭屬欽遵，奏定章程辦理，如奉行不善，卽將該州縣參革，該管官議處；如有清出旗地在百頃以上，並未擾累，准保奏優敍。固安縣地十六頃一十四畝三分五釐，歲征銀一百一十二兩七錢七分八釐，解布政司庫。陳志。永清縣地咸豐十一等年民葉存之等買旗地。九百四十九頃六十八畝六分九釐八毫，莊窠、場園、坑、基地十頃七十八畝四分三毫，又地二十五塊，房棚三百二十間，歲征銀二千九兩六錢三分六釐四毫，每兩加耗銀一錢，征耗銀二百兩九錢六分三釐六毫。寶坻縣地二百七頃四十五畝七釐，每畝銀一分至三分二釐不等。歲征銀三百五十九兩八錢六分五釐五毫五絲，皆同治年陞科。采訪册。密雲縣地□□□□，歲征銀二十五兩一錢二釐。丁志。薊州地三百一十七頃九十三畝五分九釐，歲征銀六百兩七錢八分五釐四毫七絲二忽一纖二沙五塵。采訪册。

又有儲備軍餉地租，密雲縣地□□□□，歲征銀十兩三錢四分五釐。丁志。

又有海防地租，寶坻縣地十四頃二十三畝二分，每畝銀五分至八分不等。歲征銀七十八兩三分三釐，自道光二十六七等年始。采訪冊。

又有博通地租，密雲縣地□□□□，歲征銀九十六兩。丁志。

又有普濟堂入官地租，霸州地三頃，歲征銀五十兩，解府發堂，普濟窮黎。周志。

又有幫通州旗丁贍運屯地租，香河縣地四頃四十七畝五分，每畝銀有差。歲征銀二十五兩八錢九分八釐，例不征耗。舊解通永道庫，同治九年，改解府尹轉解户部。采訪冊。

旗租校勘記

大興縣除無租外，凡地二百八十六頃九十四畝二釐四絲二忽，葦園房基地四十四畝六分八釐，房一百八十二，均與原數不符。又窑三應歸入何項征銀，上文漏敍。

宛平縣除無租外，共房二百三十九，額征共銀二千一百十七兩四錢一分五釐，内除民糧銀八兩二分九釐，均與原數不符。

良鄉縣莊窠等地共一頃三十六畝九分五釐三毫，莊園基坑共四十一，房共一百六十九有半，均與原數不符。

固安縣除無租外，莊園共十四，房共三百有五，均與原數不符。

永清縣除無租外，凡地七百四十二頃七十三畝七分九釐七毫五絲，莊窠、園場、墳地六頃四十三畝七分二釐四毫，井三，房棚一千五十八，均與原數不符。又基地場過道一百四十，誤作莊窠一塊，過道一百四十。

東安縣除無租外，凡地八百二十頃三十九畝二分二釐六毫，場園房基地二頃四十畝六分二釐五毫，莊窠五塊，房六百九十二有半，井三，均與原數不符。

香河縣房基、場園地共一頃五十九畝七分九釐七毫，房共四百八十一，額征共銀四千五百五十三兩五釐，均與原數不符。又房身地一塊，總結内漏敍。

通州除無租外，凡地七百三十七頃八十畝二分九釐一毫，房基地三十畝七分三釐四毫，額征共銀五千九百六十四兩九錢三分三釐，均與原數不符。又房身地七分四釐，誤作四塊。

三河縣除無租外，凡地一千五十九頃二十一畝一分三釐一毫，莊窠、房基等地一百四十一塊半，房五百四十四有半，均與原數不符。又房基六十八有半，應是房基一百八十八有半。又墳地五分，總結内漏敍。

武清縣除無租外，凡地一千四百三十七頃四十六畝七分七釐六毫，房二百九十九有半，房身等地十二頃五十九畝二分七釐九毫，房基五百四十八塊半，均與原數不符。

寶坻縣凡地一千三百八十二頃七十五畝六釐二毫九絲，莊窠、房基、場園、葦地七頃九十一畝二分九釐三毫，房二千八百二十七有半，額征内減去民糧、黑豆銀，核得一萬五千二百十兩二釐，閏年核得一萬五千二百九兩八錢八分，均與原數不符。

昌平州除無租外，凡地三百六十八頃五十九畝九分四釐一毫，莊窠、房基、菜畦場地九十一畝二分五釐，房一百一十五，均與原數不符。

順義縣莊園、房基等地八十一塊，房棚七百九十，今核得莊園、房基等地五十二七百九十五，與原數不符。又總結内漏敍井一。

密雲縣凡地二百三十頃七十九畝四分八釐七毫，與原數不符。

懷柔縣除無租外，凡地一百七十六頃三畝一釐一毫，額征共銀一千八百四十九兩四錢九釐，均與原數不符。

涿州除無租外，凡地六百六十八頃三十四畝三分八釐七毫五絲，房二百九十一有半，井一，額征共銀九千八百六十兩九錢六分九釐，解司庫九千四百七十四兩二錢四分，均與原數不符。又莊窠園基地十一塊，碾磨各一，總結内漏敍。

房山縣莊窠、菜畦、場園丈基共地二頃五十畝九釐六毫，房一千三百三有半，房基二十間有半，額征共銀二千七百五十二兩一錢七釐，解府二千七百三兩九分四釐，均與原數不符。又總結内漏敍井一。

霸州凡地四百十頃五十五畝一分一釐二毫，莊窠、場園、房基、井地八十四畝二分有奇，莊窠、場園各二，均與原數不符。

文安縣凡地六百五十八頃十五畝一分八釐九毫，與原數不符。

保定縣凡地三十四頃六十七畝七分五釐，房一百十八，額征共銀三百八兩九錢三分二釐，解司庫二百九十六兩三錢九分二釐，均與原數不符。
薊州場園、莊窠、房基、坑墳共地六頃四十三畝八分三釐三毫，房共三千二百二十九有半，房基、場園共十五塊，均與原數不符。又總結内，房佔地無租，應刪。
平谷縣凡地一百三十九頃二十一畝四分五釐，莊窠等地十六畝四分，均與原數不符。
順天府屬廣恩庫地凡五十九頃三十一畝八分五釐八毫，房共九十二，額征内除甯河縣正耗銀十五兩六錢三分，均與原數不符。
鑾儀衛地通州共三頃九十八畝一分，其細數核得三頃二十六畝一分，與總數不符。

昆明林紹清重校